अष्टावक्र महागीता भाग 1
मुक्ति की आकांक्षा

ओशो द्वारा अष्टावक्र-संहिता के 298 सूत्रों में से
1 से 34 सूत्रों पर प्रश्नोत्तर सहित दिए गए
एक से दस प्रवचनों का संकलन

फ्यूजन बुक्स

ISBN : 81-89605-77-1

प्रकाशक

फ्यूजन बुक्स

X-30, ओखला इंडस्ट्रीयल एरिया, फेज–II

नई दिल्ली-110020

फोन : 011-41611861, 011-40712100

फैक्स : 011-41611866

ई-मेल : sales@dpb.in

वेबसाइट : www.diamondbook.in

संस्करण : 2011

मुद्रक : जी.एस. इंटरप्राइजिज

अनुक्रम

सत्य का शुद्धतम वक्तव्य

जनक उवाच।

कथं ज्ञानमवाप्नोति कथं मुक्तिर्भविष्यति।

वैराग्यं च कथं प्राप्तमेतद् ब्रूहि मम प्रभो।।1।।

अष्टावक्र उवाच।

मुक्तिमिच्छसि चेत्तात विषयान् विषवत्त्यज।

क्षमार्जवदयातोषसत्यं पीयूषवद् भज।।2।।

न पृथ्वी न जलं नाग्निर्न वायुद्यौर्न वा भवान्।

एषां साक्षिणमात्मानं चिद्रूपं विद्धि मुक्तये।।3।।

यदि देहं पृथक्कृत्य चिति विश्राम्य तिष्ठसि।

अधुनैव सुखी शांतः बंधमुक्तो भविष्यसि।।4।।

न त्वं विप्रादिको वर्णो नाश्रमी नाक्षगोचरः।

असंगोऽसि निराकारो विश्वसाक्षी सुखी भव।।5।।

धर्माधर्मौ सुखं दुःखं मानसानि न तो विभो।

न कर्तासि न भोक्तासि मुक्त एवासि सर्वदा।।6।।

एक अनूठी यात्रा पर हम निकलते हैं।

मनुष्य-जाति के पास बहुत शास्त्र हैं, पर अष्टावक्र-गीता जैसा शास्त्र नहीं। वेद फीके हैं। उपनिषद बहुत धीमी आवाज में बोलते हैं। गीता में भी ऐसा गौरव नहीं; जैसा अष्टावक्र की संहिता में है। कुछ बात ही अनूठी है!

सबसे बड़ी बात तो यह है कि न समाज, न राजनीति, न जीवन की किसी

और व्यवस्था का कोई प्रभाव अष्टावक्र के वचनों पर है। इतना शुद्ध भावातीत वक्तव्य, समय और काल से अतीत, दूसरा नहीं है। शायद इसीलिए अष्टावक्र की गीता, अष्टावक्र की संहिता का बहुत प्रभाव नहीं पड़ा।

कृष्ण की गीता का बहुत प्रभाव पड़ा। पहला कारण : कृष्ण की गीता समन्वय है। सत्य की उतनी चिंता नहीं है जितनी समन्वय की चिंता है। समन्वय का आग्रह इतना गहरा है कि अगर सत्य थोड़ा खो भी जाए तो कृष्ण राजी हैं।

कृष्ण की गीता खिचड़ी जैसी है; इसलिए सभी को भाती है, क्योंकि सभी का कुछ न कुछ उसमें मौजूद है। ऐसा कोई संप्रदाय खोजना मुश्किल है जो गीता में अपनी वाणी न खोज ले। ऐसा कोई व्यक्ति खोजना मुश्किल है जो गीता में अपने लिए कोई सहारा न खोज ले। इन सबके लिए अष्टावक्र की गीता बड़ी कठिन होगी।

अष्टावक्र समन्वयवादी नहीं हैं—सत्यवादी हैं। सत्य जैसा है वैसा कहा है—बिना किसी लाग-लपेट के। सुनने वाले की चिंता नहीं है। सुनने वाला समझेगा, नहीं समझेगा, इसकी भी चिंता नहीं है। सत्य का ऐसा शुद्धतम वक्तव्य न पहले कहीं हुआ, न फिर बाद में कभी हो सका।

कृष्ण की गीता लोगों को प्रिय है, क्योंकि अपना अर्थ निकाल लेना बहुत सुगम है। कृष्ण की गीता काव्यात्मक है : दो और दो पांच भी हो सकते हैं, दो और दो तीन भी हो सकते हैं। अष्टावक्र के साथ कोई खेल संभव नहीं। वहां दो और दो चार ही होते हैं।

अष्टावक्र का वक्तव्य शुद्ध गणित का वक्तव्य है। वहां काव्य को जरा भी जगह नहीं है। वहां कविता के लिए जरा सी भी छूट नहीं है। जैसा है वैसा कहा है। किसी तरह का समझौता नहीं है।

कृष्ण की गीता पढ़ो तो भक्त अपना अर्थ निकाल लेता है, क्योंकि कृष्ण ने भक्ति की भी बात की है; कर्मयोगी अपना अर्थ निकाल लेता है, क्योंकि कृष्ण ने कर्मयोग की भी बात की है; ज्ञानी अपना अर्थ निकाल लेता है, क्योंकि कृष्ण ने ज्ञान की भी बात की है। कृष्ण कहीं भक्ति को सर्वश्रेष्ठ कहते हैं, कहीं ज्ञान को सर्वश्रेष्ठ कहते हैं, कहीं कर्म को सर्वश्रेष्ठ कहते हैं।

कृष्ण का वक्तव्य बहुत राजनैतिक है। वे राजनेता थे—कुशल राजनेता थे! सिर्फ राजनेता थे, इतना ही कहना उचित नहीं—कुटिल राजनीतिज्ञ थे, डिप्लोमैट थे। उनके वक्तव्य में बहुत सी बातों का ध्यान रखा गया है। इसलिए सभी को गीता भा जाती है। इसलिए तो गीता पर हजारों टीकाएं हैं; अष्टावक्र पर कोई चिंता नहीं करता। क्योंकि अष्टावक्र के साथ राजी होना हो तो

तुम्हें अपने को छोड़ना पड़ेगा। बेशर्त! तुम अपने को न ले जा सकोगे। तुम पीछे रहोगे तो ही जा सकोगे। कृष्ण के साथ तुम अपने को ले जा सकते हो। कृष्ण के साथ तुम्हें बदलने की कोई भी जरूरत नहीं है। कृष्ण के साथ तुम मौजूं पड़ सकते हो।

इसलिए सभी सांप्रदायिकों ने कृष्ण की गीता पर टीकाएं लिखीं—शंकर ने, रामानुज ने, निम्बार्क ने, वल्लभ ने, सबने। सबने अपने अर्थ निकाल लिए। कृष्ण ने कुछ ऐसी बात कही है जो बहु-अर्थी है। इसलिए मैं कहता हूं, काव्यात्मक है। कविता में से मनचाहे अर्थ निकल सकते हैं।

कृष्ण का वक्तव्य ऐसा है जैसे वर्षा में बादल घिरते हैं: जो चाहो देख लो। कोई देखता है हाथी की सूंड; कोई चाहे गणेश जी को देख ले। किसी को कुछ भी नहीं दिखाई पड़ता—वह कहता है, कहां की फिजूल बातें कर रहे हो? बादल हैं! धुआं—इसमें कैसी आकृतियां देख रहे हो?

पश्चिम में वैज्ञानिक मन के परीक्षण के लिए स्याही के धब्बे ब्लाटिंग पेपर पर डाल देते हैं और व्यक्ति को कहते हैं, देखो, इसमें क्या दिखाई पड़ता है? व्यक्ति गौर से देखता है; उसे कुछ न कुछ दिखाई पड़ता है। वहां कुछ भी नहीं है, सिर्फ ब्लाटिंग पेपर पर स्याही के धब्बे हैं—बेतरतीब फेंके गए, सोच-विचार कर भी फेंके नहीं गए हैं, ऐसे ही बोतल उंडेल दी है। लेकिन देखने वाला कुछ न कुछ खोज लेता है। जो देखने वाला खोजता है वह उसके मन में है; वह आरोपित कर लेता है।

तुमने भी देखा होगा: दीवाल पर वर्षा का पानी पड़ता है, लकीरें खिंच जाती हैं। कभी आदमी की शक्ल दिखाई पड़ती है, कभी घोड़े की शक्ल दिखाई पड़ती है। तुम जो देखना चाहते हो, आरोपित कर लेते हो।

रात के अंधेरे में कपड़ा टंगा है—भूत-प्रेत दिखाई पड़ जाते हैं।

कृष्ण की गीता ऐसी ही है—जो तुम्हारे मन में है, दिखाई पड़ जाएगा। तो शंकर ज्ञान देख लेते हैं, रामानुज भक्ति देख लेते हैं, तिलक कर्म देख लेते हैं—और सब अपने घर प्रसन्नचित्त लौट आते हैं कि ठीक, कृष्ण वही कहते हैं जो हमारी मान्यता है।

इमर्सन ने लिखा है कि एक बार एक पड़ोसी प्लेटो की किताबें उनसे मांग कर ले गया। अब प्लेटो दो हजार साल पहले हुआ—और दुनिया के थोड़े से अनूठे विचारकों में से एक। कुछ दिनों बाद इमर्सन ने कहा, किताबें पढ़ ली हों तो वापस कर दें। वह पड़ोसी लौटा गया। इमर्सन ने पूछा, कैसी लगीं? उस आदमी ने कहा कि ठीक। इस आदमी, प्लेटो के विचार मुझसे मिलते-जुलते हैं। कई दफे

तो मुझे ऐसा लगा कि इस आदमी को मेरे विचारों का पता कैसे चल गया! प्लेटो दो हजार साल पहले हुआ है; इसको शक हो रहा है कि इसने कहीं मेरे विचार तो नहीं चुरा लिए!

कृष्ण में ऐसा शक बहुत बार होता है। इसलिए कृष्ण पर, सदियां बीत गईं, टीकाएं चलती जाती हैं। हर सदी अपना अर्थ खोज लेती है; हर व्यक्ति अपना अर्थ खोज लेता है। कृष्ण की गीता स्याही के धब्बों जैसी है। एक कुशल राजनीतिज्ञ का वक्तव्य है।

अष्टावक्र की गीता में तुम कोई अर्थ न खोज पाओगे। तुम अपने को छोड़ कर चलोगे तो ही अष्टावक्र की गीता स्पष्ट होगी।

अष्टावक्र का सुस्पष्ट संदेश है। उसमें जरा भी तुम अपनी व्याख्या न डाल सकोगे। इसलिए लोगों ने टीकाएं नहीं लिखीं। टीका लिखने की जगह नहीं है; तोड़ने-मरोड़ने का उपाय नहीं है; तुम्हारे मन के लिए सुविधा नहीं है कि तुम कुछ डाल दो। अष्टावक्र ने इस तरह से वक्तव्य दिया है कि सदियां बीत गईं, उस वक्तव्य में कोई कुछ जोड़ नहीं पाया, घटा नहीं पाया। बहुत कठिन है ऐसा वक्तव्य देना। शब्द के साथ ऐसी कुशलता बड़ी कठिन है।

इसलिए मैं कहता हूं, एक अनूठी यात्रा तुम शुरू कर रहे हो।

अष्टावक्र में राजनीतिज्ञों की कोई उत्सुकता नहीं है—न तिलक की, न अरविंद की, न गांधी की, न विनोबा की, किसी की कोई उत्सुकता नहीं है। क्योंकि तुम अपना खेल न खेल पाओगे। तिलक को उकसाना है देश-भक्ति, उठाना है कर्म का ज्वार—कृष्ण की गीता सहयोगी बन जाती है।

कृष्ण हर किसी को कंधा देने को तैयार हैं। कोई भी चला लो गोली उनके कंधे पर रख कर, वे राजी हैं। कंधा उनका, पीछे छिपने की तुम्हें सुविधा है, और उनके पीछे से गोली चलाओ तो गोली भी बहुमूल्य मालूम पड़ती है।

अष्टावक्र किसी को कंधे पर हाथ भी नहीं रखने देते। इसलिए गांधी की कोई उत्सुकता नहीं है; तिलक की कोई उत्सुकता नहीं है; अरविंद, विनोबा को कुछ लेना-देना नहीं है। क्योंकि तुम कुछ थोप न सकोगे। राजनीति की सुविधा नहीं है। अष्टावक्र राजनीतिक पुरुष नहीं हैं।

यह पहली बात खयाल में रख लेनी जरूरी है। ऐसा सुस्पष्ट, खुले आकाश जैसा वक्तव्य, जिसमें बादल हैं ही नहीं, तुम कोई आकृति देख न पाओगे। आकृति छोड़ोगे सब, बनोगे निराकार, अरूप के साथ जोड़ोगे संबंध तो अष्टावक्र समझ में आएंगे। अष्टावक्र को समझना चाहो तो ध्यान की गहराई में उतरना होगा, कोई व्याख्या से काम होने वाला नहीं है।

और ध्यान के लिए भी अष्टावक्र नहीं कहते कि तुम बैठ कर राम-राम जपो। अष्टावक्र कहते हैं : तुम कुछ भी करो, वह ध्यान न होगा। कर्ता जहां है वहां ध्यान कैसा? जब तक करना है तब तक भ्रांति है। जब तक करने वाला मौजूद है तब तक अहंकार मौजूद है।

अष्टावक्र कहते हैं : साक्षी हो जाना है ध्यान—जहां कर्ता छूट जाता है, तुम सिर्फ देखने वाले रह जाते हो, द्रष्टा-मात्र! द्रष्टा-मात्र हो जाने में ही दर्शन है। द्रष्टा-मात्र हो जाने में ही ध्यान है। द्रष्टा-मात्र हो जाने में ही ज्ञान है।

इसके पहले कि हम सूत्र में उतरें, अष्टावक्र के संबंध में कुछ बातें समझ लेनी जरूरी हैं। ज्यादा पता नहीं है, क्योंकि न तो वे सामाजिक पुरुष थे, न राजनीतिक, तो इतिहास में कोई उल्लेख नहीं है। बस थोड़ी सी घटनाएं ज्ञात हैं—वे भी बड़ी अजीब, भरोसा करने योग्य नहीं; लेकिन समझोगे तो बड़े गहरे अर्थ खुलेंगे।

पहली घटना—अष्टावक्र पैदा हुए उसके पहले की; पीछे का तो कुछ पता नहीं है—गर्भ की घटना। पिता—बड़े पंडित। अष्टावक्र—मां के गर्भ में। पिता रोज वेद का पाठ करते हैं और अष्टावक्र गर्भ में सुनते हैं। एक दिन अचानक गर्भ से आवाज आती है कि रुको भी! यह सब बकवास है। ज्ञान इसमें कुछ भी नहीं—बस शब्दों का संग्रह है। शास्त्र में ज्ञान कहां? ज्ञान स्वयं में है। शब्द में सत्य कहां? सत्य स्वयं में है।

पिता स्वभावतः नाराज हुए। एक तो पिता, फिर पंडित! और गर्भ में छिपा हुआ बेटा इस तरह की बात कहे! अभी पैदा भी नहीं हुआ। क्रोध में आ गए, आगबबूला हो गए। पिता का अहंकार चोट खा गया। फिर पंडित का अहंकार! बड़े पंडित थे, बड़े विवादी थे, शास्त्रार्थी थे। क्रोध में अभिशाप दे दिया कि जब पैदा होगा तो आठ अंगों से टेढ़ा होगा। इसलिए नाम—अष्टावक्र। आठ जगह से कुबड़े पैदा हुए। आठ जगह से ऊंट की भांति, इरछे-तिरछे! पिता ने क्रोध में शरीर को विक्षत कर दिया।

ऐसी और भी कथाएं हैं।

कहते हैं, बुद्ध जब पैदा हुए तो खड़े-खड़े पैदा हुए। मां खड़ी थी वृक्ष के तले। खड़े-खड़े...मां खड़ी थी...खड़े-खड़े पैदा हुए। जमीन पर गिरे नहीं कि चले, सात कदम चले। आठवें कदम पर रुक कर चार आर्य-सत्यों की घोषणा की, कि जीवन दुख है—अभी सात कदम ही चले हैं पृथ्वी पर—कि जीवन दुख है; कि दुख से मुक्त होने की संभावना है; कि दुख-मुक्ति का उपाय है; कि दुख-मुक्ति की अवस्था है, निर्वाण की अवस्था है।

लाओत्सु के संबंध में कथा है कि लाओत्सु बूढ़े पैदा हुए, अस्सी वर्ष के पैदा हुए; अस्सी वर्ष तक गर्भ में ही रहे। कुछ करने की चाह ही न थी तो गर्भ से निकलने की चाह भी न हुई। कोई वासना ही न थी तो संसार में आने की भी वासना न हुई। जब पैदा हुए तो सफेद बाल थे; अस्सी वर्ष के बूढ़े थे।

जरथुस्त्र के संबंध में कथा है कि जब जरथुस्त्र पैदा हुए तो पैदा होते से ही खिलखिला कर हंसे।

मगर इन सबको मात कर दिया अष्टावक्र ने। ये तो पैदा होने के बाद की बातें हैं। अष्टावक्र ने अपना पूरा वक्तव्य दे दिया पैदा होने के पहले।

ये कथाएं महत्वपूर्ण हैं। इन कथाओं में इन व्यक्तियों के जीवन की सारी सार-संपदा है, निचोड़ है। बुद्ध ने जो जीवन भर में कहा उसका निचोड़...बुद्ध ने आष्टांगिक मार्ग का उपदेश दिया...तो सात कदम चले, आठवें पर रुक गए। आठ अंग हैं कुल। पहुंचने की अंतिम अवस्था है सम्यक समाधि। उस समाधि की अवस्था में ही पता चलता है जीवन के पूरे सत्य का। उन चार आर्य-सत्यों की घोषणा कर दी।

लाओत्सु बूढ़ा पैदा हुआ। लोगों को अस्सी साल लगते हैं, तब भी ऐसी समझ नहीं आ पाती। बूढ़े होकर भी लोग बुद्धिमान कहां हो पाते हैं! बूढ़ा होना और बुद्धिमान होना पर्यायवाची तो नहीं। बाल तो धूप में भी पकाए जा सकते हैं।

लाओत्सु की कथा इतना ही कहती है कि अगर जीवन में त्वरा हो, तीव्रता हो तो जो अस्सी साल में घटता है वह एक क्षण में घट सकता है। प्रज्ञा की तीव्रता हो तो एक क्षण में घट सकता है। बुद्धि मलिन हो तो अस्सी साल में भी कहां घटता है!

जरथुस्त्र जन्म के साथ ही हंसे। जरथुस्त्र का धर्म अकेला धर्म है दुनिया में जिसको 'हंसता हुआ धर्म' कह सकते हैं। अतिपार्थिव, पृथ्वी का धर्म है! इसलिए तो पारसी दूसरे धार्मिकों को धार्मिक नहीं मालूम होते। नाचते-गाते, प्रसन्न! जरथुस्त्र का धर्म हंसता हुआ धर्म है; जीवन के स्वीकार का धर्म है; निषेध नहीं है, त्याग नहीं है। तुमने कोई पारसी साधु देखा—नंग-धड़ंग खड़ा हो जाए, छोड़ दे, धूप में खड़ा हो जाए, धूनी रमा कर बैठ जाए? नहीं, पारसी-धर्म में जीवन को सताने, कष्ट देने की कोई व्यवस्था नहीं। जरथुस्त्र का सारा संदेश यही है कि जब हंसते हुए परमात्मा को पाया जा सकता है तो रोते हुए क्यों पाना? जब नाचते हुए पहुंच सकते हैं उस मंदिर तक तो नाहक कांटे क्यों बोने? जब फूलों के साथ जाना हो सकता है तो यह दुखवाद क्यों? इसलिए ठीक है, प्रतीक ठीक है कि जरथुस्त्र पैदा होते ही हंसे।

इन कथाओं में इतिहास मत खोजना। ऐसा हुआ है—ऐसा नहीं है। लेकिन इन कथाओं में एक बड़ा गहरा अर्थ है।

तुम्हारे पास एक बीज पड़ा है। जब तुम बीज को देखते हो तो इससे पैदा होने वाले फूल की कोई भी तो खबर नहीं मिलती। यह क्या हो सकता है, इसकी भनक भी तो नहीं आती। यह कमल बनेगा, खिलेगा, जल में रहेगा और जल से अछूता रहेगा, सूरज की किरणों पर नाचेगा और सूरज भी ईर्ष्यालु होगा—इसके सौंदर्य से, इसकी कोमलता से, इसकी अपूर्व गरिमा, इसके प्रसाद से; इसकी सुगंध आकाश में उड़ेगी—यह बीज को देख कर तो पता भी नहीं चलता। बीज को तो देख कर इसकी कोई कल्पना भी नहीं कर सकता, अनुमान भी नहीं कर सकता। लेकिन एक दिन यह घटता है।

तो दो तरह से हम सोच सकते हैं। या तो हम बीज को पकड़ लें जोर से और हम कहें, जो बीज में दिखाई नहीं पड़ा वह कमल में भी घट नहीं सकता। यह भ्रम है। यह धोखा है। यह झूठ है।

जिनको हम तर्कनिष्ठ कहते हैं, संदेहशील कहते हैं, उनका यही आधार है। वे कहते हैं, जो बीज में नहीं दिखाई पड़ा वह फूल में हो नहीं सकता; कहीं भ्रांति हो रही है।

इसलिए संदेहशील व्यक्ति बुद्ध को मान नहीं पाता; महावीर को स्वीकार नहीं कर पाता; जीसस को अंगीकार नहीं कर पाता। क्योंकि वे कहते हैं, हमने जाना इनको।

जीसस अपने गांव में आए, बड़े हैरान हुए: गांव के लोगों ने कोई चिंता ही न की। जीसस का वक्तव्य है कि पैगंबर की अपने गांव में पूजा नहीं होती। कारण क्या रहा होगा? क्यों नहीं होती गांव में पूजा पैगंबर की? गांव के लोगों ने बचपन से देखा: बढ़ई जोसेफ का लड़का है! लकड़ियां ढोते देखा, रिंदा चलाते देखा, लकड़ियां चीरते देखा, पसीने से लथपथ देखा, सड़कों पर खेलते देखा, झगड़ते देखा। गांव के लोग इसे बचपन से जानते हैं—बीज की तरह देखा। आज अचानक यह हो कैसे सकता है कि यह परमात्मा का पुत्र हो गया!

नहीं, जिसने बीज को देखा है, वह फूल को मान नहीं पाता। वह कहता है, जरूर धोखा होगा, बेईमानी होगी। यह आदमी पाखंडी है।

बुद्ध अपने घर वापस लौटे, तो पिता...सारी दुनिया को जो दिखाई पड़ रहा था वह पिता को दिखाई नहीं पड़ा! सारी दुनिया अनुभव कर रही थी एक प्रकाश, दूर-दूर तक खबरें जा रही थीं, दूर देशों से लोग आने शुरू हो गए थे; लेकिन जब बुद्ध वापस घर आए बारह साल बाद, तो पिता ने कहा: मैं तुझे अभी भी क्षमा कर

सकता हूं यद्यपि तूने काम तो बुरा किया है, सताया तो तूने हमें, अपराध तो तूने किया है; लेकिन मेरे पास पिता का हृदय है। मैं माफ कर दूंगा। द्वार तेरे लिए खुले हैं। मगर फेंक यह भिक्षा का पात्र! हटा यह भिक्षु का वेश! यह सब नहीं चलेगा। तू वापस लौट आ। यह राज्य तेरा है। मैं बूढ़ा हो गया, इसको कौन सम्हालेगा? हो गया बचपना बहुत, अब बंद करो यह सब खेल!

बुद्ध ने कहाः कृपा कर मुझे देखें तो! जो गया था वह वापस नहीं आया है। यह कोई और ही आया है। जो आपके घर पैदा हुआ था वही वापस नहीं आया है। यह कोई और ही आया है। बीज फूल होकर आया है। गौर से तो देखो।

पिता ने कहा, तू मुझे सिखाने चला है? पहले दिन से, जब तू पैदा हुआ था, तबसे तुझे जानता हूं। किसी और को धोखा देना। किसी और को समझा लेना, भ्रम में डाल देना। मुझे तू भ्रम में न डाल पाएगा। मैं फिर कहता हूं। मैं तुझे भलीभांति जानता हूं। मुझे कुछ सिखाने की चेष्टा मत कर। क्षमा करने को मैं राजी हूं।

बुद्ध ने कहाः आप, और मुझे जानते हैं! मैं तो स्वयं को भी नहीं जानता था। अभी-अभी किरणें उतरी हैं और स्वयं को जाना हूं। क्षमा करें! लेकिन यह मुझे कहना ही पड़ेगा कि जिसको आपने देखा, वह मैं नहीं हूं। और जहां तक आपने देखा, वह मैं नहीं हूं। बाहर-बाहर आपने देखा, भीतर आपने कहां देखा? मैं आपसे पैदा हुआ हूं, लेकिन आपने मुझे निर्मित नहीं किया। मैं आपसे आया हूं, जैसे एक रास्ते से कोई राहगीर आता है; लेकिन रास्ता और राहगीर का क्या लेना-देना? कल रास्ता कहने लगे कि मैं तुझे पहचानता हूं, तू मेरे से ही तो होकर आया है—ऐसे ही आप कह रहे हैं। आपके पहले भी मैं था। जन्मों-जन्मों से मेरी यात्रा चल रही है। आपसे गुजरा जरूर हूं, ऐसा मैं औरों से भी गुजरा हूं। और भी मेरे पिता थे, और भी मेरी माताएं थीं। लेकिन मेरा होना बड़ा अलग-थलग है।

कठिन है बहुत, अति कठिन है! अगर बीज देखा तो फूल पर भरोसा नहीं आता।

एक तो ढंग है अश्रद्धालु का, तर्कवादी का, संदेहशील का, कि वह कहता है कि बीज को हम पहचानते हैं, तो फूल हो नहीं सकता। हम कीचड़ को जानते हैं, उस कीचड़ से कमल हो कैसे सकता है? सब गलत! सपना होगा। भ्रांति होगी। किसी मोह-जाल में पड़ गए होओगे। किसी ने धोखा दे दिया। कोई जादू, कोई तिलिस्म...। एक तो यह रास्ता है।

एक रास्ता है श्रद्धालु का—प्रेमी का, भक्त का, सहानुभूति से भरे हृदय का—वह फूल को देखता है और फूल से पीछे की तरफ यात्रा करता है। वह कहता है, जब फूल में ऐसी सुगंध हुई, जब फूल में ऐसी विभा प्रकट

हुई, जब फूल में ऐसी प्रतिभा, जब फूल में ऐसा कुंआरापन दिखा, तो जरूर बीज में भी रहा होगा। क्योंकि जो फूल में हुआ है वह बीज में न हो, तो हो ही नहीं सकता।

ये सारी कथाएं घटी हैं, ऐसा नहीं। जिन्होंने अष्टावक्र के फूल को देखा, उनको यह खयाल में आया कि जो आज हुआ है वह कल भी रहा होगा—छिपा था, अवगुंठित था, परदे में पड़ा था। जो आज है, अंत में है, वह प्रथम भी रहा होगा। जो मृत्यु के क्षण में दिखाई पड़ रहा है, वह जन्म के क्षण में भी मौजूद रहा होगा; अन्यथा पैदा कैसे होता!

तो एक तो ढंग है फूल से पीछे की तरफ देखना, और एक है बीज से आगे की तरफ देखना। गौर से देखो तो दोनों में सार-सूत्र एक ही है, दोनों की आधारभित्ति एक ही है; लेकिन कितना जमीन-आसमान का अंतर हो जाता है! जो बीज वाला है, वह भी यह कह रहा है कि जो बीज में नहीं है वह फूल में कैसे हो सकता है! यह उसका तर्क है। फूल वाला भी यही कह रहा है। वह कह रहा है, जो फूल में है वह बीज में भी होना ही चाहिए। दोनों का तर्क तो एक है। लेकिन दोनों के देखने के ढंग अलग हैं। बड़ी अड़चन है!

मुझसे कोई पूछता था कि आपके साथ बचपन में बहुत लोग पढ़े होंगे—स्कूल में, कालेज में—वे दिखाई नहीं पड़ते! वे कैसे दिखाई पड़ सकते हैं! उनको बड़ी अड़चन है। वे भरोसा नहीं कर सकते। अति कठिन है उन्हें।

कल ही मेरे पास रायपुर से किसी ने एक अखबार भेजा। श्री हरिशंकर परसाई ने एक लेख मेरे खिलाफ लिखा है। वे मुझे जानते हैं, कालेज के दिनों से जानते हैं। हिंदी के मूर्धन्य व्यंग्यलेखक हैं। मेरे मन में उनकी कृतियों का आदर है। लेख में उन्होंने लिखा है कि जबलपुर की हवा में कुछ खराबी है। यहां धोखेबाज और धूर्त ही पैदा होते हैं—जैसे रजनीश, महेश योगी, मूंदड़ा। तीन नाम उन्होंने गिनाए। धन्यवाद उनका, कम से कम मेरा नाम नंबर एक तो गिनाया। इतनी याद तो रखी! एकदम बिसार नहीं दिया। बिलकुल भूल गए हों, ऐसा नहीं है।

लेकिन अड़चन स्वाभाविक है, सीधी-साफ है। मैं उनकी बात समझ सकता हूं। यह असंभव है—बीज को देखा तो फूल में भरोसा! फिर जिन्होंने फूल को देखा, उन्हें बीज में भरोसा मुश्किल हो जाता है। तो सभी महापुरुषों की जीवन-कथाएं दो ढंग से लिखी जाती हैं। जो उनके विपरीत हैं, वे बचपन से यात्रा शुरू करते हैं; जो उनके पक्ष में हैं, वे अंत से यात्रा शुरू करते हैं और बचपन की तरफ जाते हैं। दोनों एक अर्थ में सही हैं। लेकिन जो बचपन से यात्रा करके अंत की तरफ जाते हैं, वे वंचित रह जाते हैं। उनका सही होना उनके लिए आत्मघाती है, जो अंत

से यात्रा करते हैं और पीछे की तरफ जाते हैं, वे धन्यभागी हैं। क्योंकि बहुत कुछ उन्हें अनायास मिल जाता है, जो कि पहले तर्कवादियों को नहीं मिल पाता।

अब न केवल मैं गलत मालूम होता हूं, मेरे कारण जबलपुर तक की हवा उनको गलत मालूम होती है : कुछ भूल हवा-पानी में होनी चाहिए! यद्यपि मैं उनको कहना चाहूंगा, जबलपुर को कोई हक नहीं है मेरे संबंध में हवा-पानी को अच्छा या खराब तय करने का। जबलपुर से मेरा कोई बहुत नाता नहीं है। थोड़े दिन वहां था। महेश योगी भी थोड़े दिन वहां थे। उनका भी कोई नाता नहीं है। हम दोनों का नाता किसी और जगह से है। उस जगह के लोग इतने सोए हैं कि उन्हें अभी खबर ही नहीं है। महेश योगी और मेरा जन्म पास ही पास हुआ। दोनों गाडरवाड़ा के आस-पास पैदा हुए। उनका जन्म चीचली में हुआ, मेरा जन्म कुचवाड़े में हुआ। अगर हवा-पानी खराब है तो वहां का होगा। इसका दुख गाडरवाड़ा को होना चाहिए—कभी होगा। या सुख...। जबलपुर को इसमें बीच में आना नहीं चाहिए।

लेकिन मन कैसे तर्क रचता है!

अब जो अष्टावक्र की कथा को देखेगा, वह सुनते से ही कह देगा : 'गलत! असंभव!' यह तो कथा जिन्होंने लिखी है उनको भी पता है कि कहं। कोई गर्भ से बोलता है! वे तो केवल इतना कह रहे हैं कि जो आखिर में प्रकट हुआ वह गर्भ में मौजूद रहा होगा; जो वाणी आखिर में खिली वह किसी न किसी गहरे तल पर गर्भ में भी मौजूद रही होगी, अन्यथा खिलती कहां से, आती कहां से? शून्य से थोड़े ही कुछ आता है! हर चीज के पीछे कारण है। नहीं देख पाए हों हम, लेकिन था तो मौजूद।

ये सारी कथाएं इसी का सूचन देती हैं।

अष्टावक्र के संबंध में दूसरी बात जो ज्ञात है, वह है जब वे बारह वर्ष के थे। बस दो ही बातें ज्ञात हैं। तीसरी उनकी अष्टावक्र-गीता है; या कुछ लोग कहते हैं 'अष्टावक्र-संहिता'। जब वे बारह वर्ष के थे तो एक बड़ा विशाल शास्त्रार्थ जनक ने रचा। जनक सम्राट थे और उन्होंने सारे देश के पंडितों को निमंत्रण दिया। और उन्होंने एक हजार गाएं राजमहल के द्वार पर खड़ी कर दीं और उन गायों के सींगों पर सोना मढ़ दिया और हीरे-जवाहरात लटका दिए, और कहा, 'जो भी विजेता होगा वह इन गायों को हांक कर ले जाए।'

बड़ा विवाद हुआ! अष्टावक्र के पिता भी उस विवाद में गए। खबर आई सांझ होते-होते कि पिता हार रहे हैं। सबसे तो जीत चुके थे, वंदिन नाम के एक पंडित से हारे जा रहे हैं। यह खबर सुन कर अष्टावक्र भी राजमहल पहुंच गया। सभा सजी थी। विवाद अपनी आखिरी चरम अवस्था में था। निर्णायक घड़ी करीब आती

थी। पिता के हारने की स्थिति बिलकुल पूरी तय हो चुकी थी। अब हारे तब हारे की अवस्था थी।

अष्टावक्र दरबार में भीतर चला गया। पंडितों ने उसे देखा। महापंडित इकट्ठे थे! उसका आठ अंगों से टेढ़ा-मेढ़ा शरीर! वह चलता तो भी देख कर लोगों को हंसी आती। उसका चलना भी बड़ा हास्यास्पद था। सारी सभा हंसने लगी। अष्टावक्र भी खिलखिला कर हंसा। जनक ने पूछाः 'और सब हंसते हैं, वह तो मैं समझ गया क्यों हंसते हैं; लेकिन बेटे, तू क्यों हंसा?'

अष्टावक्र ने कहाः 'मैं इसलिए हंस रहा हूं कि इन चमारों की सभा में सत्य का निर्णय हो रहा है!'

बड़ा...आदमी अनूठा रहा होगा! 'ये चमार यहां क्या कर रहे हैं?'

सन्नाटा छा गया!...चमार! सम्राट ने पूछाः 'तेरा मतलब?' उसने कहाः 'सीधी सी बात है। इनको चमड़ी ही दिखाई पड़ती है, मैं नहीं दिखाई पड़ता। मुझसे सीधा-सादा आदमी खोजना मुश्किल है, वह तो इनको दिखाई ही नहीं पड़ता; इनको आड़ा-टेढ़ा शरीर दिखाई पड़ता है। ये चमार हैं! ये चमड़ी के पारखी हैं। राजन, मंदिर के टेढ़े होने से कहीं आकाश टेढ़ा होता है? घड़े के फूटने से कहीं आकाश फूटता है? आकाश तो निर्विकार है। मेरा शरीर टेढ़ा-मेढ़ा है, लेकिन मैं तो नहीं। यह जो भीतर बसा है इसकी तरफ तो देखो! इससे तुम सीधा-सादा और कुछ खोज न सकोगे।'

यह बड़ी चौंकाने वाली घोषणा थी, सन्नाटा छा गया होगा। जनक प्रभावित हुआ, झटका खाया। निश्चित ही कहां चमारों की भीड़ इकट्ठी करके बैठा है! खुद पर भी पश्चात्ताप हुआ, अपराध लगा कि मैं भी हंसा। उस दिन तो कुछ न कहते बना, लेकिन दूसरे दिन सुबह जब सम्राट घूमने निकला था तो राह पर अष्टावक्र दिखाई पड़ा। उतरा घोड़े से, पैरों में गिर पड़ा। सबके सामने तो हिम्मत न जुटा पाया, एक दिन पहले। एक दिन पहले तो कहा था, 'बेटे, तू क्यों हंसता है?' बारह साल का लड़का था। उम्र तौली थी। आज उम्र नहीं तौली। आज घोड़े से उतर गया, पैर पर गिर पड़ा-साष्टांग दंडवत! और कहाः पधारें राजमहल, मेरी जिज्ञासाओं का समाधान करें! हे प्रभु, आएं मेरे घर! बात मेरी समझ में आ गई है! रात भर मैं सो न सका। ठीक ही कहाः शरीर को ही जो पहचानते हैं उनकी पहचान गहरी कहां! आत्मा के संबंध में विवाद कर रहे हैं, और अभी भी शरीर में रस और विरस पैदा होता है, घृणा, आकर्षण पैदा होता है! मर्त्य को देख रहे हैं, अमृत की चर्चा करते हैं! धन्यभाग मेरे कि आप आए और मुझे चौंकाया! मेरी नींद तोड़ दी! अब पधारो!

राजमहल में उसने बड़ी सजावट कर रखी थी। स्वर्ण-सिंहासन पर बिठाया था इस बारह साल के अष्टावक्र को और उससे जिज्ञासा की। पहला सूत्र जनक की जिज्ञासा है। जनक ने पूछा है, अष्टावक्र ने समझाया है।

इससे ज्यादा अष्टावक्र के संबंध में और कुछ पता नहीं है—और कुछ पता होने की जरूरत भी नहीं है। काफी है, इतना बहुत है। हीरे बहुत होते भी नहीं, कंकड़-पत्थर ही बहुत होते हैं। हीरा एक भी काफी होता है। ये दो छोटी सी घटनाएं हैं।

एक तो जन्म के पहले कीः गर्भ से आवाज और घोषणा कि 'क्या पागलपन में पड़े हो? शास्त्र में उलझे हो, शब्द में उलझे हो? जागो! यह ज्ञान नहीं है, यह सब उधार है। यह सब बुद्धि का ही जाल है, अनुभव नहीं है। इसमें रंचमात्र भी सार नहीं है। कब तक अपने को भरमाए रखोगे?'

और दूसरी घटनाः राजमहल में हंसना पंडितों का और कहना अष्टावक्र का, कि जीवन में देखने की दो दृष्टियां हैं—एक आत्म-दृष्टि, एक चर्म-दृष्टि। चमार चमड़ी को देखता है। प्रज्ञावान आत्मा को देखता है।

तुमने गौर किया? चमार तुम्हारे चेहरे की तरफ देखता ही नहीं, वह जूते को ही देखता है। असल में चमार जूते को देख कर सब पहचान लेता है तुम्हारे संबंध में कि आर्थिक हालत कैसी है; सफलता मिल रही है कि विफलता मिल रही है; भाग्य कैसा चल रहा है। वह सब जूते में लिखा है। जूते की सिलवटें कह देती हैं। जूते की दशा कह देती है। जूते में तुम्हारी आत्मकथा लिखी है। चमार पढ़ लेता है। जूते में चमक, जूते का ताजा और नया होना, चमार तुमसे प्रसन्नता से मिलता है। जूता ही उसके लिए तुम्हारी आत्मा का सबूत है।

दर्जी कपड़े देखता है। तुम्हारा कोट-कपड़ा देख कर समझ लेता है, हालत कैसी है।

सबकी अपनी बंधी हुई दृष्टियां हैं।

सिर्फ आत्मवान ही आत्मा को देखता है। उसकी कोई दृष्टि नहीं है। उसके पास दर्शन है।

एक छोटी घटना और—जो अष्टावक्र के जीवन से संबंधित नहीं, रामकृष्ण और विवेकानंद के जीवन से संबंधित है, लेकिन अष्टावक्र से उसका जोड़ है—फिर हम सूत्रों में प्रवेश करें।

विवेकानंद रामकृष्ण के पास आए, तब उनका नाम 'नरेंद्रनाथ' था। 'विवेकानंद' तो बाद में रामकृष्ण ने उनको पुकारा। जब आए रामकृष्ण के पास तो अति विवादी थे, नास्तिक थे, तर्कवादी थे। हर चीज के लिए प्रमाण चाहते थे।

कुछ चीजें हैं जिनके लिए कोई प्रमाण नहीं—मजबूरी है। परमात्मा के लिए

कोई प्रमाण नहीं है; है और प्रमाण नहीं है। प्रेम के लिए कोई प्रमाण नहीं है; है और प्रमाण नहीं है। सौंदर्य के लिए कोई प्रमाण नहीं है; है और प्रमाण नहीं है।

अगर मैं कहूं, देखो ये खजूरिना के वृक्ष कैसे सुंदर हैं, और तुम कहो, 'हमें तो कोई सौंदर्य दिखाई नहीं पड़ता। वृक्ष जैसे वृक्ष हैं। सिद्ध करें।' मुश्किल हो जाएगी। कैसे सिद्ध करें कि सुंदर हैं! सुंदर होने के लिए सौंदर्य की परख चाहिए—और तो कोई उपाय नहीं। आंख चाहिए—और तो कोई उपाय नहीं।

कहते हैं, मजनू ने कहा कि लैला को जानना हो तो मजनू की आंख चाहिए। ठीक कहा। लैला को देखने का और कोई उपाय ही नहीं।

मजनू को बुलाया था उसके गांव के राजा ने और कहा था : तू पागल है! मैं तेरी लैला को जानता हूं, साधारण सी लड़की है, काली-कलूटी, कुछ खास नहीं। तुझ पर मुझे दया आती है। ये मेरे राजमहल की बारह लड़कियां खड़ी हैं, ये इस देश की सुंदरतम स्त्रियां हैं; इनमें से तू कोई भी चुन ले। यह तुझे रोते देख कर मेरा भी प्राण रोता है।

उसने देखा और उसने कहा : इनमें तो लैला कोई भी नहीं। ये लैला के मुकाबले तो दूर, उसके चरण की धूल भी नहीं।

सम्राट कहने लगा : मजनू, तू पागल है।

मजनू ने कहा : यह हो सकता है। लेकिन एक बात आपसे कहना चाहता हूं—लैला को देखना हो तो मजनू की आंख चाहिए।

ठीक कहा मजनू ने।

अगर वृक्षों के सौंदर्य को देखना हो तो कला की आंख चाहिए—और कोई प्रमाण नहीं है। अगर किसी के प्रेम को पहचानना हो तो प्रेमी का हृदय चाहिए—और कोई प्रमाण नहीं है। और परमात्मा तो इस जगत के सारे सौंदर्य और सारे प्रेम और सारे सत्य का इकट्ठा नाम है। उसके लिए तो ऐसा निर्विकार चित्त चाहिए, ऐसा साक्षी-भाव चाहिए, जहां कोई शब्द न रह जाए, कोई विचार न रह जाए, कोई तरंग न उठे। वहां कोई धूल न रह जाए मन की और चित्त का दर्पण परिपूर्ण शुद्ध हो! प्रमाण कहां ?

रामकृष्ण से विवेकानंद ने कहा : प्रमाण चाहिए। है परमात्मा तो प्रमाण दें।

और विवेकानंद को देखा रामकृष्ण ने। बड़ी थी संभावनाएं इस युवक की। बड़ी थी यात्रा इसके भविष्य की। बहुत कुछ होने को पड़ा था इसके भीतर। बड़ा खजाना था, उससे यह अपरिचित था। रामकृष्ण ने देखा, इस युवक के पिछले जन्मों में झांका। यह बड़ी संपदा, बड़े पुण्य की संपदा लेकर आ रहा है। यह ऐसे ही तर्क में दबा न रह जाए। कराह उठा होगा पीड़ा और करुणा से रामकृष्ण का हृदय।

उन्होंने कहा, 'छोड़, प्रमाण वगैरह बाद में सोच लेंगे। मैं जरा बूढ़ा हुआ, मुझे पढ़ने में अड़चन होती है। तू अभी जवान, तेरी आंख अभी तेज—यह किताब पड़ी है, इसे तू पढ़।' वह थी अष्टावक्र-गीता। 'जरा मुझे सुना दे।'

कहते हैं, विवेकानंद को इसमें तो कुछ अड़चन न मालूम पड़ी, यह आदमी कुछ ऐसी तो कोई खास बात नहीं मांग रहा है! दो-चार सूत्र पढ़े और एक घबड़ाहट, और रोआं-रोआं कंपने लगा! और विवेकानंद ने कहा, मुझसे नहीं पढ़ा जाता। रामकृष्ण ने कहाः पढ़ भी! इसमें हर्ज क्या है? तेरा क्या बिगाड़ लेगी यह किताब? तू जवान है अभी। तेरी आंख अभी ताजी हैं। और मैं बूढ़ा हुआ, मुझे पढ़ने में दिक्कत होती है। और यह किताब मुझे पढ़नी है तो तू पढ़ कर सुना दे।

कहते हैं उस किताब को सुनाते-सुनाते ही विवेकानंद डूब गए। रामकृष्ण ने देखा इस व्यक्ति के भीतर बड़ी संभावना है, बड़ी शुद्ध संभावना है; जैसी एक बोधिसत्व की होती है जो कभी न कभी बुद्ध होना जिसका निर्णीत है; आज नहीं कल, भटके कितना ही, बुद्धत्व जिसके पास चला आ रहा है।

क्यों अष्टावक्र की गीता रामकृष्ण ने कही कि तू पढ़ कर मुझे सुना दे? क्योंकि इससे ज्यादा शुद्धतम वक्तव्य और कोई नहीं। ये शब्द भी अगर तुम्हारे भीतर पहुंच जाएं तो तुम्हारी सोई हुई आत्मा को जगाने लगेंगे। ये शब्द तुम्हें तरंगायित करेंगे। ये शब्द तुम्हें आह्लादित करेंगे। ये शब्द तुम्हें झकझोरेंगे। इन शब्दों के साथ क्रांति घटित हो सकती है।

अष्टावक्र की गीता को मैंने यूं ही नहीं चुना है। और जल्दी नहीं चुना—बहुत देर करके चुना है, सोच-विचार कर। दिन थे, जब मैं कृष्ण की गीता पर बोला, क्योंकि भीड़-भाड़ मेरे पास थी। भीड़-भाड़ के लिए अष्टावक्र-गीता का कोई अर्थ न था। बड़ी चेष्टा करके भीड़-भाड़ से छुटकारा पाया है। अब तो थोड़े से विवेकानंद यहां हैं। अब तो उनसे बात करनी है, जिनकी बड़ी संभावना है। उन थोड़े से लोगों के साथ मेहनत करनी है, जिनके साथ मेहनत का परिणाम हो सकता है। अब हीरे तराशने हैं, कंकड़-पत्थरों पर यह छैनी खराब नहीं करनी। इसलिए चुनी है अष्टावक्र की गीता। तुम तैयार हुए हो, इसलिए चुनी है।

पहला सूत्रः

जनक ने कहा, 'हे प्रभो, पुरुष ज्ञान को कैसे प्राप्त होता है। और मुक्ति कैसे होगी और वैराग्य कैसे प्राप्त होगा? यह मुझे कहिए! एतत् मम ब्रूहि प्रभो! मुझे समझाएं प्रभो!'

बारह साल के लड़के से सम्राट जनक का कहना हैः 'हे प्रभु! भगवान! मुझे समझाएं! एतत् मम ब्रूहि! मुझ नासमझ को कुछ समझ दें! मुझ अज्ञानी को जगाएं!'

तीन प्रश्न पूछे हैं—

'कथं ज्ञानम्! कैसे होगा ज्ञान!'

साधारणतः तो हम सोचेंगे कि 'यह भी कोई पूछने की बात है? किताबों में भरा पड़ा है।' जनक भी जानता था। जो किताबों में भरा पड़ा है, वह ज्ञान नहीं; वह केवल ज्ञान की धूल है, राख है! ज्ञान की ज्योति जब जलती है तो पीछे राख छूट जाती है। राख इकट्ठी होती चली जाती है, शास्त्र बन जाती है। वेद राख हैं—कभी जलते हुए अंगारे थे। ऋषियों ने उन्हें अपनी आत्मा में जलाया था। फिर राख रह गए। फिर राख संयोजित की जाती ह, संगृहीत की जाती है, सुव्यवस्थित की जाती है। जैसे जब आदमी मर जाता है तो हम उसकी राख इकट्ठी कर लेते हैं—उसको फूल कहते हैं। बड़े मजेदार लोग हैं! जिंदगी में जिसको फूल नहीं कहा, उसकी हड्डियां-वड्डियां इकट्ठी कर लाते हैं—कहते हैं, 'फूल संजो लाए'! फिर सम्हाल कर रखते हैं, मंजूषा बनाते हैं। जिसको जिंदगी में कभी फूल का आदर नहीं दिया, जिसको जिंदगी में कभी फूल की तरह देखा नहीं, जब मर जाता है—आदमी पागल है—तब उसकी हड्डी को, राख को फूल कहते हैं!

ऐसे ही जब कोई बुद्ध जीवित होता है, तब तुम सुनते नहीं। जब कोई महावीर तुम्हारे बीच से गुजरता है, तब तुम नाराज होते हो। लगता है, यह आदमी तुम्हारे सपने तोड़ रहा है, या तुम्हारी नींद में दखल डाल रहा है। 'यह कोई जगाने का वक्त है? अभी-अभी तो सपना आना शुरू हुआ था; अभी-अभी तो जरा जीतना शुरू किया था जिंदगी में; अभी-अभी तो दांव ठीक लगने लगे थे, तीर ठीक-ठीक जगह पड़ने लगा था—और ये सज्जन आ गए! ये कहते हैं, सब असार है! अभी-अभी तो चुनाव जीते थे, पद पर पहुंचने का रास्ता बना था—और ये महापुरुष आ गए! ये कहते हैं, यह सब सपना है, इसमें कुछ सार नहीं; मौत आएगी, सब छीन लेगी! और छोड़ो भी, जब मौत आएगी तब देखेंगे; बीच में तो इस तरह की बातें मत उठाओ!'

लेकिन जब महावीर मर जाते, बुद्ध मर जाते, तब उनकी राख को हम इकट्ठी कर लेते हैं। फिर हम धम्मपद बनाते हैं, वेद बनाते हैं। फिर हम पूजा के फूल चढ़ाते हैं।

जनक भी जानता था कि शास्त्रों में सूचनाएं भरी पड़ी हैं। लेकिन उसने पूछ, 'कथं ज्ञानम्? कैसे होगा ज्ञान?' क्योंकि कितना ही जान लो, ज्ञान तो होता ही नहीं। जानते जाओ, जानते जाओ, शास्त्र कंठस्थ कर लो, तोते बन जाओ, एक-एक सूत्र याद हो जाए, पूरे वेद स्मृति में छप जाएं—फिर भी ज्ञान तो होता नहीं।

'कथं ज्ञानम्? कैसे होगा ज्ञान? कथं मुक्ति? मुक्ति कैसे होगी?'

क्योंकि जिसको तुम ज्ञान कहते हो, वह तो बांध लेता उलटे, मुक्त कहां करता? ज्ञान तो वही है जो मुक्त करे। जीसस ने कहा है, सत्य वही है जो मुक्त करे। ज्ञान तो वही है जो मुक्त करे—यह ज्ञान की कसौटी है। पंडित मुक्त तो दिखाई नहीं पड़ता, बंधा दिखाई पड़ता है। मुक्ति की बातें करता है, मुक्त दिखाई नहीं पड़ता; हजार बंधनों में बंधा हुआ मालूम पड़ता है।

तुमने कभी गौर किया, तुम्हारे तथाकथित संत तुमसे भी ज्यादा बंधे हुए मालूम पड़ते हैं! तुम शायद थोड़े-बहुत मुक्त भी हो, तुम्हारे संत तुमसे भी ज्यादा बंधे हैं। लकीर के फकीर हैं; न उठ सकते स्वतंत्रता से, न बैठ सकते स्वतंत्रता से, न जी सकते स्वतंत्रता से।

कुछ दिनों पहले कुछ जैन साध्वियों की मेरे पास खबर आई कि वे मिलना चाहती हैं, मगर श्रावक आने नहीं देते। यह भी बड़े मजे की बात हुई! साधु का अर्थ होता है, जिसने फिक्र छोड़ी समाज की; जो चल पड़ा अरण्य की यात्रा पर; जिसने कहा, अब न तुम्हारे आदर की मुझे जरूरत है न सम्मान की। लेकिन साधु-साध्वी कहते हैं, 'श्रावक आने नहीं देते! वे कहते हैं, वहां भूल कर मत जाना। वहां गए तो यह दरवाजा बंद!' यह कोई साधुता हुई? यह तो परतंत्रता हुई, गुलामी हुई। यह तो बड़ी उलटी बात हुई। यह तो ऐसा हुआ कि साधु श्रावक को बदले, उसकी जगह श्रावक साधु को बदल रहा है।

एक मित्र ने आ कर मुझे कहा कि एक जैन साध्वी आपकी किताबें पढ़ती है, लेकिन चोरी से; टेप भी सुनना चाहती है, लेकिन चोरी से। और अगर कभी किसी के सामने आपका नाम भी ले दो तो वह इस तरह हो जाती है जैसे उसने कभी आपका नाम सुना ही नहीं।

यह मुक्ति हुई?

जनक ने पूछा, 'कथं मुक्ति? कैसे होती मुक्ति? क्या है मुक्ति? उस ज्ञान को मुझे समझाएं, जो मुक्त कर देता है।'

स्वतंत्रता मनुष्य की सबसे महत्वपूर्ण आकांक्षा है। सब पा लो, लेकिन गुलामी अगर रही तो छिदती है। सब मिल जाए, स्वतंत्रता न मिले तो कुछ भी नहीं मिला। मनुष्य चाहता है खुला आकाश। कोई सीमा न हो! वह मनुष्य की अंतरतम, निगूढ़तम आकांक्षा है, जहां कोई सीमा न हो, कोई बाधा न हो। इसी को परमात्मा होने की आकांक्षा कहो, मोक्ष की आकांक्षा कहो।

हमने ठीक शब्द चुना है 'मोक्ष'; दुनिया की किसी भाषा में ऐसा प्यारा शब्द नहीं है। स्वर्ग, फिरदौस—इस तरह के शब्द हैं, लेकिन उन शब्दों में मोक्ष की कोई धुन नहीं है। मोक्ष का संगीत ही अनूठा है। उसका अर्थ ही केवल इतना है:

ऐसी परम स्वतंत्रता जिस पर कोई बाधा नहीं है; स्वतंत्रता इतनी शुद्ध कि जिस पर कोई सीमा नहीं है।

पूछा जनक ने, 'कैसे होगी मुक्ति और कैसे होगा वैराग्य? हे प्रभु, मुझे समझा कर कहिए!'

अष्टावक्र ने गौर से देखा होगा जनक की तरफ; क्योंकि गुरु के लिए वही पहला काम है कि जब कोई जिज्ञासा करे तो वह गौर से देखे : 'जिज्ञासा किस स्रोत से आती है? पूछने वाले ने क्यों पूछा है?' उत्तर तो तभी सार्थक हो सकता है जब प्रश्न क्यों किया गया है, वह समझ में आ जाए, वह साफ हो जाए।

ध्यान रखना, सद्ज्ञान को उपलब्ध व्यक्ति, सद्गुरु तुम्हारे प्रश्न का उत्तर नहीं देता—तुम्हें उत्तर देता है! तुम क्या पूछते हो, इसकी फिकर कम है; तुमने क्यों पूछा है, तुम्हारे पूछने के पीछे अंतरचेतन में छिपा हुआ जाल क्या है, तुम्हारे प्रश्नों की आड़ में वस्तुतः कौन सी आकांक्षा छिपी है...!

दुनिया में चार तरह के लोग हैं—ज्ञानी, मुमुक्षु, अज्ञानी, मूढ़। और दुनिया में चार ही तरह की जिज्ञासाएं होती हैं। ज्ञानी की जिज्ञासा तो निःशब्द होती है। कहना चाहिए, ज्ञानी की जिज्ञासा तो जिज्ञासा होती ही नहीं—जान लिया, जानने को कुछ बचा नहीं; पहुंच गए, चित्त निर्मल हुआ, शांत हुआ, घर लौट आए, विश्राम में आ गए! तो ज्ञानी की जिज्ञासा तो जिज्ञासा जैसी होती ही नहीं। इसका यह अर्थ नहीं कि ज्ञानी सीखने को तैयार नहीं होता। ज्ञानी तो सरल, छोटे बच्चे की भांति हो जाता है—सदा तत्पर सीखने को।

जितना ज्यादा तुम सीख लेते हो, उतनी ही सीखने की तत्परता बढ़ जाती है। जितने तुम सरल और निष्कपट होते चले जाते हो, उतने ही सीखने के लिए तुम खुल जाते हो। आएं हवाएं, तुम्हारे द्वार खुले पाती हैं। आए सूरज, तुम्हारे द्वार पर दस्तक नहीं देनी पड़ती। आए परमात्मा, तुम्हें सदा तत्पर पाता है।

ज्ञानी ज्ञान को संगृहीत नहीं करता; ज्ञानी सिर्फ ज्ञान की क्षमता को उपलब्ध होता है। इस बात को ठीक से समझ लेना, क्योंकि पीछे यह काम पड़ेगी। ज्ञानी का केवल इतना ही अर्थ है कि जो जानने के लिए बिलकुल खुला है; जिसका कोई पक्षपात नहीं; जानने के लिए जिसके पास कोई परदा नहीं; जिसके पास जानने के लिए कोई पूर्व-नियोजित योजना, ढांचा नहीं। ज्ञानी का अर्थ है ध्यानी—जो ध्यानपूर्ण है।

तो देखा होगा अष्टावक्र ने गौर से, जनक में झांक कर : यह व्यक्ति ज्ञानी तो नहीं है। यह ध्यान को तो उपलब्ध नहीं हुआ है। अन्यथा इसकी जिज्ञासा मौन होती; उसमें शब्द न होते।

बुद्ध के जीवन में उल्लेख है—एक फकीर मिलने आया। एक साधु मिलने आया। एक परिव्राजक, घुमक्कड़। उसने आकर बुद्ध से कहाः 'पूछने योग्य शब्द मेरे पास नहीं। क्या पूछना चाहता हूं, उसे शब्दों में बांधने की मेरे पास कोई कुशलता नहीं। आप तो जानते ही हैं, समझ लें। जो मेरे योग्य हो, कह दें।'

यह ज्ञानी की जिज्ञासा है।

बुद्ध चुप बैठे रहे, उन्होंने कुछ भी न कहा। घड़ी भर बाद, जैसे कुछ घटा! वह जो आदमी चुपचाप बैठा बुद्ध की तरफ देखता रहा था, उसकी आंख से आंसुओं की धार लग गई, चरणों में झुका, नमस्कार किया और कहा, 'धन्यवाद! खूब धन्यभागी हूं! जो लेने आया था, आपने दिया।' वह उठकर चला भी गया। उसके चेहरे पर अपूर्व आभा थी। वह नाचता हुआ गया।

बुद्ध के आसपास के शिष्य बड़े हैरान हुए। आनंद ने पूछाः 'भंते! भगवान! पहेली हो गई। पहले तो यह आदमी कहता है कि मुझे पता नहीं कैसे पूछूं; पता नहीं किन शब्दों में पूछूं; यह भी पता नहीं क्या पूछने आया हूं; फिर आप तो जानते ही हैं सब; देख लें मुझे; जो मेरे लिए जरूरी हो, कह दें। पहले तो यह आदमी ही जरा पहेली था...यह कोई ढंग हुआ पूछने का! और जब तुम्हें यही पता नहीं कि क्या पूछना है तो पूछना ही क्यों? पूछना क्या? खूब रही! फिर यहीं बात खत्म न हुई; आप चुप बैठे सो चुप बैठे रहे! आपको ऐसा कभी मौन देखा नहीं; कोई पूछता है तो आप उत्तर देते हैं। कभी-कभी तो ऐसा होता है कि कोई नहीं भी पूछता तो भी आप उत्तर देते हैं। आपकी करुणा सदा बहती रहती है। क्या हुआ अचानक कि आप चुप रह गए और आंख बंद हो गई? और फिर क्या रहस्यमय घटा कि वह आदमी रूपांतरित होने लगा। हमने उसे बदलते देखा। हमने उसे किसी और ही रंग में डूबते देखा। उसमें मस्ती आते देखी। वह नाचते हुए गया है—आंसुओं से भरा हुआ, गदगद, आह्लादित! वह चरणों में झुका। उसकी सुगंध हमें भी छुई। यह हुआ क्या? आप कुछ बोले नहीं, उसने सुना कैसे? और हम तो इतने दिनों से, वर्षों से आपके पास हैं, हम पर आपकी कृपा कम है क्या? यह प्रसाद, जो उसे दिया, हमें क्यों नहीं मिलता?'

लेकिन ध्यान रहे, उतना ही मिलता है जितना तुम ले सकते हो।

बुद्ध ने कहा, 'सुनो। घोड़े...।' आनंद से घोड़े की बात की, क्योंकि आनंद क्षत्रिय था, बुद्ध का चचेरा भाई था और बचपन से ही घोड़े का बड़ा शौक था उसे, घुड़सवार था। प्रसिद्ध घुड़सवार था, प्रतियोगी था बड़ा! उन्होंने कहा, 'सुन आनंद!' बुद्ध ने कहाः 'घोड़े चार प्रकार के होते हैं। एक तो मारो भी तो भी टस से मस नहीं होते। रद्दी से रद्दी घोड़े! जितना मारो उतना ही हठयोगी हो जाते हैं,

बिलकुल हठ बांध कर खड़े हो जाते हैं। तुम मारो तो वे जिद्द बना लेते हैं कि देखें कौन जीतता है! फिर दूसरे तरह के घोड़े होते हैं : मारो तो चलते हैं, न मारो तो नहीं चलते। कम से कम पहले से बेहतर। फिर तीसरे तरह के घोड़े होते हैं : कोड़ा फटकारो, मारना जरूरी नहीं। सिर्फ कोड़ा फटकारो, आवाज काफी है। और भी कुलीन होते हैं—दूसरे से भी बेहतर। फिर आनंद, तुझे जरूर पता होगा ऐसे भी घोड़े होते हैं कि कोड़े की छाया देख कर भागते हैं, फटकारना भी नहीं पड़ता। यह ऐसा ही घोड़ा था। छाया काफी है।'

अष्टावक्र ने देखा होगा गौर से।

जब तुम आ कर मुझसे कुछ पूछते हो तो तुम्हारे प्रश्न से ज्यादा महत्वपूर्ण सवाल तुम हो। कभी-कभी तुम्हें भी ऐसा लगता होगा कि तुमने जो नहीं पूछा था, वह मैंने उत्तर दिया है। और कभी-कभी तुम्हें ऐसा भी लगता होगा कि शायद मैं टाल गया तुम्हारे प्रश्न को, बचाव कर गया, कुछ और उत्तर दे गया हूं। लेकिन सदा तुम्हारी भीतरी जरूरत ज्यादा महत्वपूर्ण है; तुम क्या पूछते हो, यह उतना महत्वपूर्ण नहीं। क्योंकि तुम्हें खुद ही ठीक पता नहीं, तुम क्या पूछते हो, क्यों पूछते हो। उत्तर वही दिया जाता है, जिसकी तुम्हें जरूरत है। तुम्हारे पूछने से कुछ तय नहीं होता।

देखा होगा अष्टावक्र ने : ज्ञानी तो नहीं है जनक। अज्ञानी है फिर क्या? अज्ञानी भी नहीं है। क्योंकि अज्ञानी तो अकड़ीला, अकड़ से भरा होता है। अज्ञानी तो झुकना जानता ही नहीं। यह तो मुझे बारह साल की उम्र के लड़के के पैरों में झुक गया, साष्टांग दंडवत की। यह अज्ञानी के लिए असंभव है। अज्ञानी तो समझता है कि मैं जानता ही हूं, मुझे कौन समझाएगा! अज्ञानी अगर कभी पूछता भी है तो तुम्हें गलत सिद्ध करने को पूछता है। क्योंकि अज्ञानी तो यह मान कर ही चलता है कि पता तो मुझे है ही; देखें इनको भी पता है या नहीं! अज्ञानी परीक्षा के लिए पूछता है। नहीं, इसकी आंखें, जनक की तो बड़ी निर्मल हैं। मुझ बारह साल के अनजान-अपरिचित लड़के को सम्राट होते हुए भी इसने कहा, 'एतत मम ब्रूहि प्रभो! हे प्रभु, मुझे समझा कर कहें!' नहीं, यह विनयशील है, अज्ञानी तो नहीं है। मूढ़ है क्या फिर? मूढ़ तो पूछते ही नहीं। मूढ़ों को तो पता ही नहीं है कि जीवन में कोई समस्या है।

मूढ़ और बुद्धपुरुषों में एक समानता है। बुद्धपुरुषों के लिए कोई समस्या नहीं रही; मूढ़ों के लिए अभी समस्या उठी ही नहीं। बुद्धपुरुष समस्या के पार हो गए : मूढ़ अभी समस्या के बाहर हैं। मूढ़ तो इतना मूर्च्छित है कि उसे कहां सवाल? 'कथं ज्ञानम्'—मूढ़ पूछेगा? 'कथं मुक्ति'—मूढ़ पूछेगा? 'कैसे होगा वैराग्य'—मूढ़ पूछेगा? असंभव!

मूढ़ अगर पूछेगा भी तो पूछता है, राग में सफलता कैसे मिलेगी? मूढ़ अगर पूछता भी है तो पूछता है, संसार में और थोड़े ज्यादा दिन कैसे रहना हो जाए? मुक्ति...! नहीं, मूढ़ पूछता है बंधन सोने के कैसे बनें? बंधन में हीरे-जवाहरात कैसे जड़ें? मूढ़ पूछता भी है तो ऐसी बातें पूछता है। ज्ञान! मूढ़ तो मानता ही नहीं कि ज्ञान हो सकता है। वह तो संभावना को ही स्वीकार नहीं करता। वह तो कहता है, कैसा ज्ञान? मूढ़ तो पशुवत जीता है।

नहीं, यह जनक मूढ़ भी नहीं है—मुमुक्षु है।

'मुमुक्षु' शब्द समझना जरूरी है। मोक्ष की आकांक्षा—मुमुक्षा! अभी मोक्ष के पास नहीं पहुंचा, ज्ञानी नहीं है; मोक्ष के प्रति पीठ करके नहीं खड़ा, मूढ़ नहीं है; मोक्ष के संबंध में कोई धारणाएं पकड़ कर नहीं बैठा, अज्ञानी भी नहीं है—मुमुक्षु है। मुमुक्षु का अर्थ है, सरल है इसकी जिज्ञासा; न मूढ़ता से अपवित्र हो रही है, न अज्ञानपूर्ण धारणाओं से विकृत हो रही है। शुद्ध है इसकी जिज्ञासा। सरल चित्त से पूछा है।

अष्टावक्र ने कहा, 'हे प्रिय, यदि तू मुक्ति को चाहता है तो विषयों को विष के समान छोड़ दे और क्षमा, आर्जव, दया, संतोष और सत्य को अमृत के समान सेवन कर।'

मुक्तिमिच्छसि चेत्तात विषयान् विषवत्त्यज।

शब्द 'विषय' बड़ा बहुमूल्य है—वह विष से ही बना है। विष का अर्थ होता है, जिसे खाने से आदमी मर जाए। विषय का अर्थ होता है, जिसे खाने से हम बार-बार मरते हैं। बार-बार भोग, बार-बार भोजन, बार-बार महत्वाकांक्षा, ईर्ष्या, क्रोध, जलन—बार-बार इन्हीं को खा-खा कर तो हम मरे हैं! बार-बार इन्हीं के कारण तो मरे हैं! अब तक हमने जीवन में जीवन कहां जाना, मरने को ही जाना है। अब तक हमारा जीवन जीवन की प्रज्वलित ज्योति कहां, मृत्यु का ही धुआं है। जन्म से लेकर मृत्यु तक हम मरते ही तो हैं धीरे-धीरे, जीते कहां? रोज-रोज मरते हैं! जिसको हम जीवन कहते हैं, वह एक सतत मरने की प्रक्रिया है। अभी हमें जीवन का तो पता ही नहीं, तो हम जीएंगे कैसे? यह शरीर तो रोज क्षीण होता चला जाता है। यह बल तो रोज खोता चला जाता है। ये भोग और विषय तो रोज हमें चूसते चले जाते हैं, जराजीर्ण करते चले जाते हैं। ये विषय और कामनाएं तो छेदों की तरह हैं; इनसे हमारी ऊर्जा और आत्मा रोज बहती चली जाती है। आखिर में घड़ा खाली हो जाता है, उसको हम मृत्यु कहते हैं।

तुमने कभी देखा, अगर छिद्र वाले घड़े को कुएं में डालो तो जब तक घड़ा पानी में डूबा होता है, भरा मालूम पड़ता है; उठाओ, पानी के ऊपर खींचो रस्सी,

बस खाली होना शुरू हुआ! जोर का शोरगुल होता है। उसी को तुम जीवन कहते हो? जलधारें गिरने लगती हैं, उसी को तुम जीवन कहते हो? और घड़ा जैसे-जैसे पास आता हाथ के, खाली होता चला जाता है। जब हाथ में आता है, तो खाली घड़ा! जल की एक बूंद भी नहीं! ऐसा ही हमारा जीवन है।

बच्चा पैदा नहीं हुआ, भरा मालूम होता है; पैदा हुआ कि खाली होना शुरू हुआ। जन्म का पहला दिन मृत्यु का पहला दिन है। खाली होने लगा। एक दिन मरा, दो दिन मरा, तीन दिन मरा! जिनको तुम 'जन्म-दिन' कहते हो, अच्छा हो, 'मृत्यु-दिन' कहो तो ज्यादा सत्यतर होगा। एक साल मर जाते हो, उसको कहते हो, चलो एक जन्म-दिन आ गया! पचास साल मर गए, कहते हो, 'पचास साल जी लिए, स्वर्ण-जयंती मनाएं!' पचास साल मरे। मौत करीब आ रही है, जीवन दूर जा रहा है। घड़ा खाली हो रहा है! जो दूर जा रहा है, उसके आधार पर तुम जीवन को सोचते हो या जो पास आ रहा है उसके आधार पर? यह कैसा उलटा गणित! हम रोज मर रहे हैं। मौत करीब सरकती आती है।

अष्टावक्र कहते हैं: विषय हैं विषवत, क्योंकि उन्हें खा-खा कर हम सिर्फ मरते हैं; उनसे कभी जीवन तो मिलता नहीं।

'यदि तू मुक्ति चाहता है, हे तात, हे प्रिय, तो विषयों को विष के समान छोड़ दे, और क्षमा, आर्जव, दया, संतोष और सत्य को अमृत के समान सेवन कर।'

अमृत का अर्थ होता है, जिससे जीवन मिले; जिससे अमरत्व मिले; जिससे उसका पता चले जो फिर कभी नहीं मरेगा।

तो क्षमा!

क्रोध विष है; क्षमा अमृत है।

आर्जव!

कुटिलता विष है; सीधा-सरलपन, आर्जव अमृत है।

दया!

कठोरता, क्रूरता विष है; दया, करुणा अमृत है।

संतोष!

असंतोष का कीड़ा खाए चला जाता है। असंतोष का कीड़ा हृदय में कैंसर की तरह है; फैलता चला जाता है; विष को फैलाए चले जाता है।

संतोष—जो है उससे तृप्ति; जो नहीं है उसकी आकांक्षा नहीं। जो है वह काफी से ज्यादा है। वह है ही काफी से ज्यादा। आंख खोलो, जरा देखो!

संतोष कोई थोपना नहीं है ऊपर जीवन के। जरा गौर से देखो, तुम्हें जो मिला है वह तुम्हारी जरूरत से सदा ज्यादा है! तुम्हें जो चाहिए वह मिलता ही रहा है।

तुमने जो चाहा है, वह सदा मिल गया है। तुमने दुख चाहा है तो दुख मिल गया है। तुमने सुख चाहा है तो सुख मिल गया है। तुमने गलत चाहा तो गलत मिल गया है। तुम्हारी चाह ने तुम्हारे जीवन को रचा है। चाह बीज है; फिर जीवन उसकी फसल है। जन्मों-जन्मों में जो तुम चाहते रहे हो वही तुम्हें मिलता रहा है। कई बार तुम सोचते हो हम कुछ और चाह रहे हैं, जब मिलता है तो कुछ और मिलता है—तो तुम्हारे चाहने में भूल नहीं हुई है; सिर्फ तुमने चाहने के लिए गलत शब्द चुन लिया था। जैसे—तुम चाहते हो सफलता, मिलती है विफलता। तुम कहते हो, विफलता मिल रही है; चाही तो सफलता थी।

लेकिन जिसने सफलता चाही उसने विफलता को स्वीकार कर ही लिया; वह विफलता से भीतर डर ही गया है। विफलता के कारण ही तो सफलता चाह रहा है। और जब-जब सफलता चाहेगा तब-तब विफलता का खयाल आएगा। विफलता का खयाल भी मजबूत होता चला जाएगा। सफलता तो कभी मिलेगी; लेकिन रास्ते पर यात्रा तो विफलता-विफलता में ही बीतेगी। विफलता का भाव संगृहीभूत होगा। वह इतना संगृहीभूत हो जाएगा कि वही एक दिन प्रकट हो जाएगा। तब तुम कहते हो कि हमने तो सफलता चाही थी। लेकिन सफलता के चाहने में तुमने विफलता को चाह लिया।

लाओत्सु ने कहा है : सफलता चाही, विफलता मिलेगी। अगर सचमुच सफलता चाहिए हो, सफलता चाहना ही मत; फिर तुम्हें कोई विफल नहीं कर सकता।

तुम कहते हो : हमने सम्मान चाहा था, अपमान मिल रहा है। सम्मान चाहता ही वही व्यक्ति है, जिसका अपने प्रति कोई सम्मान नहीं। वही तो दूसरों से सम्मान चाहता है। अपने प्रति जिसका अपमान है वही तो दूसरों से अपने अपमान को भर लेना चाहता है, ढांक लेना चाहता है। सम्मान की आकांक्षा इस बात की खबर है कि तुम अपने भीतर अपमानित अनुभव कर रहे हो; तुम्हें अनुभव हो रहा है कि मैं कुछ भी नहीं हूं, दूसरे मुझे कुछ बना दें, सिंहासन पर बिठा दें, पताकाएं फहरा दें, झंडे उठा लें मेरे नाम के—दूसरे कुछ कर दें!

तुम भिखमंगे हो! तुमने अपना अपमान तो खुद कर लिया जब तुमने सम्मान चाहा। और यह अपमान गहन होता जाएगा।

लाओत्सु कहता है, मेरा कोई अपमान नहीं कर सकता, क्योंकि मैं सम्मान चाहता ही नहीं। यह सम्मान को पा लेना है। लाओत्सु कहता है, मुझे कोई हरा नहीं सकता, क्योंकि जीत की हमने बात ही छोड़ दी। अब हराओगे कैसे! तुम उसी को हरा सकते हो जो जीतना चाहता है अब यह जरा उलझा हुआ हिसाब है।

इस दुनिया में सम्मान उन्हें मिलता है जिन्होंने सम्मान नहीं चाहा। सफलता

उन्हें मिलती है जिन्होंने सफलता नहीं चाही। क्योंकि जिन्होंने सफलता नहीं चाही उन्होंने तो स्वीकार ही कर लिया कि सफल तो हम हैं ही, अब और चाहना क्या है? सम्मान तो हमारे भीतर आत्मा का है ही; अब और चाहना क्या है? परमात्मा ने सम्मान दे दिया तुम्हें पैदा करके; अब और किसका सम्मान चाहते हो? परमात्मा ने तुम्हें काफी गौरव दे दिया! जीवन दिया! यह सौभाग्य दिया कि आंख खोलो, देखो हरे वृक्षों को, फूलों को, पक्षियों को! कान दिए—सुनो संगीत को, जलप्रपात के मरमर को! बोध दिया कि बुद्ध हो सको! अब और क्या चाहते हो? सम्मानित तो तुम हो गए! परमात्मा ने तुम्हें प्रमाण-पत्र दिया। तुम भिखारी की तरह किनसे प्रमाण-पत्र मांग रहे हो? उनसे, जो तुमसे प्रमाण-पत्र मांग रहे हैं?

यह बड़ा मजेदार मामला हैः दो भिखारी एक-दूसरे के सामने खड़े भीख मांग रहे हैं! यह भीख मिलेगी कैसे? दोनों भिखारी हैं। तुम किससे सम्मान मांग रहे हो? किसके सामने खड़े हो? यह अपमान कर रहे हो तुम अपना। और यही अपमान गहन होता जाएगा।

संतोष का अर्थ होता हैः देखो, जो तुम्हारे पास है। देखो जरा आंख खोल कर, जो तुम्हें मिला ही है।

यह अष्टावक्र की बड़ी बहुमूल्य कुंजी है। यह धीरे-धीरे तुम्हें साफ होगी। अष्टावक्र की दृष्टि बड़ी क्रांतिकारी है, बड़ी अनूठी है, जड़-मूल से क्रांति की है।

'संतोष और सत्य को अमृत के समान सेवन कर।'

क्योंकि असत्य के साथ जो जीएगा वह असत्य होता चला जाएगा। जो असत्य को बोलेगा, असत्य को जीएगा, स्वभावतः असत्य से घिरता चला जाएगा। उसके जीवन से संबंध विच्छिन्न हो जाएंगे, जड़ें टूट जाएंगी।

परमात्मा में जड़ें चाहते हो तो सत्य के द्वारा ही वे जड़ें हो सकती हैं। प्रामाणिकता और सत्य के द्वारा ही तुम परमात्मा से जुड़ सकते हो। परमात्मा से टूटना है तो असत्य का धुआं पैदा करो, असत्य के बादल अपने पास बनाओ। जितने तुम असत्य होते चले जाओगे उतने परमात्मा से दूर होते चले जाओगे।

'तू न पृथ्वी है, न जल है, न वायु है, न आकाश है। मुक्ति के लिए आत्मा को, अपने को इन सबका साक्षी चैतन्य जान।'

सीधी-सीधी बातें हैं; भूमिका भी नहीं है। अभी दो वचन नहीं बोले अष्टावक्र ने कि ध्यान आ गया, कि समाधि की बात आ गई। जानने वाले के पास समाधि के अतिरिक्त और कुछ जताने को है भी नहीं। वह दो वचन भी बोले, क्योंकि एकदम से अगर समाधि की बात होगी तो शायद तुम चौंक ही जाओगे, समझ ही न पाओगे। मगर दो वचन—और सीधी समाधि की बात आ गई!

अष्टावक्र सात कदम भी नहीं चलते; बुद्ध तो सात कदम चले, आठवें कदम पर समाधि है। अष्टावक्र तो पहला कदम ही समाधि का उठाते हैं।

'तू न पृथ्वी है, न जल, न वायु, न आकाश'—ऐसी प्रतीति में अपने को थिर कर। 'मुक्ति के लिए आत्मा को, अपने को इन सबका साक्षी चैतन्य जान।'

'साक्षी' सूत्र है। इससे महत्वपूर्ण सूत्र और कोई भी नहीं। देखने वाले बनो! जो हो रहा है उसे होने दो; उसमें बाधा डालने की जरूरत नहीं। यह देह तो जल है, मिट्टी है, अग्नि है, आकाश है। तुम इसके भीतर तो वह दीये हो जिसमें ये सब जल, अग्नि, मिट्टी, आकाश, वायु प्रकाशित हो रहे हैं। तुम द्रष्टा हो। इस बात को गहन करो।

साक्षिणां चिद्रूपं आत्मानं विद्धि...

यह इस जगत में सर्वाधिक बहुमूल्य सूत्र है। साक्षी बनो! इसी से होगा ज्ञान! इसी से होगा वैराग्य! इसी से होगी मुक्ति!

प्रश्न तीन थे, उत्तर एक है।

'यदि तू देह को अपने से अलग कर और चैतन्य में विश्राम कर स्थित है तो तू अभी ही सुखी, शांत और बंध-मुक्त हो जाएगा।'

इसलिए मैं कहता हूं, यह जड़-मूल से क्रांति है। पतंजलि इतनी हिम्मत से नहीं कहते कि 'अभी ही।' पतंजलि कहते हैं, 'करो अभ्यास—यम, नियम; साधो—प्राणायाम, प्रत्याहार, आसन; शुद्ध करो। जन्म-जन्म लगेंगे, तब सिद्धि है।'

महावीर कहते हैं, 'पंच महाव्रत! और तब जन्म-जन्म लगेंगे, तब होगी निर्जरा; तब कटेगा जाल कर्मों का।'

सुनो अष्टावक्र कोः

यदि देहं पृथक्कृत्य चिति विश्राम्य तिष्ठसि।

अधुनैव सुखी शांतः बंधमुक्तो भविष्यसि।।

'अधुनैव!' अभी, यहीं, इसी क्षण! 'यदि तू देह को अपने से अलग कर और चैतन्य में विश्राम कर स्थित है...!' अगर तूने एक बात देखनी शुरू कर दी कि यह देह मैं नहीं हूं; मैं कर्ता और भोक्ता नहीं हूं; यह जो देखने वाला मेरे भीतर छिपा है जो सब देखता है—बचपन था कभी तो बचपन देखा, फिर ज़वानी आई तो जवानी देखी, फिर बुढ़ापा आया तो बुढ़ापा देखा; बचपन नहीं रहा तो मैं बचपन तो नहीं हो सकता—आया और गया; मैं तो हूं! जवानी नहीं रही तो मैं जवानी तो नहीं हो सकता—आई और गई; मैं तो हूं! बुढ़ापा आया, जा रहा है, तो मैं बुढ़ापा नहीं हो सकता। क्योंकि जो आता जाता है, वह मैं कैसे हो सकता हूं! मैं तो सदा हूं।

जिस पर बचपन आया, जिस पर जवानी आई, जिस पर बुढ़ापा आया, जिस पर हजार चीजें आईं और गईं—मैं वही शाश्वत हूं।

स्टेशनों की तरह बदलती रहती है बचपन, जवानी, बुढ़ापा, जन्म—यात्री चलता जाता। तुम स्टेशन के साथ अपने को एक तो नहीं समझ लेते! पूना की स्टेशन पर तुम ऐसा तो नहीं समझ लेते कि मैं पूना हूं! फिर पहुंचे मनमाड़ तो ऐसा तो नहीं समझ लेते कि मैं मनमाड़ हूं! तुम जानते हो कि पूना आया, गया; मनमाड़ आया, गया—तुम तो यात्री हो! तुम तो द्रष्टा हो—जिसने पूना देखा, पूना आया; जिसने मनमाड़ देखा, मनमाड़ आया! तुम तो देखने वाले हो!

तो पहली बातः जो हो रहा है उसमें से देखने वाले को अलग कर लो!

'देह को अपने से अलग कर और चैतन्य में विश्राम...।'

और करने योग्य कुछ भी नहीं है। जैसे लाओत्सु का सूत्र है—समर्पण, वैसे अष्टावक्र का सूत्र है—विश्राम, रेस्ट। करने को कुछ भी नहीं है।

मेरे पास लोग आते हैं, वे कहते हैं, ध्यान कैसे करें? वे प्रश्न ही गलत पूछ रहे हैं। गलत पूछते हैं तो मैं उनको कहता हूं, करो। अब क्या करोगे! तो उनको बता देता हूं कि करो, कुछ न कुछ तो करना ही पड़ेगा—अभी तुम्हें करने की खुजलाहट है तो उसे तो पूरा करना होगा। खुजली है तो क्या करोगे! बिना खुजाए नहीं बनता। लेकिन धीरे-धीरे उनको करवा-करवा कर थका डालता हूं। फिर वे कहते हैं कि अब इससे छुटकारा दिलवाओ! अब कज तक यह करते रहें? मैं कहता हूं, मैं तो पहले ही राजी था; लेकिन तुम्हें समझने में जरा देर लगी। अब विश्राम करो!

ध्यान का आत्यंतिक अर्थ विश्राम है।

चिति विश्राम्य तिष्ठसि

—जो विश्राम में ठहरा देता अपनी चेतना को; जो होने मात्र में ठहर जाता...!

कुछ करने को नहीं है। क्योंकि जिसे तुम खोज रहे हो, वह मिला ही हुआ है। क्योंकि जिसे तुम खोज रहे हो, उसे कभी खोया ही नहीं। उसे खोया नहीं जा सकता। वही तुम्हारा स्वभाव है। अयमात्मा ब्रह्म! तुम ब्रह्म हो! अनलहक! तुम सत्य हो! कहां खोजते हो? कहां भागे चले जाते हो? अपने को ही खोजने कहां भागे चले जाते हो? रुको, ठहरो! परमात्मा दौड़ने से नहीं मिलता, क्योंकि परमात्मा दौड़ने वाले में छिपा है। परमात्मा कुछ करने से नहीं मिलता, क्योंकि परमात्मा करने वाले में छिपा है। परमात्मा के होने के लिए कुछ करने की जरूरत ही नहीं है—तुम हो ही!

इसलिए अष्टावक्र कहते हैं: चिति विश्राम्य! विश्राम करो! ढीला छोड़ो अपने को! यह तनाव छोड़ो! कहां जाते? कहीं जाने को नहीं, कहीं पहुंचने को नहीं है।

और चैतन्य में विश्राम...तो तू अभी ही, इसी क्षण, अधुनैव, सुखी, शांत और बंध-मुक्त हो जाएगा।

अनूठा है वचन! नहीं कोई और शास्त्र इसका मुकाबला करता है।

'तू ब्राह्मण आदि वर्ण नहीं है और न तू कोई आश्रम वाला है और न आंख आदि इंद्रियों का विषय है। असंग और निराकार तू सबका, विश्व का साक्षी है। ऐसा जान कर सुखी हो।'

अब ब्राह्मण कैसे टीका लिखें!

'तू ब्राह्मण आदि वर्ण नहीं है...।'

अब हिंदू इस शास्त्र को कैसे सिर पर उठाएं! क्योंकि उनका तो सारा धर्म वर्ण और आश्रम पर खड़ा है। और यह तो पहले से ही अष्टावक्र जड़ काटने लगे। वे कहते हैं, तू कोई ब्राह्मण नहीं है, न कोई शूद्र है, न कोई क्षत्रिय है। यह सब बकवास है! ये सब ऊपर के आरोपण हैं। यह सब राजनीति और समाज का खेल है। तू तो सिर्फ ब्रह्म है; ब्राह्मण नहीं, क्षत्रिय नहीं, शूद्र नहीं!

'तू ब्राह्मण आदि वर्ण नहीं और न तू कोई आश्रम वाला है।'

और न तो यह है कि तू कोई ब्रह्मचर्य-आश्रम में है कि गृहस्थ-आश्रम में है, कि वानप्रस्थ कि संन्यस्त, कोई आश्रम वाला नहीं है। तू तो इस सारे स्थानों के भीतर से गुजरने वाला द्रष्टा, साक्षी है।

अष्टावक्र की गीता, हिंदू दावा नहीं कर सकते, हमारी है। अष्टावक्र की गीता सबकी है। अगर अष्टावक्र के समय में मुसलमान होते, हिंदू होते, ईसाई होते, तो उन्होंने कहा होता, 'न तू हिंदू है, न तू ईसाई है, न तू मुसलमान है।' अब ऐसे अष्टावक्र को...कौन मंदिर बनाए इसके लिए! कौन इसके शास्त्र को सिर पर उठाए! कौन दावेदार बने! क्योंकि ये सभी का निषेध कर रहे हैं। मगर यह सत्य की सीधी घोषणा है।

'असंग और निराकार तू सबका, विश्व का साक्षी है—ऐसा जान कर सुखी हो!'

अष्टावक्र यह नहीं कहते कि ऐसा तुम जानोगे तो फिर सुखी होओगे। वचन को ठीक से सुनना। अष्टावक्र कहते हैं, ऐसा जान कर सुखी हो!

न त्वं विप्रादिको वर्णो नाश्रमी नाक्षगोचरः।

असंगोऽसि निराकारो विश्वसाक्षी सुखी भव।।

सुखी भव! अभी हो सुखी!

जनक पूछते हैं, 'कैसे सुख होगा? कैसे बंधन-मुक्ति होगी? कैसे ज्ञान होगा?'

अष्टावक्र कहते हैं, अभी हो सकता है। क्षणमात्र की भी देर करने की कोई जरूरत नहीं है। इसे कल पर छोड़ने का कोई कारण नहीं, स्थगित करने की कोई जरूरत नहीं। यह घटना भविष्य में नहीं घटती; या तो घटती है अभी या कभी नहीं घटती। जब घटती है तब अभी घटती है। क्योंकि 'अभी' के अतिरिक्त कोई समय ही नहीं है। भविष्य कहां है? जब आता है तब अभी की तरह आता है।

तो जो भी ज्ञान को उत्पन्न हुए हैं—'अभी' उत्पन्न हुए हैं। कभी पर मत छोड़ना—वह मन की चालाकी है। मन कहता है, इतने जल्दी कैसे हो सकता है; तैयारी तो कर लें!

मेरे पास लोग आते हैं। वे कहते हैं, 'संन्यास लेना है...लेंगे कभी।' 'कभी!' कभी न लोगे! कभी पर टाला तो सदा के लिए टाला। कभी आता ही नहीं। लेना हो तो अभी। अभी के अतिरिक्त कोई समय ही नहीं है। अभी है जीवन। अभी है मुक्ति। अभी है अज्ञान, अभी है ज्ञान। अभी है निद्रा, अभी हो सकता जागरण। कभी क्यों? कठिन होता है मन को, क्योंकि मन कहता है तैयारी तो करने दो! मन कहता है, 'कोई भी काम तैयारी के बिना कैसे घटता है? आदमी को विश्वविद्यालय से प्रमाण-पत्र लेना है तो वर्षों लगते हैं। डाक्टरेट करनी है तो बीस-पचीस साल लग जाते हैं, मेहनत करते-करते, फिर आदमी जाकर डाक्टर हो पाता है। अभी कैसे हो सकते हैं?'

अष्टावक्र भी जानते हैं: दुकान करनी हो तो अभी थोड़े खुल जाएगी! इकट्ठा करना पड़े, आयोजन करना पड़े, सामान लाना पड़े, दुकान बनानी पड़े, ग्राहक खोजने पड़ें, विज्ञापन भेजना पड़े—वर्षों लगते हैं! इस जगत में कोई भी चीज 'अभी' तो घटती नहीं; क्रम से घटती है। ठीक है। अष्टावक्र भी जानते हैं, मैं भी जानता हूं। लेकिन एक घटना यहां ऐसी है जो अभी घटती है—वह परमात्मा है। वह तुम्हारी दुकान नहीं है, न तुम्हारा परीक्षालय है, न तुम्हारा विश्वविद्यालय है। परमात्मा क्रम से नहीं घटता। परमात्मा घट ही चुका है। आंख भर खोलने की बात है—सूरज निकल ही चुका है। सूरज तुम्हारी आंख के लिए नहीं रुका है कि तुम जब आंख खोलोगे, तब निकलेगा। सूरज निकल ही चुका है। प्रकाश सब तरफ भरा ही है। अहर्निश गूंज रहा है उसका नाद! ओंकार की ध्वनि सब तरफ गूंज रही है! सतत अनाहत चारों तरफ गूंज रहा है! खोलो कान! खोलो आंख!

आंख खोलने में कितना समय लगता है? उतना समय भी परमात्मा को पाने में नहीं लगता। पल तो लगता है पलक के झपने में। पल का अर्थ होता है, जितना समय पलक को झपने में लगता, उतना पल। मगर परमात्मा को पाने में पल भी नहीं लगता।

विश्वसाक्षी, असंगोऽसि निराकारो। सुखी भव!

अभी हो सुखी! उधार नहीं है अष्टावक्र का धर्म—नगद, कैश...।

'हे व्यापक, धर्म और अधर्म, सुख और दुख मन के हैं; तेरे लिए नहीं हैं। तू न कर्ता है न भोक्ता है। तू तो सर्वदा मुक्त ही है।'

मुक्ति हमारा स्वभाव है। ज्ञान हमारा स्वभाव है। परमात्मा हमारा होने का ढंग है; हमारा केंद्र है; हमारे जीवन की सुवास है; हमारा होना है।

धर्माऽधर्मौ सुखं दुःखं मानसानि न तो विभो।

अष्टावक्र कहते हैं, 'हे व्यापक, हे विभावान, हे विभूतिसंपन्न! धर्म और अधर्म, सुख और दुख मन के हैं।' ये सब मन की ही तरंगें हैं। बुरा किया, अच्छा किया, पाप किया, पुण्य किया, मंदिर बनाया, दान दिया—सब मन के हैं।

न कर्ताऽसि न भोक्ताऽसि मुक्त एवासि सर्वदा।

'तू तो सदा मुक्त है। तू तो सर्वदा मुक्त है।'

मुक्ति कोई घटना नहीं है जो हमें घटानी है। मुक्ति घट चुकी है हमारे होने में! मुक्ति से बना है यह अस्तित्व। इसका रोआं-रोआं, रंच-रंच मुक्ति से निर्मित है। मुक्ति है धातु, जिससे बना है सारा अस्तित्व। स्वतंत्रता स्वभाव है। यह उदघोषणा, बस समझी कि क्रांति घट जाती है। समझने के अतिरिक्त कुछ करना नहीं। यह बात खयाल में उतर जाए, तुम सुन लो इसे मन भर कर, बस!

तो आज इतना ही कहना चाहूंगाः अष्टावक्र को समझने की चेष्टा भर करना। अष्टावक्र में 'करने' का कोई इंतजाम नहीं है। इसलिए तुम यह मत सोचना कि अब कोई तरकीब निकलेगी जो हम करेंगे। अष्टावक्र कुछ करने को कहते ही नहीं। तुम विश्राम से सुन लो। करने से कुछ होने ही वाला नहीं है। इसलिए तुम कापी वगैरह, नोटबुक लेकर मत आना कि लिख लेंगे, कुछ आएगा सूत्र तो नोट कर लेंगे, करके देख लेंगे। करने का यहां कुछ काम ही नहीं है। इसलिए तुम भविष्य की फिक्र छोड़ कर सुनना। तुम सिर्फ सुन लेना। तुम सिर्फ मेरे पास बैठ कर शांत भाव से सुन लेना, विश्राम में सुन लेना। सुनते-सुनते तुम मुक्त हो जा सकते हो।

इसलिए महावीर ने कहा है कि श्रावक मुक्त हो सकता है—सिर्फ सुनते-सुनते! श्रावक का अर्थ होता है जो सुनते-सुनते मुक्त हो जाए। साधु का तो अर्थ ही इतना है कि जो सुन-सुन कर मुक्त न हो सका, थोड़ा कमजोर बुद्धि का है। कुछ करना पड़ा। सिर्फ कोड़े की छाया काफी न थी। घोड़ा जरा कुजात है। कोड़ा फटकारा, तब थोड़ा चला; या मारा तो थोड़ा चला।

छाया काफी है। तुम सुन लेना, कोड़े की छाया दिखाई पड़ जाएगी।

तो अष्टावक्र के साथ एक बात स्मरण रखनाः कुछ करने को नहीं है। इसलिए तुम आनंद-भाव से सुन सकते हो। इसमें से कुछ निकालना नहीं है कि फिर करके देखेंगे। जो घटेगा वह सुनने में घटेगा। सम्यक श्रवण सूत्र है।

अधुनैव सुखी शांतः बंधमुक्तो भविष्यसि।

अभी हो जा मुक्त! इसी क्षण हो जा मुक्त! कोई रोक नहीं रहा। कोई बाधा नहीं है। हिलने की भी जरूरत नहीं है। जहां है, वहीं हो जा मुक्त। क्योंकि मुक्त तू है ही। जाग और हो जा मुक्त!

असंगोऽसि निराकारो विश्वसाक्षी सुखी भव।

हो जा सुखी! एक पल की भी देर करने की कोई जरूरत नहीं है। छलांग है, क्वांटम छलांग! सीढ़ियां नहीं हैं अष्टावक्र में। क्रमिक विकास नहीं है; सडन, इसी क्षण हो सकता है!

हरि ॐ तत्सत्!

* * *

समाधि का सूत्रः विश्राम

पहला प्रश्नः कल प्रवचन सुनते समय ऐसा लगा कि मैं इस पृथ्वी पर नहीं हूं, वरन मुक्त और असीम आकाश में एक ज्योति-कण हूं। प्रवचन के बाद भी हलकेपन का, खालीपन का अनुभव होता रहा; उसी आकाश में भ्रमण करते रहने का जी होता रहा। ज्ञान, कर्म, भक्ति मैं नहीं जानता; लेकिन अकेला होने पर इस स्थिति में डूबे रहने का जी होता है। लेकिन कभी-कभी यह भाव भी उठता है कि कहीं यह मेरा पागलपन तो नहीं है, कहीं यह मेरे अहंकार का ही दूसरा खेल तो नहीं! कृपापूर्वक मेरा मार्ग-दर्शन करें!

इस पृथ्वी पर हम हैं, पर इस पृथ्वी पर वस्तुतः हम न हो सकते हैं और न हम हैं। प्रतीत होता है, पृथ्वी पर हम अजनबी हैं। देह में घर किया है, लेकिन देह हमारा घर नहीं। जैसे कोई परदेस में बस जाए और भूल ही जाए स्वदेश को, फिर अचानक राह पर किसी दिन बाजार में कोई मिल जाए जो घर की याद दिला दे, जो अपनी भाषा में बोले—तो एक क्षण को परदेस मिट जाएगा, स्वदेश प्रकट हो जाएगा।

शास्त्र का यही मूल्य है। शास्ताओं के वचनों का यही अर्थ है। उनकी सुन कर क्षण भर को हम यहां नहीं रह जाते; वहां हो जाते हैं जहां हमें होना चाहिए। उनके संगीत में बह कर, जो चारों तरफ घेरे है वह दूर हो जाता है; और जो बहुत दूर है, पास आ जाता है।

अष्टावक्र के वचन बहुत अनूठे हैं। सुनोगे तो ऐसा बार-बार होगा। बार-बार लगेगा, पृथ्वी पर नहीं हो, आकाश के हो गए; क्योंकि वे वचन आकाश के हैं। ने वचन स्वदेश से आए हैं। उस स्रोत से आए हैं, जहां से हम सबका आना हुआ

है; और जहां हमें जाना चाहिए, और जहां जाए बिना हम कभी चैन को उपलब्ध न हो सकेंगे।

जहां हम हैं—सराय है, घर नहीं। कितना ही मान कर बैठ जाएंकि घर है, फिर भी सराय सराय बनी रहती है। समझा लें, बुझा लें, भुला लें—भेद नहीं पड़ता; कांटा चुभता ही रहता है; याद आती ही रहती है। और कभी जब ऐसे किसी सत्य के साथ मुलाकात हो जाए, जो खींच ले, जो चुंबक की तरह किसी और दूसरी दुनिया का दर्शन करा दे तो लगेगा कि हम पृथ्वी के हिस्से नहीं रहे।

ठीक लगा।

'कल प्रवचन सुनते समय ऐसा लगा कि मैं इस पृथ्वी पर नहीं हूं।'

इस पृथ्वी पर कोई भी नहीं है। इस पृथ्वी पर हम मालूम होते हैं, प्रतीति होती है, सत्यतः हम आकाश में हैं। हमारा स्वभाव आकाश का है।

आत्मा यानी भीतर का आकाश। शरीर यानी पृथ्वी। शरीर बना है पृथ्वी से। तुम बने हो आकाश से। तुम्हारे भीतर दोनों का मिलन हुआ है।

तुम क्षितिज हो, जहां पृथ्वी आकाश से मिलती हुई मालूम पड़ती है; लेकिन मिलती थोड़े ही है कभी! दूर क्षितिज मालूम पड़ता है—मिल रहा आकाश पृथ्वी से। चल पड़ो; लगता है ऐसे घड़ी दो घड़ी में पहुंच जाएंगे। चलते रहो जन्मों-जन्मों तक, कभी भी उस जगह न पहुंचोगे जहां आकाश पृथ्वी से मिलता है। बस मालूम होता; सदा मालूम होता मिल रहा—थोड़ी दूर आगे, बस थोड़ी दूर आगे!

क्षितिज कहीं है नहीं—सिर्फ दिखाई पड़ता है। जैसे बाहर क्षितिज है वैसे ही हमारी अवस्था है। यहां भीतर भी मिलन कभी हुआ नहीं। आत्मा कैसे मिले शरीर से! मर्त्य का अमृत से मिलन कैसे हो! दूध पानी में मिल जाता है—दोनों पृथ्वी के हैं। आत्मा शरीर से कैसे मिले—दोनों का गुणधर्म भिन्न है! कितने ही पास हों, मिलन असंभव है। सनातन से पास हों तो भी मिलन असंभव है। मिलन हो नहीं सकता; सिर्फ हमारी प्रतीति है, हमारी धारणा है। क्षितिज हमारी धारणा है। हमने मान रखा है, इसलिए है।

अष्टावक्र के वचनों को अगर जाने दोगे हृदय के भीतर तीर की तरह तो वे तुम्हारी याद को जगाएंगे; तुम्हारी भूली-बिसरी स्मृति को उठाएंगे; क्षण भर को आकाश जैसे खुल जाएगा, बादल कट जाएंगे; सूरज की किरणों से भर जाएगा प्राण।

कठिनाई होगी; क्योंकि हमारे सारे जीवन के विपरीत होगा यह अनुभव। इससे बेचैनी होगी। और ये जो घटाएं छट गई हैं, ये तुम्हारे कारण नहीं छटी हैं; ये तो किसी शास्ता के वचनों का परिणाम हैं। फिर घटाएं घिर जाएंगी। तुम घर पहुंचते-पहुंचते फिर घटाओं को घेर लोगे। तुम अपनी आदत से इतनी जल्दी बाज थोड़े

आओगे—फिर घटाएं घिर जाएंगी, तब और बेचैनी होगी कि जो दिखाई पड़ा था, वह सपना तो नहीं था; जो दिखाई पड़ा था, कहीं कल्पना तो नहीं थी, कहीं अहंकार का, मन का खेल तो न था, कहीं ऐसा तो न हुआ कि हम किसी पागलपन में पड़ गए थे!

स्वभावतः तुम्हारी आदतों का वजन बहुत पुराना है। अंधेरा बड़ा प्राचीन है। यद्यपि है नहीं—पर है बहुत प्राचीन। सूरज की किरण कभी फूटती है तो बड़ी नई है—अत्यंत नई है, सद्यःस्नात! क्षण भर को दिखाई पड़ती है, फिर तुम अपने अंधेरे में खो जाते हो। तुम्हारे अंधेरे का बड़ा लंबा इतिहास है। जब तुम दोनों को तौलोगे तो शक किरण पर पैदा होगा, अंधेरे पर पैदा नहीं होगा। होना चाहिए अंधेरे पर—होता है किरण पर; क्योंकि किरण है नई और अंधेरा है पुराना। अंधेरा है परंपरा जैसा—सदियों-सदियों की धारा है। किरण है अभी-अभी फूटी-ताजी, नई, इतनी नई कि भरोसा कैसे करें!

'...लगा कि मैं इस पृथ्वी पर नहीं हूं।'

इस पृथ्वी पर कोई भी नहीं है। इस पृथ्वी पर हम हो नहीं सकते। मान्यता है हमारी, धारणा है हमारी, लगता है—सत्य नहीं है।

'...और मुझे, असीम आकाश में एक ज्योति-कण हूं, ऐसा प्रतीत हुआ।'

यह शुरुआत हैः 'असीम आकाश में एक ज्योति-कण हूं।' जल्दी ही लगेगा कि असीम आकाश हूं। यह प्रारंभ है।

तो असीम आकाश में भी अभी हम पूरी तरह लीन नहीं हो पाते। अगर लगता भी है कभी, कभी वह उड़ान भी आ जाती है, वह तूफान भी आ जाता है, हवाएं हमें ले भी जाती हैं—तो भी हम अपने को अलग ही बचा लेते हैं। 'ज्योति कण!' न रहे अंधेरे, हो गए ज्योति-कण; लेकिन आकाश से अभी भी भेद रहा, फर्क रहा, फासला रहा। घटना तो पूरी उस दिन घटेगी, जिस दिन तुम आकाश ही हो जाओगे—ज्योति-कण भी भिन्न है—जिस दिन तुम अभिन्न हो जाओगे; जिस दिन लगेगा मैं शून्याकाश हूं।

ऐसा तो कहते हैं भाषा में कि मैं शून्य आकाश हूं। जब तक 'मैं' है, तब तक यह कैसे हो सकेगा? मैं है तो आकाश अलग रहेगा। जब ऐसा प्रतीत होगा कि शून्याकाश है, तब मैं तो नहीं रहूंगा। शून्याकाश ही रहेगा। कहते हैंः अहं ब्रह्मास्मि—मैं ब्रह्म हूं। लेकिन जब ब्रह्म होगा तब मैं कैसे रहेगा? ब्रह्म ही रहेगा, मैं नहीं रहूंगा। पर कहने में और कोई उपाय नहीं।

भाषा तो सोए हुए लोगों की है। भाषा तो उनकी है जो परदेस में बस गए और जिन्होंने परदेस को स्वदेश मान लिया है। मौन ही ज्ञानियों का है; भाषा तो अज्ञानियों की है।

तो जैसे ही कुछ कहो, कहते ही सत्य असत्य हो जाता है। 'अहं ब्रह्मास्मि! मैं ब्रह्म हूं। मैं आकाश हूं।'—कहते ही असत्य हो गया।...आकाश ही है!

लेकिन यह भी कहना 'आकाश ही है' पूरा सत्य नहीं है, क्योंकि 'ही' बताता है कि कुछ और भी होगा, अन्यथा 'ही' पर जोर क्यों है? 'आकाश है', इतने कहने में भी अड़चन है, क्योंकि जो है वह 'नहीं' हो सकता है।

हम कहते हैं, मकान है; कभी मकान नहीं हो जाता है, गिर जाता है, खंडहर हो जाता है। हम कहते हैं, आदमी है; कभी आदमी मर जाता है। आकाश इस तरह तो नहीं है कि कभी है और कभी नहीं है। आकाश तो सदा है।

तो आकाश है, ऐसा कहना पुनरुक्ति है। आकाश का स्वभाव ही होना है, इसलिए 'है' को क्या दोहराना? 'है' कहना तो उन चीजों के लिए ठीक है जो कभी 'नहीं' भी हो जाती हैं। मनुष्य है। एक दिन नहीं था, आज है, कल फिर नहीं हो जाएगा। हमारी 'है' तो दो 'नहीं' के बीच में है। आकाश की 'है' कल भी है आज भी है, कल भी है। दो 'है' के बीच में 'है' का क्या अर्थ? दो 'नहीं' के बीच में 'है' का अर्थ होता है।

आकाश है, यह भी पुनरुक्ति है। कहें आकाश। लेकिन 'आकाश' जब कहते हैं, शब्द जब बनाते हैं, तभी भूल हो जाती है। आकाश कहने का अर्थ ही हुआ कि कुछ और भी है जो आकाश से अन्यथा है, भिन्न है। अन्यथा शब्द की क्या जरूरत है? अगर एक ही है तब तो एक कहने का भी कोई प्रयोजन नहीं। एक तो तभी सार्थक है जब दो हो, तीन हो, चार हो, संख्या हो। 'आकाश' भी क्या कहना?

इसलिए ज्ञान तो मौन है। परम ज्ञान को शब्दों तक लाना असंभव है।

लेकिन हम धन्यभागी हैं कि अष्टावक्र जैसे किन्हीं पुरुषों ने अथक, असंभव चेष्टा की है। जहां तक संभव हो सकता था, सत्य की सुगंध को शब्द तक लाने का प्रयास किया है।

और इतना खयाल रखना कि अष्टावक्र जैसी सफल चेतना बहुत कम है। बहुतों ने प्रयास किया है सत्य को शब्द तक लाने का—सभी हारे हैं। हारना सुनिश्चित है। मगर अगर हारे हुओं में भी देखना हो, तो अष्टावक्र सबसे कम हारे हैं; सबसे ज्यादा जीते हैं। सुनोगे ठीक से तो घर की याद आएगी।

शुभ है कि लगा ज्योति-कण हूं। तैयारी रखना खोने की। किसी दिन लगेगा ज्योति-कण भी खो गया, आकाश ही बचा। तब पूरा मतवालापन छाएगा। तब डूबोगे सत्य की शराब में। तब नाचोगे। तब अमृत की पूरी झलक मिलेगी।

'...प्रवचन के बाद भी हलकेपन, खालीपन का अनुभव होता रहा। उसी आकाश में भ्रमण करने का जी होता रहा।'

यहां थोड़ी भूल हो जाती है। जब भी हमें कुछ सुखद अनुभव होता है, तो हम चाहते हैं फिर-फिर हो। मनुष्य का मन है बड़ा कमजोर—आकांक्षा से भर जाता है, लोभ से भर जाता है, प्रलोभन पैदा होता है। जो भी सुखद है उसे दोहराने का मन होता है। लेकिन एक बात खयाल रखना, दोहराने में ही भूल हो जाती है। जैसे ही तुमने चाहा फिर से हो, कभी न होगा। क्योंकि जब पहली दफे हुआ था तो तुम्हारे चाहने से न हुआ था—हो गया था; घटा था; तुम्हारा कृत्य न था।

यही तो अष्टावक्र का पूरा जोर हैः सत्य घटता है; कृत्य नहीं है, घटना है। सुनते-सुनते हुआ था, तुम कर क्या रहे थे? सुनने का अर्थ ही होता है कि तुम कुछ भी न कर रहे थे; तुम शून्य-भाव से बैठे थे; तुम मौन थे, तुम सजग थे; तुम जागे हुए थे, सोए नहीं थे। ठीक! लेकिन तुम कर क्या रहे थे? तुम केवल ग्राहक थे। तुम्हारी चित्त की दशा दर्पण की तरह थीः जो आ जाए, झलक जाए; जो कहा जाए, सुन लिया जाए। तुम कुछ उसमें जोड़ न रहे थे। अगर तुम जोड़ रहे होते, तो जो घटी है बात वह कभी न घटती। तुम व्याख्या भी न कर रहे थे। भीतर बैठे-बैठे तुम यह न कह रहे थे कि हां, ठीक है गलत है, मुझसे मेल खाता नहीं मेल खाता, शास्त्र में ऐसा कहा है कि नहीं कहा है। तुम तर्क न कर रहे थे। अगर तुम तर्क कर रहे थे तो यह घटना न घटती।

जिन्होंने पूछा है, स्वामी ओमप्रकाश सरस्वती ने, उन्हें मैं जानता हूं। तर्क से उनका चित्त बड़ा दूर है; संदेह-विवाद से बहुत दूर है। जा चुके वे दिन! कभी किया होगा तर्क, कभी किया होगा संदेह। जीवन के अनुभव से पक गए हैं। अब नहीं वह बचपना मन में रहा। इसीलिए घटना घट सकी। सुन रहे थे, कुछ कर न रहे थे, बैठे थे—बैठे-बैठे हो गया।

तो जब पहली दफा तुम्हारे बिना किए हुआ, तो दूसरी दफा अगर तुमने चाहा कि हो जाए तो बाधा पड़ जाएगी। चाह तो उसके होने का कारण थी ही नहीं। इसलिए जब ऐसी अभूतपूर्व घटनाएं घटें तो चाहना मतः जब घटें, आनंद-भाव वे स्वीकार कर लेना; जब न घटें तो शिकायत मत करना, मांगना मत। मांगे कि चूके। मांग में जबरदस्ती है, आग्रह हैः 'घटना चाहिए! एक दफा घट गया तो अब क्यों नहीं घटता है?'

ऐसा रोज होता है। जब यहां लोग ध्यान करने आते हैं, शुरू-शुरू में ताजे और नये होते हैं; कोई अनुभव नहीं होता, तो घट जाता है। यह बड़ी हैरानी की बात है। इसे तुम समझना। अष्टावक्र को समझने में इससे सहायता मिलेगी। यह मेरे रोज का अनुभव हैः जब लोग नये-ताजे आते हैं और ध्यान का उन्हें कोई अनुभव नहीं होता तो घट जाता है। घट जाता है तो आह्लाद से भर जाते हैं, मगर

वहीं गड़बड़ हो जाती है। फिर मांग शुरू होती है ः आज जो हुआ कल हो; न केवल हो, बल्कि और ज्यादा हो। फिर नहीं घटता। फिर वे मेरे पास आ कर रोते हैं। वे कहते हैं, 'हुआ क्या? कहीं भूल हो गई? पहले घटा, अब नहीं घट रहा है!' भूल यही हो गई कि पहले जब घटा तो तुमने मांगा न था; अब तुम मांग रहे हो। अब तुम्हारा मन निर्दोष न रहा, मांग ने दूषित किया। अब तुम सरल न रहे, अब तुम खुले न रहे; मांग ने द्वार-दरवाजे बंद किए। आकांक्षा जग गई; आकांक्षा ने सब विकृत कर दिया। वासना खड़ी हो गई, लोभ पैदा हो गया।

ऐसा रोज होता है। जो लोग बहुत दिन से ध्यान कर रहे हैं, बहुत तरह की प्रक्रियाएं कर रहे हैं, उन्हें ध्यान बड़ी मुश्किल से लगता है। उनका अनुभव बाधा बनता है। कभी-कभी कोई चला आता है, ऐसे ही, तरंगों में बहता हुआ। कोई मित्र आता था—उसने कभी सोचा भी नहीं ध्यान का—कोई मित्र आता था, उसने सोचा चलो चले चलें, देखें क्या है। कुतूहलवश चला आया था, कोई वासना न थी, कोई अध्यात्म की खोज भी न थी, कोई चेष्टा भी न थी, ऐसे ही चला आया था—औरों को ध्यान करते देख तरंग आ गई, सम्मिलित हो गया—घट गया! चौंका आदमी ः 'मैं तो आया ही नहीं था ध्यान करने और ध्यान हो गया!' बस फिर अड़चन। अब दुबारा जब आता है तो आकांक्षा है, मन में रस है; फिर से हो। लोभ है, पुनरुक्ति का भाव है! मन आ गया। मन ने सब खेल खराब कर दिया।

जहां मन नहीं है, वहां घटता है।

ध्यान रखना, मन पुनरुक्ति की वासना है। जो हुआ सुखद, फिर से हो; जो हुआ दुखद, फिर कभी न हो—यही तो मन है। मन चुनाव करता है ः यह हो और यह न हो; ऐसा बार-बार हो और ऐसा अब कभी न हो। यही तो मन है।

जब तुम जीवन के साथ बहने लगते हो—जो हो ठीक, जो न हो ठीक; दुख आए तो स्वीकार; दुख आए तो विरोध नहीं, सुख आए तो स्वीकार; सुख आए तो उन्माद नहीं। जब सुख और दुख में कोई सम होने लगता है, समता आने लगती है; जब सुख और दुख धीरे-धीरे एक ही जैसे मालूम होने लगते हैं, क्योंकि कोई चुनाव न रहा, अपने हाथ की कोई बात न रही, जो होता है होता है; हम देखते रहते हैं—इसको अष्टावक्र कहते हैं साक्षी-भाव। और वे कहते हैं, साक्षी-भाव सधा तो सब सधा ः साक्षी-भाव साक्षी को जगाता है भीतर, बाहर समता ले आता है। समत्व साक्षी-भाव की छाया है।

या तुम समत्व में उपलब्ध हो जाओ तो साक्षी-भाव चला आता है। वे दोनों साथ-साथ चलते हैं। वे एक ही घटना के दो पैर या दो पंख हैं।

'...उसी आकाश में भ्रमण करने का जी होता रहता है।'

इससे सावधान होना। मन को मौका मत देना कि ध्यान की घड़ियों को खराब करे। इसी मन ने तो संसार खराब किया। इसी ने तो जीवन के सारे संबंध विकृत किए। इसी मन ने तो सारे जीवन को रेगिस्तान जैसा रूखा कर दिया; जहां बहुत फूल खिल सकते थे, वहां सिर्फ कांटे हाथ में रह गए। अब इस मन को अंतर्यात्रा पर साथ मत लाओ। इसे नमस्कार करो। इसे विदा दो। प्रेम से सही, पर इसे विदा दो। इससे कहोः बहुत हो गया, अब हम न मांगेंगे। अब जो होगा, हम जागेंगे। हम देखेंगे।

जैसे ही तुमने मांगा, फिर तुम साक्षी नहीं रह सकते, तुम भोक्ता हो गए। ध्यान के भी भोक्ता हो गए तो ध्यान गया। भोक्ता का अर्थ यह है कि तुमने कहाः इसमें मुझे रस आया, इससे मुझे सुख मिला।

'...ज्ञान, कर्म, भक्ति मैं नहीं जानता; लेकिन अकेला होने पर इसी स्थिति में डूबे रहने का जी होता है।'

छोड़ो इस जी को—और तुम डूबोगे इसी स्थिति में। अकेले ही नहीं, भीड़ में भी रहोगे, तो डूबोगे। बाजार में भी रहोगे तो भी डूबोगे। इस स्थिति का कोई संबंध अकेले और भीड़ से नहीं है, मंदिर और बाजार से नहीं है, एकांत, समूह से नहीं है—इस स्थिति का संबंध तुम्हारे चित्त के शांत होने से है, सम होने से है। जहां भी शांति, समता होगी, यह घटना घटेगी। लेकिन तुम इसको मांगो मत, अन्यथा यही अशांति बन जाएगी, यही तनाव बन जाएगी।

अष्टावक्र कहते : 'अभी और यहीं!'

मांग तो सदा कल के लिए होती है। मांग तो 'अभी और यहीं' नहीं हो सकती। मांग का स्वभाव वर्तमान में नहीं ठहरता। मांग का अर्थ ही है: हो, कल हो, घड़ी भर बाद हो, क्षण भर बाद हो—हो।

मांग अभी तो नहीं हो सकती, मांग के लिए तो समय चाहिए। थोड़ा ही सही, पर समय चाहिए। और भविष्य है नहीं। जो नहीं है उसी का नाम भविष्य है। जो है उसका नाम वर्तमान है। वर्तमान और मांग का कोई संबंध नहीं होता। जब तुम वर्तमान में होओगे तो पाओगे कोई मांग नहीं है। और तब घटेगी यह घटना। जब इसे घटाने का जी न रहेगा, तब यह खूब घटेगी।

इस पहेली को ठीक से समझ लो। इस पहेली का एक-एक कोना पहचान लो। जिस दिन तुम कुछ भी न मांगोगे, उस दिन सब घटेगा। जिस तुम परमात्मा के पीछे दीवाने होकर न दौड़ोगे, वह तुम्हारे पीछे चला आएगा। जिस दिन तुम ध्यान के लिए आतुरता न दिखाओगे, तुम्हारे भीतर कोई तनाव न होगा, उस दिन ध्यान ही ध्यान से भर जाओगे।

ध्यान कहीं बाहर से थोड़े ही आता है। जब तुम तनाव में नहीं हो तो तुम्हारे भीतर शेष रह जाता, उसका नाम ध्यान है।

जब तुम्हारे भीतर वासना नहीं है तो जो शेष रह जाता, उसका नाम ध्यान है।

झील है। तरंगें उठ रही हैं। हवा के झकोरे! झील की पूरी छाती तूफान से भर गई है। आंधी है। सब उथल-पुथल हो रही है। आकाश में चांद है पूरा, लेकिन प्रतिबिंब नहीं बनता; क्योंकि झील कंप रही है, दर्पण कैसे बने? चांद का प्रतिबिंब बनता है, टूट-टूट जाता है हजार-हजार टुकड़ों में; चांदी फैल जाती है पूरी झील पर, लेकिन चांद कर प्रतिबिंब नहीं बनता है। झील शांत हो गई। लहरें कहीं चली गईं? लहरें कहीं से आई थीं? लहरें झील की थीं। फिर सो गईं; झील में वापस उतर गईं। झील अपनी थिर अवस्था में आ गई। वह जो चांदी की तरह फैल गया चांद था झील की छाती पर, सिकुड़ आया एक जगह, ठीक प्रतिबिंब बनने लगा।

जैसे ही तुम्हारे मन की झील पर तरंगें नहीं होतीं—तरंग यानी वासना, तरंग यानी मांग, तरंग यानी ऐसा हो और ऐसा न हो—जब कोई तरंग मन की झील पर नहीं होती तो सत्य जैसा है वैसा ही प्रतिबिंबित होता है। तो जो बनता है चांद तुम्हारे भीतर, उसके सौंदर्य का क्या कहना! उसके रस का क्या कहना! रसधार बरसती! मिलन होता! फिर सुहागरात ही सुहागरात है!

लेकिन तुमने मांगा कि चूक हो जाएगी।

और मैं समझता हूं, मांग बिलकुल स्वाभाविक मालूम होती है। बड़ी अड़चन है। इतना सुख मिलता है ऐसी घड़ियों में कि कैसे बचें न मांगने से! मानवीय है। मैं यह नहीं कहता कि तुमने कुछ बड़ी अमानवीय भूल की। बिलकुल मानवीय भूल है। कभी जब क्षण भर को झरोखा खुल जाता है और आकाश बहता है तुममें, कभी क्षण भर को जब अंधेरा टूटता है और किरणें उतरती हैं तो असंभव है, करीब-करीब असंभव है कि इसे न मांगो।

लेकिन यह 'असंभव' सीखना पड़ेगा। आज सीखो, कल सीखो, परसों सीखो, मगर सीखना पड़ेगा। जितनी जल्दी सीखो उतना उचित। अभी तैयार हो जाओ तो अभी घटना घटने को देर नहीं है। जरा भी क्षण भर की प्रतीक्षा करने की जरूरत नहीं है।

'...इसी स्थिति में डूबे रहने का जी होता है।'

यह स्थिति घटेगी। इसका तुम्हारे चित्त से कुछ लेना-देना नहीं है। इसलिए तुम अपने चित्त को पीछे छोड़ो। वह जब बीच-बीच में आए तब उसे बार-बार कह दो कि क्षमा करो, बहुत हुआ, काफी हुआ! संसार खराब किया, अब परमात्मा तो

खराब मत करो! जीवन के सारे सुख विकृत कर डाले; अब ये अंतरतम के सुख आ रहे हैं, इन्हें तो विकृत मत करो!

सजग रह कर मन को नमस्कार कर लो, विदा दे दो। धीरे-धीरे, धीरे-धीरे ऐसी घड़ियां आने लगेंगी—तुम्हारे अनुभव से ही आएंगी—जब मन नहीं होगा, तत्क्षण फिर वही झरोखा खुलता है; फिर बहती रसधार; फिर उतरता प्रकाश; फिर तुम आलोकित; फिर तुम मगन; फिर तुम अमृत में डूबे! जब ऐसा बार-बार होगा तो बात साफ हो जाएगी; तो फिर मन से तुम अपने को दूर रखने में कुशल हो जाओगे।

जब घटे, तब घट जाने देना; जब न घटे तब शांति से प्रतीक्षा करते रहना—आएगा। जो एक बार आया है, बार-बार आएगा। तुम भर मत मांगना। तुम भर बीच में मत आना। तुम भर बाधा मत देना।

'...लेकिन कभी-कभी यह भाव भी उठता है कि कहीं यह मेरा पागलपन तो नहीं है!'

बुद्धि ऐसे भाव भी उठाएगी। क्योंकि बुद्धि यह मान ही नहीं सकती कि आनंद हो सकता है। बुद्धि दुख से बिलकुल राजी है। बुद्धि ने दुख को पूरी तरह स्वीकार किया है, क्योंकि बुद्धि दुख की जन्मदात्री है। अपनी ही संतान को कौन स्वीकार नहीं करेगा! तो बुद्धि मानती हैः दुख है तो बिलकुल ठीक है। लेकिन महासुख!—जरूर कहीं कोई गड़बड़ हो गई है। ऐसा कहीं होता है? कोई कल्पना हो गई, कोई सपना देखा, किसी दिवा-स्वप्न में खो गए, किसी सम्मोहन में उतर गए? जरूर कहीं कुछ पागलपन हो गया है।

बुद्धि ऐसे बार-बार कहेगी। इसे सुनना मत। इस पर ध्यान मत देना। अगर इस पर ध्यान दिया तो वे घटनाएं बंद हो जाएंगी, वे द्वार-झरोखे फिर कभी न खुलेंगे।

एक बात खयाल में रखनाः आनंद सत्य की परिभाषा है। जहां से आनंद मिले, वहीं सत्य है। इसलिए तो हमने परमात्मा को 'सच्चिदानंद' कहा है। आनंद उसकी आखिरी परिभाषा है। सत्य से भी ऊपर, चित से भी ऊपर, आनंद को रखा है, 'सच्चिदानंद' कहा है। सत्य एक सीढ़ी नीचे, चित एक सीढ़ी नीचे—आनंद परम है।

जहां से आनंद बहे, जहां से आनंद मिले—फिर तुम चिंता मत करना, सत्य के करीब हो। जैसे कोई बगीचे के करीब आता है तो हवाएं ठंडी हो जाती हैं, पक्षियों के गीत सुनाई पड़ने लगते हैं, शीतलता अनुभव होने लगती है—तब बगीचा दिखाई भी न पड़े तो भी अनुभव में आने लगता है कि राह ठीक है, बगीचे की तरफ पहुंच रहे हैं। ऐसे ही, जैसे ही तुम सत्य की तरफ पहुंचने लगते हो, आनंद झरता है, शीतल होने लगता मन, संतुलन आने लगता, सहिष्णुता बढ़ती है, सुख

बढ़ता है! एक उमंग घेरे रहती है—अकारण! कोई कारण भी दिखाई नहीं पड़ता। न कोई लाटरी मिली है। न कोई धंधे में बड़ा लाभ हुआ है। न कोई बड़ा पद मिला है। ऐसा भी हो सकता था ः पद था, वह भी गया; हाथ में जो था वह भी खो गया; धंधा भी डूब गया—लेकिन अकारण एक उमंग है कि भीतर कोई नाचे जा रहा है, कि रुकता ही नहीं! तो बुद्धि कहेगी ः कहीं पागल तो नहीं हो गए हो? ये तो पागलों के लक्षण हैं।

यही बड़ी अजीब दुनिया है ः यहां सिर्फ पागल ही प्रसन्न दिखाई पड़ते हैं! इसलिए बुद्धि कहती है, पागल हो गए होओगे, क्योंकि यहां पागलों के सिवा किसी को प्रसन्न देखा है? यहां हजार कारण होते हैं, तब भी आदमी प्रसन्न नहीं होता। बड़ा महल हो, धन हो, संपत्ति हो, सुख-सुविधा हो, तब भी आदमी प्रसन्न नहीं होता। यह दुनिया दुखी लोगों की दुनिया है। मगर दुखी लोगों की भीड़ है। यहां अगर तुम हंसने लगो अकारण तो लोग कहेंगे पागल हो गए हो! अगर तुम कहो कि हंसी आ रही है, कोई कारण नहीं है, फैली जा रही है, भीतर से उठ रही है, लहर आ रही है—लोग कहेंगे, बस, दिमाग खराब हो गया! यहां तुम शक्ल बना कर चलो, उदास रहो, तुम्हारी शक्ल देख कर भूत-प्रेत भी डरें, तो बिलकुल ठीक हो; तो कोई अड़चन नहीं है; तो सब ठीक चल रहा है; तुम आदमी जैसे आदमी हो; जैसा आदमी होना चाहिए वैसे आदमी हो। लेकिन तुम मुस्कुराने लगो, तुम हंसने लगो, तुम गीत गुनगुनाने लगो, तुम राह के किनारे खड़े होकर नाचने लगो—बस, तुम पागल हो गए!

परमात्मा को हमने इस भांति इनकार किया है कि अगर परमात्मा आए तो हम उसे पागलखाने में बंद कर देंगे। शायद इसी कारण नहीं आता, आने से डरता है।

तुम जरा सोचो, कृष्ण अगर मिल जाएं चौराहे पर बांसुरी बजाते, मोरमुकुट बांधे, पीतांबर डाले, गोपियां नाचती हों—क्या करोगे? तत्क्षण पुलिसथाने जाओगे कि कुछ गड़बड़ है! यह क्या हो रहा है? जो नहीं होना चाहिए वह हो रहा है—तुम इस आदमी को जेलखाने में डालोगे।

आनंद निष्कासित कर दिया गया है! हमने आनंद को जीवन के बाहर कर दिया है। हम दुख को छाती से लगा कर बैठे हैं। यहां दुखी आदमी बुद्धिमान मालूम होता है; यहां आनंदित आदमी पागल मालूम होता है। सारी सरणी उलटी है।

तो स्वाभाविक है। जीवन भर जिसको तुमने बुद्धिमानी समझा है, आज अचानक अगर खोने लगेगी, खिसकने लगेगी, अगर आज अचानक नींव उखड़ने लगेगी तुम्हारी तथाकथित बुद्धिमानी की, और अचानक झांकने लगेगी प्रसन्नता—'अकारण' खयाल रखना! पागलपन का मतलब यह होता है ः अकारण

प्रसन्न! कारण भी नहीं है कुछ। बैठे हैं अकेले और मुस्कुराहट आ रही है। बस, पागल हो गए! क्योंकि ऐसा तो हमने सिर्फ पागलों को ही देखा है।

ध्यान रखना : पागलों में और परमहंसों में थोड़ा सा संबंध है। पागल भी हंसते हैं, प्रसन्न होते हैं, क्योंकि बुद्धि गंवा दी। परमहंस भी हंसते हैं, प्रसन्न होते हैं, क्योंकि बुद्धि के पार आ गए। दोनों—पागल बुद्धि से नीचे गिर जाता है, इसलिए हंस लेता है; परमहंस बुद्धि के पार चला जाता है, इसलिए हंसता है—दोनों में थोड़ी समानता है।

पागल और परमहंस में एक बात समान है कि दोनों ने बुद्धि गंवाई। एक ने होशपूर्वक गंवाई है, एक ने बेहोशी में गंवाई है—इसलिए फर्क बहुत है। जमीन-आसमान जितना फर्क है। लेकिन फिर भी एक समानता है। इसलिए कभी-कभी तुम्हें पागल में परमहंस दिखाई पड़ेगा और कभी-कभी परमहंस में पागल। तो भूल-चूक हो जाती है।

पश्चिम के पागलखानों में ऐसे बहुत से लोग बंद हैं जो पागल नहीं हैं। अभी वहां बड़ी क्रांति चलती है इसके संबंध में। कुछ मनोवैज्ञानिक, विशेषकर आर.डी. लैंग और उनके साथी, एक बड़ा आंदोलन चलाते हैं कि बहुत से पागल पागलखानों में बंद हैं जो पागल नहीं हैं। अगर वे पूरब में पैदा होते तो परमहंसों की तरह उनका आदर-सम्मान होता है। आर. डी. लैंग को पता नहीं है, इससे उलटी घटना पूरब में घट चुकी है : यहां कई पागल हैं जो परमहंस समझे जाते हैं। मगर आदमी आदमी है। यहां पूरब में कई पागल परमहंस समझ लिए गए हैं। मगर भूल-चूक होती है, क्योंकि दोनों की सीमाएं एक-दूसरे पर पड़ जाती हैं। तो यह शक स्वाभाविक है।

एक ही बात खयाल रखना इसमें : आनंद बढ़ रहा हो, घबड़ाना मत। मगर आनंद पागलपन के कारण भी बढ़ सकता है। तो सुरक्षा की कसौटी क्या है? सुरक्षा की कसौटी यह है : तुम्हारा आनंद बढ़ रहा हो और तुम्हारे कारण किसी का दुख न बढ़ रहा हो तो बेफिकरी से जाना। तुम्हारा आनंद किसी की हिंसा, किसी पर आक्रमण, किसी को दुख देने पर निर्भर न हो, तो फिर पागलपन से डरने की कोई वजह नहीं है। अगर पागल भी हो रहे हो तो यह पागलपन बिलकुल शुभ है, ठीक है। फिर बेझिझक इसमें प्रवेश कर जाना।

डरने का कारण तो तभी है जब तुम किसी को नुकसान पहुंचाने लगो। तुम्हारे नाच से किसी को कोई बाधा नहीं है, लेकिन कोई सो रहा है और तुम उसकी छाती पर जा कर ढोल बजा कर नाचने लगो। तुम नाचो, इससे कुछ अड़चन नहीं है। तुम गुनगुनाओ राम का नाम, यह ठीक है। लेकिन माइक लगा कर आधी रात में और तुम अखंड कीर्तन शुरू कर दो, तो तुम पागल हो। हालांकि कोई तुमको पागल

नहीं कह सकता, क्योंकि तुम राम-धुन कर रहे हो। ऐसे कई पागल कर रहे हैं। वे कहते हैं, अखंड कीर्तन कर रहे हैं, चौबीस घंटे की कथा की है। सोओ न सोओ, तुम्हारी मर्जी! अगर तुम बाधा डालो तो अधार्मिक हो।

इतना ही खयाल रखना : तुम्हारा आनंद हिंसात्मक न हो। बस यह पर्याप्त है। तुम्हारा आनंद तुम्हारा निजी हो। इसके कारण किसी के जीवन में कोई बाधा न पड़े, कोई पत्थर न पड़े। तुम्हारा फूल खिले, लेकिन तुम्हारे फूल के खिलने के कारण किसी को कांटे न चुभें। इतना ही भर खयाल रहे तो तुम ठीक दिशा में जा रहे हो।

जहां तुम्हें लगे कि अब दूसरों को बाधा होने लगी, वहां थोड़े सावधान होना! वहां परमहंस की तरफ न जा कर तुमने पागलपन का रास्ता पकड़ लिया।

'ओमप्रकाश' से किसी को कोई दुख नहीं है। बेझिझक, बेधड़क जा सकते हो। कल मैं एक गीत पढ़ रहा था :

जो कुछ सुंदर था, प्रेय, काम्य
जो अच्छा, मंजा, नया था, सत्य-सार
मैं बीन-बीन कर लाया
नैवेद्य चढ़ाया
पर यह क्या हुआ?
सब पड़ा-पड़ा कुम्हलाया
सूख गया, मुर्झाया
कुछ भी तो उसने हाथ बढ़ा कर नहीं लिया!
यूं कहीं तो था लिखा
पर मैंने जो दिया, जो पाया,
जो पिया, जो गिराया,
जो ढाला, जो छलकाया,
जो निथारा, जो छाना
जो उतारा, जो चढ़ाया,
जो जोड़ा, जो तोड़ा, जो छोड़ा
सबका जो कुछ हिसाब रहा,
मैंने देखा कि उसी यंज्ञ-ज्वाला में गिर गया
और उसी क्षण मुझे लगा कि
अरे मैं तिर गया!
ठीक है, मेरा सिर फिर गया।
तिरता है आदमी-सिर के फिरने से।

परमात्मा को तुम चढ़ाओ चुन-चुन कर चीजें, अच्छी-अच्छी चीजें—उससे कुछ न होगा, जब तक कि सिर न चढ़े। सुनो फिरः

जो कुछ सुंदर था, प्रेय, काम्य

जो अच्छा, मंजा, नया था, सत्य-सार

मैं बीन-बीन कर लाया

नैवेद्य चढ़ाया

पर यह क्या हुआ?

सब पड़ा-पड़ा कुम्हलाया

सूख गया, मुर्झाया

कुछ भी तो उसने हाथ बढ़ा कर नहीं लिया!

तुम ले आओ सुंदरतम को खोज कर, बहुमूल्य को खोज कर, चढ़ाओ कोहिनूर—कुम्हलाएंगे! तोड़ो फूल कमल के, गुलाब के, चढ़ाओ—कुम्हलाएंगे! एक ही चीज वहां स्वीकार है—वह तुम्हारा सिर; वह तुम्हारा अहंकार; वह तुम्हारी बुद्धि; वह तुम्हारा मन। अलग-अलग नाम हैं; बात एक ही है। वहां चढ़ाओ अपने को।

और उसी क्षण मुझे लगा कि

अरे मैं तिर गया!

ठीक है, मेरा सिर फिर गया!

लोग तो यही कहेंगे, ओमप्रकाश, कि सिर फिर गया! कहने दो लोगों को। लोगों के कहने से कोई चिंता नहीं है। जब लोग तुमसे कहते हैं, सिर फिर गया, तो वे इतना ही कर रहे हैं कि अपने सिर की रक्षा कर रहे हैं, और कुछ नहीं। जब लोग तुमसे कहते हैं तुम्हारा सिर फिर गया, तो वे यह कह रहे हैं कि 'बचाओ हमें, इधर इस तरफ मत आओ! हमें मत सुनाओ ये गीत! मत यह हंसी हमारे द्वार लाओ! मत दिखाओ हमें ये आंखें मदमस्त! ये खबरें मत कहो हमसे!' घबड़ाहट है उनकी! भीतर उनके भी यही राग है। भीतर उनके भी ऐसी ही वीणा पड़ी है, जो प्रतीक्षा करती है जन्मों-जन्मों से कि कोई छेड़ दे! मगर डर है, घबड़ाहट है। बहुत कुछ उन्होंने झूठे जगत में बनाया है, बसाया है—कहीं उखड़ न जाए!

मैं इलाहाबाद में था। एक मित्र मेरे सामने ही बैठ कर मुझे सुन रहे थे। लाखों लोगों ने मुझे मेरे सामने बैठ कर सुना है; बहुत कम ऐसे लोग हैं, जिन्होंने इतने भाव से सुना हो जैसा भाव से वे सुन रहे थे। उनकी आंखों से आंसुओं की धार बह रही थी। अचानक बीच में उठे, सभा-भवन छोड़ कर चले गए! मैं थोड़ा चौंकाः यह क्या हुआ? पूछताछ की। संयोजक को कहा।

वे बड़े प्रसिद्ध व्यक्ति थे, मैं तो जानता नहीं था। साहित्यकार थे, कवि थे, लेखक थे। संयोजक ने उनके घर जा कर पूछा।

उन्होंने कहा : 'बाबा माफ करो! मैं घबड़ा गया। बीस मिनट के बाद मैंने कहा, अब यहां से भाग जाना उचित है। अगर थोड़ी देर और रहा तो कुछ से कुछ हो जाएगा। इस आदमी का तो सिर फिरा है, मेरा फिरा देगा। आऊंगा; अभी नहीं। जरूर आऊंगा, पर थोड़ा समय दो। और दो रात से मैं सो नहीं सका हूं। और बातें मेरे मन में गूंज रही हैं। नहीं, अभी मेरे पास बहुत काम करने को पड़े हैं। अभी बच्चे हैं छोटे। अभी घर-गृहस्थी सम्हालनी है। जरूर आऊंगा, तुम जाओ! उनसे कहना जरूर आऊंगा; लेकिन अभी नहीं।'

जब कोई तुमसे कहता है, तुम्हारा सिर फिर गया, वह सिर्फ अपनी आत्मरक्षा कर रहा है। वह यह कह रहा है कि ऐसा मान कर कि तुम्हारा सिर फिर गया है, मैं अपने आकर्षण को रोकता हूं। उसके भीतर भी अदम्य आकांक्षा है।

कौन है ऐसा जो परमात्मा को खोजने नहीं चला है! कौन है ऐसा जो आनंद का प्यासा नहीं है! कौन है ऐसा जिसे सत्य की अभीप्सा नहीं है! ऐसा कभी कोई हुआ ही नहीं है। जिनको तुम नास्तिक कहते हो वे वे ही लोग हैं, जो घबड़ा गए हैं; वे वे ही लोग हैं जो कहते हैं, नहीं, कोई परमात्मा नहीं है। क्योंकि परमात्मा को इनकार न करें तो खोज पर जाना होगा।

मेरा अपना अनुभव यह है कि नास्तिक के भीतर तथाकथित आस्तिकों से सत्य की खोज की ज्यादा गहरी आकांक्षा होती है। वह मंदिर जाने से डरता है; तुम डरते ही नहीं। तुम डरते नहीं, क्योंकि तुम्हारे भीतर कोई ऐसी प्रबल आकांक्षा नहीं कि तुम पगला जाओगे। तुम मंदिर हो आते हो, जैसे तुम दुकान चले जाते हो। तुम मंदिर के बाहर-भीतर हो लेते हो, तुम पर कुछ असर नहीं होता।

नास्तिक वैसा व्यक्ति है जो जानता है, अगर मंदिर गया तो वापस न लौट सकेगा; गया तो वैसा का वैसा वापस न लौट सकेगा। तो एक ही उपाय है : वह कहता है, 'ईश्वर नहीं है! धर्म सब पाखंड है!' वह अपने को बचा रहा है, समझा रहा है कि ईश्वर है ही नहीं, तो मंदिर जाना क्यों? ईश्वर है ही नहीं तो क्यों उलझन में पड़ना? क्यों ध्यान, क्यों प्रार्थना?

मेरे देखे, नास्तिक के भीतर आत्मरक्षा चल रही है। मैंने अब तक कोई नास्तिक नहीं देखा, जो वस्तुतः नास्तिक हो। आदमी नास्तिक हो कैसे सकता है? नास्तिक का तो अर्थ हुआ कि कोई आदमी 'नहीं' के भीतर रहने का प्रयास कर रहा है। 'नहीं' के भीतर कोई रह कैसे सकता है? नास्तिकता में कोई जी कैसे सकता है? जीने के लिए 'हां' चाहिए। 'नहीं' में कहीं फूल खिलते हैं? 'हां' चाहिए! स्वीकार चाहिए!

जीवन में जितना स्वीकार होता है, उतने ही फूल खिलते हैं; लेकिन सीमा के बाहर फूल न खिल जाएं, इससे भय होता है। कहीं फूल इतने न खिल जाएंकि मैं उन्हें सम्हाल न पाऊं...!

कल रात एक युवक ने मुझे कहा कि अब मुझे बचाएं, यह जरूरत से ज्यादा हुई जा रही है बात। मैं इतना प्रसन्न हूं कि लगता है मैं टूट जाऊंगा! इतना आनंद है कि लगता है मैं सम्हाल न पाऊंगा। यह मेरा हृदय का पात्र छोटा है। मुझे बचाएं! मैं इसके ऊपर से बहा जा रहा हूं। ये मेरी सीमाएं सब टूटी जा रही हैं। और मुझे डर है कि अगर मैं इसके साथ बह गया तो फिर लौट न पाऊंगा।

नियंत्रण कहीं खो न जाए—यह भय है। अहंकार दुख के साथ भलीभांति जी लेता है, क्योंकि दुख में नियंत्रण नहीं खोता। कितने ही तुम रोओ दुख में, तुम अपने मालिक रहते हो। नियंत्रण खोता है आनंद में, सीमा टूटती है आनंद में। दुख में कभी कोई सीमा नहीं टूटती। नरक में भी सीमा नहीं टूटती। तुम नरक में भी पड़े रहो तो भी तुम अपने भीतर मजबूत रहते हो। सीमा टूटती है स्वर्ग में। वहां नियंत्रण खो जाता है। जहां नियंत्रण खोता है, वहां अहंकार खो जाता है। जहां नियंत्रण खोता है, वहां बुद्धि की पकड़ खो जाती है, तर्क का जाल खो जाता है।

वही हो रहा है। घबड़ाना मत! तिरने का क्षण करीब आ रहा है। लेकिन सिर फिरे बिना कोई कभी तिरा नहीं है।

एक धुन की तलाश है मुझे
जो ओठों पर नहीं
शिराओं में मचलती है
लावे-सी दहकती है—
पिघलने के लिए
एक आग की तलाश है मुझे
कि रोम-रोम सीझ उठे
और मैं तार-तार हो जाऊं!
कोई मुझे जाली-जाली बुन दे
कि मैं पारदर्शी हो जाऊं!
एक खुशबू की तलाश है मुझे
कि भारहीन हो, हवा में तैर सकूं
हलकी बारिश की महीन बौछारों में कांप सकूं
गहराती सांझ के स्लेटी आसमान पर
चमकना चाहता हूं कुछ देर,

एक शोख रंग की तलाश है मुझे!

ओमप्रकाश! वही शोख रंग मैंने तुम्हें दे दिया है। ये गैरिक वस्त्र वही शोख रंग हैं। बहो! सीमाएं छोड़ कर बहो! बुद्धि के पार बहो! जाने दो नियंत्रण! नियंत्रण का अर्थ हैः कर्ता! छोड़ो नियंत्रण! कर्ता अगर कोई है तो एक परमात्मा है। तुम परमात्मा से होड़ न करो, उससे प्रतिस्पर्धा न लो; उसके साथ संघर्ष मत करो। करो समर्पण। बहो उसकी धार के साथ। तिरोगे। जो डूब जाते हैं, वही तिरते हैं। जो तिरने की चेष्टा करते हैं डूब जाते हैं।

दूसरा प्रश्नः सदा से खोजियों का यह अवलोकन रहा है कि परमात्म-उपलब्धि अत्यंत दुःसाध्य घटना है। लेकिन आप जैसे बुद्धपुरुष सदा से इस बात पर जोर देते रहे हैं कि परमात्मा अभी और यहीं घट सकता है। क्या बार-बार यह कहना एक चुनौती और एक प्रयास करने की एक विधि है, एक उपाय है?

सत्य है यही; न तो विधि है और न उपाय है। तुम्हारा ऐसा पूछना बचने की विधि और उपाय है। यह बात हमारा मन स्वीकार करने को राजी नहीं होता कि परमात्मा अभी और यहीं मिल सकता है। क्यों नहीं राजी होता? इसलिए राजी नहीं होता कि अगर अभी और यहीं मिल सकता है, तो फिर हमें मिल नहीं रहा तो इसका कारण क्या होगा? फिर इसकी व्याख्या कैसे करें? अगर अभी और यहीं मिल सकता है, तो मिल क्यों नहीं रहा? बेचैनी खड़ी हो जाती है। अभी और यहीं मिल सकता है, मिल तो नहीं रहा! तो इसे समझाएं कैसे? यह तो बड़ी अड़चन की बात हो गई। इस अड़चन को सुलझाने के लिए तुम कहते होः मिल तो सकता है, लेकिन पात्रता चाहिए!

बुद्धि रास्ते निकालती है। जहां उलझन खड़ी हो जाती है, उसे सुलझाती हैः 'रास्ता खोजना पड़ेगा, पात्रता खोजनी पड़ेगी, शुद्ध होना पड़ेगा—तब मिलेगा। और अगर अष्टावक्र कहते हैं अभी और यहीं मिल सकता है, तो जरूर इसमें कुछ कारण है। वे इसलिए कहते हैं ताकि तुम तीव्रता से प्रयास में लग जाओ! लेकिन लगना प्रयास में ही पड़ेगा।'

मन बड़ा होशियार है!

अष्टावक्र की बात बिलकुल सीधी-साफ हैः परमात्मा अभी और यहीं मिल सकता है, क्योंकि परमात्मा कोई उपलब्धि नहीं है। परमात्मा तुम्हारा स्वभाव है। सारा जोर सीधा है। तुम परमात्मा हो; मिल सकने की बात ही गलत है। जब हम कहते हैं अभी और यहीं मिल सकता है तो इसका अर्थ इतना ही हुआ कि मिला

ही हुआ है; जरा आंख खोलो और देखो! मिल सकने की भाषा ठीक नहीं है। मिल सकने में तो ऐसा लगता है कि तुम अलग हो और परमात्मा अलग है; तुम खोजने वाले हो, वह खोज का लक्ष्य है; तुम यात्री हो, वह मंजिल है। नहीं, अभी और यहीं मिल सकता है का इतना ही अर्थ है कि तुम वही हो जिसे तुम खोज रहे हो। जरा अपने को पहचानो! आंख खोलो और देखो! या आंख बंद करो और देखो—मगर देखो! थोड़ी दृष्टि की बात है, पात्रता की नहीं।

पात्रता का तो अर्थ हुआ कि परमात्मा भी सौदा है। जैसे तुम बाजार में जाते हो तो कोई चीज हजार रुपये की है, कोई लाख रुपये की है, कोई दस लाख रुपये की है—हर चीज का मूल्य। तो पात्रता का तो अर्थ हुआ कि परमात्मा का भी मूल्य है; जो पात्रता अर्जित करेगा, मूल्य चुकाएगा, उसे मिलेगा। तुम परमात्मा को भी बाजार में एक वस्तु बना लेना चाहते हो। त्याग करोगे, तपश्चर्या करोगे, तो मिलेगा! मूल्य चुकाओगे तो मिलेगा! मुफ्त कहीं मिलता है! तुम परमात्मा को खींच कर दुकान पर रख देते हो; डब्बे में बंद कर देते हो, दाम लिख देते हो। तुम कहते हो ः इतने उपवास करो; इतना ध्यान करो; इतनी तपश्चर्या करो; धूप में तपो; सर्दी, आतप सहो—तब मिलेगा!

कभी इस पर तुमने सोचा कि यह तुम क्या कह रहे हो? तुम यह कह रहे हो कि तुम्हारे कुछ करने से परमात्मा के मिलने का संबंध हो सकता है। तुम जो करोगे, वह तुम्हारा किया ही होगा। तुम्हारा किया तुमसे बड़ा नहीं हो सकता। तुम्हारी तपश्चर्या तुम्हारी ही होगी। तुम जैसी ही दीन, तुम जैसी ही मलिन। तुम्हारी तपश्चर्या तुमसे बड़ी नहीं हो सकती। और तपश्चर्या से जो मिलेगा उसकी भी सीमा होगी; क्योंकि सीमित से सीमित ही मिल सकता है, असीम नहीं। तपश्चर्या से जो मिलेगा वह तुम्हारे ही मन की कोई धारणा होगी, परमात्मा नहीं।

अष्टावक्र कह रहे हैं कि परमात्मा तो है ही। वही तुम्हारे भीतर धड़क रहा है। वही तुम्हारे भीतर श्वास ले रहा है। वही जन्मा है। वही विदा होगा। वही अनंत काल से, अनंत-अनंत रूपों में प्रकट हो रहा है। कहीं वृक्ष है, कहीं पक्षी है, कहीं मनुष्य है।

परमात्मा है! उसके अतिरिक्त कुछ भी नहीं है। इस सत्य की प्रत्यभिज्ञा, इस सत्य का स्मरण...।

मैंने सुना है, एक सम्राट अपने बेटे पर नाराज हो गया, उसे देश-निकाला दे दिया। सम्राट का बेटा था, कुछ और तो करना जानता नहीं था, क्योंकि सम्राट के बेटे ने कभी कुछ किया न था, भीख ही मांग सकता था। जब कोई सम्राट सम्राट न रह जाए तो भिखमंगे के सिवा और कोई उपाय नहीं बचता।

भीख मांगने लगा। बीस वर्ष बीत गए। भूल ही गया। अब बीस वर्ष कोई भीख मांगे तो याद रखना कि मैं सम्राट हूं, असंभव, कष्टपूर्ण होगा; भीख मांगने में कठिनाई पड़ेगी; यही उचित है कि भूल ही जाओ। वह भूल ही गया था, अन्यथा भीख कैसे मांगे! सम्राट, और भीख मांगे! द्वार-द्वार, दरवाजे-दरवाजे भिक्षापात्र लेकर खड़ा हो! होटल में, रेस्तरां के सामने भीख मांगे! जूठन मांगे! सम्राट! सम्राट को भुला ही देना पड़ा, विस्मृत ही कर देना पड़ा। वह बात ही गई। वह जैसे अध्याय समाप्त हुआ। वह जैसे कि कहीं कोई सपना देखा होगा, कि कोई कहानी पढ़ी होगी, कि फिल्म देखी होगी, अपने से क्या लेना-देना!

बीस साल बाद जब सम्राट बूढ़ा हो गया, उसका बाप, तो वह घबड़ाया : एक ही बेटा था! वही मालिक था। उसने अपने वजीरों को कहा : उसे खोजो और जहां भी हो उसे ले आओ। कहना, बाप ने क्षमा किया। अब क्षमा और न क्षमा का कोई अर्थ नहीं, मैं मर रहा हूं। अब यह राज्य कौन सम्हालेगा? यह औरों के हाथ में जाए इससे बेहतर है मेरे खून के हाथ में जाए। बुरा-भला जैसा भी है, उसे ले आओ!

जब वजीर पहुंचे तो वह एक होटल के सामने पैसे-पैसे मांग रहा था—टूटा सा पात्र लिए। नंगा था। पैरों में जूते नहीं थे। भरी दुपहरी थी। गर्मी के दिन थे। लू बहती थी। पैर जल रहे थे। और वह मांग रहा था कि मुझे जूते खरीदने हैं, इसलिए कुछ पैसे मिल जाएं। कुछ पैसे उसके पात्र में पड़े थे।

रथ आ कर रुका। वजीर नीचे उतरा। वजीर ने गिर कर उसके चरण छुए—होने वाला सम्राट था! जैसे ही वजीर ने उसके चरण छुए, एक क्षण में घटना घट गई—बीस साल जिसकी याद न आई थी कि मैं सम्राट हूं! फिर ऐसा थोड़े ही लगा रहा कि वह बैठा, उसने सोचा और विचारा और तपश्चर्या की और ध्यान किया कि याद करूं—न, एक क्षण में, पल में, पल भी न लगा, एक क्षण में रूपांतरण हो गया! यह आदमी और हो गया! अभी भिखारी था दीन-हीन; नग्न अब भी था; अब भी पैर में जूते न थे—लेकिन हाथ से उसका पात्र उसने फेंक दिया और वजीरों से कहा कि जाओ और मेरे स्नान की व्यवस्था करो, ठीक वस्त्र जुटाओ! वह जा कर रथ पर बैठ गया। उसकी महिमा देखने जैसी थी। अभी भी वही का वही था, लेकिन उसके चेहरे पर अब एक गरिमा थी; आंखों में एक दीप्ति थी; चारों तरफ एक आभामंडल था! सम्राट था! याद आ गई। बाप ने बुलावा भेज दिया।

ठीक ऐसा ही है।

अष्टावक्र जब कहते कि अभी और यहीं तो वे यही कहते हैं : कितने चलो, बीस साल नहीं बीस जन्म सही, देश-निकाले पर रहे, भीख मांगी बहुत, भूल गए

बिलकुल, याद को बिलकुल सुला दिया—सुलाना ही पड़ा; न सुलाते तो भीख मांगनी मुश्किल हो जाती; द्वार-द्वार दरवाजे-दरवाजे भिक्षापात्र लेकर घूमे...। अष्टावक्र यह कह रहे हैंः आ गया बुलावा! जागो! भिखमंगे तुम नहीं हो! सम्राट के बेटे हो!

अगर कोई ठीक से सुन लेगा, तो घटना सुनने में ही घट जाएगी। यही अष्टावक्र-गीता का महात्म्य है, महिमा है। कोई आग्रह नहीं है कि कुछ करो। सिर्फ सुन लो, सिर्फ सत्य को पहुंचने दो तुम्हारे हृदय तक, बाधा मत बनो, ग्राहक रहो, सिर्फ सुन लो, पहुंच जाए यह तीर तुम्हारे हृदय में, इसकी चोट—बस पर्याप्त है! जन्मों-जन्मों की विस्मृति टूट जाएगी, स्मरण लौट आएगा। तुम परमात्मा हो। इसलिए वे कहते हैंः अभी और यहीं!

अब तुम तरकीबें मत खोजो। तुम कहते हो, शायद यह विधि होगी, उपाय होगा कि लोगों की त्वरा बढ़े, तीव्रता बढ़े।

'स्वामी योग चिन्मय' ने पूछा है। चिन्मय के पास, चिन्मय की बुद्धि में 'चेष्टा', 'प्रयास', 'तप' जरूरत से ज्यादा है—साधारण योगी की जो पकड़ होती है वैसी पकड़ है।

ये अष्टावक्र के वचन साधारण योगी के लिए नहीं हैं; असाधारण, प्रज्ञावान...जो सुन कर ही जाग जाए। चिन्मय थोड़े हठयोगी हैं। काफी पिटाई हो तो थोड़े-बहुत चलेंगे। कोड़े को देख कर, उसकी छाया को देख कर नहीं चल सकते।

हंसना मत, क्योंकि चिन्मय जैसे ही अधिक लोग हैं। हंस कर तुम यह मत सोचना कि तुमने हंस लिया तो तुम चिन्मय से भिन्न हो कि देखो तुम तो हंसे। चिन्मय ने कम से कम हिम्मत करके पूछा, तुमने पूछा नहीं—बस इतना ही फर्क है। हो तुम भी वही। यह अष्टावक्र की गीता पूरी हो जाएगी और अगर तुम परमात्मा न हो गए तो समझ लेना कि वहीं हो, कोई फर्क नहीं है। अगर इस सुनने-सुनने में तुम जाग जाओ और परमात्मा हो जाओ तो ही कोड़े की छाया ने काम किया।

'सदा से खोजियों का यह अवलोकन रहा है कि परमात्म-उपलब्धि अत्यंत दुःसाध्य घटना है।'

खोजी शुरू से ही भ्रांत है। खोजी का अर्थ ही यह है कि वह मान लिया है कि परमात्मा को खोजना है, कि परमात्मा को खो दिया है। उसने एक बात तो मान ही ली कि खो दिया परमात्मा को। यह भी कोई बात हुई कि खो दिया परमात्मा को? परमात्मा को खो कैसे सकते हो?

मेरे पास लोग आते हैं। वे कहते हैं, परमात्मा को खोजना है! मैं कहता हूं, 'चलो ठीक! खोजो! लेकिन खोया कहां? कब खोया?' वे कहते हैं, 'इसका तो

कुछ पता नहीं है।' पहले इसका तो तुम ठीक से पता कर लो, कहीं ऐसा न हो कि खोया ही न हो!

कभी-कभी ऐसा हो जाता है कि चश्मा नाक पर चढ़ा है और उसी चश्मे से देख कर चश्मा खोज रहे हैं। कहीं ऐसा न हो कि परमात्मा नाक पर चढ़ा हो और तुम उसी परमात्मा से खोज रहे हो! ऐसा ही है। खोजी बुनियादी रूप से भ्रांत है। उसने एक बात तो मान ही ली कि परमात्मा खो दिया है; या परमात्मा को अब तक खोजा नहीं, पाया नहीं; वह कहीं दूर है, उसे खोजना है।

खोज से कभी परमात्मा नहीं मिलता। खोज-खोज कर तो इतना ही पता चलता है : खोजने में कुछ भी नहीं है। एक दिन खोजते-खोजते खोज ही गिर जाती है; खोज के गिरते ही परमात्मा मिलता है।

बुद्ध ने छह वर्ष तक खोजा। खूब खोजा! उन से बड़ा खोजी और कहां खोजोगे? जहां-जहां खबर मिली कि कोई ज्ञान को उपलब्ध है, वहां-वहां गए। सभी चरणों में सिर रखा। जो गुरुओं ने कहा वही किया। गुरु भी थक गए उनसे। क्योंकि गुरु उन शिष्यों से कभी नहीं थकते जो आज्ञा का उल्लंघन करते हैं। उनसे कभी नहीं थकते! क्योंकि उनके पास सदा कहने को है कि तुम आज्ञा मान ही नहीं रहे, इसलिए कुछ नहीं घट रहा है, हम क्या करें? गुरु को बड़ी सुविधा है, अगर तुम गुरु की न मानो। वह सदा कह सकता है कि तुमने माना ही नहीं, मानते तो घट जाता। मगर बुद्ध के साथ गुरु मुश्किल में पड़ गए। जो गुरुओं ने कहा, बुद्ध ने वही किया। उन्होंने एक सेर कहा तो बुद्ध ने सवा सेर किया। गुरु ने आखिर उनसे हाथ जोड़ लिए कि तू भई कहीं और जा; जो हम बता सकते थे बता दिया। बुद्ध ने कहा, इससे तो कुछ घट नहीं रहा है। उन्होंने कहा, इससे ज्यादा हमें भी नहीं घटा है; तेरे से क्या छिपाना। तू कहीं और जा!

इतने प्रामाणिक व्यक्ति के सामने गुरु भी धोखा न दे पाए। सब तरफ खोज कर बुद्ध ने आखिर पाया कि नहीं, खोजने से मिलता ही नहीं। संसार तो व्यर्थ था ही, अध्यात्म भी व्यर्थ हुआ। भोग तो व्यर्थ हो ही चुका था, जिस दिन महल छोड़ा उस दिन व्यर्थ हो चुका था, इसलिए छोड़ा; योग भी व्यर्थ हुआ। न भोग में कुछ है, न योग में कुछ है—अब क्या करें? अब तो करने को ही कुछ न बचा। अब तो कर्ता होने के लिए कोई सुविधा न रही।

इस सूत्र को ठीक से समझना। न भोग बचा न योग बचा, न संसार बचा न स्वर्ग बचा—तो अब कर्ता होने के लिए जगह ही न बची। कुछ करने को बचे तो कर्ता बच सकता है। कुछ करने को न बचा। उसी रात घटना घटी। उस सांझ बोधि-वृक्ष के नीचे वे बैठे तो करने को कुछ भी न था। बड़ी हैरानी में पड़े। संसार छोड़

दिया था तो योग पकड़ लिया था। भोग छोड़ दिया था तो अध्यात्म पकड़ लिया था। कुछ तो करने को था! तो मन उलझा था। अब मन को कोई जगह न बची। मन का पक्षी तड़फड़ाने लगा : कोई जगह नहीं! मन के लिए जगह चाहिए। अहंकार के लिए कर्ता का रस चाहिए, कर्तव्य चाहिए। कुछ करने को हो तो अहंकार बचे। कुछ था ही नहीं करने को।

जरा थोड़ा सोचो! एक गहन उदासीनता, जिसको अष्टावक्र वैराग्य कहते हैं, वह उदय हुआ।

योगी विरागी नहीं है, क्योंकि योगी नये भोग खोज रहा है। योगी आध्यात्मिक भोग खोज रहा है, विरागी नहीं है। अभी भोग की आकांक्षा है। संसार में नहीं मिला तो परमात्मा में खोज रहा है; लेकिन खोज जारी है। यहां नहीं मिला तो वहां खोज रहा है; बाहर नहीं मिला तो भीतर खोज रहा है—लेकिन खोज जारी है।

भोगी विरागी नहीं है; योगी भी विरागी नहीं है। हां, उनकी खोज राग की अलग-अलग है। एक बाहर की तरफ जाता है, एक भीतर की तरफ जाता है; लेकिन जाते दोनों हैं।

उस रात बुद्ध को जाने को कुछ न बचा—न बाहर न भीतर। उस रात की तुम जरा कल्पना करो! उस रात को जरा जगाओ और सोचो कि कैसी वह रात रही होगी! उस दिन पहली दफा विश्राम उपलब्ध हुआ, जिसको अष्टावक्र कहते हैं : जो चित्त में विश्राम को उपलब्ध हो जाए तो सत्य उपलब्ध हो जाता है। उस दिन विश्राम उपलब्ध हुआ।

जब तक कुछ करने को शेष है तब तक श्रम जारी रहता है। जब तक कुछ करने को शेष है, तनाव जारी रहता है। अब तनाव करके भी क्या करना? शरीर भी ढीला छूट गया, मन भी ढीला छूट गया। वे उस वृक्ष के नीचे पड़ गए और सो गए। सुबह जब उनकी आंख खुली तो ऐसी खुली जैसी सबकी खुलनी चाहिए। सुबह जब आंख खुली तो पहली दफा खुली। सदियों-सदियों से बंद थी, वह आंख खुली। सुबह जब आंख खुली तो भोर का आखिरी तारा डूबता था। उस भोर के आखिरी तारे को उन्होंने डूबते हुए देखा। इधर बाहर भोर का आखिरी तारा डूब गया, उधर भीतर भी मन की आखिरी रेखा विसर्जित हो गई। कुछ भी न था। भीतर कोई भी न बचा। सन्नाटा था, शून्य था, विराट शून्य था, आकाश था।

कहते हैं, बुद्ध सात दिन वैसे ही बैठे रहे—मूर्तिवत; हिले नहीं, डुले नहीं। कहते हैं, देवता घबरा गए। आकाश से देवता उतरे। ब्रह्मा उतरे। चरणों में पड़े और कहा : आप कुछ बोलें! ऐसी घटना सदियों में घटती है, बड़ी मुश्किल से घटती है। आप कुछ कहें, हम आतुर हैं सुनने को कि क्या हुआ है!

हिंदू बहुत नाराज हैं इस बात से कि बौद्ध कथाओं में ब्रह्मा को उतार कर, और बुद्ध के चरणों में गिरा दिया। लेकिन कथा बिलकुल ठीक है। क्योंकि देवता भला स्वर्ग में हों, आकांक्षा के बाहर थोड़े ही हैं! आज एक घटना घटी है कि एक व्यक्ति आकांक्षा के बाहर चला गया है।

तो बुद्ध के ऊपर कोई भी नहीं है। बुद्धत्व आखिरी बात है। देवता भी नीचे हैं; अभी उनकी भी स्वर्ग की, भोग की आकांक्षा है।

इसलिए तो कथाएं हैं कि इंद्र का आसन डोलने लगता है जब भी लगता है कि कोई प्रतियोगी आ रहा, कोई ऋषि-मुनि तपश्चर्या में गहरा उतर रहा है—इंद्र घबड़ाता; आसन कंपने लगता! यह तो आसन इंद्र का क्या हुआ, दिल्ली का हुआ! इंद्र का कहो कि इंदिरा का कहो—एक ही बात है! इसमें कुछ बहुत फर्क न हुआ। यह तो कोई आने लगा! तो प्रतिस्पर्धा, घबड़ाहट, बेचैनी!

बुद्ध ना-कुछ करके उपलब्ध हुए। जो बुद्ध के जीवन में घटा; वही अष्टावक्र के जीवन में घटा होगा। कोई कथा हमारे पास नहीं है; किसी ने लिखी नहीं है। लेकिन निश्चित घटा होगा। क्योंकि अष्टावक्र जो कह रहे हैं, वह इतना ही कह रहे हैं कि तुम दौड़ चुके खूब, अब रुको! दौड़ कर नहीं मिलता परमात्मा, रुक कर मिलता है। खोज चुके खूब, अब खोज छोड़ो। खोज कर नहीं मिलता सत्य; क्योंकि सत्य खोजी में छिपा है, खोजने वाले में छिपा है। कहां भागते फिरते हो?

कस्तूरी कुंडल बसै! लेकिन जब कस्तूरी का नाफा फूटता है तो मृग पागल हो जाता है, कस्तूरी-मृग पागल हो जाता है। भागता है। इधर भागता, उधर भागता, खोजता है: 'कहां से आती है यह गंध? कौन खींचे ले आता है इस सुवास को? कहां से आती है?' क्योंकि उसने जब भी गंध आती देखी तो कहीं बाहर से आती देखी। कभी फूल की गंध थी, कभी कोई और गंध थी; लेकिन सदा बाहर से आती थी। आज जब गंध भीतर से आ रही है, तब भी वह सोचता है बाहर से ही आती होगी। भागता है। और कस्तूरी उसके ही कुंडल में बसी है। कस्तूरी कुंडल बसै!

परमात्मा तुम्हारे भीतर बसा है। तुम जब तक बाहर खोजते रहोगे—योग में, भोग में—व्यर्थ!

साधारण योगी भोग के बाहर ले जाता है; अष्टावक्र योग और भोग दोनों के बाहर ले जाते हैं—योगातीत, भोगातीत! इसलिए तुम पाओगे: सांसारिक का अहंकार होता है। तुमने योगी का अहंकार देखा या नहीं? सांसारिक का क्रोध होता है; तुमने दुर्वासाओं का क्रोध देखा या नहीं? सांसारिक आदमी दंभ से अकड़ कर चलता है, पताकाएं लेकर चलता है; तुमने योगियों की पताकाएं, हाथी-घोड़े देखे या नहीं? साधारण आदमी घोषणा करता है: इतना धन है मेरे पास, इतना पद है

मेरे पास! तुमने योगियों को देखा घोषणा करते या नहीं कि इतनी सिद्धि है, इतनी रिद्धि है! लेकिन ये सारी बातें वही की वही हैं; कोई फर्क नहीं हुआ।

जब तक योग योगातीत न हो जाए, जब तक व्यक्ति 'मैं कर्ता हूं', इस भाव से समग्रतया मुक्त न हो जाए, तब तक कुछ भी नहीं हुआ। तब तक तुमने सिर्फ रंग बदले। तब तक तुम गिरगिट हो : जैसा देखा वैसा रंग बदल लिया। लेकिन तुम नहीं बदले, रंग ही बदला।

'सदा से खोजियों का यह अवलोकन रहा है कि परमात्म-उपलब्धि अत्यंत दुःसाध्य घटना है।'

यह बात एक अर्थ में सच है। अगर तुम बहुत दौड़ कर ही आना चाहते हो तो कोई क्या करे? अगर तुम अपने कान को उलटे तरफ से पकड़ना चाहते हो, मजे से पकड़ो। निश्चित ही तुम जब उलटी तरफ से कान को पकड़ोगे तो तुमको लगेगा : कान को पकड़ना बहुत दुःसाध्य घटना है। यह तुम्हारे कारण; यह कान के कारण नहीं। अब अगर तुम सिर के बल खड़े होकर चलने की कोशिश करो और दस-पांच कदम चलना भी बहुत कठिन हो जाए और तुम कहो कि चलना बहुत दुःसाध्य घटना है, तो तुम गलत भी नहीं कह रहे; तुम ठीक ही कह रहे हो। लेकिन सिर के बल तुम खड़े हो। जो पैर के बल चल रहे हैं, उनके लिए चलने में कोई दुःसाध्य घटना नहीं है। अब तुम उपवास करो, आग में तपाओ, धूनी रमाओ, नाहक शरीर को कष्ट दो, सताओ, हजार तरह के पागलपन करो—और फिर तुम कहो कि परमात्मा को पाना बड़ी दुःसाध्य घटना है, तो ठीक ही कह रहे हो।

जहां तुम सहज पहुंच सकते थे, वहां तुम असहज होकर पहुंच रहे हो तो दुःसाध्य मालूम होता है। तुम्हारे पहुंचने में भूल हो रही है।

लेकिन असाध्य को आदमी क्यों चुनता है? यह भी समझ लेना चाहिए। सिर के बल चलने का मजा क्या है, जब कि तुम्हारे पास पैर हैं? सिर के बल चलने का एक मजा है, और वह मजा यह है...मजा है अहंकार का मजा!

मुल्ला नसरुद्दीन एक झील में मछलियां मार रहा था। घड़ी दो घड़ी मैं देखता रहा, देखता रहा : उसकी मछलियां पकड़ में कुछ आती नहीं; झील में मछलियां हैं भी नहीं, ऐसा मालूम होता है। मैंने उससे पूछा : 'नसरुद्दीन! इस झील में मछलियां मालूम नहीं होतीं, तुम कब तक बैठे रहोगे? वह पास ही दूसरी झील है, वहां क्यों नहीं मछलियां मारते? यहां कोई दूसरा मछुआ दिखाई भी नहीं पड़ता; वहीं सब मछुए हैं।'

नसरुद्दीन ने कहा : 'वहां मारने से सार ही क्या! अरे वहां इतनी मछलियां हैं कि मछलियों को तैरने के लिए जगह भी नहीं है। वहां मारी तो क्या मारी! यहां मछली मारो तो कोई बात।'

असाध्य में भी आकर्षण है। जितना असाध्य काम हो उतना अहंकार मजबूत होता है। यहां मछली मारो तो कुछ है। जो सभी कर रहे हैं, वही तुमने किया तो क्या सार है? सभी पैर के बल चल रहे हैं, तुम भी चले, तो क्या मजा? सिर के बल चलो!

मेरे देखे, परमात्मा से कोई संबंध नहीं है कठिनाइयों का; कठिनाइयों का संबंध अहंकार से है। अहंकार कठिन को करने में मजा लेता है। क्योंकि सरल तो सभी करते, उसमें क्या सार है? अगर तुम किसी से कहो कि हम पैर के बल चलते हैं तो लोग कहेंगे, 'तुम्हारा दिमाग खराब हो गया है? सभी चलते हैं।' लेकिन अगर तुम सिर के बल चलो तो अखबारों में नाम छपेगा; तो लोग तुम्हारे पास आने लगेंगे; लोग तुम्हारे चरणों में सिर झुकाएंगे कि तुम्हें कोई सिद्धि मिल गई है कि तुम सिर के बल चलते हो।

अहंकार की पूजा तभी हो सकती है जब तुम कुछ असाध्य करो।

जैसे हिलेरी चढ़ गया एवरेस्ट पर, तो सारी दुनिया में खबर हुई। अब तुम जाओ और पूना की छोटी-मोटी पहाड़ी पर चढ़ कर खड़े हो जाओ, और झंडा लगाने लगो और तुम कहो कि 'कोई अखबार वाला भी नहीं आ रहा है, कोई फोटोग्राफर भी नहीं आ रहा है—मामला क्या है? आखिर यह भेदभाव क्यों हो रहा है? हिलेरी के साथ इतना शोरगुल मचाया—इतिहास में नाम अमर रहेगा सदा के लिए! और हमारा कुछ भी नहीं हो रहा। हम भी वही कर रहे हैं; उसने भी झंडा ही गाड़ा।'

लेकिन एवरेस्ट पर चढ़ना कठिन है। पचास-साठ साल से लोग चढ़ने की कोशिश कर रहे थे, तब एक आदमी चढ़ पाया, इसलिए। धीरे-धीरे वहां रास्ता बन जाएगा, बस जाने लगेगी, कभी न कभी जाएगी, सदा इतनी देर तक एवरेस्ट अपने को बचा नहीं सकता आदमी से। जब एक आदमी पहुंच गया तो सिलसिला शुरू हो गया।

अभी कुछ देर पहले औरतें भी पहुंच गईं। जब औरतें भी पहुंच गईं तो अब और पहुंचने को क्या बाकी रहा! अब सब धीरे-धीरे पहुंच रहे हैं। थोड़े दिन में वहां होटलें और बसें और सब पहुंच जाएंगी। फिर तुम फिर जा कर फिर झंडा गाड़ना, जब बस वगैरह सब चलने लगे वहां—तुम कहोगेः यह वही जगह है जहां हिलेरी ने झंडा गाड़ा, बड़ा भेदभाव हो रहा है, बड़ा पक्षपात हो रहा है!

कठिन में अहंकार को मजा है। आदमी कई चीजों को कठिन कर लेता है ताकि अहंकार को भरने में रस आ सके। हम बहुत सी चीजों को कठिन कर लेते हैं। जितनी कठिन कर लेते हैं, उतना ही रस आने लगता है। कठिनाई परमात्मा को पाने में नहीं है; कठिनाई अहंकार का रस है।

तो तुम जो कहते हो कि 'सदा से खोजियों का यह अवलोकन रहा है कि परमात्म-उपलब्धि अत्यंत दुःसाध्य घटना है', यह ठीक है। वे जो खोजी हैं, अहंकारी हैं। और परमात्मा को खोजियों ने कब पाया? जब खोज छूट गई, तब पाया। खोज छूटने पर ही मिलता है परमात्मा। जब तुम कहीं भी नहीं जा रहे, सिर्फ बैठे हो—विश्राम में, परम विराम में; यात्रा शून्य जहां हो जाती है!

साधारणतः लोग सोचते हैं कि परमात्मा को पा लेंगे तो फिर यात्रा नहीं होगी। बात बिलकुल उलटी है: यात्रा अगर तुम अभी छोड़ दो तो अभी परमात्मा मिल जाए। लोग सोचते हैं: मंजिल मिल जाएगी तो फिर हम विश्राम करेंगे। हालत उलटी है: तुम विश्राम करो तो मंजिल मिल जाए।

विश्राम, ध्यान और समाधि का सूत्र है; श्रम, अहंकार का सूत्र है।

इसलिए तुम पाओगे कि जितना जिस धर्म के भीतर श्रम की व्यवस्था है साधु के लिए, उतना ही अहंकारी साधु होगा। जैनियों का साधु जितना अहंकारी है उतना हिंदुओं का नहीं। क्योंकि जैन साधु कहेगा: 'हिंदू साधु, इसमें रखा ही क्या है, कोई भी हो जाए!' जैन साधु! कठिन मामला है। एक बार भोजन! अनेक-अनेक उपवास! सब तरह की कठिनाइयां!

फिर जैनों में भी दिगंबरों और श्वेतांबरों के साधु हैं। दिगंबर साधु कहते हैं: 'श्वेतांबरों में क्या रखा है? कपड़े पहने बैठे हैं! साधु तो दिगंबर का है!' इसलिए दिगंबर साधु में तुम जैसे अहंकार को चमकता हुआ पाओगे, कहीं भी न पाओगे। देह तो सूखी होगी, हड्डी-हड्डी होगी—क्योंकि बहुत उपवास, नग्न रहना, धूप-ताप सहना—लेकिन अहंकार बड़ा प्रज्वलित होगा। अकड़ उसकी वैसी है जैसी हिलेरी की।

हिंदुस्तान में मुश्किल से बीस दिगंबर मुनि हैं; श्वेतांबर मुनि तो पांच-सात हजार हैं। हिंदुओं के तो संन्यासी पचास लाख हैं। और अगर मेरी चले तो सारी दुनिया को संन्यासी कर दूं। इसलिए मेरे संन्यासी होने में तो अहंकार हो ही नहीं सकता। क्योंकि कोई मैं कह ही नहीं रहा हूं कि तुम ऐसा करो, वैसा करो। एक बहुत ही सरल मामला है: तुम गेरुए कपड़े पहन लो, संन्यासी हो गए!

संन्यास सरल हो तो अहंकार को मजा कहां?

मेरे पास लोग आते हैं। वे कहते हैं कि संन्यास आप देते हैं तो इसके लिए कोई विशेष आयोजन करना चाहिए। विशेष आयोजन संन्यास के लिए! वे ठीक कहते हैं, क्योंकि ऐसा होता है: अगर जैन दीक्षा होती है तो देखा, कैसा घोड़ा, बैंडबाजा इत्यादि बजता है और सब मजा आता है और लगता है कोई बड़ी घटना घट रही है; कोई सिंहासन पर चढ़ाया जा रहा है! संन्यास भी सिंहासन जैसा हो

गया! लोग जय-जयकार करते हैं कि कोई बड़ी घटना घट रही है। और मैं संन्यास ऐसा चुपचाप दे देता हूं, किसी को पता ही नहीं चलता—पोस्ट से भी दे देता हूं। मुझे भी पता नहीं चलता कौन सज्जन हैं, उनको भी पता नहीं चलता। ठीक है!

मेरे देखे, संन्यास सरल होना चाहिए। मेरे देखे परमात्मा विश्राम में मिलता है; अहंकार में नहीं। कृत्य नहीं है, खोज नहीं है। परमात्मा मिला ही हुआ है—तुम जरा हलके हो जाओ; तुम जरा शांत हो जाओ; तुम जरा रुको। अचानक तुम पाओगे वह सदा से था!

आखिरी प्रश्नः हमारे शरीर में कोई बीस अरब कोशिकाएं हैं और शरीर में प्रतिक्षण रासायनिक प्रतिक्रिया होती रहती है। आप या अष्टावक्र जब कहते हैं कि द्रष्टा बनो, तब यह बात आप किससे कहते हैं?

यह कौन है जो कह रहा है कि शरीर में बीस अरब कोशिकाएं हैं? निश्चित ही कोशिकाएं नहीं कह रही हैं। एक कोशिका बाकी कोशिकाओं का हिसाब भी नहीं लगा सकती। ये बीस अरब कोशिकाएं हैं शरीर में, अरबों-खरबों सेल हैं शरीर में—यह कौन कह रहा है? यह किसने पूछा? यह किसको पता चला? जरूर तुम्हारे भीतर कोशिकाओं से भिन्न कोई है, जो गिनती कर लेता है कि बीस अरब कोशिकाएं हैं।

'हमारे शरीर में कोई बीस अरब कोशिकाएं हैं और शरीर में प्रतिक्षण रासायनिक प्रतिक्रिया होती रहती है। आप या अष्टावक्र जब कहते हैं कि द्रष्टा बनो, तब यह बात आप किससे कहते हैं?'

उसी से जो कह रहा है कि बीस अरब कोशिकाएं हैं।

'यदि मस्तिष्क की कोशिकाओं से कहते हैं तो बात व्यर्थ है; क्योंकि बुद्धि नश्वर है।'

नहीं, हम कह भी नहीं रहे मस्तिष्क की कोशिकाओं से। हम तुमसे कह रहे हैं। अष्टावक्र भी तुमसे बोल रहे हैं। अष्टावक्र इतने बुद्धू नहीं कि तुम्हारे मस्तिष्क की कोशिकाओं से बोल रहे हों। तुमसे बोल रहे हैं! तुम्हारा होना तुम्हारी कोशिकाओं के पार है। तुम कोशिकाओं का उपयोग कर रहे हो, सच है। जैसे एक कार में बैठा हुआ ड्राइवर कार चला रहा है, दौड़ा जा रहा है कार की गति से दौड़ा जा रहा है, सौ मील प्रति घंटे चला जा रहा है; लेकिन फिर भी वह जो ड्राइवर भीतर है, वह कार नहीं है। और अगर एक सिपाही सीटी बजाए कि रुको और वह पूछे कि 'किससे कह रहे हैं?—कार के इंजन से?' क्योंकि चल तो इंजन रहा है।

'किससे कह रहे हैं?—पेट्रोल से?' क्योंकि चला तो पेट्रोल रहा है। 'किससे कह रहे हैं?—पहियों से?' क्योंकि दौड़ तो पहिए रहे हैं। तो क्या कहेगा पुलिस का सिपाही? वही मैं तुमसे कहता हूं कि सीटी तुम्हारे लिए बजा रहे हैं।

'यदि आप आत्मा को जगा रहे हैं तो भी बात व्यर्थ है, क्योंकि आत्मा तो जागी ही हुई है। उसको जगाना और पहचानो कहना तो बेवकूफी है।'

बिलकुल ठीक बात है। आत्मा तो जागी ही हुई रही है; उसको जगाने का कोई उपाय नहीं है। और हम उसको जगा भी नहीं रहे।

मामला कुछ ऐसा है कि तुम बने हुए पड़े हो, जागे हुए पड़े हो और आंखें बंद किए। सोए को जगाना तो बहुत आसान है; हिलाओ-डुलाओ, पानी छिड़को—जागेगा। जागा हुआ अगर कोई आदमी पड़ा हो, आंखें बंद करके, ढोंग करता हो सोने का—इसको कैसे जगाओ? छिड़को पानी, कोई फर्क नहीं पड़ता। हिलाओ-डुलाओ, वह हिल-डुल कर फिर करवट लेकर सो जाता है। पुकारो नाम, सुन लेता है, बोलता नहीं। ऐसी तुम्हारी हालत है।

जागे हुए को जगाना, कोई अर्थ नहीं रखता; लेकिन जागा हुआ सोने का बहाना कर रहा है। इसलिए जगाने की जरूरत है।

सोए हुए को जगा नहीं रहे हैं, क्योंकि आत्मा सो नहीं सकती। जो सोया है वह शरीर है। जो शरीर है उसे जगाया नहीं जा सकता और जो आत्मा जागी हुई है, उसे जगाने का कोई अर्थ नहीं है। बिलकुल ठीक कहते हो। बड़े ज्ञान की बात कर रहे हो; मगर उधार होगी, क्योंकि खुद की समझ से आई होती तो पूछते ही नहीं। अष्टावक्र या मैं उसको जगा रहे हैं जो जागा हुआ है और भूल गया कि हम जागे हुए हैं; जो जागा हुआ है और सोने के बहाने में पड़ गया है, सोने का खेल खेल रहा है। इसलिए तो कठिनाई है जगाने में, बड़ी कठिनाई है।

'आप लोगों को भ्रम में तो नहीं डाल रहे हैं?'

तुम सोचते हो लोग भ्रम में हैं नहीं? अगर लोग भ्रम में नहीं हैं तो निश्चित ही मैं भ्रम में डाल रहा हूं। मगर, अगर लोग भ्रम में नहीं हैं तो भ्रम में डाले कैसे जा सकेंगे? इतने बुद्धपुरुष भ्रम में डाले जा सकते हैं? और अगर लोग भ्रम में हैं तो मैं जो कर रहा हूं वह भ्रम के बाहर लाने की चेष्टा है। जो भी तुम हो, उससे उलटा मैं कर रहा हूं। अगर तुम सोचते हो तुम भ्रम में हो, तो यह चेष्टा है जगाने की। अगर तुम सोचते हो तुम जागे हुए हो तो यह चेष्टा तुम्हें भ्रम में डालने की। लेकिन अगर तुम जागे हुए हो तो कौन तुम्हें भ्रम में डाल देगा?

खयाल रखना, तुम्हारे अतिरिक्त तुम्हें भ्रम में कोई भी नहीं डाल सकता, और तुम्हारे अतिरिक्त तुम्हें कोई जगा भी नहीं सकता। जगाने की चेष्टा कोई कर सकता

है; लेकिन जब तक तुम सहयोग न करोगे, तुम जागोगे नहीं। क्योंकि यह नींद थोड़े ही है कि कोई तोड़ दे; तुम बने हुए पड़े हो!

तुम्हारा सहयोग जरूरी है। सहयोग का अर्थ ही शिष्यत्व है। सहयोग का अर्थ ही है कि कोई जगाने वाले के पास तुम जाते हो, तुम कहते हो: मेरी पुरानी आदत हो गई है अपने को धोखा देने की, जरा मुझे साथ दें, जरा मुझे सहारा दें कि इस आदत के बाहर निकाल लें।

एक युवती मेरे पास आई और उसने कहा कि उसे कुछ मादक द्रव्य लेने की आदत हो गई है; बाहर आना चाहती है। बड़ी आकांक्षा है बाहर निकल आने की। बड़ी आतुर है कि किस तरह बाहर निकल आए। लेकिन वह जो आदत पड़ गई है मादक द्रव्यों की वह इतनी गहरी हो गई है, वह शरीर की कोशिकाओं में पहुंच गई है। अगर न ले मादक द्रव्य तो ऐसी पीड़ा और बेचैनी सारे शरीर में होती है कि न तो सो सकती, न उठ सकती, न बैठ सकती, तो लेना ही पड़ता है। और लेती है तो पीड़ा होती है मन को कि यह क्या जाल हो गया! अब वह मेरे पास आई कि मुझे बाहर निकाल लें, आपके हाथ का सहारा चाहिए! बस ऐसी ही अवस्था है।

जन्मों-जन्मों तक सोने के अभ्यास को तुमने बहुत गहरा कर लिया है। जागे हुए को सोने के भ्रम में डाल दिया है। सम्राट को भिखारी मान लिया है। लेकिन इतने जन्मों तक माना है कि आज अपने ही अभ्यास के कारण...। सिर्फ सुन लेने से कुछ नहीं होता। तुम मेरी बात सुन ले सकते हो, उससे कुछ भी न होगा—जब तक कि तुम उसे गुनो न; जब तक कि तुम राजी न हो जाओ। तुम्हारे अतिरिक्त तुम्हें कोई जगा न सकेगा। नहीं तो एक बुद्धपुरुष काफी था; शोरगुल मचा कर सबको जगा देता; ढोल-ढमास पीट देता और सबको जगा देता।

इधर सौ आदमी सो रहे हों तो एक आदमी जगाने के लिए काफी है। वस्तुतः आदमी की भी जरूरत नहीं है, अलार्म घड़ी भी जगा देती है। एक आदमी आ जाए और ढोल पीट दे, सब उठ जाएंगे; घंटा बजा दे, सब उठ जाएंगे। लेकिन यह क्यों नहीं हो सका कि बुद्ध हुए, महावीर हुए, अष्टावक्र हुए, कृष्ण हुए, क्राइस्ट हुए, जरथुस्त्र, लाओत्सु—इन लोगों ने ऐसा क्यों न किया कि जोर से घंटा बजा देते, सारी पृथ्वी जाग जाती? घंटा खूब बजाया, मगर कोई सो रहा हो तो जागे; यहां बने हुए लोग पड़े हैं! वे आंखें बंद किए पड़े हैं! वे सुन लेते हैं घंटे को। वे कहते हैं: बजाते रहो, देखें कौन हमको जगाता है!

जब तुम जागना चाहोगे तो जागोगे। भ्रम में मैं तुम्हें डाल नहीं सकता। भ्रम में तो तुम हो; अब और भ्रम में तुम्हें क्या डाला जा सकता है? तुम्हें और भी भटकाया जा सकता है तुम सोचते हो? तुम सोचते हो और कुछ भटकने को

बचा है? इससे नीचे तुम और गिर सकते हो, गिरने की कोई और जगह है? लोभ जितना तुम्हारे भीतर है, इससे थोड़ा इंच भर और ज्यादा हो सकता है? क्रोध तुम्हारे भीतर है, इससे थोड़ा और ज्यादा हो सकता है, एक रत्ती-माशा? वासना ने जैसा तुम्हें घेरा है, और वासना बढ़ सकती है? तुम आखिरी जगह खड़े हो। जो प्रथम होना चाहिए वह आखिर में खड़ा है। जो सम्राट होना चाहिए वह भिखमंगा होकर खड़ा है। इससे पीछे अब तुम जा भी नहीं सकते। इसके पार गिरने का उपाय भी नहीं है।

तुम्हें भ्रम में डालने की कोई सुविधा नहीं है। कोई डालना भी चाहे तो डाल नहीं सकता। हां, कोई इतना ही कर सकता है ज्यादा से ज्यादाः तुम्हारे भ्रम बदल दे; एक भ्रम से तुम ऊब जाओ तो दूसरा भ्रम दे दे। यही साधु-संन्यासी करते रहते हैं। संसार का भ्रम उखड़ने लगा, ऊब पैदा होने लगी, खूब जी लिए, अब कुछ सार नहीं, देख लिया—तो अध्यात्म का भ्रम पैदा करते हैं। कहते हैं कि 'चलो अब स्वर्ग का मजा लो! थोड़ा पुण्य करो; त्याग, तपश्चर्या करो; स्वर्ग में अप्सराएं भोगो! यहां बहुत भोग लीं, कुछ पाया नहीं। यहां चुल्लू-चुल्लू शराब पीते रहे; वहां बहिश्त में, फिरदौस में झरने बह रहे हैं शराब के, डुबकियां लगाना! यहां क्या रखा है? स्वर्ग में स्वर्ण के महल हैं; हीरे-जवाहरातों के वृक्ष हैं—वहां मजा लो! कल्पवृक्ष हैं, उनके नीचे बैठो! यहां तो रोना-धोना खूब कर लिया!' लेकिन यह नया भ्रम है।

मैं तुम्हें कोई नया भ्रम नहीं दे रहा। मैं तुमसे सिर्फ इतना कह रहा हूंः काफी भ्रम देख लिए, अब थोड़ा जागो!

साक्षी-भाव कैसे भ्रम हो सकता है, थोड़ा सोचो। सिर्फ साक्षी होने को कह रहा हूंः जो भी है, उसे देखने को कह रहा हूं। कुछ करने को कहता तो भ्रम पैदा होता। तुमसे कहता कि यह छोड़ कर यह करो तो भ्रम पैदा होता। तुमसे सिर्फ इतना ही कह रहा हूंः जो भी कर रहे हो, जहां भी हो, भोगी हो योगी हो, जो भी हो, हिंदू हो मुसलमान हो, मस्जिद में हो, मंदिर में हो, जहां भी हो—जागो! जाग कर देखो। जागने में कैसे भ्रम हो सकता है? जागे हुए आदमी को भ्रम की कोई संभावना नहीं रह जाती। नींद में सपने होते हैं; जागने में कैसे सपना हो सकता है?

'और यदि लोग सुख-दुख में प्रतिक्रिया करना छोड़ दें तो वे पशु या पेड़-पौधे जैसे तो नहीं हो जाएंगे?'

पहली तो बात, तुमसे किसने कहा कि पशु और पेड़-पौधे तुमसे खराब हालत में हैं? तुमने ही मान लिया, पेड़-पौधों से भी तो पूछो! पशुओं से भी तो पूछो! थोड़ा पशुओं की आंख में भी तो झांक कर देखो!

यह भी आदमी का अहंकार है कि वह सोचता है कि वह पशुओं से ऊपर है। और पशुओं की इसमें कोई गवाही भी नहीं ली गई है, यह भी बड़े मजे की बात है। एकतरफा निर्णय कर लिया है। अपने-आप ही निर्णय कर लिया है।

अगर पशुओं में भी इस तरह की किताबें लिखी जाती होंगी, शास्त्र रचे जाते होंगे, तो उनमें भी लिखा होगा कि आदमी बहुत गया—बीता जानवर है।

मैंने तो सुना है कि बंदर एक-दूसरे से कहते हैं कि आदमी पतित बंदर है। डार्विन कहता है कि आदमी बंदर का विकास है, लेकिन डार्विन कौन सी कसौटी है? बंदरों से भी तो पूछो! दोनों ही पार्टियों से भी तो पूछ लेना चाहिए। बंदर कहते हैं, आदमी पतित है। और उनकी बात समझ में आती है। बंदर वृक्षों पर हैं और तुम जमीन पर हो—पतित हो ही! बंदर ऊपर हैं, तुम नीचे हो। किसी बंदर से टक्कर लेकर तो देखो, तो शक्ति बढ़ी कि खोई? जरा एक वृक्ष से दूसरे वृक्ष पर छलांग लेकर तो देखो, हड्डी-पसली टूट जाएंगी! तो कला आई कि गई? वह तुमसे किसने कह दिया? कि खुद ही मान लिया?

यह बड़े मजे की बात है। आदमी की बीमारियों में एक बीमारी है कि आदमी मानता है कि वह सबसे ऊपर है। फिर पुरुषों से पूछो तो वे मानते हैं, वे स्त्रियों से ऊपर हैं। स्त्रियों से बिना ही पूछे! स्त्रियों की इसमें कोई गवाही नहीं ली गई। इस पर कोई वोट नहीं हुआ कभी। क्योंकि पुरुषों ने शास्त्र लिखे, जो मन में था लिख लिया। और स्त्रियों को तो पढ़ने पर भी रोक लगा रखी थी कि कहीं वे पढ़ भी लें तो बाधा डालेंगी। क्योंकि जो पंडित लिख रहा था, उसकी पत्नी ही उसको कष्ट में डाल देती, अगर पढ़ना आता होता। तो पढ़ने पर बाधा लगा दी कि वेद पढ़ नहीं सकतीं स्त्रियां, यह नहीं कर सकतीं...। हद कर दी पुरुषों ने : स्त्रियां मोक्ष भी नहीं जा सकतीं! मोक्ष जाने के पहले उनको पुरुष होना पड़ेगा, पुरुष पर्याय में आना पड़ेगा।

फिर पुरुषों में भी पूछो। गोरा समझता है कि वह ऊंचा है काले से। काले से भी तो पूछो!

मैंने सुना है कि अफ्रीका के एक जंगल में एक अंग्रेज शिकार के लिए गया और उसने अपने साथ एक नीग्रो को गाइड की तरह लिया। जंगल में दोनों भटक गए। और देखा कि कोई सौ आदमियों का, भाले लिए हुए जंगलियों का एक नीग्रो दस्ता चला आ रहा है। वह अंग्रेज बहुत घबड़ाया। उसने अपने गाइड से, नीग्रो से कहा कि हम लोगों की जान खतरे में है। उसने कहा, 'हम लोगों की! तुम मुझे छोड़ो, तुम अपनी सोचो। मेरी क्यों खतरे में होगी?'

सफेद आदमी सोचता है, वह श्रेष्ठ है; काला सोचता है, वह श्रेष्ठ है।

चीनियों से पूछो। चीनियों की किताबों में लिखा है कि अंग्रेज बंदर हैं। आदमी में भी गिनती नहीं करते वे उनकी।

सारी दुनिया में यह रोग है। आदमी का यह रोग बड़ा गहरा है। वह बिना ही दूसरी पार्टी के पूछे निर्णय करता चला जाता है। ये सब अहंकार के खेल हैं। अगर तुम थोड़े अहंकार को छोड़ कर देखोगे, तो तुम पाओगे परमात्मा के ही सब रूप हैं—जानवर भी, पशु-पक्षी भी, पौधे भी, मनुष्य भी। परमात्मा ने कहीं चाहा है हरा हो जाना तो हरा है; कहीं चाहा है पक्षियों के गीत से प्रगट होना तो वैसा हो रहा है; कहीं चाहा है आदमी होना तो आदमी हो गया है। इनमें कोई तारतम्यता नहीं है, हायरेरकी नहीं है, कोई ऊपर-नीचे नहीं है। ये सब एक साथ परमात्मा की अनंत लहरें हैं। छोटी लहर में भी वही, बड़ी लहर में भी वही; सफेद लहर में भी वही, काली लहर में भी वही। घास में भी वही, आकाश छूते हुए वृक्षों में भी वही।

आध्यात्मिक दृष्टि तो यह कहती है कि इसी क्षण जो भी है वही परमात्मा है। फिर परमात्मा में कोई आगे-पीछे कैसे हो सकता है? यह तो बड़ा मुश्किल हो जाएगा। यह तो परमात्मा में भी कुछ नीचे, कुछ ऊपर करना कठिन हो जाएगा। एक ही है! साक्षी-भाव से देखोगे तो पाओगे सब एक है।

इसलिए पहले तो यह पूछो ही मत कि 'यदि लोग सुख-दुख में प्रतिक्रिया करना छोड़ दें तो वे पशु या पौधे जैसे तो नहीं हो जाएंगे?' हो जाएंगे तो कुछ हर्जा नहीं होगा। हिटलर अगर पशु हो जाए, पौधा हो जाए तो कोई हर्जा है? हां, दुनिया में करोड़ों लोग मरने से बच जाएंगे, और तो कुछ हर्जा नहीं हो जाएगा। नादिरशाह अगर शेर होता तो कोई हर्जा होता? दस-पांच आदमियों को मार कर तृप्त हो जाता। भोजन के लिए ही मारता; ऐसे अकारण लाशों से तो नहीं भर देता दुनिया को। इतना तो पक्का है कि पशुओं ने अभी तक एटम बम जैसी कोई चीज नहीं खोजी; नाखून से काम लेते हैं, बड़े पुराने ढंग से काम चलता है। भोजन के लिए मारते हैं।

आदमी अकेला जानवर है जो बिना भोजन की इच्छा के भी मारता है। आदमी जाता है जंगल में शिकार करने; पशुओं-पक्षियों को मारता है और कहता है, आखेट के लिए आए, खेल के लिए आए! और अगर सिंह उस पर हमला कर दे, तो वह आखेट नहीं है! फिर नहीं कहता कि सिंह खेल कर रहा है—करने दो, आखेट हो रही है।

खेल के लिए मारते हो? कोई पशु नहीं मारता खेल के लिए।

और एक और बड़े मजे की बात है कि कोई पशु अपने वर्ग में नहीं मारता। कोई सिंह किसी दूसरे सिंह को मारता नहीं। कोई बंदर किसी दूसरे बंदर की हत्या नहीं करता। सिर्फ आदमी अकेला जानवर है जो आदमियों को मारता है। चींटी

चींटी को नहीं मारती। हाथी हाथी को नहीं मारता। कुत्ता कुत्ते को नहीं मारता। लड़-झगड़ लें, मारने वगैरह की बात नहीं करते, हत्या नहीं करते। आदमी अकेला जानवर है जो एक-दूसरे की हत्या करता है।

आदमी में ऐसा है क्या जिसके लिए तुम इतने परेशान हो रहे हो? खो भी जाएगा तो क्या खो जाएगा? पेड़-पौधे बहुत सुंदर हैं। पशु बड़े निर्दोष हैं। मगर मैं यह नहीं कह रहा कि तुम पेड़-पौधे या पशु हो जाओ। मैं सिर्फ यह कह रहा हूं कि अहंकार छोड़ो।

और दूसरी बात यह मैंने कहा भी नहीं कि सुख और दुख में प्रतिक्रिया करना छोड़ दें। यह अष्टावक्र ने भी कहा नहीं। सुख-दुख में समता रखने का अर्थ सुख-दुख में प्रतिक्रिया करना छोड़ देना नहीं है। सुख-दुख में समता रखने का अर्थ केवल इतना ही है कि 'मैं साक्षी रहूंगा; दुख होगा तो दुख को देखूंगा, सुख होगा तो सुख को देखूंगा।' इसका यह अर्थ थोड़े ही है कि जब तुम बुद्ध को कांटे चुभाओगे तो उनको दुख नहीं होता। बुद्ध को कांटे चुभाओगे तो तुमसे ज्यादा दुख होता है; क्योंकि बुद्ध तुमसे ज्यादा संवेदनशील हैं; तुम तो पथरीले हो, बुद्ध तो कोमल कमल की तरह हैं! तुम जब बुद्ध को कांटे चुभाओगे तो बुद्ध को पीड़ा तुमसे ज्यादा होती है; लेकिन पीड़ा हो रही है शरीर में, बुद्ध ऐसा जान कर दूर खड़े रहते हैं। देखते हैं, पीड़ा हो रही है; जानते हैं, पीड़ा हो रही है—फिर भी अपना तादात्म्य पीड़ा से नहीं करते। जानते हैं: मैं जानने वाला हूं, ज्ञाता-स्वरूप हूं।

प्रतिक्रिया छोड़ने को नहीं कह रहे हैं। यह नहीं कह रहे हैं कि घर में आग लग जाए तो तुम बैठे रहना तो तुम बुद्ध हो गए, भागना मत बाहर! भागते समय भी जानना कि घर जल रहा है, वह मैं नहीं जल रहा। और अगर शरीर भी जल रहा हो तो जानना कि शरीर जल रहा है, मैं नहीं जल रहा। इसका यह मतलब नहीं कि शरीर को जलने देना। शरीर को बाहर निकाल लाना। शरीर को कष्ट देने के लिए नहीं कह रहे हैं।

प्रतिक्रिया-शून्य करने का तो अर्थ हुआ कि तुम पत्थर हो गए, जड़ हो गए। तो बुद्ध पत्थर नहीं हैं। बुद्ध से बड़ा करुणावान कहां पाया तुमने? अष्टावक्र पत्थर नहीं हो गए होंगे। प्रेम की धारा बही। तो जिनसे प्रेम का झरना बहा, उनकी संवेदनशीलता बढ़ गई होगी, घट नहीं गई होगी। उनके पास महाकरुणा उतरी।

लेकिन तुम गलत व्याख्या कर ले सकते हो।

और जिन्होंने पूछा है, थोड़े शास्त्रीय बुद्धि के मालूम होते हैं; थोड़ा बुद्धि में कचरा ज्यादा है। कुछ पढ़ लिया, सुन लिया, इकट्ठा कर लिया—वह काफी चक्कर

मार रहा है! वह सुनने नहीं देता, वह देखने भी नहीं देता। वह चीजों को विकृत करता चला जाता है।

राही रुके हुए सब
भीतर का पानी अधहंसा
बाहर जमी बरफ है
एक तरफ छाती तक दल-दल अगम
बाढ़ का दरिया एक तरफ है।
मनमानी बह रही हवाएं
जंगल झुके हुए सब
राही रुके हुए सब।
बंद द्वार, अधखुली खिड़कियां
झांक रहीं कुछ आंखें
सूरज के मुंह पर संध्या की
काली अनगिन तीर सरीखी-सी
चुभती हुई सलाखें
अपने चेहरे के पीछे चुप
सहमे लुके हुए सब
राही रुके हुए सब!
अपने चेहरे के पीछे चुप
सहमे लुके हुए सब
राही रुके हुए सब!

ये जो चेहरे हैं, मुखौटे हैं—बुद्धिमानी के, पांडित्य के, शास्त्रीयता के—इनके पीछे कब तक छुपे रहोगे? ये जो विचारों की परतें हैं, इनके पीछे कब तक छुपे रहोगे? इन्हें हटाओ! भीतर के शुद्ध चैतन्य को जगाओ।

द्रष्टा की तरह देखो, विचारक की तरह नहीं। विचारक का तो अर्थ हुआ मन की क्रिया शुरू हो गई।

तो अगर अष्टावक्र को समझना हो तो चैतन्य, शुद्ध चैतन्य की तरह ही समझ पाओगे। अगर तुम सोच-विचार में पड़े तो अष्टावक्र को तुम नहीं समझ पाओगे, चूक जाओगे।

अष्टावक्र कोई दार्शनिक नहीं हैं, और अष्टावक्र कोई विचारक नहीं हैं। अष्टावक्र तो एक संदेशवाहक हैं—चैतन्य के, साक्षी के। शुद्ध साक्षी! सिर्फ देखो! दुख हो दुख को देखो, सुख हो सुख को देखो! दुख के साथ यह मत कहो कि मैं दुख हो गया; सुख के साथ यह मत कहो कि मैं सुख हो गया। दोनों को आने दो, जाने दो। रात आए तो रात देखो, दिन आए तो दिन देखो। रात में मत कहो कि मैं रात हो गया। दिन में मत कहो कि मैं दिन हो गया। रहो अलग-थलग, पार, अतीत, ऊपर, दूर! एक ही बात के साथ तादात्म्य रहे कि मैं द्रष्टा हूं, साक्षी हूं।

हरि ॐ तत्सत्!

* * *

प्रवचन : 03

जैसी मति वैसी गति

अष्टावक्र उवाच।

एको द्रष्टाऽसि सर्वस्य मुक्तप्रायोऽसि सर्वदा।
अयमेव हि ते बंधो द्रष्टारं पश्यसीतरम्।।7।।
अहं कर्तेत्यहंमानमहाकृष्णाहि दंशितः।
नाहं कर्तेति विश्वासामृतं पीत्वा सुखी भव।।8।।
एको विशुद्धबोधोऽहमिति निश्चर्वेणा।
प्रज्वाल्याज्ञानगहनं वीतशोकः सुखी भव।।9।।
यत्र विश्वमिदं भाति कल्पितं रज्जुसर्पवत्।
आनंदपरमानंदः स बोधस्त्वं सुखं चर।।10।।
मुक्ताभिमानी मुक्तो हि बद्धो बद्धाभिमान्यपि।
किंवदंतीह सत्येयं या मतिः स गतिर्भवेत्।।11।।
आत्मा साक्षी विभुः पूर्ण एको मुक्तश्चिद् क्रियः।
असंगो निस्पृहः शांतो भ्रमात संसारवानिव।।12।।
कूटस्थं बोधमद्वैतमात्मानं परिभावय।
आभासोऽहं भ्रमं मुक्त्वा भावं बाह्यमथांतरम्।।13।।

पहला सूत्रः 'अष्टावक्र ने कहा, तू सबका एक द्रष्टा है और सदा सचमुच मुक्त है। तेरा बंधन तो यही है कि तू अपने को छोड़ दूसरे को द्रष्टा देखता है।'

यह सूत्र अत्यंत बहुमूल्य है। एक-एक शब्द इसका ठीक से समझें!

'तू सबका एक द्रष्टा है। एको द्रष्टाऽसि सर्वस्य! और सदा सचमुच मुक्त है।'

साधारणतः हमें अपने जीवन का बोध दूसरों की आंखों से मिलता है। हम

दूसरों की आंखों का दर्पण की तरह उपयोग करते हैं। इसलिए हम द्रष्टा को भूल जाते हैं, और दृश्य बन जाते हैं। स्वाभाविक भी है।

छोटा बच्चा पैदा हुआ। उसे अभी अपना कोई पता नहीं। वह दूसरों की आंखों में झांक कर ही देखेगा कि मैं कौन हूं।

अपना चेहरा तो दिखाई पड़ता नहीं; दर्पण खोजना होगा। जब तुम दर्पण में अपने को देखते हो तो तुम दृश्य हो गए, द्रष्टा न रहे। तुम्हारी अपने से पहचान ही कितनी है? उतनी जितना दर्पण ने कहा।

मां कहती है बेटा सुंदर है, तो बेटा अपने को सुंदर मानता है। शिक्षक कहते हैं स्कूल में, बुद्धिमान हो, तो व्यक्ति अपने को बुद्धिमान मानता है। कोई अपमान कर देता है, कोई निंदा कर देता है, तो निंदा का स्वर भीतर समा जाता है। इसलिए तो हमें अपना बोध बड़ा भ्रामक मालूम होता है, क्योंकि अनेक स्वरों से मिल कर बना है; विरोधी स्वरों से मिल कर बना है। किसी ने कहा सुंदर हो; और किसी ने कहा, 'तुम, और सुंदर! शक्ल तो देखो आईने में!' दोनों स्वर भीतर चले गए, द्वंद्व पैदा हो गया। किसी ने कहा, बड़े बुद्धिमान हो; और किसी ने कहा, तुम जैसा बुद्धू आदमी नहीं देखा—दोनों स्वर भीतर चले गए, दोनों भीतर जुड़ गए। बड़ी बेचैनी पैदा हो गई, बड़ा द्वंद्व पैदा हो गया।

इसीलिए तो तुम निश्चित नहीं हो कि तुम कौन हो। इतनी भीड़ तुमने इकट्ठी कर ली है मतों की! इतने दर्पणों में झांका है, और सभी दर्पणों ने अलग-अलग खबर दी! दर्पण तुम्हारे संबंध में थोड़े ही खबर देते हैं, दर्पण अपने संबंध में खबर देते हैं।

तुमने दर्पण देखे होंगे, जिनमें तुम लंबे हो जाते हो; दर्पण देखे होंगे, जिनमें तुम मोटे हो जाते। दर्पण देखे होंगे, जिनमें तुम अति सुंदर दिखने लगते। दर्पण देखे होंगे, जिनमें तुम अति कुरूप हो जाते, अष्टावक्र हो जाते।

दर्पण में जो झलक मिलती है वह तुम्हारी नहीं है, दर्पण के अपने स्वभाव की है। विरोधी बातें इकट्ठी होती चली जाती हैं। इन्हीं विरोधी बातों के संग्रह का नाम तुम समझ लेते हो, मैं हूं! इसलिए तुम सदा कंपते रहते हो, डरते रहते हो।

लोकमत का कितना भय होता है! कहीं लोग बुरा न सोचें। कहीं लोग ऐसा न समझ लें कि मैं मूढ़ हूं! कहीं ऐसा न समझ लें कि मैं असाधु हूं! लोग कहीं ऐसा न समझ लें; क्योंकि लोगों के द्वारा ही हमने अपनी आत्मा निर्मित की है।

गुरजिएफ अपने शिष्यों से कहता था : अगर तुम्हें आत्मा को जानना हो तो तुम्हें लोगों को छोड़ना होगा। ठीक कहता था। सदियों से यही सदगुरुओं ने कहा है। अगर तुम्हें स्वयं को पहचानना हो तो तुम्हें दूसरों की आंखों में देखना बंद कर देना होगा।

मेरे देखे, बहुत से खोजी, सत्य के अन्वेषक समाज को छोड़ कर चले गए—उसका कारण यह नहीं था कि समाज में रह कर सत्य को पाना असंभव है; उसका कारण इतना ही था कि समाज में रह कर स्वयं की ठीक-ठीक छवि जाननी बहुत कठिन है। यहां लोग खबर दिए ही चले जाते हैं कि तुम कौन हो। तुम पूछो न पूछो, सब तरफ से झलकें आती ही रहती हैं कि तुम कौन हो। और हम धीरे-धीरे इन्हीं झलकों के लिए जीने लगते हैं।

मैंने सुना, एक राजनेता मरा। उसकी पत्नी दो वर्ष पहले मर गई थी। जैसे ही राजनेता मरा, उसकी पत्नी ने उस दूसरे लोक के द्वार पर उसका स्वागत किया। लेकिन राजनेता ने कहाः अभी मैं भीतर न आऊंगा। जरा मुझे मेरी अरथी के साथ राजघाट तक हो आने दो।

पत्नी ने कहाः अब क्या सार है? वहां तो देह पड़ी रह गई, मिट्टी है।

उसने कहाः मिट्टी नहीं; इतना तो देख लेने दो, कितने लोग विदा करने आए!

राजनेता और उसकी पत्नी भी अरथी के साथ-साथ—किसी को तो दिखाई न पड़ते थे, पर उनको अरथी दिखाई पड़ती थी—चले...। बड़ी भीड़ थी! अखबारनवीस थे, फोटोग्राफर थे। झंडे झुकाए गए थे। फूल सजाए गए थे। मिलिटरी के ट्रक पर अरथी रखी थी। बड़ा सम्मान दिया जा रहा था। तोपें आगे-पीछे थीं। सैनिक चल रहे थे। गदगद हो उठा राजनेता।

पत्नी ने कहा, इतने प्रसन्न क्या हो रहे हो?

उसने कहा, अगर मुझे पता होता कि मरने पर इतनी भीड़ आएगी तो मैं पहले कभी का मर गया होता। तो हम पहले ही न मर गए होते, इतने दिन क्यों राह देखते! इतनी भीड़ मरने पर आए इसी के लिए तो जीए!

भीड़ के लिए लोग जीते हैं, भीड़ के लिए लोग मरते हैं।

दूसरे क्या कहते हैं, यह इतना मूल्यवान हो गया है कि तुम पूछते ही नहीं कि तुम कौन हो। दूसरे क्या कहते हैं, उन्हीं की कतरन छांट-छांट कर इकट्ठी अपनी तस्वीर बना लेते हो। वह तस्वीर बड़ी डांवाडोल रहती है, क्योंकि लोगों के मन बदलते रहते हैं। और फिर लोगों के मन ही नहीं बदलते रहते, लोगों के कारण भी बदलते रहते हैं।

कोई आकर तुमसे कह गया कि आप बड़े साधु-पुरुष हैं, उसका कुछ कारण है—खुशामद कर गया। साधु-पुरुष तुम्हें मानता कौन है! अपने को छोड़ कर इस संसार में कोई किसी को साधु-पुरुष नहीं मानता।

तुम अपनी ही सोचो न! तुम अपने को छोड़ कर किसको साधु-पुरुष मानते हो? कभी-कभी कहना पड़ता है। जरूरतें हैं, जिंदगी है, अड़चनें हैं—झूठे को

सच्चा कहना पड़ता है; दुर्जन को सज्जन कहना पड़ता है; कुरूप को सुंदर की तरह प्रशंसा करनी पड़ती है, स्तुति करनी पड़ती है, खुशामद करनी पड़ती है। खुशामद इसीलिए तो इतनी बहुमूल्य है।

खुशामद के चक्कर में लोग क्यों आ जाते हैं? मूढ़ से मूढ़ आदमी से भी कहो कि तुम महाबुद्धिमान हो तो वह भी इनकार नहीं करता, क्योंकि उसको अपना तो कुछ पता नहीं है; तुम जो कहते हो वही सुनता है; तुम जो कहते हो वही हो जाता है।

तो उनके कारण बदल जाते हैं। कोई कहता है, सुंदर हो; कोई कहता है, असुंदर हो; कोई कहता है, भले हो; कोई कहता है, बुरे हो—यह सब इकट्ठा होता चला जाता है। और इन विपरीत मतों के आधार पर तुम अपनी आत्मा का निर्माण कर लेते हो। तुम ऐसी बैलगाड़ी पर सवार हो जिसमें सब तरफ बैल जुते हैं; जो सब दिशाओं में एक साथ जा रही है: तुम्हारे अस्थिपंजर ढीले हुए जा रहे हैं। तुम सिर्फ घसिटते हो, कहीं पहुंचते नहीं—पहुंच सकते नहीं!

पहला सूत्र है आज का: 'तू सबका एक द्रष्टा है। और तू सदा सचमुच मुक्त है।'

व्यक्ति दृश्य नहीं है, द्रष्टा है।

दुनिया में तीन तरह के व्यक्ति हैं; वे, जो दृश्य बन गए—वे सबसे ज्यादा अंधेरे में हैं; दूसरे वे, जो दर्शक बन गए—वे पहले से थोड़े ठीक हैं, लेकिन कुछ बहुत ज्यादा अंतर नहीं है; तीसरे वे, जो द्रष्टा बन गए। तीनों को अलग-अलग समझ लेना जरूरी है।

जब तुम दृश्य बन जाते हो तो तुम वस्तु हो गए, तुमने आत्मा खो दी। इसलिए राजनेता में आत्मा को पाना मुश्किल है; अभिनेता में आत्मा को पाना मुश्किल है। वह दृश्य बन गया है। वह दृश्य बनने के लिए ही जीता है। उसकी सारी कोशिश यह है कि मैं लोगों को भला कैसे लगूं, सुंदर कैसे लगूं, श्रेष्ठ कैसे लगूं? श्रेष्ठ होने की चेष्टा नहीं है, श्रेष्ठ लगने की चेष्टा है। कैसे श्रेष्ठ दिखाई पड़ूं!

तो जो दृश्य बन रहा है, वह पाखंडी हो जाता है। वह ऊपर से मुखौटे ओढ़ लेता है, ऊपर से सब आयोजन कर लेता है—भीतर सड़ता जाता है।

फिर दूसरे वे लोग हैं, जो दर्शक बन गए। उनकी बड़ी भीड़ है। स्वभावतः पहले तरह के लोगों के लिए दूसरे तरह के लोगों की जरूरत है; नहीं तो दृश्य बनेंगे लोग कैसे? कोई राजनेता बन जाता है, फिर ताली बजाने वाली भीड़ मिल जाती है। तो दोनों में बड़ा मेल बैठ जाता है। नेता हो तो अनुयायी भी चाहिए। कोई नाच रहा हो तो दर्शक भी चाहिए। कोई गीत गा रहा हो तो सुनने वाले भी चाहिए।

तो कोई दृश्य बनने में लगा है, कुछ दर्शक बन कर रह गए हैं। दर्शकों की बड़ी भीड़ है।

पश्चिम के मनोवैज्ञानिक बड़े चिंतित हैं, क्योंकि लोग बिलकुल ही दर्शक होकर रह गए हैं। फिल्म देख आते हैं, रेडिओ खोल लेते हैं, टेलिविजन के सामने बैठ जाते हैं घंटों! अमरीका में करीब-करीब औसत आदमी छह घंटे रोज टेलिविजन देख रहा है। फुटबाल का मैच हो, देख आते हैं। कुश्ती हो रही हो तो देख आते हैं। क्रिकेट हो तो देख आते हैं। ओलंपिक हो तो देख आते हैं। बस सिर्फ देखने वाले रह गए हैं। खड़े हैं दर्शक की तरह राह के किनारे राहगीर। जीवन का जुलूस निकल रहा है, तुम देख रहे हो।

कुछ हैं जो जीवन के जुलूस में सम्मिलित हो गए हैं; वह जरा कठिन धंधा है; वहां बड़ी प्रतियोगिता है। जुलूस में सम्मिलित होना जरा मुश्किल है। बड़े संघर्ष और बड़े आक्रमण की जरूरत है। लेकिन जुलूस को देखने वालों की भी जरूरत है। वे किनारे खड़े देख रहे हैं। अगर वे न हों तो जुलूस भी विदा हो जाए।

तुम थोड़ा सोचो, अगर अनुयायी न चलें पीछे तो नेताओं का क्या हो! अकेले—'झंडा ऊंचा रहे हमारा'—बड़े बुद्धू मालूम पड़ें! बड़े पागल मालूम पड़ें! राह—किनारे लोग चाहिए, भीड़ चाहिए। तो पागलपन भी ठीक मालूम पड़ता है।

तुम थोड़ा सोचो, कोई देखने न आए और क्रिकेट का मैच होता रहे—मैच के प्राण निकल गए! मैच के प्राण मैच में थोड़े ही हैं ः देखने जो लाखों लोग इकट्ठे होते हैं, उनमें हैं।

और आदमी अदभुत है! आदमी तो घुड़दौड़ देखने भी जाते हैं। यह पूरा कोरेगांव पार्क घुड़दौड़ देखने वालों की बस्ती है। यह बड़ी हैरानी की बात है ः आदमी को दौड़ाओ कोई घोड़ा देखने नहीं आता! घोड़े दौड़ते हैं, आदमी देखने जाते हैं। यह घोड़ों से भी गई-बीती स्थिति हो गई।

देखते ही देखते जिंदगी बीत जाती है। दर्शक...!

प्रेम करते नहीं तुम; फिल्म में प्रेम चलता है, वह देखते हो। नाचते नहीं तुम; कोई नाचता है, तुम देखते हो। गीत तुम नहीं गुनगुनाते; कोई गुनगुनाता है, तुम सुनते हो। तुम्हारा जीवन अगर नपुंसक हो जाए, अगर उसमें से सब जीवन ऊर्जा खो जाए तो आश्चर्य क्या? तुम्हारे जीवन में कोई गति नहीं है, कोई ऊर्जा का प्रवाह नहीं है। तुम मुर्दे की भांति बैठे हो। बस तुम्हारा कुल काम इतना है कि देखते रहो; कोई दिखाता रहे, तुम देखते रहो।

ये दो ही की बड़ी संख्या है दुनिया में। दोनों एक-दूसरे से बंधे हैं।

मनोवैज्ञानिक कहते हैं, दुनिया में हर बीमारी के दो पहलू होते हैं। दुनिया में कुछ लोग हैं, जिनको मनोवैज्ञानिक कहते हैं : मैसोचिस्ट; स्व-दुखवादी! वे अपने को सताते हैं। और दुनिया में दूसरा एक वर्ग है, जिसको मनोवैज्ञानिक कहते हैं : सैडिस्ट; पर-दुखवादी। वे दूसरे को सताते हैं। दोनों की जरूरत है। इसलिए दोनों जब मिल जाते हैं तो बड़ा राग-रंग चलता है।

मनोवैज्ञानिक कहते हैं कि अगर पति दूसरों को सताने वाला हो और स्त्री खुद को सताने वाली हो तो इससे बढ़िया जोड़ा और दूसरा नहीं होता। स्त्री अपने को सताने में मजा लेती है; पति दूसरे को सताने में मजा लेता है—राम मिलाई जोड़ी, कोई अंधा कोई कोढ़ी! मिल गए, बिलकुल मिल गए, बिलकुल ठीक बैठ गए!

हर बीमारी के दो पहलू होते हैं। दृश्य और दर्शक एक ही बीमारी के दो पहलू हैं। स्त्रियां आमतौर से दृश्य बनना पसंद करती हैं; पुरुष आमतौर से दर्शक बनना पसंद करते हैं। मनोवैज्ञानिकों की भाषा में स्त्रियों को वे कहते हैं : एग्जीबीशनिस्ट; नुमाइशी। उनका सारा रस नुमाइश बनने में है।

मुल्ला नसरुद्दीन मक्खियां मार रहा था। बहुत मक्खियां हो गई थीं तो पत्नी ने कहा, इनको हटाओ। आईने के पास मक्खियां मार रहा था; बोला कि एक जोड़ा, दो मादाएं बैठी हैं। पत्नी ने कहा, हद हो गई! तुमने पता कैसे चलाया कि नर हैं कि मादा हैं?

उसने कहा, घंटे भर से आईने पर बैठी हैं—मादाएं होनी चाहिए। नर को आईने के पास क्या करना?

स्त्रियां आईने से छूट ही नहीं पातीं। आईना मिल जाए तो चुंबक की तरह खींच लेता है। सारी जिंदगी आईने के सामने बीत रही है—कपड़ों में, वस्त्रों में, सजावट में, शृंगार में! और बड़ी हैरानी की बात है, इतनी सज-धज कर निकलती हैं, फिर कोई धक्का दे तो नाराज होती हैं! कोई धक्का न दे तो भी दुखी होंगी, क्योंकि धक्का देने के लिए इतना सज-धजने का इंतजाम था; नहीं तो प्रयोजन क्या था? पति के सामने स्त्रियां नहीं सजतीं। पति के सामने तो वे भैरवी बनी बैठी हैं। क्योंकि वहां धक्का-मुक्का समाप्त हो चुका है। लेकिन घर के बाहर जाएं, तब बड़ी तैयारी करती हैं। वहां दर्शक मिलेंगे। वहां दृश्य बनना है।

मनुष्य को, पुरुष को मनोवैज्ञानिक कहते हैं : वोयूर। उसकी सारी नजर देखने में है। उसका सारा रस देखने में है।

स्त्रियों को देखने में रस नहीं है, दिखाने में रस है। इसलिए तो स्त्री-पुरुषों का जोड़ा बैठ जाता है। बीमारी के दो पहलू बिलकुल एक साथ बैठ जाते हैं। और ये दोनों ही अवस्थाएं रुग्ण हैं।

अष्टावक्र कहते हैं: मनुष्य का स्वभाव द्रष्टा का है। न तो दृश्य बनना है और न दर्शक।

अब कभी तुम यह भूल मत कर लेना...। कई बार मैंने देखा है, कुछ लोग यह भूल कर लेते हैं, वे समझते हैं दर्शक हो गए तो द्रष्टा हो गए। इन दोनों शब्दों में बड़ा बुनियादी फर्क है। भाषा-कोश में शायद फर्क न हो—वहां दर्शक और द्रष्टा का एक ही अर्थ होगा; लेकिन जीवन के कोश में बड़ा फर्क है।

दर्शक का अर्थ है: दृष्टि दूसरे पर है। और द्रष्टा का अर्थ है: दृष्टि अपने पर है। दृष्टि देखने वाले पर है, तो द्रष्टा। और दृष्टि दृश्य पर है, तो दर्शक। बड़ा क्रांतिकारी भेद है, बड़ा बुनियादी भेद है! जब तुम्हारी नजर दृश्य पर अटक जाती है और तुम अपने को भूल जाते हो तो दर्शक। जब तुम्हारी दृष्टि से सब दृश्य विदा हो जाते हैं; तुम ही तुम रह जाते हो; जागरण-मात्र रह जाता है; होश-मात्र रह जाता है—तो द्रष्टा।

तो दर्शक तो तुम तब हो जब तुम बिलकुल विस्मृत हो गए; तुम अपने को भूल ही गए; नजर लग गई वहां। सिनेमा-हाल में बैठे हो: तीन घंटे के लिए अपने को भूल जाते हो, याद ही नहीं रहती कि तुम कौन हो। दुख-सुख, चिंताएं सब भूल जाती हैं। इसीलिए तो भीड़ वहां पहुंचती है। जिंदगी में बड़ा दुख है, चिंता है, परेशानी है—कहीं चाहिए भूलने का उपाय! लोग बिलकुल एकाग्र चित्त हो जाते हैं। बस ध्यान उनका लगता ही फिल्म में है। वहां देखते हैं...पर्दे पर कुछ भी नहीं है, छायाएं डोल रही हैं; मगर लोग बिलकुल एकाग्र चित्त हैं। बीमारी भूल जाती, चिंता भूल जाती, बुढ़ापा भूल जाता, मौत भी आती हो तो भूल जाती है—लेकिन द्रष्टा नहीं हो गए हो तुम फिल्म में बैठकर; दर्शक हो गए; भूल ही गए अपने को; स्मरण ही न रहा कि मैं कौन हूं। यह जो देखने की ऊर्जा है भीतर, इसकी तो स्मृति ही खो गई; बस सामने दृश्य है, उसी पर अटक गए, उसी में सब भांति डूब गए।

दर्शक होना एक तरह का आत्म-विस्मरण है। और द्रष्टा होने का अर्थ है: सब दृश्य विदा हो गए, पर्दा खाली हो गया; अब कोई फिल्म नहीं चलती वहां; न कोई विचार रहे, न कोई शब्द रहे; पर्दा बिलकुल शून्य हो गया—कोरा और शुभ्र, सफेद! देखने को कुछ भी न बचा; सिर्फ देखने वाला बचा। और अब देखने वाले में डुबकी लगी, तो द्रष्टा!

दृश्य और दर्शक, मनुष्यता इनमें बंटी है। कभी-कभी कोई द्रष्टा होता है—कोई अष्टावक्र, कोई कृष्ण, कोई महावीर, कोई बुद्ध। कभी-कभी कोई जागता और द्रष्टा होता है।

'तू सबका एक द्रष्टा है।'

और इस सूत्र की खूबियां ये हैं कि जैसे ही तुम द्रष्टा हुए, तुम्हें पता चलता है ः द्रष्टा तो एक ही है संसार में, बहुत नहीं हैं। दृश्य बहुत हैं, दर्शक बहुत हैं। अनेकता का अस्तित्व ही दृश्य और दर्शक के बीच है। वह झूठ का जाल है। द्रष्टा तो एक ही है।

ऐसा समझो कि चांद निकला, पूर्णिमा का चांद निकला। नदी-पोखर में, तालाब-सरोवर में, सागर में, सरिताओं में, सब जगह प्रतिबिंब बने। अगर तुम पृथ्वी पर घूमो और सारे प्रतिबिंबों का अंकन करो तो करोड़ों, अरबों, खरबों प्रतिबिंब मिलेंगे—लेकिन चांद एक है; प्रतिबिंब अनेक है। द्रष्टा एक है; दृश्य अनेक हैं, दर्शक अनेक हैं। वे सिर्फ प्रतिबिंब हैं, वे छायाएं हैं।

तो जैसे ही कोई व्यक्ति दृश्य और दर्शक से मुक्त होता है—न तो दिखाने की इच्छा रही कि कोई देखे, न देखने की इच्छा रही; देखने और दिखाने का जाल छूटा; वह रस न रहा—तो वैराग्य। अब कोई इच्छा नहीं होती कि कोई देखे और कहे कि सुंदर हो, सज्जन हो, संत हो, साधु हो। अगर इतनी भी इच्छा भीतर रह गई कि लोग तुम्हें साधु समझें तो अभी तुम पुराने जाल में पड़े हो। अगर इतनी भी आकांक्षा रह गई मन में कि लोग तुम्हें संत पुरुष समझें तो तुम अभी पुराने जाल में पड़े हो; अभी संसार नहीं छूटा। संसार ने नया रूप लिया, नया ढंग पकड़ा; लेकिन यात्रा पुरानी ही जारी है; सातत्य पुराना ही जारी है।

क्या करोगे देख कर? खूब देखा, क्या पाया? क्या करोगे दिखाकर? कौन है यहां, जिसको दिखा कर कुछ मिलेगा?

इन दोनों से पार हट कर, द्वंद्व से हट कर जो द्रष्टा में डूबता है, तो पाता है कि एक ही है। यह पूर्णिमा का चांद तो एक ही है। यह सरोवरों, पोखरों, तालाबों, सागरों में अलग-अलग दिखाई पड़ता था; अलग-अलग दर्पण थे, इसलिए दिखाई पड़ता था।

मैंने सुना है, एक राजमहल था। सम्राट ने महल बनाया था सिर्फ दर्पणों से। दर्पण ही दर्पण थे अंदर। कांच-महल था। एक कुत्ता, सम्राट का खुद का कुत्ता, रात बंद हो गया, भूल से अंदर रह गया। उस कुत्ते की अवस्था तुम समझ सकते हो क्या हुई होगी। वही आदमी की अवस्था है। उसने चारों तरफ देखा, कुत्ते ही कुत्ते थे! हर दर्पण में कुत्ता था। वह घबरा गया। वह भौंका।

जब आदमी भयभीत होता है तो दूसरे को भयभीत करना चाहता है। शायद दूसरा भयभीत हो जाए तो अपना भय कम हो जाए।

वह भौंका, लेकिन स्वभावतः वहां तो दर्पण ही थे; दर्पण-दर्पण से कुत्ते भौंके। आवाज उसी पर लौट आई; अपनी ही प्रतिध्वनि थी। वह रात भर भौंकता रहा और

भागता और दर्पणों से जूझता, लहूलुहान हो गया। वहां कोई भी न था, अकेला था। सुबह मरा हुआ पाया गया। सारे भवन में खून के चिे थे। उसकी कथा आदमी की कथा है।

यहां दूसरा नहीं है। यहां अन्य है ही नहीं। जो है, अनन्य है। यहां एक है। लेकिन उस एक को जब तक तुम भीतर से न पकड़ लोगे, खयाल में न आएगा।

'तू सबका एक द्रष्टा है, और सदा सचमुच मुक्त है।'

अष्टावक्र कहते हैंः सचमुच मुक्त है। इसे कल्पना मत समझना।

आदमी बहुत अदभुत है! आदमी सोचता है कि संसार तो सत्य है और ये सत्य की बातें सब कल्पना हैं। दुख तो सत्य मानता है; सुख की कोई किरण उतरे तो मानता है कोई सपना है, कोई धोखा है।

मेरे पास लोग आते हैं। वे कहते हैं, बड़ा आनंद मालूम हो रहा है; शक होता है यह कहीं भ्रम तो नहीं! दुख में इतने जन्मों-जन्मों तक रहे हैं कि भरोसा ही खो गया कि आनंद हो भी सकता है। आनंद असंभव मालूम होने लगा है। रोने का अभ्यास ऐसा हो गया है, दुख का ऐसा अभ्यास हो गया है, कांटों से ऐसी पहचान हो गई है कि फूल अगर दिखाई भी पड़े तो भरोसा नहीं आता; लगता है सपना है, आकाश-कुसुम है; होगा नहीं, हो नहीं सकता!

इसलिए अष्टावक्र कहते हैं, सचमुच मुक्त है! व्यक्ति बंधा नहीं है। बंधन असंभव है; क्योंकि केवल परमात्मा है, केवल एक है। न तो बांधने को कुछ है, न बंधने को कुछ है।

'तू सदा सचमुच मुक्त है!'

इसलिए अष्टावक्र जैसे व्यक्ति कहते हैं कि इसी क्षण चाहे तो मुक्त हो सकता है—क्योंकि मुक्त है ही। मुक्ति में कोई बाधा नहीं है। बंधन कभी पड़ा नहीं; बंधन केवल माना हुआ है।

'तेरा बंधन तो यही है कि तू अपने को छोड़, दूसरे को द्रष्टा देखता है।'

एको द्रष्टाऽसि सर्वस्य मुक्तप्रायोऽसि सर्वदा।

अयमेव हि ते बंधो द्रष्टारं पश्यसीतरम्।।

एक ही बंधन है कि तू अपने को छोड़ दूसरे को द्रष्टा देखता है। और एक ही मुक्ति है कि तू अपने को द्रष्टा जान ले। तो इस प्रयोग को थोड़ा करना शुरू करें।

देखते हैं...। वृक्ष के पास बैठे हैं, वृक्ष दिखाई पड़ रहा है, तो धीरे-धीरे वृक्ष को देखते-देखते, उसको देखना शुरू करें जो वृक्ष को देख रहा है। जरा से हेर-फेर की बात है। साधारणतः चेतना का तीर वृक्ष की तरफ जा रहा है। इस तीर को दोनों तरफ जाने दें। इसका फल दोनों तरफ कर लें—वृक्ष को भी देखें और साथ ही चेष्टा

करें उसको भी देखने की, जो देख रहा है। देखने वाले को न भूलें। देखने वाले को पकड़-पकड़ लें। बार-बार भूलेगा—पुरानी आदत है; जन्मों की आदत है। भूलेगा, लेकिन बार-बार देखने वाले को पकड़ लें। जैसे-जैसे देखने वाला पकड़ में आने लगेगा, कभी-कभी क्षण भर को ही आएगा; लेकिन क्षण भर को ही पाएंगे कि एक अपूर्व शांति का उदय हुआ! एक आशीष बरसा!! एक सौभाग्य की किरण उतरी!!! एक क्षण को भी अगर ऐसा होगा तो एक क्षण को भी मुक्ति का आनंद मिलेगा। और वह आनंद तुम्हारे जीवन के स्वाद को और जीवन की धारा को बदल देगा। शब्द नहीं बदलेंगे तुम्हारे जीवन की धारा को, शास्त्र नहीं बदलेंगे—अनुभव बदलेगा, स्वाद बदलेगा!

यहां मुझे सुन रहे हैं—दो तरह से सुना जा सकता है। सुनते वक्त मैं जो बोल रहा हूं, अगर उस पर ही ध्यान रहे और तुम अपने को भूल जाओ तो फिर तुम द्रष्टा न रहे, श्रोता न रहे, श्रावक न रहे। तुम्हारा ध्यान मुझ पर अटक गया, तो तुम दर्शक हो गए। आंख से ही दर्शक नहीं हुआ जाता, कान से भी दर्शक हुआ जाता है। जब भी ध्यान आब्जेक्ट पर, विषय पर अटक जाए तो तुम दर्शक हो गए।

सुनते वक्त, सुनो मुझे; साथ में उसको भी देखते रहो, पकड़ते रहो, टटोलते रहो—जो सुन रहा है। निश्चित ही तुम सुन रहे हो, मैं बोल रहा हूंः बोलने वाले पर ही नजर न रहे, सुनने वाले को भी पकड़ते रहो, बीच-बीच में उसका खयाल लेते रहो। धीरे-धीरे तुम पाओगे कि जिस घड़ी में तुमने सुनने वाले को पकड़ा, उसी घड़ी में तुमने मुझे सुना; शेष सब व्यर्थ गया। जब तुम सुनने वाले को पकड़ कर सुनोगे तब जो मैं कह रहा हूं वही तुम्हें सुनाई पड़ेगा। और अगर तुमने सुनने वाले को नहीं पकड़ा है तो तुम न मालूम क्या-क्या सुन लोगे, जो न तो मैंने कहा, न अष्टावक्र ने कहा। तब तुम्हारा मन बहुत से जाल बुन लेगा।

तुम बेहोश हो! बेहोशी में तुम कैसे होश की बातें समझ सकते हो? ये बातें होश की हैं। ये बातें किसी और दुनिया की हैं। तुमने अगर नींद में सुना तो तुम इन बातों के आसपास अपने सपने गूंथ लोगे। तुम इन बातों का रंग खराब कर दोगे। तुम इनको पोत लोगे। तुम अपने ढंग से इनका अर्थ निकाल लोगे। तुम इनकी व्याख्या कर लोगे, तुम्हारी व्याख्या में ही ये अदभुत वचन मुर्दा हो जाएंगे। तुम्हारे हाथ लाश लगेगी अष्टावक्र की; जीवित अष्टावक्र से तुम चूक जाओगे। क्योंकि जीवित अष्टावक्र को पकड़ने के लिए तो तुम्हें अपने द्रष्टा को पकड़ना होगा—वहां है जीवित अष्टावक्र।

इसे खयाल में लो।

सुनते हो मुझे, सुनते-सुनते उसको भी सुनने लगो जो सुन रहा है। तीर दोहरा

हो जाए: मेरी तरफ और तुम्हारी तरफ भी हो। अगर मैं भूल जाऊं तो कोई हर्जा नहीं, लेकिन तुम नहीं भूलने चाहिए। और एक ऐसी घड़ी आती है, जब न तो तुम रह जाते हो, न मैं रह जाता हूं। एक ऐसी परम शांति की घड़ी आती है, जब दो नहीं रह जाते, एक ही बचता है; तुम ही बोल रहे हो, तुम ही सुन रहे हो; तुम ही देख रहे हो, तुम ही दिखाई पड़ रहे हो। उस घड़ी के लिए ही इशारा अष्टावक्र कर रहे हैं कि वह एक है द्रष्टा, और सदा सचमुच मुक्त है!

बंधन स्वप्न जैसा है।

आज रात तुम पूना में सोओगे, लेकिन नींद में तुम कलकत्ते में हो सकते हो, दिल्ली में हो सकते हो, काठमांडू में हो सकते हो, कहीं भी हो सकते हो। सुबह जाग कर फिर तुम अपने को पूना में पाओगे। सपने में अगर काठमांडू चले गए, तो लौटने के लिए कोई हवाई जहाज से यात्रा नहीं करनी पड़ेगी, न ट्रेन पकड़नी पड़ेगी, न पैदल यात्रा करनी पड़ेगी। यात्रा करनी ही नहीं पड़ेगी। सुबह आंख खुलेगी और तुम पाओगे कि पूना में हो। सुबह तुम पाओगे, तुम कहीं गए ही नहीं। सपने में गए थे। सपने में जाना कोई जाना है?

'बंधन तो एक ही है तेरा कि तू अपने को छोड़, दूसरे को द्रष्टा देखता है।'

एक ही बंधन है कि हमें अपना होश नहीं, अपने द्रष्टा का होश नहीं।

एक तो यह अर्थ है इस सूत्र का। एक और भी अर्थ है, वह भी खयाल में ले लेना चाहिए।

साधारणतः अष्टावक्र के ऊपर जिन्होंने भी कुछ लिखा है, उन्होंने दूसरा ही अर्थ किया है। इसलिए वह दूसरा अर्थ भी समझ लेना जरूरी है। वह दूसरा अर्थ भी ठीक है। दोनों अर्थ साथ-साथ ठीक हैं।

'तेरा बंधन तो यही है कि तू अपने को छोड़, दूसरे को द्रष्टा देखता है।'

तुम मुझे सुन रहे हो, तुम सोचते हो: कान सुन रहा है। तुम मुझे देख रहे हो, तुम सोचते हो: आंख देख रही है। आंख क्या देखेगी? आंख को द्रष्टा समझ रहे हो तो भूल हो गई। देखने वाला तो आंख के पीछे है। सुनने वाला तो कान के पीछे है। तुम मेरे हाथ को छुओ, तो तुम सोचोगे: तुम्हारे हाथ ने मेरे हाथ को छुआ। गलती हो रही है। छूने वाला तो हाथ के भीतर छिपा है, हाथ क्या छुएगा? कल मर जाओगे, लाश पड़ी रह जाएगी; लोग हाथ पकड़े बैठे रहेंगे, कुछ भी न छुएगा। लाश पड़ी रह जाएगी, आंख खुली पड़ी रहेगी, सब दिखाई पड़ेगा और कुछ भी दिखाई न पड़ेगा। लाश पड़ी रह जाएगी, संगीत होगा, बैंड-बाजे बजेंगे, कान पर चोट भी लगेगी, झंकार भी आएगी; लेकिन कुछ भी सुनाई न पड़ेगा। जिसे सुनाई पड़ता था, जिसे दिखाई पड़ता था, जिसे स्पर्श होता था, स्वाद होता था—वह जा चुका।

इंद्रियां नहीं अनुभव लातीं; इंद्रियों के पीछे छिपा हुआ कोई...।

तो दूसरा अर्थ इस सूत्र का है कि तुम अपने को ही द्रष्टा जानना, शरीर को मत जान लेना; आंख को, कान को, इंद्रियों को मत जान लेना। भीतर की चेतना को ही द्रष्टा जानना।

'मैं कर्ता हूं', ऐसे अहंकार-रूपी अत्यंत काले सर्प से दंशित हुआ तू, 'मैं कर्ता नहीं हूं', ऐसे विश्वास-रूपी अमृत को पीकर सुखी हो।'

'अहं कर्ता इति—मैं कर्ता हूं, ऐसे अहंकार-रूपी अत्यंत काले सर्प से दंशित हुआ तू...।'

हमारी मान्यता ही सब कुछ है। हम मान्यता के सपने में पड़े हैं। हम अपने को जो मान लेते हैं, वही हो जाते हैं। यह बड़ी विचार की बात है। यह पूरब के अनुभव का सार-निचोड़ है। हमने जो मान लिया है अपने को, वही हम हो जाते हैं।

तुमने अगर कभी किसी सम्मोहनविद को, हिप्नोटिस्ट को प्रयोग करते देखा हो, तो तुम चौंके होओगे। अगर वह किसी व्यक्ति को सम्मोहित करके कह देता है, पुरुष को, कि तुम स्त्री हो और फिर कहता है, उठो चलो, तो वह आदमी स्त्री की तरह चलने लगता है। बहुत कठिन है स्त्री की तरह चलना। उसके लिए खास तरह का शरीर का ढांचा चाहिए। स्त्री की तरह चलने के लिए गर्भ की खाली जगह चाहिए पेट में, अन्यथा कोई स्त्री की तरह चल नहीं सकता। या बहुत अभ्यास करे तो चल सकता है। लेकिन कोई सम्मोहनविद किसी को सुला देता है बेहोशी में और कहता है, 'उठो, तुम स्त्री हो, पुरुष नहीं, चलो!' वह स्त्री की तरह चलने लगता है।

वह उसे प्याज पकड़ा देता है और कहता है, 'यह सेब है, नाश्ता कर लो', वह प्याज का नाश्ता कर लेता है। और उससे पूछो कैसा स्वाद, वह कहता है बड़ा स्वादिष्ट! उसे पता भी नहीं चलता कि यह प्याज है। उसे बास भी नहीं आती।

सम्मोहनविदों ने अनुभव किया है और अब तो यह वैज्ञानिक तथ्य है, इस पर बहुत प्रयोग हुए हैं: सम्मोहन में मूर्च्छित व्यक्ति के हाथ में उठा कर एक साधारण कंकड़ रख दो और कह दो अंगारा रख दिया है, वह झटक कर फेंक देता है, चीख मारता है कि जल गया! इतने तक भी बात होती तो ठीक था, लेकिन हाथ पर फफोला आ जाता है!

तुमने खबर सुनी होगी लोगों की कि जो आग पर चल लेते हैं! वह भी सम्मोहन की गहरी अवस्था है। अगर तुमने ऐसा मान लिया कि नहीं जलूंगा तो आग भी नहीं जलाती। मानने की बात है। अगर जरा भी संदेह रहा तो मुश्किल हो जाएगी, तो जल जाओगे।

ऐसा बहुत बार हुआ है कि कुछ लोग सिर्फ हिम्मत करके चले गए, कि जब इतने लोग चल रहे हैं तो हम भी चल लेंगे; लेकिन भीतर संदेह का कीड़ा था, वे जल गए।

आक्सफोर्ड यूनिवर्सिटी में इस पर प्रयोग किया गया। लंका से कुछ बौद्ध भिक्षु बुलाए गए थे—चलने के लिए। वे बुद्ध-पूर्णिमा को हर वर्ष बुद्ध की स्मृति में आग पर चलते हैं। वह बात बिलकुल ठीक है। बुद्ध की स्मृति में आग पर चलना चाहिए, क्योंकि बुद्ध की कुल स्मृति इतनी है कि तुम देह नहीं हो। तो जब हम देह ही नहीं हैं तो आग हमें कैसे जलाएगी?

कृष्ण ने गीता में कहा हैः न आग तुझे जला सकती है, न शस्त्र तुझे छेद सकते हैं। नैनं छिन्दंति शस्त्राणि, नैनं दहति पावकः। नहीं आग तुझे जलाएगी, नहीं शस्त्र तुझे छेद सकते हैं।

तो बुद्ध-पूर्णिमा के दिन श्रीलंका में बौद्ध भिक्षु आग पर चलते हैं। उन्हें निमंत्रित किया गया। वे आक्सफोर्ड में भी चले। जब वे आक्सफोर्ड में चल रहे थे तो एक भिक्षु जल गया। कोई बीस भिक्षु चले, एक भिक्षु जल गया। खोज-बीन की गई कि बात क्या हुई! वह भिक्षु सिर्फ इंग्लैंड देखने आया था। उसे कोई भरोसा नहीं था कि वह चल पाएगा। उसकी मर्जी कुछ और थी। वह तो सिर्फ यात्रा करने आया था। उसकी तो आकांक्षा इतनी ही थी कि इंग्लैंड देख लेंगे। और उसने सोचा कि ये जब उन्नीस लोग नहीं जलते तो मैं क्यों जलूंगा! मगर भीतर संदेह का कीड़ा था, वह जल गया।

और वहीं उसी रात दूसरी घटना घटी कि एक प्रोफेसर, आक्सफोर्ड यूनिवर्सिटी का प्रोफेसर जिसने कभी यह घटना न देखी थी न सुनी थी, वह सिर्फ बैठ कर देख रहा था; उसे देख कर इतना भरोसा आ गया कि वह उठा और चलने लगा और चल गया। न तो वह बौद्ध था, न धार्मिक था। उसे तो कुछ पता ही नहीं था। उसे तो सिर्फ इतने लोगों का चलना देख कर यह लगा, यह भाव इतनी गहनता से उठा, यह श्रद्धा इतनी सघन हो गई कि वह उठा एक गहन आनंद-भाव में और नाचने लगा आग पर! भिक्षु भी चौंके, क्योंकि भिक्षुओं को तो यह खयाल था कि बुद्ध भगवान उन्हें बचा रहे हैं। यह आदमी तो कोई बौद्ध नहीं है, यह तो अंग्रेज था और धार्मिक भी नहीं था। चर्च भी नहीं जाता था, तो क्राइस्ट भी इसकी फिकर नहीं करेंगे। बुद्ध से तो कुछ लेना-देना है नहीं। इसका तो कोई भी मालिक नहीं था। सिर्फ श्रद्धा!

हम जो मानते हैं गहन श्रद्धा में, वही हो जाता है।

'मैं कर्ता हूं, ऐसे अहंकार-रूपी अत्यंत काले सर्प से दंशित हुआ तू, मैं कर्ता नहीं हूं, ऐसे विश्वास-रूपी अमृत को पी कर सुखी हो।'

यह वचन खयाल रखना, बार-बार अष्टावक्र कहते हैं ः सुखी हो। वह कहते हैं, इसी क्षण घट सकती है बात।

अहं कर्ता इति—मैं कर्ता हूं, ऐसी हमारी धारणा है। उस धारणा के अनुसार हमारा अहंकार निर्मित होता है। कर्ता यानी अस्मिता। मैं कर्ता हूं, उसी से हमारा अहंकार निर्मित होता है। इसलिए जितना बड़ा कर्ता हो उतना बड़ा अहंकार होता है। तुमने अगर कुछ खास नहीं किया तो तुम क्या अहंकार रखोगे? तुमने एक बड़ा मकान बनाया, उतना ही बड़ा तुम्हारा अहंकार हो जाता है। तुमने एक बड़ा साम्राज्य रचाया, तो उतनी ही सीमा तुम्हारे अहंकार की हो जाती है।

इसीलिए तो दुनिया को जीतने के लिए पागल लोग निकलते हैं। दुनिया को जीतने थोड़े ही निकलते हैं! दुनिया किसने कब जीती? लोग आते हैं, चले जाते हैं—दुनिया को कौन जीत पाता है! लेकिन दुनिया को जीतने निकलते हैं—घोषणा करने कि मेरा अहंकार इतना विराट है कि सारी दुनिया को छोटा कर दूंगा, घेर लूंगा, सीमा बना दूंगा; मैं ही परिभाषा बनूंगा सारे जगत की! सिकंदर और नेपोलियन और तैमूर और नादिर और सारे पागल दुनिया को घेरने चलते हैं। यह दुनिया को घेरने के लिए जो आकांक्षा है, यह अहंकार की आकांक्षा है।

किसी को तुमने देखा? मंत्री हो गया या मुख्यमंत्री हो गया, तब उसकी चाल देखी! फिर पद पर नहीं रहा, तब उसको देखा! ऐसी खराब हालत हो जाती है पद से उतर कर! आदमी वही है, बल खो जाता है। वह जो अहंकार का विष था, जो गति दे रहा था, नशा दे रहा था, वह चाल में जो मस्ती आ गई थी, सिर ऊंचा उठ गया था, रीढ़ सीधी हो गई थी—वह सब खो जाता है। क्या हो गया? एक क्षण पहले इतना बल मालूम होता था, एक क्षण बाद ऐसा निर्बल हो गया!

राजनीतिज्ञ पदों से उतर कर ज्यादा दिन जिंदा नहीं रहते। राजनीतिज्ञ जब तक जीतते हैं तब तक बलशाली रहते हैं; जैसे ही हारने लगते हैं, वैसे ही बल खो जाता है।

मनोवैज्ञानिक कहते हैं कि लोग रिटायर होकर जल्दी मर जाते हैं। दस साल का फर्क पड़ता है, थोड़ा-बहुत फर्क नहीं। जो आदमी अस्सी साल जीता है, वह जब साठ साल में रिटायर हो जाता है तो सत्तर में मर जाता है। वह आदमी अस्सी साल जी सकता था, कोई और कारण न था मरने का; लेकिन मरने का एक कारण मिल गया कि जब तुम कलेक्टर थे, कमिश्नर थे, पुलिस-इंस्पेक्टर थे, या कांस्टेबल ही सही, स्कूल के मास्टर ही सही...। स्कूल के मास्टर की भी अकड़ होती है। उसकी भी एक दुनिया होती है। तीस-चालीस लड़कों पर तो रोब बांधे ही रखता है। उनको तो दबाए ही रखता है। वहां तो सम्राट ही होता है।

कहते हैं, जब औरंगजेब ने अपने बाप को कारागृह में बंद कर दिया, तो उसके बाप ने कहा कि मुझे यहां मन नहीं लगता। तू एक काम कर, तीस-चालीस छोटे-छोटे लड़के भेज दे, तो मैं एक मदरसा खोल दूं।

कहते हैं कि औरंगजेब ने कहा कि बाप जेल में तो पड़ गया है, लेकिन पुरानी सम्राट होने की अकड़ नहीं जाती। तो तीस-चालीस लड़कों पर ही अब मालकियत करेगा। उसने इंतजाम कर दिया।

छोटा-छोटा स्कूल का मास्टर भी तीस-चालीस लड़कों की दुनिया में तो राजा है। बड़े से बड़े राजा को भी इतना बल कहां होता है! कहो उठो, तो उठते हैं लोग; कहो बैठो तो बैठते हैं लोग। सब उसके हाथ में है। स्कूल का मास्टर ही सही, कलेक्टर हो, डिप्टी कलेक्टर हो, मिनिस्टर हो, कोई भी हो, जैसे ही रिटायर होता है वैसे ही बल खो जाता है; अब कोई रास्ते पर नमस्कार नहीं करता। अब कहीं भी कोई उसकी सार्थकता नहीं मालूम होती; वह फिजूल मालूम पड़ता है, जैसे कूड़े के ढेर पर फेंक दिया गया, या कबाड़खाने में डाल दिया गया। अब उसकी कहीं कोई जरूरत नहीं; जहां भी जाता है, लोग उसको सहते हैं; मगर उनके भाव से पता चलता है कि 'अब जाओ भी क्षमा करो, अब यहां किसलिए चले आए? अब दूसरे काम करने दो!' वे ही लोग जो उसकी खुशामद करते थे, रास्ते से कत्री काट जाते हैं। वे ही लोग जो उसके पैर दाबते थे, अब दिखाई नहीं पड़ते। अचानक उसके अहंकार का गुब्बारा सिकुड़ जाता है; जैसे गुब्बारा फूट गया, हवा निकलने लगी, पंचर हो गया! सिकुड़ने लगता है। जीने में कोई अर्थ नहीं मालूम होता। मरने की आकांक्षा पैदा होने लगती है। वह सोचने लगता है, अब मर ही जाऊं, क्योंकि अब क्या सार है!

रिटायर होकर लोग जल्दी मर जाते हैं। क्योंकि उनके जीवन का सारा बल तो उनके साम्राज्यों में था। कोई हेड क्लर्क था तो दस-पांच क्लर्कों को ही सता रहा था। इससे कोई फर्क नहीं पड़ता कि तुम कौन हो—तुम चपरासी सही, मगर चपरासी की भी अकड़ होती है! जब जाओ दफ्तर में अंदर तो चपरासी को देखो, स्टूल पर ही बैठा है बाहर, लेकिन उसकी अकड़ देखो! वह कहता है, ठहरो!

मुल्ला नसरुद्दीन कांस्टेबल का काम करता था। एक महिला को तेजी से कार चलाते हुए पकड़ लिया। जल्दी से निकाली नोट-बुक, लिखने लगा। महिला ने कहा, 'सुनो! बेकार लिखा-पढ़ी मत करो। मेयर मुझे जानते हैं।' मगर वह लिखता ही रहा। महिला ने कहा कि 'सुनते हो कि नहीं, चीफ मिनिस्टर भी मुझे जानते हैं!' मगर वह लिखता ही रहा। आखिर महिला ने आखिरी दांव मारा, उसने कहा, 'सुनते हो कि नहीं? इंदिरा गांधी भी मुझे जानती हैं!'

मुल्ला ने कहा, 'बकवास बंद करो! मुल्ला नसरुद्दीन तुम्हें जानता है?'

उस महिला ने कहा, 'कौन मुल्ला नसरुद्दीन? मतलब?'

उसने कहा, 'मेरा नाम मुल्ला नसरुद्दीन है। अगर मैं जानता हूं तो कुछ हो सकता है, बाकी कोई भी जानता रहे, भगवान भी तुम्हें जानता हो, यह रिपोर्ट लिखी जाएगी, यह मुकदमा चलेगा।'

हर आदमी की अपनी अकड़ है! कांस्टेबल की भी अपनी अकड़ है; उसकी भी अपनी दुनिया है, अपना राज्य है; उसके भीतर फंसे कि वह सताएगा।

अहंकार जीता है उस सीमा पर, जो तुम कर सकते हो। इसलिए तुम देखना, अहंकारी आदमी 'हां' कहने में बड़ी मजबूरी अनुभव करता है।

तुम अपने में ही निरीक्षण करना। यह मैं कोई दूसरों को जांचने के लिए तुम्हें मापदंड नहीं दे रहा हूं, तुम अपना ही आत्मविश्लेषण करना। 'नहीं' कहने में मजा आता है, क्योंकि 'नहीं' कहने में बल मालूम पड़ता है। बेटा पूछता है मां से कि जरा बाहर खेल आऊं, वह कहती है कि नहीं! नहीं! अभी बाहर खेलने में कोई हर्जा भी नहीं है। बाहर नहीं खेलेगा बेटा तो कहां खेलेगा। और मां भी जानती है कि जाएगा ही वह; थोड़ा शोरगुल मचाएगा, वह भी अपना बल दिखलाएगा। बलों की टक्कर होगी। थोड़ी राजनीति चलेगी। वह चीख-पुकार मचाएगा, बर्तन पटकेगा, तब वह कहेगी, 'अच्छा जा, बाहर खेल!' लेकिन वह जब कहेगी, 'जा, बाहर खेल', तब ठीक है; तब उसकी आज्ञा से जा रहा है!

मुल्ला नसरुद्दीन का बेटा बहुत ऊधम कर रहा था। वह उससे बार-बार कर रहा था, 'शांत होकर बैठ! देख मेरी आज्ञा मान, शांत होकर बैठ!' मगर वह सुन नहीं रहा था। कौन बेटा सुनता है! आखिर भन्ना कर मुल्ला नसरुद्दीन ने कहा, 'अच्छा अब कर जितना ऊधम करना है। अब देखूं, कैसे मेरी आज्ञा का उल्लंघन करता है! अब मेरी आज्ञा है, कर जितना ऊधम करना है। अब देखें कैसे मेरी आज्ञा का उल्लंघन करता है।'

'नहीं' जल्दी आती है; जबान पर रखी है।

तुम जरा गौर करना। सौ में नब्बे मौकों पर जहां 'नहीं' कहने की कोई भी जरूरत न थी, वहां भी तुम 'नहीं' कहते हो। 'नहीं' कहने का मौका तुम चूकते नहीं। 'नहीं' कहने का मौका मिले तो झपट कर लेते हो। 'हां' कहने में बड़ी मजबूरी लगती है। 'हां' कहने में बड़ी दयनीयता मालूम होती है। 'हां' कहने का मतलब होता हैः तुम्हारा कोई बल नहीं।

इसलिए जो बहुत अहंकारी हैं वे नास्तिक हो जाते हैं। नास्तिक का मतलब,

उन्होंने आखिरी 'नहीं' कह दी। उन्होंने कह दिया, ईश्वर भी नहीं; और की तो बात छोड़ो।

नास्तिक का अर्थ है कि उसने आखिरी, अल्टीमेट, परम इनकार कर दिया। आस्तिक का अर्थ हैः उसने परम स्वीकार कर लिया, उसने 'हां' कह दिया, ईश्वर है। ईश्वर को 'हां' कहने का मतलब हैः मैं न रहा। ईश्वर को 'ना' कहने का मतलब है, बस मैं ही रहाः अब मेरे ऊपर कोई भी नहीं; मेरे पार कोई भी नहीं; मेरी सीमा बांधने वाला कोई भी नहीं।

हमारा कर्तव्य हमारे अहंकार को भरता है। इसलिए अष्टावक्र के इस सूत्र को खयाल करना : 'मैं कर्ता हूं—अहं कर्ता इति—ऐसे अहंकार-रूपी अत्यंत काले सर्प से दंशित हुआ तू व्यर्थ ही पीड़ित और परेशान हो रहा है।'

यह पीड़ा कोई बाहर से नहीं आती। यह दुख जो हम झेलते हैं, अपना निर्मित किया हुआ है। जितना बड़ा अहंकार उतनी पीड़ा होगी। अहंकार घाव है। जरा सी हवा का झोंका भी दर्द दे जाता है।

निरहंकारी व्यक्ति को दुखी करना असंभव है। अहंकारी व्यक्ति को सुखी करना असंभव है। अहंकारी व्यक्ति ने तय ही कर लिया है कि अब सुखी नहीं होना है। क्योंकि सुख आता है 'हां'—भाव से, स्वीकार-भाव से। सुख आता है यह बात जानने से कि मैं क्या हूं? एक बूंद हूं सागर में! सागर की एक बूंद हूं! सागर ही है, मेरा होना क्या है?

जिस व्यक्ति को अपने न होने की प्रतीति सघन होने लगती है, उतने ही सुख के अंबार उस पर बरसने लगते हैं। जो मिटा, वह भर दिया जाता है। जिसने अकड़ दिखाई, वह मिट जाता है।

'...मैं कर्ता नहीं हूं, ऐसे विश्वास-रूपी अमृत को पी कर तू सुखी हो।'

'मैं कर्ता नहीं हूं', ऐसे भाव को अष्टावक्र अमृत कहते हैं। 'अहं न कर्ता इति'—यही अमृत है।

इसका एक अर्थ और भी समझ लेना चाहिए। सिर्फ अहंकार मरता है, तुम कभी नहीं मरते। इसलिए अहंकार मृत्यु है, विष है। जिस दिन तुमने जान लिया कि अहंकार है ही नहीं, बस मेरे भीतर परमात्मा ही है, उसका ही एक फैलाव, उसकी ही एक किरण, उसकी ही एक बूंद—फिर तुम्हारी कोई मृत्यु नहीं; फिर तुम अमृत हो।

परमात्मा के साथ तुम अमृत हो; अपने साथ तुम मरणधर्मा हो। अपने साथ तुम अकेले हो, संसार के विपरीत हो, अस्तित्व के विपरीत हो—तुम असंभव युद्ध में लगे हो, जिसमें हार सुनिश्चित है। परमात्मा के साथ सब तुम्हारे साथ हैः जिसमें

हार असंभव, जीत सुनिश्चित है। सबको साथ लेकर चल पड़ो। जहां सहयोग से घट सकता हो, वहां संघर्ष क्यों करते हो? जहां झुक कर मिल सकता हो, वहां लड़ कर लेने की चेष्टा क्यों करते हो? जहां सरलता से, विनम्रता से मिल जाता हो, वहां तुम व्यर्थ ही ऊधम क्यों मचाते हो, व्यर्थ का उत्पात क्यों करते हो?

'मैं कर्ता नहीं हूं, ऐसे विश्वास-रूपी अमृत को पी कर सुखी हो।'

जनक ने पूछा हैः कैसे हम सुखी हों? कैसे सुख हो? कैसे मुक्ति मिले?

कोई विधि नहीं बता रहे हैं अष्टावक्र। वे यह नहीं कह रहे हैं कि साधो इस तरह। वे कहते हैं, देखो इस तरह। दृष्टि ऐसी हो, बस! यह सारा दृष्टि का ही उपद्रव है। दुखी हो तो गलत दृष्टि आधार है। सुखी होना है तो ठीक दृष्टि...।

'...विश्वास-रूपी अमृत को पी कर सुखी हो।'

इसमें विश्वास की भी परिभाषा समझने जैसी है। अविश्वास का अर्थ होता हैः तुम अपने को समग्र के साथ एक नहीं मानते। उसी से संदेह उठता है। अगर तुम समग्र के साथ अपने को एक मानते हो तो कैसा अविश्वास! जहां ले जाएगा अस्तित्व, वहीं शुभ है। न हम अपनी मर्जी आए, न अपनी मर्जी जाते हैं। न तो हमें जन्म का कोई पता है—क्यों जन्मे? न हमें मृत्यु का कोई पता है—क्यों मरेंगे? न हमसे किसी ने पूछा जन्म के पहले कि 'जन्मना चाहते हो?' न कोई हमसे मरने के पहले पूछेगा कि 'मरोगे, मरने की इच्छा है?' सब यहां हो रहा है। हमसे कौन पूछता है? हम व्यर्थ ही बीच में क्यों अपने को लाएं?

जिससे जीवन निकला है, उसी में हम विसर्जित होंगे। और जिसने जीवन दिया है, उस पर अविश्वास कैसा? जहां से इस सुंदर जीवन का आविर्भाव हुआ है, उस स्रोत पर अविश्वास कैसा? जहां से ये फूल खिले हैं, जहां ये कमल खिले हैं, जहां ये चांद-तारे हैं, जहां ये मनुष्य हैं, पशु-पक्षी हैं, जहां इतना गीत है, जहां इतना संगीत है, जहां इतना प्रेम है—उस पर अविश्वास क्यों?

विश्वास का अर्थ हैः हम अपने को विजातीय नहीं मानते, परदेसी नहीं मानते; हम अपने को इस अस्तित्व के साथ एक मानते हैं। इस एक की उदघोषणा के होते ही जीवन में सुख की वर्षा हो जाती है।

'...ऐसे विश्वास-रूपी अमृत को पी कर सुखी हो।'

विश्वासामृतं पीत्वा सुखी भव।

अभी हो जा सुखी! पीत्वा सुखी भव! इसी क्षण हो जा सुखी!

'मैं एक विशुद्ध बोध हूं, ऐसी निश्चय-रूपी अग्नि से अज्ञान-रूपी वन को जला कर तू वीतशोक हुआ सुखी हो।'

अभी हो जा दुख के पार!

एक छोटी सी बात को जान लेने से दुख विसर्जित हो जाता है कि मैं विशुद्ध बोध हूं, कि मैं मात्र साक्षी-भाव हूं, कि मैं केवल द्रष्टा हूं।

अहंकार का रोग एकमात्र रोग है।

मैंने सुना है, दिल्ली के एक कवि-सम्मेलन में मुल्ला नसरुद्दीन भी सम्मिलित हुआ। जब कवि- सम्मेलन समाप्त हुआ और संयोजक पारिश्रमिक बांटने लगे तो वह तृप्त न हुआ। पारिश्रमिक जितना वह सोचता था उतना उसे मिला नहीं। वह बड़ा नाराज हुआ। उसने कहा, 'जानते हो, मैं कौन हूं? मैं पूना का कालीदास हूं!' संयोजक भी छंटे लोग रहे होंगे। उन्होंने कहा, 'ठीक है, लेकिन यह तो बताइए पूना के किस मोहल्ले के कालीदास हैं?'

मोहल्ले-मोहल्ले में कालीदास हैं, मोहल्ले-मोहल्ले में टैगोर हैं। हर आदमी यही सोचता है कि अनूठी, अद्वितीय प्रतिभा है उसकी!

अरब में कहावत है कि परमात्मा जब किसी आदमी को बनाता है तो उसके कान में कह देता है, तुमसे बेहतर आदमी कभी बनाया ही नहीं। और यह सभी से कहता है। यह मजाक बड़ी गहरी है। और हर आदमी मन में यही खयाल लिए जीता है कि मुझसे बेहतर आदमी कोई बनाया ही नहीं। मैं सर्वोत्कृष्ट कृति हूं। कोई माने न माने, तो वह उसकी नासमझी है। ऐसे मैं सर्वोत्कृष्ट कृति हूं!

इस दंभ में जीता आदमी बड़े दुख पाता है। क्योंकि इस दंभ के कारण वह बड़ी अपेक्षाएं करता है जो कभी पूरी नहीं होंगी। उसकी अपेक्षाएं अनंत हैं; जीवन बहुत छोटा है। जिसने भी अपेक्षा बांधी वह दुखी होगा।

इस जीवन को एक और ढंग से भी जीने की कला है—अपेक्षा-शून्य; बिना कुछ मांगे; जो मिल जाए, उसके प्रति धन्यवाद से भरे हुए; कृतज्ञ-भाव से! वही आस्तिक की प्रक्रिया है।

जो तुम्हें मिला है वह इतना है! मगर तुम उसे देखो तब न!

मैंने सुना है, एक आदमी मरने जा रहा था। जिस नदी के किनारे वह मरने गया, एक सूफी फकीर बैठा हुआ था। उसने कहा, 'क्या कर रहे हो?' वह कूदने को ही था, उसने कहाः 'अब रोको मत, बहुत हो गया! जिंदगी में कुछ भी नहीं, सब बेकार है! जो चाहा, नहीं मिला। जो नहीं चाहा, वही मिला। परमात्मा मेरे खिलाफ है। तो मैं भी क्यों स्वीकार करूं यह जीवन?'

उस फकीर ने कहा, 'ऐसा करो, एक दिन के लिए रुक जाओ, फिर मर जाना। इतनी जल्दी क्या? तुम कहते हो, तुम्हारे पास कुछ भी नहीं?'

उसने कहा, 'कुछ भी नहीं! कुछ होता तो मरने क्यों आता?'

उस फकीर ने कहा, 'तुम मेरे साथ आओ। इस गांव का राजा मेरा मित्र है।'

फकीर उसे ले गया। उसने सम्राट के कान में कुछ कहा। सम्राट ने कहा, 'एक लाख रुपये दूंगा।' उस आदमी ने इतना ही सुना; फकीर ने क्या कहा कान में, वह नहीं सुना। सम्राट ने कहा, 'एक लाख रुपये दूंगा।' फकीर आया और उस आदमी के कान में बोला कि सम्राट तुम्हारी दोनों आंखें एक लाख रुपये में खरीदने को तैयार है। बेचते हो?

उसने कहा, 'क्या मतलब? आंख, और बेच दूं! लाख रुपये में! दस लाख दे तो भी नहीं देने वाला।'

तो वह सम्राट के पास फिर गया। उसने कहा, 'अच्छा ग्यारह लाख देंगे।'

उस आदमी ने कहा, 'छोड़ो भी, यह धंधा करना ही नहीं। आंख बेचेंगे क्यों?'

फकीर ने कहा, 'कान बेचोगे? नाक बेचोगे? यह सम्राट हर चीज खरीदने को तैयार है। और जो दाम मांगो देने को तैयार है।'

उसने कहा, 'नहीं, यह धंधा हमें करना ही नहीं, बेचेंगे क्यों?'

उस फकीर ने कहा, 'जरा देख, आंख तू ग्यारह लाख में भी बेचने को तैयार नहीं, और रात तू मरने जा रहा था और कह रहा था कि मेरे पास कुछ भी नहीं है!'

जो मिला है वह हमें दिखाई नहीं पड़ता। जरा इन आंखों का तो खयाल करो, यह कैसा चमत्कार है! आंख चमड़ी से बनी है, चमड़ी का ही अंग है; लेकिन आंख देख पाती है, कैसी पारदर्शी है! असंभव संभव हुआ है। ये कान सुन पाते संगीत को, पक्षियों के कलरव को, हवाओं के मरमर को, सागर के शोर को! ये कान सिर्फ चमड़ी और हड्डी से बने हैं, यह चमत्कार तो देखो!

तुम हो, यह इतना बड़ा चमत्कार है कि इससे बड़ा और कोई चमत्कार क्या तुम सोच सकते हो। इस हड्डी, मांस-मज्जा की देह में चैतन्य का दीया जल रहा है, जरा इस चैतन्य के दीये का मूल्य तो आंको!

नहीं, लेकिन तुम्हारी इस पर कोई दृष्टि नहीं! तुम कहते हो, हमें सौ रुपये की नौकरी मिलनी चाहिए थी, नब्बे रुपये की मिली—मरेंगे, आत्महत्या कर लेंगे! कि होना चाहिए था मिनिस्टर, केवल डिप्टी मिनिस्टर हो पाए—नहीं जीएंगे! कि मकान बड़ा चाहिए था, छोटा मिला—अब कोई सार रहने का नहीं है! कि दिवाला निकल गया, कि बैंक में खाता खाली हो गया—अब जीने में सार क्या है! कि एक स्त्री चाही थी, वह न मिली; कि एक पुरुष चाहा था, वह न मिला—बस अब मरेंगे!

जितना तुम चाहोगे उतना ही तुम्हारे जीवन में दुख होगा। जितना तुम देखोगे कि बिना चाहे कितना मिला है! अपूर्व तुम्हारे ऊपर बरसा है! अकारण! तुमने कमाया क्या है? क्या थी कमाई तुम्हारी, जिसके कारण तुम्हें जीवन मिले? क्या है तुम्हारा अर्जन, जिसके कारण क्षण भर तुम सूरज की किरणों में नाचो, चांद-तारों

से बात करो? क्या है कारण? क्या है तुम्हारा बल? क्या है प्रमाण तुम्हारे बल का, कि हवाएं तुम्हें छुएं और तुम गुनगुनाओ, आनंदमग्न हो, कि ध्यान संभव हो सके? इसके लिए तुमने क्या किया है? यहां सब तुम्हें मिला है—प्रसादरूप! फिर भी तुम परेशान हो। फिर भी तुम कहे चले जाते हो। फिर भी तुम उदास हो। जरूर अहंकार का रोग खाए चला जा रहा है। वही सबको पकड़े हुए है।

मैंने सुना है, एक परिवार के सभी सदस्य फिल्मों में काम करते थे। एक बार परिवार का मुखिया अपने पारिवारिक डाक्टर के पास आया और बोला, 'डाक्टर साहब, मेरे बेटे को छूत की बीमारी है—स्कारलेट फीवर। और वह मानता है कि उसने घर की नौकरानी को चूमा है।'

'आप घबड़ाइए नहीं,' डाक्टर ने सलाह दी, 'जवानी में खून जोश मारता ही है।'

'आप समझे नहीं डाक्टर,' वह आदमी बोला और थोड़ा बेचैन होकर, 'सच बात यह है कि उसके बाद मैं भी उस लड़की को चूम चुका हूं।'

'तब तो मामला कुछ गड़बड़ नजर आता है,' डाक्टर ने स्वीकार किया।

'अभी क्या गड़बड़ है, डाक्टर साहब! उसके बाद मैं अपनी पत्नी को भी दो बार चूम चुका हूं।'

इतना सुनते ही डाक्टर अपनी कुर्सी से उछल कर चिल्लाया, 'तब तो मारे गए! तब तो यह वाहियात बीमारी मुझे भी लग चुकी होगी!'

वे उनकी पत्नी को चूम चुके हैं। ऐसे बीमारी फैलती चली जाती है!

अहंकार छूत की बीमारी है।

जब बच्चा पैदा होता है तो कोई अहंकार नहीं होता; बिलकुल निरहंकार, निर्दोष होता है; खुली किताब होता है; कुछ भी लिखावट नहीं होती; खाली किताब होता है! फिर धीरे-धीरे अक्षर लिखे जाते हैं। फिर धीरे-धीरे अहंकार निर्मित किया जाता है। मां-बाप, परिवार, समाज, स्कूल, विश्वविद्यालय, फिर उसके अहंकार को मजबूत करते चले जाते हैं। यह सारी प्रक्रिया हमारे शिक्षण की और संस्कार की, सभ्यता और संस्कृति की, बस एक बीमारी को पैदा करती है—अहंकार को जन्माती है। यह अहंकार फिर जीवन भर हमारे पीछे प्रेत की तरह लगा रहता है।

अगर तुम धर्म का ठीक अर्थ समझना चाहो तो इतना ही है: समाज, संस्कृति, सभ्यता तुम्हें जो बीमारी दे देते हैं, धर्म उस बीमारी की औषधि है, और कुछ भी नहीं। धर्म समाज-विरोधी है, सभ्यता-विरोधी है, संस्कृति-विरोधी है। धर्म बगावत है। धर्म क्रांति है।

धर्म की क्रांति का कुल अर्थ इतना ही है कि तुम्हें जो दे दिया है दूसरों ने उसे किस भांति तुम्हें सिखाया जाए कि तुम उसे छोड़ दो। उसे पकड़ कर मत चलो—वही तुम्हारी पीड़ा है; वही तुम्हारा नर्क है। अहंकार के अतिरिक्त जीवन में और कोई बोझ नहीं है। अहंकार के अतिरिक्त जीवन में और कोई बंधन जंजीर नहीं है।

'मैं एक विशुद्ध बोध हूं, ऐसी निश्चय रूपी अग्नि से अज्ञान-रूपी वन को जला कर तू वीतशोक हो, सुखी हो!'

अहंकार का अर्थ है ः अपने चैतन्य को किसी और चीज से जोड़ लेना।

एक आदमी कहता है कि मैं बुद्धिमान हूं, तो उसने बुद्धिमानी से अपने अहंकार को जोड़ लिया; तो उसकी चेतना अशुद्ध हो गई।

तुमने देखा, दूध में कोई पानी मिला देता है तो हम कहते हैं, दूध अशुद्ध हो गया। लेकिन अगर पानी मिलाने वाला कहे कि हमने बिलकुल शुद्ध पानी मिलाया है, फिर? तब भी तुम कहोगे, अशुद्ध हो गया। शुद्ध पानी मिलाओ या अशुद्ध, यह थोड़े ही सवाल है—पानी मिलाया! इससे कोई फर्क नहीं पड़ता कि तुमने शुद्ध पानी मिलाया, तो भी दूध तो अशुद्ध हो गया! और अगर गौर करो तो दूध ही अशुद्ध नहीं हुआ, पानी भी अशुद्ध हो गया। पानी और दूध दोनों शुद्ध थे अलग-अलग, मिल कर अशुद्ध हो गए।

विपरीत और विजातीय और अन्य से मिल कर उपद्रव होता है। चैतन्य जैसे ही अपने से भिन्न से मिल जाता है। तुमने कहा, मैं बुद्धिमान...। बुद्धि यंत्र है; उसका उपयोग करो। बुद्धिमान मत बनो। यही बुद्धिमानी है—बुद्धिमान मत बनो! तुमने कहा, मैं बुद्धिमान—उपद्रव शुरू हुआ! दूध पानी से मिल गया। फिर तुम्हारी बुद्धि कितनी ही शुद्ध हो, इससे कोई फर्क नहीं पड़ता। तुमने कहा, मैं चरित्रवान—दूध पानी से मिल गया। अब तुम्हारा चरित्र कितना ही शुद्ध हो, इससे कुछ फर्क नहीं पड़ता। दुश्चरित्र और सच्चरित्र दोनों के अहंकार होते हैं।

मैंने सुना है, एक पुरानी कहानी कि जार के जमाने में, रूस में, साइबेरिया में तीन कैदी बंद थे। और तीनों में सदा विवाद हुआ करता था कि कौन बड़ा अपराधी है। और तीनों में सदा विवाद हुआ करता था कि कौन ज्यादा दिन से जेल भोग रहा है। जेल में अक्सर यह होता है। लोग वहां भी बढ़ा-चढ़ा कर बताते हैं। ऐसा नहीं कि तुम अपना बैंक-बैलेंस बढ़ा-चढ़ा कर बताते हो और मेहमान आ जाते हैं तो घर में पड़ोस से फर्नीचर मांग कर और गलीचे बिछा देते हो। तुम्हीं धोखा देते हो, ऐसा नहीं। ऐसा नहीं है कि तुम्हीं दूसरों को देख कर खूब जोर-जोर से हरे राम, हरे राम करने लगते हो, कि कोई आ जाए तो प्रार्थना लंबी हो जाती है, पूजा की घंटियां जोर से बजने लगती हैं; कोई न आए, जल्दी निपटा लेते हो। ऐसा

तुम ही करते हो, ऐसा नहीं है। मेहमान घर में हों तो तुम मंदिर चले जाते हो, क्योंकि मेहमानों पर धार्मिक होने का प्रभाव डालना है। कैदी भी कारागृह में इसी तरह करते हैं।

उन तीन कैदियों में विवाद होता था। एक दिन पहले कैदी ने कहा, 'मैं जब जेल में आया था, जब मुझे साइबेरिया की जेल में डाला गया, तब मोटर गाड़ी नहीं चलती थी।'

दूसरे ने कहा, 'इसमें क्या रखा है? अरे, मैं जब डाला गया तब बैलगाड़ी तक नहीं चलती थी।'

तीसरे ने कहा, 'बैलगाड़ी! बैलगाड़ी क्या होती है?'

वे यह सिद्ध करने की कोशिश कर रहे हैं कि कौन कितने प्राचीन समय से इस जेल में पड़ा हुआ है। इसमें भी अहंकार है।

मैंने सुना है, एक जेल में एक नया अपराधी आया। जिस कोठरी में उस भेजा गया था, उसे कोठरी में एक दादा पहले से ही जमे थे। उस दादा ने पूछा कि कितने दिन रहेगा? उसने कहा कि यही कोई बीस साल की सजा हुई है। उसने कहा, 'तू दरवाजे पर ही रह! तुझे जल्दी निकलना पड़ेगा। तू दरवाजे के पास ही अपना बिस्तरा लगा ले।'

अपराधी का भी अहंकार है। बुरे के साथ भी आदमी अपने अहंकार को भरता है, भले के साथ भी भरता है! लेकिन दोनों स्थितियों में चैतन्य अशुद्ध हो जाता है।

अष्टावक्र कहते हैं, 'मैं एक विशुद्ध बोध हूं।' न तो मैं बुद्धिमान हूं, न मैं चरित्रवान हूं न मैं चरित्रहीन हूं, न मैं सुंदर हूं न मैं असुंदर हूं, न मैं जवान हूं न मैं बूढ़ा हूं, न गोरा न काला, न हिंदू न मुसलमान, न ब्राह्मण न शूद्र—मेरा कोई तादात्म्य नहीं है। मैं इन सबको देखने वाला हूं।

जैसे तुमने दीया जलाया अपने घर में, तो दीये की रोशनी टेबिल पर भी पड़ती है, कुर्सी पर भी पड़ती है, दीवाल पर भी पड़ती है, दीवाल-घड़ी पर भी पड़ती है, फर्नीचर पर, अलमारी पर, कालीन पर, फर्श पर, छप्पर पर—सब पर पड़ती है। तुम बैठे, तुम पर भी पड़ती है। लेकिन ज्योति न तो दीवाल है, न छप्पर है, न फर्श है, न टेबिल है, न कुर्सी है। सब रोशन है उस रोशनी में; लेकिन रोशनी अलग है।

शुद्ध चैतन्य तुम्हारी रोशनी है, तुम्हारा बोध है। वह बोध तुम्हारी बुद्धि पर भी पड़ता, तुम्हारी देह पर भी पड़ता, तुम्हारे कृत्य पर भी पड़ता; लेकिन तुम उनमें से कोई भी नहीं हो।

जब तक तुम अपने को किसी से जोड़ कर जानोगे, तब तक अहंकार पैदा होगा। अहंकार हैः चेतना का किसी अन्य वस्तु से तादात्म्य। जैसे ही तुमने सारे

तादात्म्य छोड़ दिए—तुमने कहा, मैं तो बस शुद्ध बोध हूं, मैं तो शुद्ध बोध हूं, शुद्ध बुद्ध हूं—वैसे ही तुम घर लौटने लगे; मुक्ति का क्षण करीब आने लगा।

अष्टावक्र कहते हैं, 'विशुद्ध बोध हूं, ऐसी धारणा...।'

अहं एका विशुद्ध बोधः इति।

'ऐसे निश्चय-रूपी अग्नि से...।'

यह क्या है निश्चय-रूपी बात? सुन कर यह निश्चय न होगा। केवल बुद्धि से समझ कर यह निश्चय न होगा। ऐसा तो बहुत बार तुमने समझ लिया है, फिर-फिर भूल जाते हो। अनुभव से यह निश्चय होगा। थोड़े प्रयोग करोगे तो निश्चय होगा। प्रतीति होगी तो निश्चय होगा। और निश्चय होगा तो क्रांति घटित होगी।

'...अज्ञान-रूपी वन को जला कर तू वीतशोक हुआ सुख को प्राप्त हो, सुखी हो।'

'जिसमें यह कल्पित संसार रस्सी में सांप जैसा भासता है, तू वही आनंद परमानंद बोध है। अतएव तू सुखपूर्वक विचर।'

यहां दुख का कोई कारण ही नहीं है। तुम नाहक एक दुख-स्वप्न में दबे और परेशान हुए जा रहे हो।

दुख-स्वप्न तुमने देखा? अपने ही हाथ छाती पर रख कर आदमी सो जाता है, हाथ के वजन से रात नींद में लगता है कि छाती पर कोई भूत-प्रेत चढ़ा है! अपने ही हाथ रखे हैं छाती पर, उनका ही वजन पड़ रहा है; लेकिन निद्रा में वही वजन भ्रांति बन जाता है। या अपना ही तकिया रख लिया अपनी छाती पर, लगता है पहाड़ गिर गया! चीखता है, चिल्लाता है। चीख भी नहीं निकलती। हाथ-पैर हिलाना चाहता है। हाथ-पैर भी नहीं हिलते—ऐसी घबड़ाहट बैठ जाती है। फिर जब नींद भी टूट जाती है तो भी पाता है पसीना-पसीना है। नींद भी टूट जाती है, जाग भी जाता है, समझ भी लेता है—कोई दुश्मन नहीं, कोई पहाड़ नहीं गिरा, अपना ही तकिया अपनी छाती पर रख लिया, कि अपने ही हाथ अपनी छाती पर रख लिए थे—तो भी सांस धक-धक चल रही है; जैसे मीलों दौड़ कर आया हो। सपना टूट गया, फिर भी अभी तक परिणाम जारी है।

जिनको हम यह संसार के दुख कह रहे हैं, वे हमारे ही बोध की भ्रांतियां हैं।

'जिसमें यह कल्पित संसार रस्सी में सांप जैसा भासता है...।'

तुमने देखा कभी, रस्सी पड़ी हो रास्ते पर अंधेरे में, बस सांप का खयाल आ जाता है! खयाल आ गया तो रस्सी पर सांप आरोपित हो गया। भागे! चीख-पुकार मचा दी! हो सकता है दौड़ने में गिर पड़ो, हाथ-पैर तोड़ लो, तब बाद में पता चले कि सिर्फ रस्सी थी, नाहक दौड़े! लेकिन फिर क्या होता है? हाथ-पैर तोड़ चुके!

लेकिन अगर तुम्हारे पास थोड़ा सा भी बोध का दीया हो, प्रकाश हो थोड़ा, तो अंधेरी से अंधेरी रात में भी तुम बोध के दीये से देख पाओगे कि रस्सी रस्सी है, सर्प नहीं है। इस बोध में ही आनंद और परमानंद का जन्म होता है।

'...अतएव तू सुखपूर्वक विचर!'

तेरे पास सूत्र है। तेरे पास ज्योति है। ज्योति को तूने नाहक के परदों में ढांका। परदे हटा। घूंघट के पट खोल! विचार के, वासना के, अपेक्षा के, कल्पनाओं के, सपनों के परदे हटाओ। वे ही हैं घूंघट। घूंघट को हटाओ। खुली आंख से देखो।

लोग बुर्कें ओढ़े बैठे हैं। उन बुर्कों के कारण कुछ दिखाई नहीं पड़ता। धक्के खा रहे हैं, गड्ढों में गिर रहे हैं।

'...वही आनंद परमानंद बोध है। अतएव तू सुखपूर्वक विचर।'

यत्र विश्वमिदं भाति कल्पितं रज्जुसर्पवत्।

आनंद परमानंदः स बोधस्त्वं सुखं चर।।

आनंद परमानंदः स बोधस्त्वं सुखं चर।

इस थोड़े से बोध को समझ लो, पकड़ लो, पहचान लो—फिर विचरण करो सुख में। यह अस्तित्व परम आनंद है। इस अस्तित्व ने दुख जाना नहीं। दुख तुम्हारा निर्मित किया हुआ है।

कठिन है समझना यह बात, क्योंकि हम इतने दुख में जी रहे हैं, हम कैसे मानें कि दुख नहीं है। वह जो रस्सी को देख कर भाग गया है, वह भी नहीं मानता की सर्प नहीं है। वह जो हाथ रख कर छाती पर पड़ा है और सोचता है पहाड़ गिर गया, वह भी उस क्षण में तो नहीं मान सकता कि पहाड़ नहीं गिर गया। वैसी ही हमारी दशा है।

क्या करें?

थोड़े दृश्य से द्रष्टा की तरफ चलें! देखें सब, लेकिन देखने वाले को न भूलें। सुनें सब, सुनने वाले को न भूलें। करें सब, लेकिन स्मरण रखें कि कर्ता नहीं हैं।

बुद्ध कहते थेः चलो राह पर और स्मरण रखो कि भीतर कोई चल नहीं रहा है। भीतर सब अचल है।

ऐसा ही है भी।

गाड़ी के चाक को चलते देखा है? कील तो ठहरी रहती है, चाक चलता जाता है। ऐसे ही जीवन का चाक चलता है, कील तो ठहरी हुई है। कील हो तुम।

'मुक्ति का अभिमानी मुक्त है और बद्ध का अभिमानी बद्ध है। क्योंकि इस संसार में यह लोकोक्ति सच है कि जैसी मति वैसी गति।'

यह सूत्र मूल्यवान है।

'मुक्ति का अभिमानी मुक्त है।'

जिसने जान लिया कि मैं मुक्त हूं वह मुक्त है। मुक्ति के लिए कुछ और करना नहीं; इतना जानना ही है कि मैं मुक्त हूं! तुम्हारे करने से मुक्ति न आएगी, तुम्हारे जानने से मुक्ति आएगी। मुक्ति कृत्य का परिणाम नहीं, ज्ञान का फल है।

'मुक्ति का अभिमानी मुक्त है, और बद्ध का अभिमानी बद्ध है।'

जो सोचता है मैं बंधा हूं, वह बंधा है। जो सोचता है मैं मुक्त हूं, वह मुक्त है।

तुम जरा करके भी देखो! एक चौबीस घंटे ऐसा सोच कर देखो कि चलो चौबीस घंटे यही सहीः मुक्त हूं! चौबीस घंटे मुक्त रह कर देख लो। तुम बड़े चकित होओगे, तुम्हें खुद ही भरोसा न आएगा। कि अगर तुम सोच लो मुक्त हो तो कोई नहीं बांधने वाला है। तो तुम मुक्त हो। तुम सोच लो कि बंधा हूं तो हर चीज बांधने वाली है।

मेरे एक मित्र थे, मेरे साथ प्रोफेसर थे। होली के दिन थे, भांग पी ली। रास्ते पर शोरगुल मचा दिया। हुल्लड़ कर दी। बड़े सीधे आदमी थे। सीधे आदमी के साथ खतरा है। उसके भीतर काफी दबा पड़ा रहता है। उपद्रवी नहीं थे। नाम भी उनका भोलाराम था। भोले-भाले आदमी थे। भोले-भाले आदमी के साथ एक खतरा हैः भांग वगैरह से बचना चाहिए। क्योंकि वह भोला-भालापन जो ऊपर-ऊपर है, भांग ने तो डुबा दिया, भीतर जो दबा पड़ा था, जिंदगी भर में जो नहीं किया था, वह सब निकल आया। वे सड़क पर गए, शोरगुल मचाया, उपद्रव कर दिया, किसी स्त्री के साथ छेड़-छाड़ कर दी। पकड़ लिए गए। थाने में बंद कर दिए गए। अंग्रेजी के प्रोफेसर थे।

रात कोई दो बजे आदमी मेरे पास आया और उसने कहा कि आपके मित्र पकड़ गए हैं और उन्होंने खबर भेजी है कि निकालो; सुबह के पहले निकालो, नहीं तो मुश्किल हो जाएगी! बामुश्किल उनको निकाल पाए सुबह होते-होते। निकाल तो लाए, लेकिन वे ऐसे घबरा गए—सीधे-साधे आदमी थे—वे ऐसे घबरा गए कि बस मुश्किल खड़ी हो गई। तीन महीने उन्होंने ऐसा कष्ट भोगा...सड़क से पुलिस वाला निकले कि वे छिप जाएं, कि वह आ रहा है पकड़ने! मेरे साथ एक ही कमरे में रहते थे। रात पुलिस वाला सीटी बजाए, वे बिस्तर के नीचे हो जाएं। मैं कहूं, 'तुम कर क्या रहे हो?'

'आ रहे हैं वे लोग!'

फिर तो हालत ऐसी बिगड़ गई कि वे न मुझे सोने दें न खुद सोएं। वे कहें कि जगो, सुना तुमने? वे लोग...! हवा में खबर है, आवाज आ रही है। रेडियो पर वे लोग यहां-वहां से खबर भेज रहे हैं कि भोलाराम कहां है!

मैंने कहा, 'भोलाराम, तुम सो जाओ!'

'अरे, सो कैसे जाएं, जीवन खतरे में है। वे पकड़ेंगे! फाइल है मेरे खिलाफ।'

आखिर मैं इतना परेशान हो गया कि कोई रास्ता न देख कर...। कालेज भी जाना उन्होंने बंद कर दिया, छुट्टी लेकर घर बैठ गए। वह चौबीस घंटे एक ही रंग चलने लगा, जिसको मनोवैज्ञानिक पैरानायड कहते हैं, वे पैरानायड हो गए—अपने भय से ही रचना करने लगे। भले आदमी थे, कभी सोचा भी नहीं था मैंने। लेकिन एक अनुभव हुआ कि आदमी क्या-क्या कल्पना नहीं कर ले सकता है! 'दीवालों के', वे कहें, 'कान हैं। सब तरफ लोग सुन रहे हैं।' कोई भी रास्ते पर चल रहा है तो वह उन्हीं को देखता हुआ चल रहा है। कोई किनारे पर खड़े होकर हंस रहा है तो वह भोलाराम को देख कर हंस रहा है। कोई बात कर रहा है तो वह उनके खिलाफ षडयंत्र रच रहा है। सारी दुनिया उनके खिलाफ है।

फिर कोई उपाय न देख कर मुझे एक ही रास्ता दिखाई पड़ा। एक परिचित मित्र थे, इंस्पेक्टर थे। उनको समझाया कि तुम आ जाओ एक दिन फाइल ले कर।

'उन्होंने कहा, फाइल हो तो हम ले आएं। न कोई फाइल है, न कुछ हिसाब है। इस आदमी ने कभी कुछ किया ही नहीं; सिर्फ एक दफा भंग पी, थोड़ा ऊधम मचाया, खतम हो गई बात। अब इसमें कोई इतना शोरगुल नहीं।'

'कोई भी फाइल ले लाओ। कागज कोरे रख कर आ जाना। मगर फाइल बड़ी होनी चाहिए, क्योंकि वे कहते हैं कि फाइल बड़ी है। और भोलाराम का नाम लिखी होनी चाहिए। और तुम चिंता मत करना, दो-चार हाथ इनको रसीद कर देना और बांध भी देना हथकड़ी इनके हाथ में और जब तक मैं तुमको दस हजार रुपया रिश्वत न दूं, इनको छोड़ने के लिए राजी मत होना। तब ही शायद ये छूटें।'

लाना पड़ा। उन्होंने दो-चार हाथ उनको लगाए। जब उनको हाथ लगाए, तब वे बड़े प्रसन्न हुए। वे कहने लगे मुझसे, 'अब देखो! जो मैं कहता था, अब हुआ कि नहीं? यह रही फाइल। बड़े-बड़े अक्षरों में भोलाराम लिखा है। अब बोलो, वे सब समझदारी की बातें कहां गयीं? अब यह हो रहा है: चले भोलाराम! हथकड़ी भी डाल दी!'

मगर एक तरह से वे प्रसन्न थे; एक तरह से दुखी थे, रो रहे थे; मगर एक तरह से प्रसन्न थे कि उनकी धारणा सही सिद्ध हुई। आदमी ऐसा पागल है! तुम्हारे दुख की धारणा भी सही सिद्ध हो तो तुम्हारे अहंकार को तृप्ति मिलती है कि देखो, मैं सही सिद्ध हुआ!

उनका पूरा भाव यह था कि सब को गलत सिद्ध कर दिया, सब समझाने वाले, कोई सही सिद्ध नहीं हुआ, आखिर मैं ही सही सिद्ध हुआ।

बामुश्किल समझाया-बुझाया इंस्पेक्टर को। उसको कह रखा था, जल्दी मत मान जाना; नहीं तो वे फिर सोचेंगे कि कोई जालसाजी है। उसने कहा, 'यह हो ही नहीं सकता। इनको तो आजन्म सजा होगी।' बस वह जब इस तरह की बातें कहे, वे मेरी तरफ देखें कि कहो!

बहुत मुश्किल से समझा-बुझा कर, हाथ पैर जोड़ कर नोट की गड्डियां उनको दीं, फाइल जलाई सामने। उस दिन से भोलाराम मुक्त हो गए, ठीक हो गए! सब खतम हो गया मामला!

करीब-करीब ऐसी अवस्था है।

'मुक्ति का अभिमानी मुक्त है और बद्ध का अभिमानी बद्ध। क्योंकि इस संसार में यह लोकोक्ति सच है कि जैसी मति वैसी गति।'

तुम जैसा सोचते हो वैसा ही हो गया है। तुम्हारे सोचने ने तुम्हारा संसार निर्मित कर दिया है। सोच को बदलो। जागो! और ढंग से देखो।

सब यही रहेगा; सिर्फ तुम्हारे देखने, सोचने, जानने के ढंग बदल जाएंगे—और सब बदल जाएगा।

मुक्ताभिमानी मुक्तो हि बद्धो बद्धाभिमान्यपि।

किंवदंतीह सत्येयं या मतिः स गतिर्भवेत।।

या मतिः स गतिर्भवेत!

जैसा सोचो, जैसी मति वैसी गति हो जाती है।

'आत्मा साक्षी है, व्यापक है, पूर्ण है, एक है, मुक्त है, चेतन है, क्रिया-रहित है, असंग है, निस्पृह है, शांत है। वह भ्रम के कारण संसार जैसा भासता है।'

साक्षी, व्यापक, पूर्ण—सुनो इस शब्द को!

अष्टावक्र कहते हैं, तुम पूर्ण हो! पूर्ण होना नहीं। तुममें कुछ भी जोड़ा नहीं जा सकता। तुम जैसे हो, परिपूर्ण हो। तुममें कुछ विकास नहीं करना है। तुम्हें कुछ सोपान नहीं चढ़ने हैं। तुम्हारे आगे कुछ भी नहीं है। तुम पूर्ण हो, तुम परमात्मा हो, व्यापक हो, साक्षी हो, एक हो, मुक्त हो, चेतन हो, क्रिया-रहित हो, असंग हो। किसी ने तुम्हें बांधा नहीं, कोई संग-साथी नहीं है। अकेले हो! परम एकांत में हो! निस्पृह हो!

ऐसा होना नहीं है। यही फर्क है अष्टावक्र के संदेश का। अगर तुम महावीर को सुनो तो महावीर कहते हैं, ऐसा होना है। अष्टावक्र कहते हैं, ऐसे तुम हो!

यह बड़ा फर्क है। यह छोटा फर्क नहीं है। महावीर कहते हैं: असंग होना है, निस्पृह होना है, पूर्ण होना है, व्यापक होना है, साक्षी होना है। अष्टावक्र कहते हैं: तुम ऐसे हो; बस जागना है! ऐसा आंख खोल कर देखना है।

अष्टावक्र का योग बड़ा सहजयोग है।

साधो सहज समाधि भली!

'मैं आभास-रूप अहंकारी जीव हूं, ऐसे भ्रम को और बाहर-भीतर के भाव को छोड़ कर तू कूटस्थ बोध-रूप अद्वैत आत्मा का विचार कर।'

'अहं आभासः इति—मैं आभास-रूप अहंकारी जीव हूं!'

यह तुमने जो अब तक मान रखा है, यह सिर्फ आभास है। यह तुमने जो मान रखा है, यह तुम्हारी मान्यता है, मति है। यद्यपि तुम्हारे आसपास भी ऐसा ही मानने वाले लोग हैं, इसलिए तुम्हारी मति को बल भी मिलता है। आखिर आदमी अपनी मति उधार लेता है। तुम दूसरों से सीखते हो। आदमी अनुकरण करता है। यहां सभी दुखी हैं, तुम भी दुखी हो गए हो।

जापान में एक अदभुत संत हुआः 'होतेई'। जैसे ही वह ज्ञान को उपलब्ध हुआ, या कहना चाहिए जैसे ही वह जागा, वह हंसने लगा। फिर वह जीवन भर हंसता ही रहा। वह गांव-गांव जाता। होतेई को जापान में लोग 'हंसता हुआ बुद्ध' कहते हैं। वह बीच बाजार में खड़ा हो जाता और हंसने लगता। फिर तो उसका नाम दूर-दूर तक फैल गया। लोग उसकी प्रतीक्षा करते कि होतेई कब आएगा। उसका कोई और उपदेश न था, वह बस बीच बाजार में खड़े होकर हंसता, धीरे-धीरे भीड़ इकट्ठी हो जाती, और लोग भी हंसने लगते।

होतेई से लोग पूछते, 'आप कुछ और कहो।' वह कहता, 'और क्या कहें? नाहक रो रहे हो, कोई हंसने वाला चाहिए जो तुम्हें हंसा दे! इतनी ही खबर लाता हूं कि हंस लो। कोई कमी नहीं है! दिल खोल कर हंसो। सारा अस्तित्व हंस रहा है, तुम नाहक रो रहे हो! तुम्हारा रोना बिलकुल निजी, प्राइवेट है। पूरा अस्तित्व हंस रहा है। चांद-तारे, फूल-पक्षी सब हंस रहे हैं; तुम नाहक रो रहे हो। खोलो आंख, हंस लो! मेरा कोई और संदेश नहीं है।'

वह हंसता, एक गांव से दूसरे गांव घूमता रहता। कहते हैं उसने पूरे जापान को हंसाया! और उसके पास लोगों को धीरे-धीरे, धीरे-धीरे, हंसते-हंसते झलकें मिलतीं। वह उसका ध्यान था, वही उसकी समाधि थी। लोग हंसते-हंसते धीरे-धीरे अनुभव करते कि हम हंस सकते हैं, हम प्रसन्न हो सकते हैं! अकारण!

कारण की खोज ही गलत है। तुम जब तक कारण खोजोगे कि जब कारण होगा तब हंसेंगे तो तुम कभी हंसोगे ही नहीं। तुमने अगर सोचा कि कारण होगा तब सुखी होंगे, तो तुम कभी सुखी न होओगे। कारण खोजने वाला और-और दुखी होता जाता है। कारण दुख के हैं। सुख स्वभाव है। कारण को निर्मित करना पड़ता

है। दुख को भी निर्मित करना पड़ता है। सुख है। सुख मौजूद है। सुख को प्रकट करो। यही अष्टावक्र का बार-बार कहना है।

'बोधस्त्वं सुखं चर!'

'वीतशोकः सुखी भव!'

'विश्वासामृतं पीत्वा सुखी भव!'

पी ले अमृत, हो जा सुखी!

मनुष्य पूर्ण है, एक है, मुक्त है। सिर्फ आभास बाधा डाल रहा है।

'मैं आभास-रूप अहंकारी जीव हूं, ऐसे भ्रम को और बाहर-भीतर के भाव को छोड़ कर तू कूटस्थ बोध-रूप अद्वैत आत्मा का विचार कर।'

अहं आभासः इति बाह्मम् अंतरम् मुक्त्वा

'बाहर और भीतर के भाव से मुक्त हो जा।'

आत्मा न तो बाहर है और न भीतर। बाहर और भीतर भी सब मन के ही भेद हैं। आत्मा तो बाहर भी है, भीतर भी है। आत्मा में सब बाहर-भीतर है। आत्मा ही है। बाहर-भीतर के सब भाव को छोड़ कर तू कूटस्थ बोध-रूप अद्वैत आत्मा का विचार कर।

यह अनुवाद ठीक नहीं है। मूल सूत्र हैः

बाह्मम् अंतरम् भावं मुक्त्वा!

—मुक्त होकर अंतर-बाहर से।

त्वं कूटस्थ बोधमद्वैतमात्मानं परिभावय।

—परिभाव कर!

विचार कर, यह ठीक नहीं है। 'परिभाव कर' कि तू कूटस्थ आत्मा है। ऐसा बोध कर, ऐसा भाव। भाव! ऐसी भावना में जग। विचार तो फिर बुद्धि की बात हो जाती है। विचार तो फिर ऊपर-ऊपर की बात हो जाती है। सिर से नहीं होगा, यह हृदय से होगा। यह भाव प्रेम जैसा होगा, गणित जैसा नहीं। यह तर्क जैसा नहीं होगा, गीत जैसा होगा—जिसकी गुनगुनाहट डूबती चली जाती है गहराई तक और प्राणों के अंतरतम को छू लेती है, स्पंदित कर देती है।

परिभाव कर कि मैं कूटस्थ आत्मा हूं। यह घूमता हुआ चाक नहीं, बीच की कील हूं। कील यानी कूटस्थ।

तुम जब तक सोचते हो पृथ्वी पर हो, पृथ्वी पर हो। जिस क्षण तुमने तैयारी दिखाई, जिस क्षण तुमने हिम्मत की, उसी क्षण आकाश में उड़ना शुरू हो सकता है।

दल के दल तैर रहे मेघ मगन भू पर
उड़ता जाता हूं मैं मेघों के ऊपर!
एक अजब लोक खुला है मेरे आगे
कोई सपना विराट सोए में जागे
कहां उड़ जाता है समय-सिंधु घर-घर!
गाड़ी जो अंधी घाटी में बर्फीली
ऊर्मिल धाराओं में मछली चमकीली
धंसता जाता हूं फेनिल तम के भीतर!
कोसों तक लाल परिधि सूरज को घेरे
छलक रहा इंद्रधनुष पंखों पर मेरे
यहां-वहां फूट रहे रंगों के निर्झर!
ठहरी-सी नदी कहीं उड़ते-से पुल हैं
धाराओं पर धाराएं आकुल-व्याकुल हैं
गल-गल कर बहे जा रहे नभ में भूधर!
गांवों पर गांव धवल जंगल कासों के
उगते ये तरु अनंत किसकी सांसों के!
एक दूसरी धरती बना हुआ है अंबर
दल के दल तैर रहे मेघ मगन भू पर!
उड़ता जाता हूं मैं मेघों के ऊपर!
एक अजब लोक खुला है मेरे आगे!
कोई सपना विराट सोए में जागे!

जागो! सपना खूब देखा, अब जागो! बस जागना कुंजी है। कुछ और करना
नहीं—न कोई साधना, न कोई योग, न आसन—बस जागना!

हरि ॐ तत्सत्!

✳ ✳ ✳

कर्म, विचार, भाव—और साक्षी

पहला प्रश्न : ध्यान और साक्षित्व में क्या संबंध है? उनसे चित्तवृत्तियां और अहंकार किस प्रकार विसर्जित होता है? पूर्ण निर-अहंकार को उपलब्ध हुए बिना क्या समर्पण संभव है? गैरिक वस्त्र और माला, ध्यान और साक्षी-साधना में कहां तक सहयोगी हैं? और कृपया यह भी समझाएं कि साक्षित्व, जागरूकता और सम्यक स्मृति में क्या अंतर है?

मनुष्य के जीवन को हम चार हिस्सों में बांट सकते हैं। सबसे पहली परिधि तो कर्म की है। करने का जगत है सबसे बाहर। थोड़े भीतर चलें तो फिर विचार का जगत है। और थोड़े भीतर चलें तो फिर भाव का जगत है, भक्ति का, प्रेम का। और थोड़े भीतर चलें, केंद्र पर पहुंचें, तो साक्षी का।

साक्षी हमारा स्वभाव है, क्योंकि उसके पार जाने का कोई उपाय नहीं— कभी कोई नहीं गया; कभी कोई जा भी नहीं सकता। साक्षी का साक्षी होना असंभव है। साक्षी तो बस साक्षी है। उससे पीछे नहीं हटा जा सकता। वहां हमारी बुनियाद आ गई। साक्षी की बुनियाद पर यह हमारा भवन है—भाव का, विचार का, कर्म का।

इसलिए तीन योग हैं: कर्मयोग, ज्ञानयोग, भक्तियोग। वे तीनों ही ध्यान की पद्धतियां हैं। उन तीनों से ही साक्षी पर पहुंचने की चेष्टा होती है। कर्मयोग का अर्थ है: कर्म + ध्यान। सीधे कर्म से साक्षी पर जाने की जो चेष्टा है, वही कर्मयोग है।

तो ध्यान पद्धति हुई, और साक्षी-भाव लक्ष्य हुआ।

पूछा है, 'ध्यान और साक्षित्व में क्या संबंध है?'

ध्यान मार्ग हुआ, साक्षित्व मंजिल हुई। ध्यान की परिपूर्णता है साक्षित्व। और साक्षी-भाव का प्रारंभ है ध्यान।

तो जो कर्म के ऊपर ध्यान को आरोपित करेगा, जो कर्म के जगत में ध्यान को जोड़ेगा—कर्म + ध्यान—वह कर्मयोगी है।

फिर ज्ञानयोगी है, वह विचार के ऊपर ध्यान को आरोपित करता है। वह विचार के जगत में ध्यान को जोड़ता है। वह ध्यानपूर्वक विचार करने लगता है। एक नई प्रक्रिया जोड़ देता है कि जो भी करेगा होशपूर्वक करेगा।

जब 'विचार ध्यान' की स्थिति बनती है तो फिर साक्षी की तरफ यात्रा शुरू हुई।

ध्यान है दिशा-परिवर्तन। जिस चीज के साथ भी ध्यान जोड़ दोगे वही चीज साक्षी की तरफ ले जाने का वाहन बन जाएगी।

फिर, तीसरा मार्ग है भक्तियोग—भाव के साथ ध्यान का जोड़; भाव के साथ ध्यान का गठबंधन; भाव के साथ ध्यान की भांवर! तो भाव के साथ ध्यानपूर्ण हो जाओ।

इन तीन मार्गों से व्यक्ति साक्षी की तरफ आ सकता है। लेकिन लाने वाली विधि ध्यान है। मौलिक बात ध्यान है।

जैसे कोई वैद्य तुम्हें औषधि दे और कहे, शहद में मिला कर ले लेना; और तुम कहो, शहद मैं लेता नहीं, मैं जैन-धर्म का पालन करता हूं—तो वह कहे, दूध में मिला कर ले लेना; और तुम कहो, दूध मैं ले नहीं सकता, क्योंकि दूध तो रक्त का ही हिस्सा है; मैं क्वेकर ईसाई हूं, मैं दूध नहीं पी सकता, दूध तो मांसाहार है। तो वैद्य कहे पानी में मिला कर ले लेना। लेकिन औषधि एक ही है—मधु, दूध या जल, कोई फर्क नहीं पड़ता, वह तो सिर्फ औषधि को गटकने के उपाय हैं, गले से उतर जाए, औषधि अकेली न उतरेगी।

ध्यान औषधि है।

तीन तरह के लोग हैं जगत में। कुछ लोग हैं जो बिना कर्म के जी नहीं सकते; उनके सारे जीवन का प्रवाह कर्मठता का है। खाली बैठाओ, बैठ न सकेंगे, कुछ न कुछ करेंगे। ऊर्जा है, बहती हुई ऊर्जा है—कुछ हर्ज नहीं।

तो सद्गुरु कहते हैं कि फिर तुम कर्म के साथ ही ध्यान की औषधि को गटक लो। चलो यही सही। तुमसे कर्म छोड़ते नहीं बनता; ध्यान तो जोड़ सकते हो कर्म में। तुम कहते हो, 'कर्म छोड़ कर तो मैं क्षण भर नहीं बैठ सकता। बैठ मैं सकता ही नहीं। बैठना मेरे बस में नहीं, मेरा स्वभाव नहीं।'

मनोवैज्ञानिक जिनको एक्सट्रोवर्ट कहते हैं—बहिर्मुखी—सदा संलग्न हैं, कुछ न कुछ काम चाहिए; जब तक थक कर गिर न जाएं, सो न जाएं, तब तक कर्म

को छोड़ना उन्हें संभव नहीं। कर्म उन्हें स्वाभाविक है।

तो सद्गुरु कहते हैं, ठीक है, कर्म पर ही सवारी कर लो, इसी का घोड़ा बना लो! इसी में मिला लो औषधि को और गटक जाओ। असली सवाल औषधि का है। तुम ध्यानपूर्वक कर्म करने लगो। जो भी करो, मूर्च्छा में मत करो, होशपूर्वक करो। करते समय जागे रहो।

फिर कुछ हैं, जो कहते हैं कर्म का तो हम पर कोई प्रभाव नहीं; लेकिन विचार की बड़ी तरंगें उठती हैं। विचारक हैं। कर्म में उन्हें कोई रस नहीं। बाहर में उन्हें कोई उत्सुकता नहीं; मगर भीतर बड़ी तरंगें उठती हैं, बड़ा कोलाहल है। और भीतर वह क्षण भर को निर्विचार नहीं हो पाते। वे कहते हैं कि हम बैठें शांत होकर तो और विचार आते हैं। इतने वैसे नहीं आते जितने शांत होकर बैठ कर आते हैं। पूजा, प्रार्थना, ध्यान का नाम ही लेते हैं कि बस विचारों का बड़ा आक्रमण, सेनाओं पर सेनाएं चली आती हैं, डुबा लेती हैं, क्या करें? तो सद्गुरु कहते हैं, तुम विचार में ही मिला कर ध्यान को पी जाओ। विचार को रोको मत; विचार आए तो उसे देखो। उसमें खोओ मत; थोड़े दूर खड़े रहो, थोड़े फासले पर। शांत भाव से देखते हुए विचार को ही धीरे-धीरे तुम साक्षी-भाव को उपलब्ध हो जाओगे। विचार से ही ध्यान को जोड़ दो।

फिर कुछ हैं, वे कहते हैं: न हमें विचार की कोई झंझट है, न हमें कर्म की कोई झंझट है; भाव का उद्रेक होता है, आंसू बहते हैं, हृदय गदगद हो आता है, डुबकी लग जाती है—प्रेम में, स्नेह में, श्रद्धा में, भक्ति में। सद्गुरु कहते हैं, इसी को औषधि बना लो; इसी में ध्यान को जोड़ दो। आंसू तो बहें—ध्यानपूर्वक बहें। रोमांच तो हो, लेकिन ध्यानपूर्वक हो। लेकिन सार-सूत्र ध्यान है।

ये जो भक्ति, कर्म और ज्ञान के भेद हैं, ये औषधि के भेद नहीं हैं। औषधि तो एक ही है। और यहीं तुम्हें अष्टावक्र को समझना होगा।

अष्टावक्र कहते हैं, सीधे ही छलांग लगा जाओ। औषधि सीधी ही गटकी जा सकती है। वे कहते हैं, इन साधनों की भी जरूरत नहीं है।

इसलिए अष्टावक्र न तो ज्ञानयोगी हैं, न भक्तियोगी, न कर्मयोगी। वे कहते हैं, सीधे ही साक्षी में उतर जाओ; इन बहानों की कोई जरूरत नहीं है। यह औषधि सीधी ही गटकी जा सकती है। छोड़ो बहाने, वाहन छोड़ो; सीधे ही दौड़ सकते हो, साक्षी सीधे ही हो सकते हो।

इसलिए जहां तक अष्टावक्र का संबंध है, साक्षी और ध्यान में कोई फर्क नहीं; लेकिन जहां तक और पद्धतियों का संबंध है, साक्षी और ध्यान में फर्क है। ध्यान है विधि, साक्षी है मंजिल।

अष्टावक्र के लिए तो मार्ग और मंजिल एक हैं। इसलिए तो वे कहते हैं, अभी हो जाओ आनंदित। जिसकी मंजिल और मार्ग अलग हैं, वह कभी नहीं कह सकता, अभी हो जाओ। वह कहेगा, चलो, लंबी यात्रा है; चढ़ो, तब पहुंचोगे पहाड़ पर। अष्टावक्र कहते हैं, आंख खोलो—पहाड़ पर बैठे हो। कहां जाना, कैसा जाना?

इसलिए अष्टावक्र के सूत्र तो अति क्रांतिकारी हैं। न तो ज्ञान, न भक्ति, न कर्म, तीनों ही इस ऊंचाई पर नहीं पहुंचते हैं; शुद्ध साक्षी की बात है। ऐसा समझो कि दवाई गटकनी तक नहीं है; समझ लेना काफी है। बोध मात्र काफी है। सहारे की कोई जरूरत ही नहीं है। तुम वहां हो ही। लेकिन ऐसा होता है कि कुछ लोग असमर्थ हैं इस बात को मानने में।

एक सूफी कहानी है। एक फकीर सत्य को खोजने निकला। अपने ही गांव के बाहर, जो पहला ही संत उसे मिला, एक वृक्ष के नीचे बैठे, उससे उसने पूछा कि मैं सदगुरु को खोजने निकला हूं, आप बताएंगे कि सदगुरु के लक्षण क्या हैं? उस फकीर ने लक्षण बता दिए। लक्षण बड़े सरल थे। उसने कहा, ऐसे-ऐसे वृक्ष के नीचे बैठा मिले, इस-इस आसन में बैठा हो, ऐसी-ऐसी मुद्रा हो—बस समझ लेना कि यही सदगुरु है।

चला खोजने साधक। कहते हैं तीस साल बीत गए, सारी पृथ्वी पर चक्कर मार चुका। बहुत जगह गया, लेकिन सदगुरु न मिला। बहुत मिले, मगर कोई सदगुरु न था। थका-मांदा अपने गांव वापिस लौटा। लौट रहा था तो हैरान हो गया, भरोसा न आया। वह बूढ़ा बैठा था उसी वृक्ष के नीचे। अब उसको दिखाई पड़ा कि यह तो वृक्ष वही है जो इस बूढ़े ने कहा था, 'ऐसे-ऐसे वृक्ष के नीचे बैठा हो।' और यह आसन भी वही लगाए है, लेकिन यह आसन वह तीस साल पहले भी लगाए था। क्या मैं अंधा था? इसके चेहरे पर भाव भी वही, मुद्रा भी वही।

वह उसके चरणों में गिर पड़ा। कहा कि आपने पहले ही मुझे क्यों न कहा? तीस साल मुझे भटकाया क्यों? यह क्यों न कहा कि मैं ही सदगुरु हूं?

उस बूढ़े ने कहा, मैंने तो कहा था, लेकिन तुम तब सुनने को तैयार न थे। तुम बिना भटके घर भी नहीं आ सकते। अपने घर आने के लिए भी तुम्हें हजार घरों पर दस्तक मारनी पड़ेगी, तभी तुम आओगे। कह तो दिया था मैंने, सब बता दिया था कि ऐसे-ऐसे वृक्ष के नीचे, यही वृक्ष की व्याख्या कर रहा था, यही मुद्रा में बैठा था; लेकिन तुम भागे-भागे थे, तुम ठीक से सुन न सके; तुम जल्दी में थे। तुम कहीं खोजने जा रहे थे। खोज बड़ी महत्वपूर्ण थी, सत्य महत्वपूर्ण नहीं था तुम्हें। लेकिन आ गए तुम! मैं थका जा रहा था तुम्हारे लिए बैठा-बैठा इसी मुद्रा में! तीस साल

तुम तो भटक रहे थे, मेरी तो सोचो, इसी झाड़ के नीचे बैठा कि किसी दिन तुम आओगे तो कहीं ऐसा न हो कि तब तक मैं विदा हो जाऊं! तुम्हारे लिए रुका था, आ गए तुम! तीस साल तुम्हें भटकना पड़ा—अपने कारण। सदगुरु मौजूद था।

बहुत बार जीवन में ऐसा होता है, जो पास है वह दिखाई नहीं पड़ता; जो दूर है वह आकर्षक मालूम होता है। दूर के ढोल सुहावने मालूम होते हैं। दूर खींचते हैं सपने हमें।

अष्टावक्र कहते हैं कि तुम ही हो वही जिसकी तुम खोज कर रहे हो। और अभी और यहीं तुम वही हो।

कृष्णमूर्ति जो कह रहे हैं लोगों से वह शुद्ध अष्टावक्र का संदेश है। न अष्टावक्र को किसी ने समझा, न कृष्णमूर्ति को कोई समझता है। और तथाकथित साधु-संन्यासी तो बहुत नाराज होते हैं, क्योंकि कृष्णमूर्ति कहते हैं, ध्यान की कोई जरूरत नहीं। बिलकुल ठीक कहते हैं। न भक्ति की कोई जरूरत है, न कर्म की कोई जरूरत है, न ज्ञान की कोई जरूरत है। साधारण साधु-संत बड़े विचलित हो जाते हैं कि कुछ भी जरूरत नहीं! भटका दोगे लोगों को!

भटका ये साधु-संत रहे हैं। कृष्णमूर्ति तो सीधा अष्टावक्र का संदेश ही दे रहे हैं। वे इतना ही कह रहे हैं कि कुछ जरूरत नहीं, क्योंकि जरूरत तो तब होती है जब तुमने खोया होता है। जरा झटकारो धूल, उठो! ठंडे पानी के छींटे आंख पर मार लो, और क्या करना है!

तो अष्टावक्र के दर्शन में तो साक्षी और ध्यान एक ही है, क्योंकि मंजिल और मार्ग एक ही है। लेकिन और सभी मार्गों और प्रणालियों में ध्यान विधि है, साक्षी उसका अंतिम फल है।

'उनसे चित्त-वृत्तियां और अहंकार किस प्रकार विसर्जित होते हैं?'

साक्षी-भाव से चित्त-वृत्तियां और अहंकार विसर्जित नहीं होते; साक्षी-भाव में पता चलता है कि वे कभी थे ही नहीं। विसर्जित तो तब हों जब रहे हों।

तुम ऐसा समझो कि तुम एक अंधेरे कमरे में बैठे हो, समझ रहे हो कि भूत है। तुम्हारा ही कुर्ता टंगा है; मगर भय में और घबड़ाहट में और कल्पना के जाल में तुमने उसमें हाथ भी जोड़ लिए, पैर भी जोड़ लिए, वह खड़ा तुम्हें डरा रहा है! अब कोई कहे कि दीया जला लो तो तुम पूछोगे, दीये के जलने से भूत कैसे दूर होता है? लेकिन दीये के जलने से भूत दूर हो जाता है, क्योंकि भूत है नहीं। होता तब तो दीये के जलने से दूर नहीं होता। दीये के जलने से भूत के दूर होने का क्या लेना-देना? अगर भूत होता ही तो दीये के जलने से दूर न होता। नहीं है; आभास होता है, इसलिए दूर भी हो जाता है।

तुम हजारों ऐसी बीमारियों से पीड़ित रहते हो जो नहीं हैं। इसलिए किसी साधु-संत की राख भी काम कर जाती है। इसलिए नहीं कि तुम्हारी बीमारी का राख से दूर होने का कोई संबंध है। पागल हुए हो? राख से कहीं बीमारियां दूर हुई हैं? नहीं तो सब औषधि-शास्त्र व्यर्थ हो जाएं। राख से बीमारी दूर नहीं होती; सिर्फ बीमारी थी, यह खयाल दूर होता है।

मैंने सुना है एक वैद्य के संबंध में। खुद उन्होंने मुझसे कहा। एक आदिवासी क्षेत्र में बस्तर के पास वह रहते हैं। तो बस्तर से दूर देहात से एक आदिवासी आया। वे एक गांव में गए हुए थे—आदिवासियों का गांव था। वह बीमार था। तो वैद्य के पास लिखने को भी कोई उपाय न था, गांव में न तो फाउंटेन पेन था, न कलम थी, न कागज था। तो पास में पड़े हुए एक खपड़े पर पत्थर के एक टुकड़े से उन्होंने औषधि का नाम लिख दिया और कहा कि बस इसको तू एक महीने भर घोंट कर दूध में मिला कर पी लेना, सब ठीक हो जाएगा। वह आदमी महीने भर बाद आया, बिलकुल ठीक होकर—स्वस्थ, चंगा! वैद्य ने कहा, दवा काम कर गई? उसने कहा, गजब की काम कर गई। अब फिर एक और खपड़े पर लिख कर दे दें।

उन्होंने कहा, तेरा मतलब?

उसने कहा, खपड़ा तो खतम हो गया, घोल कर पी गए! मगर गजब की दवा थी!

अब वह ठीक भी होकर आ गया है! अब वैद्य भी कुछ कहे तो ठीक नहीं। अब कुछ कहना उचित ही नहीं। वे मुझसे कहने लगे, फिर मैंने कुछ नहीं कहा कि जब ठीक ही हो गया, तो जो ठीक कर दे वह दवा। अब इसको और भटकाने में क्या सार है—यह कहना कि पागल, हमने दवा का नाम लिखा था, वह तो तूने खरीदी नहीं! वह प्रिसक्रिप्शन को ही पी गए। मगर काम कर गई बात। बीमारी झूठी रही होगी। मनोकल्पित रही होगी।

मनोवैज्ञानिक कहते हैं, हमारी सौ में से नब्बे बीमारियां मनोकल्पित हैं। और जैसे-जैसे समझ बढ़ती है, ऐसी संभावना है कि निन्यानबे प्रतिशत मनोकल्पित हो सकती हैं। और एक दिन ऐसी भी घटना घट सकती है कि सौ प्रतिशत बीमारियां मनोकल्पित हों।

इसलिए तो दुनिया में इतने चिकित्सा-शास्त्र काम करते हैं। एलोपैथी लो, उससे भी मरीज ठीक हो जाता है; आयुर्वेदिक लो, उससे भी ठीक हो जाता है; होमियोपैथी, उससे भी ठीक हो जाता है; यूनानी, उससे भी ठीक हो जाता है; नेचरोपैथी से भी ठीक हो जाता है; और गंडे-ताबीज भी काम करते हैं।

आश्चर्यजनक है, अगर बीमारी वस्तुतः है तो फिर बीमारी को दूर करने का एक विशिष्ट उपाय ही हो सकता है, सब उपाय काम नहीं करेंगे। बीमारी है नहीं। तुम्हें जिस पर भरोसा है, किसी को एलोपैथी पर भरोसा है, काम हो जाता है। बीमारी से ज्यादा डाक्टर का नाम काम करता है।

तुमने कभी खयाल किया, जब भी तुम बड़े डाक्टर को दिखा कर लौटते हो, जेब खाली करके, काफी फीस देकर, आधे तो तुम वैसे ही ठीक हो जाते हो। अगर वही डाक्टर मुफ्त प्रिसक्रिप्शन लिख दे तो तुम्हें असर न होगा। डाक्टर की दवा कम काम करती है, चुकाई गई फीस ज्यादा काम करती है। एक दफा खयाल आ जाए कि डाक्टर बहुत बड़ा, सबसे बड़ा डाक्टर, बस काफी है।

तुम पूछते हो, 'अहंकार और चित्त-वृत्तियां साक्षी-भाव में कैसे विसर्जित होती हैं?'

विसर्जित नहीं होती हैं। होतीं, तो विसर्जित होतीं। साक्षी-भाव में पता चलता है कि अरे पागल, नाहक भटकता था! अपने ही कल्पना के मृगजाल बिछाए, मृग-तृष्णाएं बनाई—सब कल्पना थी। विसर्जित नहीं होती हैं; साक्षी में जाग कर पता चलता है, थीं ही नहीं।

'पूर्ण निरहंकार को उपलब्ध हुए बिना क्या समर्पण संभव है?'

यह महत्वपूर्ण प्रश्न है। पूछने वाला कह रहा है, 'पूर्ण निरहंकार को उपलब्ध हुए बिना क्या समर्पण संभव है?' लेकिन पूछने वाले का मन शायद अनजाने में चालाकी कर गया है। निर-अहंकार में तो पूर्ण जोड़ा है, समर्पण में पूर्ण नहीं जोड़ा। पूर्ण निर-अहंकार के बिना पूर्ण समर्पण संभव नहीं है। जितना अहंकार छोड़ोगे उतना ही समर्पण संभव है। पचास प्रतिशत अहंकार छोड़ोगे तो पचास प्रतिशत समर्पण संभव है। अहंकार का छोड़ना और समर्पण दो बातें थोड़े ही हैं; एक ही बात को कहने के दो ढंग हैं।

तो तुम कहो कि पूर्ण अहंकार को छोड़े बिना तो समर्पण संभव नहीं है— पूर्ण समर्पण संभव नहीं है। धोखा मत दे लेना अपने को। तो सोचो कि समर्पण की क्या जरूरत है, जब पूर्ण अहंकार छूटेगा...! और वह तो कब छूटेगा, कैसे छूटेगा?

जितना अहंकार छूटेगा, उतना समर्पण संभव है। अब पूर्ण की प्रतीक्षा मत करो; जितना बने उतना करो। उतना कर लोगे तो और आगे कदम उठाने की सुविधा हो जाएगी।

जैसे कोई आदमी अंधेरी रात में यात्रा पर जाता है, हाथ में उसके छोटी सी कंदील है, चार कदम तक रोशनी पड़ती है। वह आदमी कहे कि इससे तो दस मील की यात्रा

कैसे हो सकती है? चार कदम तक रोशनी पड़ती है, दस मील तक अंधेरा है—भटक जाएंगे! तो हम उससे कहेंगे, तुम घबड़ाओ मत, चार कदम चलो। जब तुम चार कदम चल चुके होओगे, रोशनी चार कदम आगे बढ़ने लगेगी। कोई दस मील तक रोशनी की थोड़े ही जरूरत है, तब तुम चलोगे। चार कदम काफी हैं। तो जितना अहंकार...रत्ती भर छूटता है, रत्ती भर छोड़ो। रत्ती भर छोड़ने पर फिर रत्ती भर छोड़ने की संभावना आ जाएगी। चार कदम चले, फिर चार कदम तक रोशनी पड़ने लगी।

ऐसी तरकीब खोज कर मत बैठ जाना कि जब पूर्ण अहंकार छूटेगा तब समर्पण करेंगे। फिर तुम कभी न करोगे। तुमने बड़ी कुशलता से बचाव कर लिया। उतना ही समर्पण होगा—यह बात सच है—जितना अहंकार छूटेगा। तो जितना छूटता हो उतना तो कर लो। जितना कमा सको समर्पण, उतना तो कमा लो। शायद उसका स्वाद तुम्हें और तैयार कर दे; उसका आनंद, अहोभाव तुम्हें और हिम्मत दे दे! हिम्मत स्वाद से आती है।

कोई आदमी कहे कि जब तक हम पूरा तैरना न सीख लेंगे तब तक पानी में न उतरेंगे—ठीक कह रहा है; गणित की बात कह रहा है; तर्क की बात कह रहा है। ऐसे बिना सीखे पानी में उतर गए और खा गए डुबकी—ऐसी झंझट न करेंगे! पहले तैरना सीख लेंगे पूरा, फिर उतरेंगे! लेकिन पूरा सीखोगे कहां? गद्दी पर? पूरा तैरना सीखोगे कहां? पानी में तो उतरना ही पड़ेगा। मगर तुमसे कोई नहीं कह रहा है कि तुम सागर में उतर जाओ। किनारे पर उतरो, गले-गले तक उतरो, जहां तक हिम्मत हो वहां तक उतरो। वहां तैरना सीखो। धीरे-धीरे हिम्मत बढ़ेगी। दो-दो हाथ आगे बढ़ोगे—सागर की पूरी गहराई भी फिर तैरी जा सकती है। तैरना आ जाए एक बार! और तैरना आने के लिए उतरना तो पड़ेगा ही। किनारे पर ही उतरो, मैं नहीं कह रहा हूं कि तुम सीधे किसी पहाड़ से और किसी गहरी नदी में उतरो, छलांग लगा लो। किनारे पर ही उतरो। जल के साथ थोड़ी दोस्ती बनाओ। जल को जरा पहचानो। हाथ-पैर तड़फड़ाओ।

तैरना है क्या? कुशलतापूर्वक हाथ-पैर तड़फड़ाना है। तड़फड़ाना सभी को आता है। किसी आदमी को, जो कभी नहीं तैरा उसे भी पानी में फेंक दो तो वह भी तड़फड़ाता है। उसमें और तैरनेवाले में फर्क थोड़ी सी कुशलता का है, क्रिया का कोई फर्क नहीं। हाथ-पैर वह भी फेंक रहा है; लेकिन उसका पानी पर भरोसा नहीं है, अपने पर भरोसा नहीं है। वह डर रहा है कि कहीं डूब न जाऊं। वह डर ही उसे डुबा देगा। जल ने थोड़े ही किसी को कभी डुबाया है।

तुमने देखा मुर्दे ऊपर तैर जाते हैं, मुर्दे पानी पर तैरने लगते हैं! पूछो मुर्दे से, तुम्हें क्या तरकीब आती है? जिंदा थे, डूब गए। मुर्दा होकर तैर रहे हो! मुर्दा डरता

नहीं, अब नदी कैसे डुबाए? पानी का स्वभाव डुबाना नहीं है; पानी उठाता है। इसीलिए तो पानी में वजन कम हो जाता है। तुम पानी में अपने से वजनी आदमी को उठा ले सकते हो। बड़ी चट्टान उठा ले सकते हो, पानी में। पानी में चीजों का वजन कम हो जाता है। जैसे जमीन का गुरुत्वाकर्षण है; जमीन नीचे खींचती है, पानी ऊपर उछालता है। पानी का उछालना स्वभाव है। अगर डूबते हो तो तुम अपने ही कारण डूबते हो; पानी ने कभी किसी को नहीं डुबाया। भूल कर भी पानी को दोष मत देना। पानी ने अब तक किसी को नहीं डुबाया।

तुम वैज्ञानिक से पूछ लो; वह भी कहता है यह चमत्कार है कि आदमी डूब कैसे जाते हैं, क्योंकि पानी तो उबारता है। तुम्हारी घबड़ाहट में डूब जाते हो। चीख-पुकार मचा देते हो, मुंह खोल देते हो, पानी पी जाते हो, भीतर वजन हो जाता है—डुबकी खा जाते हो। मरते तुम अपने कारण हो।

तैरने वाला इतना ही सीख लेता है कि अरे, पानी तो उठाता है! उसकी श्रद्धा पानी पर बढ़ जाती है। वह समझ लेता है कि पानी तो वजन कम कर देता है। जितने वजनी हम जमीन पर थे उससे बहुत कम वजनी पानी में रह जाते हैं।

तुमने देखा होगा, कभी तुम बालटी कुएं में डालते हो; जब बालटी भर जाती है और पानी में डूबी होती है तो कोई वजन नहीं होता। खींचो पानी के ऊपर और वजन शुरू हुआ। पानी तो निर्भार करता है, डुबाएगा कैसे? सीखने वाला धीरे-धीरे इस बात को पहचान लेता है। श्रद्धा का जन्म होता है। पानी पर भरोसा आ जाता है कि यह दुश्मन नहीं है, मित्र है। यह डुबाता ही नहीं।

फिर तो कुशल तैराक बिना हाथ-पैर फैलाए, बिना हाथ-पैर चलाए, पड़ा रहता है जल पर—कमलवत। यह वही आदमी है जैसे तुम हो, कोई फर्क नहीं है; सिर्फ इसमें श्रद्धा का जन्म हुआ! और इसे अपने पर भरोसा आ गया, जल पर भरोसा आ गया—दोनों की मित्रता सध गई।

ठीक ऐसा ही समर्पण में घटता है। समर्पण में डर यही है कि कहीं हम डूब न जाएं, तो किनारे पर उतरो। तुमसे कोई सौ डिग्री समर्पण करने को कह भी नहीं रहा है—एक डिग्री सही। उतर-उतर कर पहचान आएगी, स्वाद बढ़ेगा, रस जगेगा, प्राण पुलकित होंगे, तुम चकित होओगे कि कितना गंवाया अहंकार के साथ! जरा से समर्पण से कितना पाया! नये द्वार खुले, प्रकाश-द्वार! नई हवाएं बहीं प्राणों में। नई पुलक, नई उमंग! सब ताजा-ताजा है! तुम पहली दफे जीवन को देखोगे। तुम्हें पहली दफा आंखों से धुंध हटेगी; प्रभु का रूप थोड़ा-थोड़ा प्रकट होना शुरू होगा। इधर समर्पण, उधर प्रभु पास आया। क्योंकि इधर तुम मिटना शुरू हुए, उधर प्रभु प्रकट होना शुरू हुआ।

प्रभु दूर थोड़े ही है; तुम्हारे वजनी अहंकार के कारण तुम्हें दिखाई नहीं पड़ता। तुम्हारी आंखें अहंकार से भरी हैं; इसलिए दिखाई नहीं पड़ता। खाली आंखें देखने में समर्थ हो जाती हैं। फिर धीरे-धीरे हिम्मत बढ़ती जाती है—श्रद्धा, आत्म-विश्वास। तुम और-और समर्पण करते हो। एक दिन तुम पूरी छलांग ले लेते हो। एक दिन तुम कहते हो, अब बस बहुत हो गया। अपने को बचाने में ही अपने को गंवाया अब तक, एक दिन समझ में आ जाती है बात; अब डुबा देंगे और डुबा कर बचा लेंगे!

धन्य हैं वे जो डूबने को राजी हैं क्योंकि उनको फिर कोई डुबा नहीं सकता। अभागे हैं वे जो बच रहे हैं, क्योंकि वे डूबे ही हुए हैं; उनकी नाव आज नहीं कल टकरा कर डूब जाएगी।

फिर अहंकार और समर्पण की बात में एक बात और खयाल कर लेनी जरूरी है। मन बड़ा चालाक है। वह तरकीबें खोजता है। मन कहता है, 'तो पहले कौन? अहंकार का छोड़ना पहले कि समर्पण पहले? पहले समर्पण करें तो अहंकार छूटेगा, कि अहंकार छोड़ें तो समर्पण होगा?'

तुम इस तरह की बातें, बाजार जाते हो अंडा खरीदने, तब तुम नहीं पूछते कि पहले कौन, अंडा कि मुर्गी? अगर तुम यह पूछो तो तुम अंडा खरीद कर कभी घर न आ सकोगे। तुम बस खरीद कर चले आते हो, पूछते नहीं कि पहले कौन, पहले पक्का तो कर लें कि अंडा पहले कि मुर्गी पहले? अंडा या मुर्गी?

बहुत लोगों ने विवाद किए हैं। अंडा-मुर्गी का प्रश्न बड़ा प्राचीन है। पहले कौन आता है? बड़ा कठिन है उत्तर खोज पाना। क्योंकि जैसे ही तुम कहो, अंडा पहले आता है, कठिनाई शुरू हो जाती है, क्योंकि अंडा आया होगा मुर्गी से—तो मुर्गी पहले आ गई। जैसे ही कहो, मुर्गी आती पहले, वैसे ही मुश्किल फिर खड़ी हो जाती है, क्योंकि मुर्गी आएगी कैसे बिना अंडे के? यह तो एक वर्तुलाकार चक्कर है।

प्रश्न भूल-भरा है। प्रश्न भूल-भरा इसलिए है कि मुर्गी और अंडा दो नहीं हैं। मुर्गी और अंडा एक ही चीज की दो अवस्थाएं हैं। आगे-पीछे रखने में, दो कर लेने में तुम प्रश्न को उठा रहे हो। मुर्गी अंडे का एक रूप है—पूरा प्रकट रूप; अंडा मुर्गी का एक रूप है—अप्रकट रूप। जैसे बीज और वृक्ष। ऐसा ही निर-अहंकार और समर्पण है। कौन पहले—इस विवाद में पड़ कर समय मत गंवाना। अगर मुर्गी ले आए तो अंडा भी ले आए। अगर अंडा ले आए तो मुर्गी भी ले आए। एक आ गया तो दूसरा आ ही गया। कहीं से भी शुरू करो। अगर अहंकार छोड़ सकते हो, अहंकार छोड़ने से शुरू करो। अगर अहंकार नहीं

छोड़ सकते तो समर्पण करने से शुरू करो। समर्पण किया तो अहंकार छूटा। पूर्ण छूटा, ऐसा मैं कह नहीं रहा हूं। जितना समर्पण किया, उतना छूटा! अगर समर्पण करना मुश्किल मालूम पड़ता है तो अहंकार छोड़ो। जितना छूटेगा अहंकार, उतना समर्पण हो जाएगा।

दुनिया में दो तरह के धर्म हैं। एक हैं निर-अहंकारिता के धर्म, और एक हैं समर्पण के धर्म। एक हैं मुर्गी पर जोर देने वाले धर्म, एक हैं अंडे पर जोर देने वाले धर्म। दोनों सही हैं, क्योंकि एक आ गया तो दूसरा अपने आप आ जाता है। जैसे महावीर का धर्म है—जैन धर्म; बुद्ध का धर्म है—बौद्ध धर्म; उनमें समर्पण के लिए कोई जगह नहीं है, सिर्फ अहंकार छोड़ो। समर्पण करोगे कहां? कोई परमात्मा नहीं है, जिसके सामने समर्पण हो सके। महावीर कहते हैं: अशरण! शरण जाने की कोई जगह ही नहीं है। किसकी शरण जाओगे? अशरण में हो जाओ, लेकिन अहंकार छोड़ो।

हिंदू हैं, मुसलमान हैं, ईसाई हैं—वे धर्म समर्पण के धर्म हैं। वे अहंकार छोड़ने की इतनी बात नहीं कहते; वे कहते हैं, परमात्मा पर समर्पण करो। कोई चरण खोज लो—कोई चरण, जहां तुम अपने सिर को झुका सको! अहंकार अपने से चला जाएगा।

दोनों सही हैं, क्योंकि दोनों घटनाएं एक ही सिक्के के दो पहलू हैं। तुम सिक्के का सीधा हिस्सा घर ले आओ कि उलटा हिस्सा घर ले आओ, इससे क्या फर्क पड़ता है, सिक्का घर आ जाएगा! दोनों ही एक सिक्के के पहलू हैं। पर कहीं से शुरू करना पड़ेगा। बैठ कर सिर्फ गणित मत बिठाते रहना।

'गैरिक वस्त्र और माला, ध्यान और साक्षी-साधना में कहां तक सहयोगी हैं?

चाहो तो हर चीज सहयोगी है। चाहो तो छोटी-छोटी चीजों से रास्ता बना ले सकते हो।

कहते हैं, राम ने जब पुल बनाया लंका को जोड़ने को, जब सागर-सेतु बनाया तो छोटी-छोटी गिलहरियां रेत के कण और कंकड़ ले आयीं। उनका भी हाथ हुआ। उन्होंने भी सेतु को बनने में सहायता दी। बड़ी-बड़ी चट्टानें लाने वाले लोग भी थे। छोटी-छोटी गिलहरियां भी थीं; जो उनसे बन सका, उन्होंने किया।

कपड़े के बदल लेने से बहुत आशा मत करना, क्योंकि कपड़े के बदल लेने से अगर सब बदलता होता तो बात बड़ी आसान हो जाती। माला के गले में डाल लेने से ही मत समझ लेना कि बहुत कुछ हो जाएगा, क्रांति घट जाएगी। इतनी सस्ती क्रांति नहीं है। लेकिन इससे यह भी मत सोच लेना कि यह गिलहरी का उपाय है, इससे क्या होगा? राम ने गिलहरियों को भी धन्यवाद दिया।

ये छोटे-छोटे उपाय भी कारगर हैं। कारगर इस तरह हैं—अचानक तुम अपने गांव वापिस जाओगे गैरिक वस्त्रों में, सारा गांव चौंक कर तुम्हें देखेगा। तुम उस गांव में फिर ठीक उसी तरह से न बैठ पाओगे जिस तरह से पहले बैठते थे। तुम उस गांव में उसी तरह से छिप न जाओगे जैसे पहले छिप जाते थे। तुम उस गांव में एक पृथकता लेकर आ गए। हर एक पूछेगा, क्या हुआ है? हर एक तुम्हें याद दिलाएगा कि कुछ हुआ है। हर एक तुमसे प्रश्न करेगा। हर एक तुम्हारी स्मृति को जगाएगा। हर एक तुम्हें मौका देगा पुनः पुनः स्मरण का, साक्षी बनने का।

एक मित्र ने संन्यास लिया। संन्यास लेते वक्त वे रोने लगे। सरल व्यक्ति! और कहा कि बस एक अड़चन है, मुझे शराब पीने की आदत है और आप जरूर कहेंगे कि छोड़ो। मैंने कहा, मैं किसी को कुछ छोड़ने को कहता ही नहीं। पीते हो—ध्यानपूर्वक पीयो!

उन्होंने कहा, क्या मतलब? संन्यासी होकर भी मैं शराब पीऊं?

'तुम्हारी मर्जी! संन्यास मैंने दे दिया, अब तुम समझो।'

वे कोई महीने भर बाद आए। कहने लगे, आपने चालबाजी की। शराब-घर में खड़ा था, एक आदमी आकर मेरे पैर पड़ लिया। कहा, 'स्वामी जी कहां से आए?' मैं भागा वहां से—मैंने कहा कि ये स्वामी जी और शराब-घर में!

वह आदमी कहने लगा, आपने चालबाजी की। अब शराब-घर की तरफ जाने में डरता हूं कि कोई पैर वगैरह छू ले या कोई नमस्कार वगैरह कर ले। आज पंद्रह दिन से नहीं गया हूं।

एक स्मृति बनी! एक याददाश्त जगी!

तुम इन गैरिक वस्त्रों में उसी भांति क्रोध न कर पाओगे जैसा कल तक करते रहे थे। कोई चीज चोट करेगी। कोई चीज कहेगी, अब तो छोड़! अब ये गैरिक वस्त्रों में बड़ा बेहूदा लगता है।

मैं तुम्हारे लिए गैरिक वस्त्र देकर सिर्फ थोड़ी अड़चन पैदा कर रहा हूं, और कुछ भी नहीं। तुम अगर चोर हो तो उसी आसानी से चोर न रह सकोगे। तुम अगर धन के पागल हो, दीवाने हो, लोभी हो, तो तुम्हारे लोभ में वही बल न रह जाएगा। तुम अगर राजनीति में दौड़ रहे हो, पद की प्रतिष्ठा में लगे थे, अचानक तुम पाओगे कुछ सार नहीं!

ये छोटे से वस्त्र बड़े प्रतीकात्मक हो जाएंगे। अपने आप में इनका मूल्य नहीं है, लेकिन इनके साथ जुड़ जाने में तुम धीरे-धीरे पाओगे, बात तो बड़ी छोटी थी, बीज तो बड़ा छोटा था, धीरे-धीरे बड़ा हो गया। धीरे-धीरे उसने सब बदल डाला।

तुम्हारे कृत्य बदलेंगे, तुम्हारी आदतें बदलेंगी, तुम्हारे उठने-बैठने का ढंग बदलेगा। तुम्हारे जीवन में एक नया प्रसाद... । लोगों की अपेक्षाएं तुम्हारे प्रति बदलेंगी। लोगों की आंखें तुम्हारे प्रति बदलेंगी।

नाम का परिवर्तन—पुराने नाम से संबंध-विच्छेद हो जाएगा। वस्त्र का परिवर्तन—पुरानी तुम्हारी रूपरेखा से मुक्ति हो जाएगी। यह गले में तुम्हारी माला तुम्हें मेरी याद दिलाती रहेगी। यह मेरे और तुम्हारे बीच एक सेतु बन जाएगी। तुम मुझे भूल न पाओगे इतनी आसानी से। और लोग तुम्हें पृथक करने लगेंगे। और उनका पृथक करना तुम्हारे लिए साक्षी होने में बड़ा सहयोगी हो जाएगा।

लेकिन मैं यह नहीं कह रहा हूं कि इतना कर लेने से सब हो जाएगा, कि बस पहन लिए वस्त्र और माला डाल ली—समझा कि खतम! यात्रा पूरी! तुम पर निर्भर है। ये संकेत जैसे हैं। जैसे मील के किनारे पत्थर लगा होता है, लिखा रहता है कि बारह मील, पचास मील, सौ मील दिल्ली। उस पत्थर से कुछ बड़ा मतलब नहीं है। पत्थर हो या न हो, दिल्ली सौ मील है तो सौ मील है। लेकिन पत्थर पर लिखी हुई लकीर, तीर का चिह्न राही को हलका करता है। वह कहता है, चलो सौ मील ही बचा, पच्चीस मील बचा, पचास मील बचा।

स्विटजरलैंड में मील के पत्थर की जगह मिनिटों के पत्थर हैं। अगर गाड़ी तुम्हारी रुक जाए कहीं किसी पहाड़ी जगह पर तो तुम चकित होकर देखोगे कि बाहर खंभे पर पिछली स्टेशन कितनी दूर है—तीस मिनिट दूर; अगली स्टेशन कितनी दूर—पंद्रह मिनिट दूर! बड़ा महत्वपूर्ण प्रतीक है।

तो अगर स्विस लोग अच्छी घड़ियां बनाने में कुशल हैं तो कुछ आश्चर्य नहीं। समय का उनका बोध बड़ा प्रगाढ़ है। मील नहीं लिखते, समय लिखते हैं। पंद्रह मिनिट दूर! खबर मिलती है कि समय का बोध प्रगाढ़ है इस जाति का।

तुम गैरिक वस्त्र पहने हो, कुछ खबर मिलती है तुम्हारे बाबत। हर चीज खबर देती है। कैसे तुम बैठते हो, कैसे तुम उठते हो, कैसे तुम देखते हो—हर चीज खबर देती है।

सैनिकों को हम ढीले वस्त्र नहीं पहनाते; दुनिया में कोई जाति नहीं पहनाती—पहनाएगी तो हार खाएगी। सैनिक को ढीले वस्त्र पहनाना खतरनाक सिद्ध हो सकता है। सैनिक को हम चुस्त वस्त्र पहनाते हैं—इतने चुस्त वस्त्र, जिनमें वह हमेशा अड़चन अनुभव करता है। और इच्छा होती है कि कब वह इनके बाहर कूद कर निकल जाए। चुस्त वस्त्र झगड़ालू आदत पैदा करते हैं। चुस्त वस्त्र में बैठा आदमी लड़ने को तत्पर रहता है। ढीले वस्त्र का आदमी थोड़ा विश्राम में होता है। सिर्फ सम्राट ढीले वस्त्र पहनते थे, या संन्यासी, या फकीर।

तुमने कभी देखा कि ढीले वस्त्र पहन कर अगर तुम सीढ़ियां चढ़ो तो तुम एक-एक सीढ़ी चढ़ोगे; चुस्त वस्त्र पहन कर चढ़ो, दो-दो एक साथ चढ़ जाओगे। चुस्त वस्त्र पहने हो तो तुम क्रोध से भरे हो; कोई जरा सी बात कहेगा और बेचैनी खड़ी हो जाएगी। ढीले वस्त्र पहने हो, तुम थोड़े विश्राम में रहोगे।

छोटी-छोटी चीजें फर्क लाती हैं। जीवन छोटी-छोटी चीजों से बनता है। गिलहरियों के द्वारा लाए गए छोटे-छोटे कंकड़-पत्थर जीवन के सेतु को निर्मित करते हैं। क्या तुम खाते हो, क्या तुम पहनते हो, कैसे उठते-बैठते हो, सबका अंतिम परिणाम है। सबका जोड़ हो तुम।

अब एक आदमी चला जा रहा है—चमकीले, भड़कीले, रंगीले वस्त्र पहने—तो कुछ खबर देता है। एक स्त्री चली जा रही है—बेहूदे, ओल, शरीर को उभारने वाले वस्त्र पहने—कुछ खबर देती है। एक आदमी ने सीधे-सादे वस्त्र पहने हैं, ढीले, विश्राम से भरे—कुछ खबर मिलती है उस आदमी के संबंध में।

मनोवैज्ञानिक कहते हैं, अगर तुम एक आदमी को आधा घंटा तक चुपचाप देखते रहो—कैसे वस्त्र पहने है, कैसा उठता, कैसा बैठता, कैसा देखता—तो तुम उस आदमी के संबंध में इतनी बातें जान लोगे कि तुम भरोसा न कर सकोगे।

हमारी हर गतिविधि, हर भाव-भंगिमा 'हमारी' है। भाव-भंगिमा के बदलने से हम बदलते हैं, हमारे बदलने से भाव-भंगिमा बदलती है।

तो यह तो केवल प्रतीक है। ये तुम्हें साथ देंगे। ये तुम्हारे लिए इशारे बने रहेंगे। ये तुम्हें जागरूक रखने के लिए थोड़ा-सा सहारा हैं।

'और कृपया यह भी समझाएं कि साक्षित्व, जागरूकता और सम्यक स्मृति में क्या अंतर है?'

कोई भी अंतर नहीं है। वे सब पर्यायवाची शब्द हैं। अलग-अलग परंपराओं ने उनका उपयोग किया है। जागरूकता कृष्णमूर्ति उपयोग करते हैं। सम्यक स्मृति, माइंडफुलनेस बुद्ध ने उपयोग किया है। साक्षित्व अष्टावक्र ने, उपनिषदों ने, गीता ने उपयोग किया है। सिर्फ भेद अलग-अलग परंपराओं का है। लेकिन उनके पीछे जिसकी तरफ इशारा है वह एक ही है।

दूसरा प्रश्न : आपके महागीता पर हुए पहले प्रवचन के समय अनेक लोग आंसू बहा कर रो रहे थे। उसका क्या मतलब है? क्या रोने वाले कमजोर मन के लोग हैं या आपकी वाणी का यह प्रभाव है? कृपया इस पर थोड़ा प्रकाश डालें!

एक बात पक्की है कि पूछने वाले कठोर मन के आदमी हैं। आंसुओं में उन्हें सिर्फ कमजोरी दिखाई पड़ी। एक बात पक्की है पूछने वाले व्यक्ति के आंख के आंसू सूख गए हैं, आंखें बंजर हो गई हैं, मरुस्थल जैसी; उनमें फूल नहीं खिलते। आंसू तो आंख के फूल हैं। पूछने वाले का भाव मर गया है। पूछने वाले का हृदय अवरुद्ध हो गया है। पूछने वाला सिर्फ बुद्धि से जी रहा होगा; उसने भाव की तिलांजलि दे दी। सोच-विचार से जी रहा होगा। प्रेम और करुणा और जीवन की तरफ जो लगाव की, चाहत की, आनंद की संभावना है-उसे इनकार कर दिया होगा। कोई रसधार नहीं बहती होगी। सूखा-साखा मरुस्थल जैसा मन हो गया होगा। इसीलिए पहली बात यह खयाल में आई कि जो लोग रोते हैं, कमजोर मन के होंगे।

किसने कहा तुम्हें कि रोना कमजोरी का लक्षण है? मीरा खूब रोई है! चैतन्य की आंखों से झर-झर आंसू बहे! नहीं, कमजोरी के लक्षण नहीं हैं—भाव के लक्षण हैं; भाव की शक्ति के लक्षण हैं। और ध्यान रखना, भाव विचार से गहरी बात है।

मैंने कहा : पहले कर्म की रेखा, फिर विचार की रेखा, फिर भाव की रेखा, फिर साक्षी का केंद्र। भाव साक्षी के निकटतम है। भक्ति भगवान के निकटतम है। कर्म बहुत दूर है। वहां से यात्रा बड़ी लंबी है। विचार भी काफी दूर है। वहां से भी यात्रा काफी लंबी है। भक्ति बिलकुल पास है।

खयाल रखना, आंसू जरूरी रूप से दुख के कारण नहीं होते। हालांकि लोग एक ही तरह के आंसुओं से परिचित हैं जो दुख के होते हैं। करुणा में भी आंसू बहते हैं। आनंद में भी आंसू बहते हैं। अहोभाव में भी आंसू बहते हैं। कृतज्ञता में भी आंसू बहते हैं। आंसू तो सिर्फ प्रतीक हैं कि कोई ऐसी घटना भीतर घट रही है जिसको सम्हालना मुश्किल है—दुख या सुख; कोई ऐसी घटना भीतर घट रही है जो इतनी ज्यादा है कि ऊपर से बहने लगी। फिर वह दुख हो, इतना ज्यादा दुख हो कि भीतर सम्हालना मुश्किल हो जाए तो आंसुओं से बहेगा। आंसू निकास हैं। या आनंद घना हो जाए तो आनंद भी आंसुओं से बहेगा। आंसू निकास हैं।

आंसू जरूरी रूप से दुख या सुख से जुड़े नहीं हैं—अतिरेक से जुड़े हैं। जिस चीज का भी अतिरेक हो जाएगा, आंसू उसी को लेकर बहने लगेंगे।

तो जो रोए, उनके भीतर कुछ अतिरेक हुआ होगा; उनके हृदय पर कोई चोट पड़ी होगी; उन्होंने कोई मर्मर सुना होगा अज्ञात का; दूर अज्ञात की किरण ने उनके

हृदय को स्पर्श किया होगा; उनके अंधेरे में कुछ उतरा होगा; कोई तीर उनके हृदय को पीड़ा और आह्लाद से भर गया—रोक न पाए वे अपने आंसू।

मेरे बोलने के प्रभाव से इसका कोई संबंध नहीं, क्योंकि तुम भी सुन रहे थे। अगर मेरे बोलने का ही प्रभाव होता तो तुम भी रोए होते, सभी रोए होते। नहीं! मेरे बोलने से ज्यादा सुनने वाले की हार्दिकता का संबंध है। जो रो सकते थे वे रोए।

और रोना बड़ी शक्ति है। एक बहुत अनूठी दिशा को मनुष्य-जाति ने खो दिया है—विशेषकर मनुष्यों ने खो दिया है, पुरुषों ने; स्त्रियों ने थोड़ा बचा रखा है, स्त्रियां धन्यभागी हैं। मनुष्य की आंख में, पुरुष हो कि स्त्री, एक सी ही आंसुओं की ग्रंथियां। प्रकृति ने आंसुओं की ग्रंथियां बराबर बनाई हैं। इसलिए प्रकृति का तो निर्देश स्पष्ट है कि दोनों की आंखें रोने के लिए बनी हैं। लेकिन पुरुष के अहंकार ने धीरे-धीरे अपने को नियंत्रण में कर लिया है। धीरे-धीरे पुरुष सोचने लगा है कि रोना स्त्रैण है; सिर्फ स्त्रियां रोती हैं। इस कारण पुरुष ने बहुत कुछ खोया है—भक्ति खोई, भाव खोया। इस कारण पुरुष ने आनंद खोया, अहोभाव खोया। इस कारण पुरुष ने दुख की भी महिमा खोई; क्योंकि दुख भी निखारता है, साफ करता है। इस कारण पुरुष के जीवन में एक बड़ी दुर्घटना घटी है।

तुम चकित होओगे, दुनिया में स्त्रियों की बजाय दुगुने पुरुष पागल होते हैं! और यह संख्या बहुत बढ़ जाए, अगर युद्ध बंद हो जाएं; क्योंकि युद्ध में पुरुषों का पागलपन काफी निकल जाता है, बड़ी मात्रा में निकल जाता है। अगर युद्ध बिलकुल बंद हो जाएं सौ साल के लिए, तो डर है कि पुरुषों में से नब्बे प्रतिशत पुरुष पागल हो जाएंगे।

पुरुष स्त्रियों से ज्यादा आत्मघात करते हैं—दो गुना। आमतौर से तुम्हारी धारणा और होगी। तुम सोचते होओगे, स्त्रियां ज्यादा आत्मघात करती हैं। बातें करती हैं स्त्रियां, करतीं नहीं आत्मघात। ऐसे गोली वगैरह खाकर लेट जाती हैं, मगर गोली भी हिसाब से खाती हैं। तो स्त्रियां प्रयास ज्यादा करती हैं आत्मघात का, लेकिन सफल नहीं होतीं। उस प्रयास में भी हिसाब होता है। वस्तुतः स्त्रियां आत्मघात करना नहीं चाहतीं—आत्मघात तो उनका केवल निवेदन है शिकायत का। वे यह कह रही हैं कि ऐसा जीवन जीने योग्य नहीं; कुछ और जीवन चाहिए था। वे तो सिर्फ तुम्हें खबर दे रही हैं कि तुम इतने वज्र—हृदय हो गए हो कि जब तक हम मरने को तैयार न हों शायद तुम हमारी तरफ ध्यान ही न दोगे। वे सिर्फ तुम्हारा ध्यान आकर्षित कर रही हैं।

यह बड़ी अशोभन बात है कि ध्यान आकर्षित करने के लिए मरने का उपाय करना पड़ता है। आदमी जरूर खूब कठोर हो गया होगा, पथरीला हो गया होगा।

स्त्रियां मरना नहीं चाहतीं, जीना चाहती हैं। जीने के मार्ग पर जब इतनी अड़चन पाती हैं—कोई सुनने वाला नहीं, कोई ध्यान देने वाला नहीं—तब सिर्फ तुम ध्यान दे सको, इसलिए मरने का उपाय करती हैं।

लेकिन पुरुष जब आत्महत्या करते हैं तो सफल हो जाते हैं। पुरुष पागलपन में आत्महत्या करते हैं। ज्यादा पुरुष मानसिक रूप से रुग्ण होते हैं। कारण क्या होगा? बहुत कारण हैं। मगर एक कारण उनमें आंसू भी हैं। मनोवैज्ञानिक कहते हैं, पुरुषों को फिर से रोना सीखना होगा। यह बल नहीं है, जिसको तुम बल कह रहे हो—यह बड़ी कठोरता है। बल इतना कठोर नहीं होता; बल तो कोमल का है।

तुमने देखा पहाड़ से झरना गिरता है, जलप्रपात गिरता है—कोमल जल! चट्टानें बड़ी सख्त! चट्टानें जरूर सोचती होंगी, हम मजबूत हैं, यह जलधार कमजोर है। लेकिन अंततः जलधार जीत जाती है; चट्टान रेत होकर बह जाती है।

परमात्मा कोमल के साथ है। निर्बल के बल राम!

एक फूल खिला है। पास में पड़ी है एक चट्टान। चट्टान जरूर दिखती है मजबूत; फूल कमजोर। लेकिन तुमने कभी फूल की शक्ति देखी—जीवन की शक्ति! कौन चट्टान को सिर झुकाता है। तुम पत्थर को लेकर तो भगवान के चरणों में चढ़ाने नहीं जाते। तुम चट्टान, सोच कर कि बड़ी मजबूत है, चलो अपनी प्रेयसी को भेंट कर दें, ऐसा तो नहीं करते। फूल तोड़ कर ले जाते हो। फूल का बल है! फूल की गरिमा है! उसकी कोमलता उसका बल है। उसका खिलाव उसका बल है। उसका संगीत, उसकी सुगंध उसका बल है। उसकी निर्बलता में उसका बल है। सुबह खिला है, सांझ मुरझा जाएगा—यही उसका बल है। लेकिन खिला है। चट्टान कभी नहीं खिलती—बस है। चट्टान मुर्दा है। फूल जीवंत है; मरेगा, क्योंकि जीया है। चट्टान कभी नहीं मरती, क्योंकि मरी ही है।

कोमल बनो! आंसुओं को फिर से पुकारो! तुम्हारी आंखों को गीत और कविता से भरने दो। अन्यथा तुम वंचित रहोगे बहुत सी बातों से। फिर तुम्हारा परमात्मा भी एक तर्कजाल रहेगा, हृदय की अनुभूति नहीं; एक सिद्धांत-मात्र रहेगा, एक सत्य का स्वाद और सत्य की प्रतीति नहीं।

जो आंसू बहा कर रोए, वे सौभाग्यशाली हैं, वे बलशाली हैं। उन्होंने फिकर न की कि तुम क्या कहोगे। उनको भी फिकर तो लगती है कि लोग क्या कहेंगे। जब कोई आदमी ज़ार-ज़ार रोने लगता है तो उसे भी फिक्र लगती है कि लोग क्या कहेंगे। बल चाहिए रोने को कि फिक्र छोड़े कि लोग क्या कहेंगे। कहने दो। होंगे बदनाम तो हो लेने दो! हमको जी खोल कर रो लेने दो!

जब कोई आदमी रोता है, छोटे बच्चे की तरह बिसूरता है, तो थोड़ा सोचो उसका बल! तुम सबकी फिक्र नहीं की उसने। उसने यह फिकर नहीं की कि लोग क्या कहेंगे कि मैं यूनिवर्सिटी में प्रोफेसर हूं और रो रहा हूं, कोई विद्यार्थी देख ले! कि मैं इतना बड़ा दुकानदार और रो रहा हूं, कोई ग्राहक देख ले! कि मैं इतना बलशाली पति और रो रहा हूं, और पत्नी पास बैठी है, घर जाकर झंझट खड़ी होगी! कि मैं बाप हूं और रो रहा हूं, और बेटा देख ले! छोटे बच्चे देख लें! सम्हाल लो अपने को।

अहंकार सम्हाले रखता है। यह निर-अहंकार रोया। अहंकार अपने को सदा नियंत्रण में रखता है। निर-अहंकार बहता है; उसमें बहाव है।

जे सुलगे ते बुझि गए, बुझे ते सुलगे नाहिं।

रहिमन दाहे प्रेम के, बुझि बुझि के सुलगाहिं।।

अंगारे जलते हैं—जे सुलगे ते बुझि गए—लेकिन एक घड़ी आती है, बुझ जाते हैं, फिर तुम दुबारा उन्हें नहीं जला सकते। राख को किसी ने कभी दुबारा अंगारा बनाने में सफलता पाई?

जे सुलगे ते बुझि गए, बुझे ते सुलगे नाहिं।

फिर एक दफे बुझ कर वे कभी नहीं सुलगते। रहिमन दाहे प्रेम के—लेकिन जिनके हृदय में प्रेम का तीर लगा, उनका क्या कहना रहीम!

रहिमन दाहे प्रेम के, बुझि-बुझि के सुलगाहिं।

बार-बार जलते हैं! बार-बार बुझते हैं! फिर-फिर सुलग जाते हैं।

प्रेम की अग्नि शाश्वत है, सनातन है।

जिन्होंने मुझे प्रेम से सुना, वे रो पाएंगे। जिन्होंने मुझे सिर्फ बुद्धि से सुना वे कुछ निष्कर्ष, ज्ञान लेकर जाएंगे। वे राख लेकर जाएंगे—प्रेम का अंगारा नहीं। वे ऐसी राख लेकर जाएंगे जो फिर कभी नहीं सुलगेगी। याद रखना! वह बुझ गई! वह तो मैंने तुमसे जब कही तब ही बुझ गई। अगर तुमने बुद्धि में ली तो राख, अगर तुमने हृदय में ले ली तो अंगारा।

इसलिए प्रेम का अंगारा जिनके भीतर पैदा हो जाएगा, वह तो फिर जलेगा, फिर बुझेगा, फिर जलेगा। वह तो तुम्हें खूब तड़फाएगा। वह तो तुम्हें निखारेगा। वह तो तुम्हारे जीवन में सारा रूपांतरण ले आएगा। दिल खोल कर अगर तुम रो सके तो अंगारा हृदय में पहुंच गया, इसकी खबर थी। अगर न रो सके तो बुद्धि तक पहुंचा। थोड़ी राख इकट्ठी हो जाएगी। तुम थोड़े जानकार हो जाओगे। तुम दूसरों को समझाने में थोड़े कुशल हो जाओगे। वाद-विवाद, तर्क करने में तुम थोड़े निपुण हो जाओगे। बाकी मूल

बात चूक गई। जहां से अंगारा ला सकते थे, वहां से सिर्फ राख लेकर लौट आए। फिर तुम उस राख को चाहे विभूति कहो, कुछ फर्क नहीं पड़ता। राख राख है।

लगी आग, उठे दर्द के राग दिल से
तेरे गम में आतशबयां हो गए हम।
खिरद की बदौलत रहे रास्ते में
गुबारे-पसे-कारवां हो गए हम।

लगी आग, उठे दर्द के राग दिल से—वे आंसू आग लग जाने के आंसू थे।

जब किसी को रोते देखो, उसके पास बैठ जाना! वह घड़ी सत्संग की है, वह घड़ी छोड़ने जैसी नहीं। तुम नहीं रो पा रहे तो कम से कम रोते हुए व्यक्ति के पास बैठ जाना। उसका हाथ हाथ में ले लेना, शायद बीमारी तुम्हें भी लग जाए।

लगी आग, उठे दर्द के राग दिल से

आग लग जाए! ये गैरिक वस्त्र आग के प्रतीक हैं—ये प्रेम की आग के प्रतीक हैं।

तेरे गम में आतशबयां हो गए हम।

और जब तुम्हारे भीतर हृदय में पीड़ा उठेगी, विरह का भाव उठेगा, तुम्हारी श्वास-श्वास में जब अग्नि प्रगट होने लगेगी, आतशबयां...!

तेरे गम में आतशबयां हो गए हम।

खिरद की बदौलत रहे रास्ते में,
बुद्धि की बदौलत तो रास्ते में भटकते रहे!

खिरद की बदौलत रहे रास्ते में
गुबारे-पसे-कारवां हो गए हम।

और बुद्धि के कारण धीरे-धीरे हमारी हालत ऐसी हो गई, जैसे कारवां गुजरता है, उसके पीछे धूल उड़ती रहती है। हम धूल हो गए।

धूल के अतिरिक्त बुद्धि के हाथ में कभी कुछ लगा नहीं है।

खिरद की बदौलत रहे रास्ते में,
गुबारे-पसे-कारवां हो गए हम।

जो दिल अपना रोशन हुआ कृष्णमोहन
हदें मिट गयीं बेकरां हो गए हम।

जो दिल अपना रोशन हुआ कृष्णमोहन—अगर प्रेम में पड़ जाए चोट, हृदय पर लग जाए चोट, खिल जाए वहां आग का अंगारा...

जो दिल अपना रोशन हुआ कृष्णमोहन
हदें मिट गयीं बेकरां हो गए हम।

उस घड़ी फिर सीमाएं टूट जाती हैं—असीम हो जाते हैं। आंसू असीम की तरफ तुम्हारा पहला कदम है। आंसू इस बात की खबर है कि तुम पिघले, तुम्हारी सख्त सीमाएं थोड़ी पिघलीं, तुम थोड़े नरम हुए, तुम थोड़े गरम हुए, तुमने ठंडी बुद्धि थोड़ी छोड़ी, थोड़ी आग जली, थोड़ा ताप पैदा हुआ! ये आंसू ठंडे नहीं हैं। ये आंसू बड़े गर्म हैं। और ये आंसू तुम्हारे पिघलने की खबर लाते हैं। जैसे बरफ पिघलती है, ऐसे जब तुम्हारे भीतर की अस्मिता पिघलने लगती है तो आंसू बहते हैं।

कतीले-हबस थे तो आतशनफस थे
मुहब्बत हुई, बेजुबां हो गए हम।

जब बुद्धि से भरे थे, वासनाओं से भरे थे, विचारों से भरे थे तो लाख बातें कीं, जबान बड़ी तेज थी...!

कतीले-हवस थे तो आतशनफस थे
मुहब्बत हुई, बेजुबां हो गए हम।

वे आंसू बेजुबान अवस्था की सूचनाएं हैं। जब कुछ ऐसी घटना घटती है कि कहने का उपाय नहीं रह जाता तो न रोओ तो क्या करो? जब जबान कहने में असमर्थ हो जाए तो आंखें आंसुओं से कहती हैं। जब बुद्धि कहने में असमर्थ हो जाए तो कोई नाच कर कहता है। मीरा नाची। कुछ ऐसा हुआ कि कहने को शब्द न मिले। पद घुंघरू बांध मीरा नाची रे! रोई! ज़ार-ज़ार रोई! कुछ ऐसा हो गया कि शब्दों में कहना संभव न रहा, शब्द बड़े संकीर्ण मालूम हुए। आंसू ही कह सकते थे—आंसुओं से ही कहा।

नहीं, इस तरह के भाव मन में मत लेना कि वे लोग कमजोर हैं। वे लोग शक्तिशाली हैं। उनकी शक्ति कोमलता की है। उनकी शक्ति संघर्ष की और हिंसा की नहीं है, उनकी शक्ति हार्दिकता की है। क्योंकि अगर तुमने सोचा कि ये लोग कमजोर हैं तो फिर तुम कभी भी न रोओगे। इसलिए तुमसे बार-बार जोर देकर कह रहा हूं, उनको कमजोर मत समझना। उनसे ईर्ष्या करो। बार-बार सोचो कि क्या हुआ कि मैं नहीं रो पा रहा हूं।

भाव से भरा व्यक्ति स्वयं के केंद्र के सर्वाधिक निकट है। और जितना ही भाव से भरा व्यक्ति स्वयं के निकट होता है उतनी ही ज्यादा पीड़ा को अनुभव करता है। तुम जितने घर से ज्यादा दूर हो उतने ही घर को भूलने की सुगमता है; जैसे-जैसे घर करीब आने लगता है वैसे-वैसे घर की याद भी आने लगती है। तुम परमात्मा को भूल कर बैठे हो। परमात्मा शब्द तुम्हारे कानों में पड़ता है, लेकिन कोई हलचल नहीं होती है। सुन लेते हो, एक शब्द मात्र है।

परमात्मा शब्द मात्र नहीं है। उसे सुन लेने भर की बात नहीं है। जिसके भीतर कुछ थोड़ी सी अभी भी जीवन की आग है उसे 'परमात्मा' झकझोर देगा—शब्द मात्र झकझोर देगा।

चाहते हो अगर मुझे दिल से
फिर भला किसलिए रुलाते हो?

भक्त सदा परमात्मा से कहते रहे हैं:

चाहते हो अगर मुझे दिल से
फिर भला किसलिए रुलाते हो?
रोशनी के घने अंधेरों में
क्यों नज़र से नज़र चुराते हो?
पास आए न पास आकर भी
पास मुझको नहीं बुलाते हो?
किसलिए आसपास रहते हो?
किसलिए आसपास आते हो?

अगर तुमने मुझे ठीक से सुना तो तुम्हें परमात्मा बहुत बार, बहुत पास मालूम पड़ेगा।

किसलिए आसपास रहते हो?
किसलिए आसपास आते हो?
पास आए न पास आकर भी
पास मुझको नहीं बुलाते हो?
चाहते हो अगर मुझे दिल से
फिर भला किसलिए रुलाते हो?
रोशनी के घने अंधेरों में
क्यों नज़र से नज़र चुराते हो?

जो व्यक्ति भाव में उतर रहा है वह बिलकुल इतने करीब है परमात्मा के कि परमात्मा की आंच उसे अनुभव होने लगती है; नजर में नजर पड़ने लगती है; सीमाएं एक-दूसरे के ऊपर उतरने लगती हैं; एक-दूसरे की सीमा में अतिक्रमण होने लगता है।

यहां जो कहा जा रहा है, वह सिर्फ कहने को नहीं है; वह तुम्हें रूपांतरित करने को है। वह सिर्फ बात की बात नहीं है, वह तुम्हें संपूर्ण रूप से, जड़-मूल से बदल देने की बात है।

तीसरा प्रश्न: धर्म धारणा या धारणा धर्म से संस्कृति का निर्माण होता है। और संस्कृति से समाज और उसकी परंपराएं बनती हैं। पूज्यपाद ने बताया कि धर्म सबके खिलाफ है। अगर धर्म सभी के विरोध में रहेगा तो किसी प्रकार की अराजकता होना असंभव है क्या? हमें समझाने की कृपा करें!

धर्म से जो तुम अर्थ समझ रहे हो धारणा का, वैसा अर्थ नहीं है। धारणा, कनसेप्ट धर्म नहीं है। धर्म शब्द बना है जिस धातु से, उसका अर्थ है: जिसने सबको धारण किया है; जो सबका धारक है; जिसने सबको धारा है। धारणा नहीं—जिसने सबको धारण किया है।

यह जो विराट, ये जो चांद-तारे, यह जो सूरज, ये जो वृक्ष और पक्षी और मनुष्य, और अनंत-अनंत तक फैला हुआ अस्तित्व है—इसको जो धारे हुए है, वही धर्म है।

धर्म का कोई संबंध धारणा से नहीं है। तुम्हारी धारणा हिंदू की है, किसी की मुसलमान की है, किसी की ईसाई की है—इससे धर्म का कोई संबंध नहीं। ये धारणाएं हैं, ये बुद्धि की धारणाएं हैं। धर्म तो उस मौलिक सत्य का नाम है, जिसने सबको सम्हाला है; जिसके बिना सब बिखर जाएगा; जो सबको जोड़े हुए है; जो सबकी समग्रता है; जो सबका सेतु है—वही!

जैसे हम फूल की माला बनाते हैं। ऐसे फूल का ढेर लगा हो और फूल की माला रखी हो—फर्क क्या है? ढेर अराजक है। उसमें कोई एक फूल का दूसरे फूल से संबंध नहीं है, सब फूल असंबंधित हैं। माला में एक धागा पिरोया। वह धागा दिखाई नहीं पड़ता; वह फूलों में छिपा है। लेकिन एक फूल दूसरे फूल से जुड़ गया।

इस सारे अस्तित्व में जो धागे की तरह पिरोया हुआ है, उसका नाम धर्म है। जो हमें वृक्षों से जोड़े है, चांद-तारों से जोड़े है, जो कंकड़-पत्थरों को सूरज से जोड़े है, जो सबको जोड़े है, जो सबका जोड़ है—वही धर्म है।

धर्म से संस्कृति का निर्माण नहीं होता। संस्कृति तो संस्कार से बनती है। धर्म तो तब पता चलता है जब हम सारे संस्कारों का त्याग कर देते हैं।

संन्यास का अर्थ है: संस्कार-त्याग।

हिंदू की संस्कृति अलग है, मुसलमान की संस्कृति अलग है, बौद्ध की संस्कृति अलग है, जैन की संस्कृति अलग है। दुनिया में हजारों संस्कृतियां हैं, क्योंकि हजारों ढंग के संस्कार हैं। कोई पूरब की तरफ बैठ कर प्रार्थना करता है, कोई पश्चिम की तरफ मुंह करके प्रार्थना करता है—यह संस्कार है। कोई ऐसे कपड़े पहनता, कोई वैसे कपड़े पहनता; कोई इस तरह का खाना खाता, कोई उस तरह का खाना खाता—ये सब संस्कार हैं।

दुनिया में संस्कृतियां तो रहेंगी—रहनी चाहिए। क्योंकि जितनी विविधता हो उतनी दुनिया सुंदर है। मैं नहीं चाहूंगा कि दुनिया में बस एक संस्कृति हो—बड़ी बेहूदी, बेरौनक, उबाने वाली होगी। दुनिया में हिंदुओं की संस्कृति होनी चाहिए, मुसलमानों की, ईसाइयों की, बौद्धों की, जैनों की, चीनियों की, रूसियों की—हजारों संस्कृतियां होनी चाहिए। क्योंकि वैविध्य जीवन को सुंदर बनाता है। बगीचे में बहुत तरह के फूल होने चाहिए। एक ही तरह के फूल बगीचे को ऊब से भर देंगे।

संस्कृतियां तो अनेक होनी चाहिए—अनेक हैं, अनेक रहेंगी। लेकिन धर्म एक होना चाहिए, क्योंकि धर्म एक है। और कोई उपाय नहीं है।

तो मैं हिंदू को संस्कृति कहता हूं, मुसलमान को संस्कृति कहता हूं; धर्म नहीं कहता। ठीक है। संस्कृतियां तो सुंदर हैं। बनाओ अलग ढंग की मस्जिद, अलग ढंग के मंदिर। मंदिर सुंदर हैं, मस्जिदें सुंदर हैं। मैं नहीं चाहूंगा कि दुनिया में सिर्फ मंदिर रह जाएं और मस्जिदें मिट जाएं—बड़ा सौंदर्य कम हो जाएगा। मैं नहीं चाहूंगा कि दुनिया में संस्कृत ही रह जाए, अरबी मिट जाए—बड़ा सौंदर्य कम हो जाएगा। मैं नहीं चाहूंगा कि दुनिया में सिर्फ कुरान रह जाए, वेद मिट जाएं, गीता-उपनिषद मिट जाएं—दुनिया बड़ी गरीब हो जाएगी।

कुरान सुंदर है; साहित्य की अनूठी कृति है, काव्य की बड़ी गहन ऊंचाई है—लेकिन धर्म से कुछ लेना-देना नहीं। वेद प्रिय हैं; अनूठे उदघोष हैं; पृथ्वी की आकांक्षाएं हैं आकाश को छू लेने की। उपनिषद अति मधुर हैं। उनसे ज्यादा मधुर वक्तव्य कभी भी नहीं दिए गए। वे नहीं खोने चाहिए। वे सब रहने चाहिए—पर संस्कृति की तरह।

धर्म तो एक है। धर्म तो वह है जिसने हम सबको धारण किया—हिंदू को भी, मुसलमान को भी, ईसाई को भी। धर्म तो वह है जिसने पशुओं को, मनुष्यों को, पौधों को, सबको धारण किया है; जो पौधों में हरे धार की तरह बह रहा है; जो मनुष्यों में रक्त की धार की तरह बह रहा है; जो तुम्हारे भीतर श्वास की तरह चल रहा है; जो तुम्हारे भीतर साक्षी की तरह मौजूद है। धर्म ने तो सबको धारण किया है।

इसलिए धर्म को संस्कृति का पर्याय मत समझना। धर्म से संस्कृति का कोई लेना-देना नहीं। इसलिए तो रूस की संस्कृति हो सकती है; वहां कोई धर्म नहीं है। चीन की संस्कृति है; वहां अब कोई धर्म नहीं है। नास्तिक की संस्कृति हो सकती है, आस्तिक की हो सकती है। धर्म से संस्कृति का कोई लेना-देना नहीं है। धर्म तो तुम्हारे रहने-सहने से कुछ वास्ता नहीं रखता, धर्म तो तुम्हारे होने से वास्ता रखता है। धर्म तो तुम्हारा शुद्ध स्वरूप है, स्वभाव है। संस्कृति तो तुम्हारे बाहर के

आवरण में, आचरण में, व्यवहार में, इन सब चीजों से संबंध रखती है—कैसे उठना, कैसे बोलना, क्या कहना, क्या नहीं कहना...।

धर्म से कोई परंपरा नहीं बनती। धर्म परंपरा नहीं है। धर्म तो सनातन, शाश्वत सत्य है। परंपराएं तो आदमी बनाता है—धर्म तो है। परंपराएं आदमी से निर्मित हैं; आदमी के द्वारा बनाई गई हैं। धर्म, आदमी से पूर्व है। धर्म के द्वारा आदमी बनाया गया है। इस फर्क को खयाल में ले लेना।

इसलिए परंपरा को भूल कर भी धर्म मत समझना और धार्मिक व्यक्ति कभी पारंपरिक नहीं होता, ट्रेडिशनल नहीं होता। इसलिए तो जीसस को सूली देनी पड़ी, मंसूर को मार डालना पड़ा, सुकरात को जहर देना पड़ा—क्योंकि धार्मिक व्यक्ति कभी भी परंपरागत नहीं होता। धार्मिक व्यक्ति तो एक महाक्रांति है। वह तो बार-बार सनातन और शाश्वत का उदघोष है। जब भी सनातन और शाश्वत का कोई उदघोष करता है तो परंपरा से बंधे, लकीर के फकीर बहुत घबड़ा जाते हैं। उनको बहुत बेचैनी होने लगती है। वे कहते हैं, इससे तो अराजकता हो जाएगी।

अराजकता अभी है। जिसको तुम कहते हो व्यवस्था, राजकता, वह क्या खाक व्यवस्था है? सारा जीवन कलह से भरा है। सारा जीवन न मालूम कितने अपराधों से भरा है। और सारा जीवन दुख से भरा है। फिर भी तुम घबड़ाते हो, अराजकता हो जाएगी।

तुम्हारे जीवन में क्या है सिवाय नरक के? कौन से सुख की सुरभि है? कौन से आनंद के फूल खिलते हैं? कौन सी बांसुरी बजती है तुम्हारे जीवन में? राख ही राख का ढेर है! फिर भी कहते हो, अराजकता हो जाएगी!

धार्मिक व्यक्ति विद्रोही तो होता है, अराजक नहीं। इसे समझना।

धार्मिक व्यक्ति ही वस्तुतः राजक व्यक्ति होता है, क्योंकि उसने संबंध जोड़ लिया अनंत से। उसने जीवन के परम मूल से संबंध जोड़ लिया, अराजक तो वह कैसे होगा? हां, तुमसे संबंध टूट गया, तुम्हारे ढांचे, व्यवस्था से वह थोड़ा बाहर हो गया। उसने परम से नाता जोड़ लिया। उसने उधार से नाता तोड़ दिया, उसने नगद से नाता जोड़ लिया। उसने बासे से नाता तोड़ दिया, उसने ताजे से, नित-नूतन से, नित-नवीन से नाता जोड़ लिया।

तुम्हारी संस्कृति और सभ्यता तो प्लास्टिक के फूलों जैसी है। धार्मिक व्यक्ति का जीवन वास्तविक फूलों जैसा है। प्लास्टिक के फूल फूल जैसे दिखाई पड़ते हैं, वस्तुतः फूल नहीं हैं; मालूम होते हैं; बस दूर से दिखाई पड़ते हैं; धोखा हैं।

तुम अगर इसलिए सत्य बोलते हो क्योंकि तुम्हें संस्कार डाल दिया गया है सत्य बोलने का, तो तुम्हारा सत्य दो कौड़ी का है। तुम अगर इसलिए मांसाहार नहीं

करते क्योंकि तुम जैन घर में पैदा हुए और संस्कार डाल दिया गया कि मांसाहार पाप है, इतना लंबा संस्कार डाला गया कि आज मांस को देख कर ही तुम्हें मतली आने लगती है, तो तुम यह मत सोचना कि तुम धार्मिक हो गए। यह केवल संस्कार है। यह व्यक्ति जो जैन घर में पैदा हुआ है और मांसाहार से घबड़ाता है, इसे देख कर मतली आती है, देखने की तो बात, 'मांसाहार' शब्द से इसे घबड़ाहट होती है, मांसाहार से मिलती-जुलती कोई चीज देख ले तो इसको मतली आ जाती है, टमाटर देख कर यह घबड़ाता है—यह सिर्फ संस्कार है। अगर यह व्यक्ति किसी मांसाहारी घर में पैदा हुआ होता तो बराबर मांसाहार करता; क्योंकि वहां मांसाहार का संस्कार होता, यहां मांसाहार का संस्कार नहीं है।

संस्कार, कंडीशनिंग तो तुम्हारा बंधन है। मैं तुमसे यह नहीं कह रहा कि मांसाहार करने लगो। मैं तुमसे कह रहा हूं, तुम्हारे भीतर वैसा आविर्भाव हो चैतन्य का, जैसा महावीर के भीतर हुआ! वह संस्कार नहीं था। वह उनका अपना अनुभव था कि किसी को दुख देना अंततः अपने को ही दुख देना है; क्योंकि हम सब एक हैं, जुड़े हैं। यह ऐसे ही है जैसे कोई अपने ही गाल पर चांटा मार ले! देर-अबेर जो हमने दूसरे के साथ किया है, वह हम पर ही लौट आएगा। महावीर को यह प्रतीति इतनी गहरी हो गई, यह बोध इतना साकार हो गया कि उन्होंने दूसरे को दुख देना बंद कर दिया। मांसाहार छूटा, इसलिए नहीं कि बचपन से उन्हें सिखाया गया कि मांसाहार पाप है; मांसाहार छूटा उनके साक्षी-भाव में। यह धर्म है।

तुम अगर जैन घर में पैदा हुए और मांसाहार नहीं करते, यह सिर्फ संस्कार है। यह प्लास्टिक का फूल है, असली फूल नहीं। यह जैन को तुम भेज दो अमरीका, यह दो-चार साल में मांसाहार करने लगता है। चारों तरफ मांसाहार देखता है, पहले घबड़ाता है, पहले नाक-भौं सिकोड़ता है, फिर धीरे-धीरे अभ्यस्त होता चला जाता है। फिर उसी टेबल पर दूसरों को मांसाहार करते-करते देख कर धीरे-धीरे इसकी नाक, इसके नासारंध्र मांस की गंध से राजी होने लगते हैं। फिर दूसरी संस्कृति का प्रभाव! वहां हरेक व्यक्ति का कहना कि बिना मांसाहार के कमजोर हो जाओगे। देखो ओलंपिक में तुम्हारी क्या गति होती है बिना मांसाहार के! एक स्वर्णपदक भी नहीं ला पाते। स्वर्णपदक तो दूर, तांबे का पदक भी नहीं मिलता। तुम अपनी हालत तो देखो! हजार साल तक गुलाम रहे, बल क्या है तुममें? तुम्हारी औसत उम्र कितनी है? कितनी हजारों बीमारियां तुम्हें पकड़े हुए हैं!

निश्चित ही मांसाहारी मुल्कों की उम्र अस्सी साल के ऊपर पहुंच गई है—औसत उम्र, अस्सी-पचासी। जल्दी ही सौ साल औसत उम्र हो जाएगी। यहां तीस-पैंतीस के आसपास हम अटके हुए हैं।

कितनी नोबल प्राइज तुम्हें मिलती है? अगर शुद्ध शाकाहार बुद्धि को शुद्ध करता है तो सब नोबल प्राइज तुम्हीं को मिल जानी चाहिए थीं। बुद्धि तो कुछ बढ़ती विकसित होती दिखती नहीं। और जिन रवींद्रनाथ को मिली भी नोबल-प्राइज वे शाकाहारी नहीं हैं, खयाल रखना! एकाध जैन को नोबल प्राइज मिली? क्या, मामला क्या है? तुम दो हजार साल से शाकाहारी हो, दो हजार साल में तुम्हारी बुद्धि अभी तक शुद्ध नहीं हो पाई?

तो मांसाहारी के पास दलीलें हैं। वह कहता है, 'तुम्हारी बुद्धि कमजोर हो जाती है, क्योंकि ठीक-ठीक प्रोटीन, ठीक-ठीक विटामिन, ठीक-ठीक शक्ति तुम्हें नहीं मिलती। तुम्हारी देह कमजोर हो जाती है। तुम्हारी उम्र कम हो जाती है। तुम्हारा बल कम हो जाता है।'

अमरीका में तुम रोज देखते हो, खबरें सुनते हो अखबार में कि किसी नब्बे साल के आदमी ने शादी की! तुम हैरान होते हो। तुम कहते हो, यह मामला क्या पागलपन का है! लेकिन नब्बे साल का आदमी भी शादी कर लेता है, क्योंकि अभी भी कामवासना में समर्थ है। यह बल का सबूत है। नब्बे साल के आदमी का भी बच्चा पैदा हो जाता है। यह बल का सबूत है।

तो जैसे ही कोई जाकर पश्चिम की संस्कृति में रहता है, वहां ये सब दलीलें सुनता है और प्रमाण देखता है और उनकी विराट संस्कृति का वैभव देखता है। धीरे-धीरे भूल जाता है...।

महावीर को अगर पश्चिम जाना पड़ता तो वह मांसाहार नहीं करते। वह फूल स्वाभाविक था। वे कहते, ठीक! दो-चार-दस साल कम जीएंगे, इससे हर्ज क्या! ज्यादा जीने का फायदा क्या है? ज्यादा जीकर तुम करोगे क्या? और थोड़े जानवरों को खा जाओगे, और क्या करोगे! महावीर से अगर किसी ने कहा होता तो वे कहते, जरा लौट कर तो देखो, अगर तुम सौ साल जीए और तुमने जितने जानवर, पशु-पक्षी खाए, उनकी जरा तुम कतार रख कर तो देखो! एक मरघट पूरा का पूरा तुम खा गए! एक पूरी बस्ती की बस्ती तुम खा गए! हड्डियों के ढेर तुमने लगा दिए अपने चारों तरफ! एक आदमी जिंदगी में जितना मांसाहार करता है—हजारों-लाखों पशु-पक्षियों का ढेर लग जाएगा! अगर जरा तुम सोचो कि इतना तुम...इतने प्राण तुमने मिटाए! किसलिए? सिर्फ जीने के लिए? और जीना किसलिए? और पशुओं को मिटाने के लिए?

अगर महावीर से कोई यह कहेगा कि तुम निर्बल हो जाते हो, तो वे कहते, 'बल का हम करेंगे क्या? किसी की हिंसा करनी है? किसी को मारना है? कोई युद्ध लड़ना है?' अगर महावीर को कोई कहता कि देखो तुम एक हजार साल

गुलाम रहे, तो महावीर कहते हैं : दो स्थितियां हैं, या तो मालिक बनो किसी के या गुलाम। महावीर कहेंगे, मालिक बनने से गुलाम बनना बेहतर—कम से कम तुमने किसी को सताया तो नहीं, सताए गए! बेईमान बनने से बेईमानी झेल लेना बेहतर—कम से कम तुमने किसी के साथ बेईमानी तो न की। चोर बनने से चोरी का शिकार बन जाना बेहतर।

अगर महावीर को कोई कहता कि देखो तुम्हें नोबल प्राइज नहीं मिलती, वे कहते : नोबल प्राइज का करेंगे क्या? ये खेल-खिलौने हैं, बच्चों के खेलने-कूदने के लिए अच्छे हैं। इनका करेंगे क्या? हम कुछ और ही पुरस्कार पाने चले हैं। वह पुरस्कार सिर्फ परमात्मा से मिलता है, और किसी से भी नहीं मिलता। वह पुरस्कार साक्षी के आनंद का है। वह सच्चिदानंद का है! नोबल प्राइज तुम अपनी सम्हालो। तुम बच्चों को दो, खेलने दो। ये खिलौने हैं।

इस संसार का कोई पुरस्कार उस पुरस्कार का मुकाबला नहीं करता जो भीतर के आनंद का है। शरीर जाए, उम्र जाए, धन जाए, सब जाए—भीतर का रस बच जाए बस, सब बच गया! जिसने भीतर का खोया, सब खोया। जिसने भीतर का बचा लिया, सब बचा लिया।

लेकिन जैन साधारणतः जाता है, वह भ्रष्ट होकर आ जाता है। कारण? वह भ्रष्ट था ही! भ्रष्ट होकर आ गया, ऐसा नहीं—कागजी फूल था, झूठी बात थी, संस्कार था।

संस्कृति और धर्म में अंतर समझ लेना। धर्म तुम्हारा स्वानुभव है, और संस्कृति दूसरों के द्वारा सिखाई गई बातें हैं। लाख कोई कितनी ही व्यवस्था से सिखा दे, दूसरे की सिखाई बात तुम्हें मुक्त नहीं करती, बंधन में डालती है।

तो जब मैं कहता हूं धर्म बगावत है, विद्रोह है, तो मेरा अर्थ है—बगावत परंपरा से, बगावत संस्कार से, बगावत आध्यात्मिक गुलामी से।

लेकिन धार्मिक व्यक्ति अराजक नहीं हो जाता। धार्मिक व्यक्ति अगर अराजक हो जाता है तो इस संसार में फिर कौन लाएगा अनुशासन? धार्मिक व्यक्ति तो परम अनुशासनबद्ध हो जाता है। लेकिन उसका अनुशासन दूसरे ढंग का है। वह भीतर से बाहर की तरफ आता है। वह किसी के द्वारा आरोपित नहीं है। वह स्वस्फूर्त है। वह ऐसा है जैसे झरना फूटता है भीतर की ऊर्जा से। वह ऐसा है जैसे नदी बहती है जल की ऊर्जा से; कोई धक्के नहीं दे रहा है।

तुम ऐसे हो जैसे गले में किसी ने रस्सी बांधी और घसीटे जा रहे हो, और पीछे से कोई कोड़े मार रहा है तो चलना पड़ रहा है।

संस्कार से जीने वाला आदमी जबरदस्ती घसीटा जा रहा है, बे-मन से घसीटा जा रहा है। धार्मिक व्यक्ति नाचता हुआ जाता है। वह मृत्यु की तरफ भी जाता है तो नाचता हुआ जाता है। तुम जीवन में भी घसीटे जा रहे हो। तुम हमेशा अनुभव करते रहते हो, जबरदस्ती हो रही है। तुम हमेशा अनुभव करते रहते हो, कुछ चूक रहे हैं; दूसरे मजा ले रहे हैं, दूसरे मजा भोग रहे हैं।

मेरे पास लोग आते हैं। वे कहते हैं: हम साधु-संत, सीधे-सादे आदमी हैं। बड़ा अन्याय हो रहा है दुनिया में! बेईमान मजा लूट रहे हैं। चोर-बदमाश मजा लूट रहे हैं।

मैं उनसे कहता हूं कि तुम्हें यह खयाल ही उठता है कि वे मजा लूट रहे हैं, यह बात बताती है कि तुम साधु भी नहीं, संत भी नहीं, सरल भी नहीं। तुम हो तो उन्हीं जैसे लोग, सिर्फ तुम्हारी हिम्मत कमजोर है। चाहते तो तुम भी उन्हीं जैसा मजा हो, लेकिन उस मजे के लिए जो कीमत चुकानी पड़ती है वह चुकाने में तुम डरते हो। हो तो तुम भी चोर, लेकिन चोरी करने के लिए हिम्मत चाहिए, वह हिम्मत तुम्हारी खो गई है। चाहते तो तुम भी हो कि बेईमानी करके धन का अंबार लगा लें, लेकिन बेईमानी करने में कहीं फंस न जाएं, पकड़े न जाएं, इसलिए तुम रुके हो। अगर तुम्हें पक्का आश्वासन दे दिया जाए कि कोई तुम्हें पकड़ेगा नहीं, कोई तुम्हें पकड़ने वाला नहीं है, कोई पकड़ने का डर नहीं है—तुम तत्क्षण चोर हो जाओगे।

धार्मिक व्यक्ति तो दया खाता है उन पर जो बेईमानी कर रहे हैं। क्योंकि वह कहता है: ये बेचारे कैसे परम आनंद से वंचित हो रहे हैं! जो हमें मिल रहा है, वह इन्हें नहीं मिल रहा!

धार्मिक व्यक्ति ईर्ष्या नहीं करता अधार्मिक से—दया खाता है। मन ही मन में रोता है कि इन बेचारों का सिर्फ चांदी-सोने के ठीकरे ही जुटाने में सब खो जाएगा। ये मिट्टी के, रेत के घर बना-बना कर समाप्त हो जाएंगे। जहां अमृत का अनुभव हो सकता था, वहां ये व्यर्थ में ही भटक जाएंगे। उसे दया आती है। ईर्ष्या का तो सवाल ही नहीं, क्योंकि उसके पास कुछ विराटतर है। और उसी विराट के कारण उसके जीवन में एक अनुशासन होता है। उस अनुशासन के ऊपर कोई अनुशासन नहीं है।

धार्मिक व्यक्ति विद्रोही है, लेकिन अनुशासनहीन नहीं है। उसका अनुशासन आत्मिक है, आंतरिक है। आत्मानुशासन है उसका अनुशासन।

और जिसको तुम राजकता कहते हो, जिसको तुम व्यवस्था कहते हो, इस व्यवस्था ने दिया क्या है? युद्ध दिए, हिंसा दी, पाप दिए, घृणा दी, वैमनस्य दिया। दिया क्या है?

एक धरती जली है घनों के लिए
प्यार पैदा हुआ तड़पनों के लिए
मित्र मांगे अगर प्राण तो गम नहीं
प्राण हमने दिए दुश्मनों के लिए।
पापियों ने तो हमको बचाया सदा
पाप हमने किए सज्जनों के लिए।
प्रश्न जब भी मिले, सब मुखौटे लगा
उम्र हमको मिली उलझनों के लिए।
भीड़ सपनों की हमने उगाई सदा
बंजरों के नगर निर्जनों के लिए।
किन लुटेरों की दुनिया में हम आ गए
हाथ कटते यहां कंगनों के लिए।
जिंदगी ने निचोड़ा है इतना हमें
बेच डाले नयन दर्शनों के लिए।

यहां है क्या? आंखें तक बिक गई हैं—इस आशा में कि कभी दर्शन होंगे! आत्मा तक बिक गई है—इस आशा में कि कभी परमात्मा मिलेगा! यहां पाया क्या है? यहां व्यवस्था है कहां? इससे ज्यादा और अव्यवस्था क्या होगी? सब तरफ घृणा है, सब तरफ वैमनस्य है, सब तरफ गलाघोंट प्रतियोगिता है, सब तरफ ईर्ष्या है, जलन है। कोई किसी का मित्र नहीं; सब शत्रु ही शत्रु मालूम होते हैं। यहां मिलता तो कुछ भी नहीं, किस बात को तुम व्यवस्था कहते हो?

व्यवस्था तो तभी हो सकती है, जब जीवन में आनंद हो। आनंद एक व्यवस्था लाता है। आनंद के पीछे छाया की तरह आती है व्यवस्था।

स्मरण रखना, दुखी आदमी अराजक होता है। सुखी आदमी अराजक नहीं हो सकता। दुखी आदमी अराजक हो ही जाता है, उसे मिला क्या है? तो वह तोड़ने-फोड़ने में उत्सुक हो जाता है। जिसके जीवन में कुछ भी नहीं मिला, वह नाराजगी में तोड़ने-फोड़ने लगता है। जिसके जीवन में कुछ मिला है, वह इतना धन्यभागी होता है जीवन के प्रति कि तोड़ेगा-फोड़ेगा कैसे?

इस व्यवस्था को, इस धोखे की व्यवस्था को तुम व्यवस्था मत समझ लेना। यह राजनीतिज्ञों की चालबाजी है। और जिन्हें तुम समझते हो कि वे तुम्हारे नेता हैं, जिन्हें तुम समझते हो तुम्हारे राहबर हैं, वे राहजन हैं! वही तुम्हें लूटते हैं।

चलो अब किसी और के सहारे लोगो
बड़े खुदगर्ज हो गए थे किनारे लोगो।
अब तो किनारे का भी सहारा रखना ठीक नहीं मालूम पड़ता।
चलो अब किसी और के सहारे लोगो
बड़े खुदगर्ज हो गए थे किनारे लोगो।
सहारा समझ कर खड़े हो साए में जिनके
ढह पड़ेंगी अचानक वे दीवारें लोगो।
जरूर कुछ करिश्मा हुआ है आज
खंडहर से ही आ रही हैं झंकारें लोगो।
उम्मीद की हदें टूटीं तो ताज्जुब नहीं
म्यान से बाहर हैं तलवारें लोगो।
क्या गुजरेगी सफीने पे, खबर नहीं
अंधड़ से मिल गई हैं पतवारें लोगो।
क्या गुजरेगी सफीने पे खबर नहीं
अंधड़ से मिल गई हैं पतवारें लोगो।
हजारों बेबस आहें दफन हैं यहां
महज पत्थरों के ढेर नहीं हैं ये मजारें लोगो।

यहां अंधड़ से मिल गई हैं पतवारें! यहां जिन्हें तुम समझते हो तुम्हारे सहारे हैं, वे तुम्हारे शोषक हैं। और जिन्हें तुम समझते हो कि व्यवस्थापक हैं, वे केवल तुम्हारी छाती पर सवार हैं।

तुमने कभी खयाल किया, जो भी आदमी पद पर होता है वह व्यवस्था की बात करने लगता है! और जो आदमी पद के बाहर होता है राजनीति में, वह बगावत की बात करने लगता है। पद के बाहर होते ही से बगावत की बात! तब सब गलत है, सब बदला जाना चाहिए। और पद पर होते से ही व्यवस्था की बात! सब ठीक है; बदलाहट खतरनाक है; अनुशासन-पर्व की जरूरत है।

यह सारी दुनिया में सदा से ऐसा होता रहा है। राजनीतिज्ञ को सिर्फ पद का मोह है; न व्यवस्था से मतलब है, न अव्यवस्था से। हां, जब वह व्यवस्था का मालिक नहीं होता, जब खुद के हाथ में ताकत नहीं होती, तब वह कहता है, सब गलत है। तब क्रांति की जरूरत है। और जैसे ही वह पद पर आता है, फिर क्रांति की बिलकुल जरूरत नहीं। क्योंकि क्रांति का काम पूरा हो गया। वह काम इतना

था—उसको पद पर लाना—वह काम पूरा हो गया। फिर जो क्रांति की बात करे, वह दुश्मन है।

और वह जो क्रांति की बात कर रहा है, उसको भी क्रांति से कुछ लेना-देना नहीं है। यह बड़ी अदभुत घटना है—दुनिया में रोज घटती है, फिर भी आदमी सम्हलता नहीं।

सब क्रांतिकारी क्रांति-विरोधी हो जाते हैं—पद पर पहुंचते ही। और सब पदच्युत राजनीतिज्ञ क्रांतिकारी हो जाते हैं—पद से उतरते ही। पद में भी बड़ा जादू है। कुर्सी पर बैठे कि व्यवस्था। क्योंकि अब व्यवस्था तुम्हारे हित में है। कुर्सी से उतरे, क्रांति! अब क्रांति तुम्हारे हित में है।

धार्मिक व्यक्ति को न तो व्यवस्था से मतलब है, न क्रांति से। धार्मिक व्यक्ति को आत्मानुशासन से मतलब है। धार्मिक व्यक्ति चाहता है—बाहर के सहारे बहुत खोज लिए, कोई व्यवस्था न आ सकी दुनिया में—अब जागो! अपना सहारा खोजो! अपनी ज्योति जलाओ! बाहर के दीयों के सहारे बहुत चले और भटके—सिर्फ भटके; खाई-खंडहरों में गिरे, लहूलुहान हुए। अब अपनी ज्योति जलाओ और अपने सहारे चलो! नहीं कोई बाहर तुम्हें व्यवस्था दे सकता है। अपनी व्यवस्था तुम स्वयं दो। तुम्हारा जीवन तुम्हारे भीतर के अनुशासन से भरे!

हरि ॐ तत्सत्!

✳ ✳ ✳

साधना नहीं—निष्ठा, श्रद्धा

अष्टावक्र उवाच।

देहाभिमानपाशेन चिरं बद्धोऽसि पुत्रक।
बोधोऽहं ज्ञानखंगेन तन्निष्कृत्य सुखी भव।।14।।

निःसंगो निष्क्रियोऽसि त्वं स्वप्रकाशो निरंजनः।
अयमेव हि ते बंधः समाधिमनुतिष्ठसि।।15।।

त्वया व्याप्तमिदं विश्वं त्वयि प्रोतं यथार्थतः।
शुद्धबुद्ध स्वरूपस्त्वं मागमः क्षुद्रचित्तताम्।।16।।

निरपेक्षो निर्विकारो निर्भरः शीतलाशयः।
अगाध बुद्धिरक्षुब्धो भव चिन्मात्रवासनः।।17।।

साकारमनृतं विद्धि निराकारं तु निश्चलम्।
एतत्तत्त्वोपदेशेन न पुनर्भवसंभवः।।18।।

यथैवादर्शमध्यस्थे रूपेऽन्तः परितस्तुसः।
यथैवास्मिन् शरीरेऽन्तः परितः परमेश्वरः।।19।।

एकं सर्वगतं व्योम बहिरंतर्यथा घटे।
नित्यं निरंतरं ब्रह्म सर्व भूतगणे तथा।।20।।

पहला सूत्र : अष्टावक्र ने कहा, 'हे पुत्र! तू बहुत काल से देहाभिमान के पाश
में बंधा हुआ है। उस पाश को मैं बोध हूं, इस ज्ञान की तलवार से काट कर तू
सुखी हो!'

अष्टावक्र की दृष्टि में—और वही शुद्धतम दृष्टि है, आत्यंतिक दृष्टि
है—बंधन केवल मान्यता का है। बंधन वास्तविक नहीं है।

रामकृष्ण के जीवन में ऐसा उल्लेख है कि जीवन भर तो उन्होंने मां काली की पूजा-अर्चना की, लेकिन अंततः अंततः उन्हें लगने लगा कि यह तो द्वैत ही है; अभी एक का अनुभव नहीं हुआ। प्रीतिकर है, सुखद है; लेकिन अभी दो तो दो ही बने हैं। कोई स्त्री को प्रेम करता, कोई धन को प्रेम करता, कोई पद को, उन्होंने मां काली को प्रेम किया—लेकिन प्रेम अभी भी दो में बंटा है; अभी परम अद्वैत नहीं घटा। पीड़ा होने लगी। तो वे प्रतीक्षा करने लगे कि कोई अद्वैतवादी, कोई वेदांती, कोई ऐसा व्यक्ति आ जाए जिससे राह मिल सके।

एक परमहंस, 'तोतापुरी' गुजरते थे, रामकृष्ण ने उन्हें रोक लिया और कहा, मुझे एक के दर्शन करा दें। तोतापुरी ने कहा, यह कौन सी कठिन बात है? दो मानते हो, इसलिए दो हैं। मान्यता छोड़ दो!

पर रामकृष्ण ने कहा, मान्यता छोड़नी बड़ी कठिन है। जन्म भर उसे साधा। आंख बंद करता हूं, काली की प्रतिमा खड़ी हो जाती है। रस में डूब जाता हूं। भूल ही जाता हूं कि एक होना है। आंख बंद करते ही दो हो जाता हूं। ध्यान करने की चेष्टा करता हूं, द्वैत हो जाता है। मुझे उबारो!

तो तोतापुरी ने कहा, ऐसा करो जब काली की प्रतिमा बने तो उठाना एक तलवार और दो टुकड़े कर देना। रामकृष्ण ने कहा, तलवार वहां कहां से लाऊंगा?

तो जो तोतापुरी ने कहा, वही अष्टावक्र का वचन है। तोतापुरी ने कहा, यह काली की प्रतिमा कहां से ले आए हो? वहीं से तलवार भी ले आना। यह भी कल्पना है। इसे भी कल्पना से सजाया-संवारा है। जीवन भर साधा है। जीवन भर पुनरुक्त किया है, तो प्रगाढ़ हो गई है। यह कल्पना ही है। सभी को आंख बंद करके काली तो नहीं आती।

ईसाई आंख बंद करता है, वर्षों की चेष्टा के बाद, तो क्राइस्ट आते हैं। कृष्ण का भक्त आंख बंद करता है तो कृष्ण आते हैं। बुद्ध का भक्त आंख बंद करता है तो बुद्ध आते हैं। महावीर का भक्त आंख बंद करता है तो महावीर आते हैं। जैन को तो क्राइस्ट नहीं आते। क्रिश्चियन को तो महावीर नहीं आते। जो तुम कल्पना साधते हो वही आ जाती है।

रामकृष्ण ने काली को साधा है तो कल्पना प्रगाढ़ हो गई है। बार-बार पुनरुक्ति से, निरंतर-निरंतर स्मरण से कल्पना इतनी यथार्थ हो गई है कि अब लगता है काली सामने खड़ी है। कोई वहां खड़ा नहीं। चैतन्य अकेला है। यहां कोई दूजा नहीं है, दूसरा नहीं है।

तुम आंख करो बंद—तोतापुरी ने कहा—उठाओ तलवार और तोड़ दो।

रामकृष्ण आंख बंद करते, लेकिन आंख बंद करते ही हिम्मत खो जातीः तलवार उठाएं, काली को तोड़ने को! भक्त भगवान को काटने को तलवार उठाए, यह बड़ी कठिन बात है!

संसार छोड़ना बड़ा सरल है। संसार में पकड़ने योग्य ही क्या है? लेकिन जब मन की किसी गहन कल्पना को खड़ा कर लिया हो, मन का कोई काव्य जब निर्मित हो गया हो, मन का स्वप्न जब साकार हो गया हो, तो छोड़ना बड़ा कठिन है। संसार तो दुख-स्वप्न जैसा है। भक्ति के स्वप्न, भाव के स्वप्न दुख-स्वप्न नहीं हैं, बड़े सुखद स्वप्न हैं। उन्हें छोड़ें कैसे, तोड़ें कैसे?

आंख से आंसू बहने लगते। गदगद हो जाते। शरीर कंपने लगता। मगर वह तलवार न उठती। तलवार की याद ही भूल जाती। आखिर तोतापुरी ने कहा, बहुत हो गया कई दिन बैठकर। ऐसे न चलेगा। या तो तुम करो या मैं जाता हूं। मेरा समय खराब मत करो। यह खेल बहुत हो गया।

तोतापुरी उस दिन एक कांच का टुकड़ा ले आया। और उसने कहा कि जब तुम मगन होने लगोगे, तब मैं तुम्हारे माथे को कांच के टुकड़े से काट दूंगा। जब मैं यहां तुम्हारा माथा काटूं तो भीतर एक दफा हिम्मत करके उठा लेना तलवार और कर देना दो टुकड़े। बस यह आखिरी है, फिर मैं न रुकूंगा।

तोतापुरी की धमकी जाने की, और फिर वैसा गुरु खोजना मुश्किल होता! तोतापुरी अष्टावक्र जैसा आदमी रहा होगा। जब रामकृष्ण आंख बंद किए, काली की प्रतिमा उभरी और वे मगन होने को ही थे, आंख से आंसू बहने को ही थे, उद्रेक हो रहा था, उमंग आ रही थी, रोमांच होने को ही था, कि तोतापुरी ने लिया माथे पर जहां आज्ञा-चक्र है, वहां लेकर ऊपर से नीचे तक कांच के टुकड़े से माथा काट दिया। खून की धार बह गई। हिम्मत उस वक्त भीतर रामकृष्ण ने भी जुटा ली। उठा ली तलवार, दो टुकड़े कर दिए काली के। काली वहां गिरी कि अद्वैत हो गया, कि लहर खो गई सागर में, कि सरिता उतर गई सागर में। फिर तो कहते हैं, छह दिन उस परम शून्य में डूबे रहे। न भूख रही न प्यास; न बाहर की सुध रही न बुध, सब भूल गए। और जब छह दिन के बाद आंख खोली तो जो पहला वचन कहा वह यही—आखिरी बाधा गिर गई! द लास्ट बैरियर हैज़ फालन।

यह पहला सूत्र कहता हैः हे पुत्र! तू बहुत काल से देहाभिमान के पाश में बंधा हुआ, उस पाश को ही अपना अस्तित्व मानने लगा है।

मैं देह हूं! मैं देह हूं!! मैं देह हूं!!!—ऐसा जन्मों-जन्मों तक दोहराया है; दोहराने के कारण हम देह हो गए हैं। देह हम हैं नहीं; यह हमारा अभ्यास है। यह

हमारा अभ्यास है, यह हमारा आत्म-सम्मोहन है। हमने इतनी प्रगाढ़ता से माना है कि हम हो गए हैं।

रामकृष्ण के जीवन में एक और उल्लेख है। उन्होंने सभी धर्मों की साधनाएं की हैं। वे अकेले व्यक्ति थे मनुष्य-जाति के इतिहास में जिन्होंने सभी धर्मों के मार्ग से सत्य तक जाने की चेष्टा की। साधारणतः व्यक्ति पहुंच जाता है एक मार्ग से; फिर कौन फिकर करता है दूसरे मार्गों की! तुम पहाड़ की चोटी पर पहुंच गए; फिर दूसरी पगडंडियां भी लाती हैं या नहीं लाती हैं, कौन फिकर करता है—पहुंच ही गए। जो पगडंडी ले आई, ले आई; बाकी लाती हों न लाती हों, प्रयोजन किसे है! लेकिन रामकृष्ण बार-बार पहाड़ की चोटी पर पहुंचे, फिर-फिर नीचे उतर आए। फिर दूसरे मार्ग से चढ़े। फिर तीसरे मार्ग से चढ़े। वे पहले व्यक्ति हैं, जिन्होंने सभी धर्मों की साधना की और सभी धर्मों से उसी शिखर को पा लिया।

समन्वय की बात बहुतों ने की थी—रामकृष्ण ने पहली दफा समन्वय का विज्ञान निर्मित किया। बहुत लोगों ने कहा था, सभी धर्म सच हैं; लेकिन वह बात की बात थी—रामकृष्ण ने उसे तथ्य बनाया; उसे अनुभव का बल दिया; अपने जीवन से प्रमाणित किया। जब वे इस्लाम की साधना करते थे तो वे ठीक मुसलमान फकीर हो गए। वे भूल गए राम-कृष्ण, 'अल्लाहू-अल्लाहू' की आवाज लगाने लगे; कुरान की आयतें सुनने लगे। एक मस्जिद के द्वार पर ही पड़े रहते थे। मंदिर के पास से निकल जाते, आंख भी न उठाते, नमस्कार तो दूर रही। भूल गए काली को।

बंगाल में एक संप्रदाय हैः सखी-संप्रदाय। जब रामकृष्ण सखी-संप्रदाय की साधना करते...सखी-संप्रदाय की मान्यता है कि परमेश्वर ही पुरुष है, बाकी सब स्त्रियां; परमेश्वर कृष्ण है, बाकी सब उसकी सखियां हैं। तो सखी-संप्रदाय का पुरुष भी अपने को स्त्री ही मान कर चलता है। लेकिन जो घटना रामकृष्ण के जीवन में घटी वह किसी सखी-संप्रदाय की मान्यता वाले व्यक्ति को कभी नहीं घटी थी। पुरुष मान ले अपने को ऊपर-ऊपर से स्त्री हूं, भीतर तो पुरुष ही बना रहता है, जानता तो है कि मैं पुरुष ही हूं। तो सखी-संप्रदाय के लोग कृष्ण की मूर्ति को लेकर रात बिस्तर पर सो जाते। वही पति हैं। लेकिन इससे क्या फर्क पड़ता है?

लेकिन जब रामकृष्ण ने साधना की तो अभूतपूर्व घटना घटी। बड़े-बड़े वैज्ञानिकों को भी चकित कर दे, ऐसी घटना घटी। छह महीने तक उन्होंने सखी-संप्रदाय की साधना की। तीन महीने के बाद उनके स्तन उभर आए; उनकी आवाज बदल गई; वे स्त्रियों जैसे चलने लगे, स्त्रियों जैसी उनकी मधुर वाणी हो गई। स्तन उभर आए, स्त्रियों जैसे स्तन हो गए! शरीर का पुरुष-ढांचा बदलने लगा।

मगर इतना भी संभव है, क्योंकि स्तन होते तो पुरुष को भी हैं; अविकसित होते हैं। स्त्री के विकसित होते हैं। तो हो सकता है, अविकसित स्तन विकसित हो गए हों। बीज तो है ही। यहां तक कोई बहुत बड़ी घटना नहीं घटी। बहुत पुरुषों के स्तन बढ़ जाते हैं। यह कोई बहुत आश्चर्यजनक बात नहीं। लेकिन छह महीने पूरे होते-होते उनको मासिक-धर्म शुरू हो गया। तब चमत्कार की बात थी! मासिक-धर्म का शुरू हो जाना तो शरीर के पूरे शास्त्र के प्रतिकूल है। ऐसा तो कभी किसी पुरुष को न हुआ था।

यह छह महीने में क्या हुआ? एक मान्यता कि मैं स्त्री हूं—यह मान्यता इतनी प्रगाढ़ता से की गई, यह भाव इतने गहरे तक गुंजाया गया, यह रोएं-रोएं में, कण-कण में शरीर के गूंजने लगा कि मैं स्त्री हूं! इसका विपरीत भाव न रहा। पुरुष की बात ही भूल गई। तो घटना घट गई।

अष्टावक्र कह रहे हैं: हम देह नहीं हैं; हमने माना तो हम देह हो गए हैं। हमने जो मान लिया, हम वही हो गए हैं। संसार हमारी मान्यता है। और मान्यता छोड़ दी तो हम तत्क्षण रूपांतरित हो सकते हैं। छोड़ने के लिए किसी यथार्थ को बदलना नहीं है; सिर्फ एक धारणा को छोड़ देना है। हम वस्तुतः अगर शरीर होते तो बदलाहट बड़ी मुश्किल थी। हम वस्तुतः शरीर नहीं हैं। हम वस्तुतः तो शरीर के भीतर छिपा जो चैतन्य है, वही हैं—वह जो साक्षी, द्रष्टा है।

देहाभिमानपाशेन चिरं बद्धोऽसि पुत्रक।

बोधोऽहं ज्ञानखंगेन तन्निष्कृत्य सुखी भव।।

उठा बोध की तलवार! 'मैं बोध-रूप हूं'—उठा ऐसे भाव की तलवार और काट डाल इस धारणा को कि मैं देह हूं! फिर तू सुखी है।

सारे दुख देह के हैं। जन्म है, बीमारी है, बुढ़ापा है, मृत्यु है—सभी देह के हैं। देह के साथ तादात्म्य है तो देह की सारी पीड़ाओं के साथ भी तादात्म्य है। जब देह जराजीर्ण होती है तो हम सोचते हैं, मैं जराजीर्ण हो गया। जब देह बीमार होती है तो हम सोचते हैं, मैं बीमार हो गया। जब देह मरण के निकट पहुंचती है तो हम घबड़ाते हैं कि मैं मरा। मान्यता—सिर्फ मान्यता!

मैंने सुना है, मुल्ला नसरुद्दीन एक रात सोया अपनी पत्नी के साथ। तब तक उसे कोई बेटा-बेटी न हुए थे। और पत्नी को बड़ी आतुरता थी कि कोई बच्चा हो जाए। सोने ही जा रहे थे कि पत्नी ने कहा कि सुनो तो, अगर हमारे घर बेटा हो जाए तो सुलाएंगे कहां? क्योंकि एक ही बिस्तर है।

तो मुल्ला थोड़ा किनारे सरक गया। उसने कहा कि हम बीच में सुला लेंगे। और पत्नी ने कहा कि अगर दूसरा और हो जाए? तो मुल्ला थोड़ा और सरक गया,

उसने कहा उसको भी यहीं सुला लेंगे। कंजूस आदमी! पत्नी ने कहा, अगर तीसरा हो जाए? तो मुल्ला और सरका और कहने ही जा रहा था कि यहां सुला लेंगे कि धड़ाम से नीचे गिरा। उसकी टांग टूट गई। पड़ोस के लोग इकट्ठे हो गए शोरगुल सुन कर। वह चिल्लाया, रोने लगा। पड़ोस के लोगों ने पूछा, क्या हुआ? उसने कहा, जो बेटा अभी हुआ ही नहीं उसने टांग तोड़ दी। और जब मिथ्या बेटा इतना नुकसान कर सकता है तो सच्चे बेटे का क्या कहना! क्षमा मांगता हूं, बेटा-बेटा चाहिए ही नहीं। इतना अनुभव बहुत है।

कभी-कभी, कभी-कभी क्या, अक्सर हम ऐसे ही जीते हैं—मान लेते हैं, फिर मान कर चलने लगते हैं। मान कर चलने लगते हैं तो जीवन में वास्तविक परिणाम होने लगते हैं, मान्यता चाहे झूठी हो। बेटे वहां थे नहीं, लेकिन टांग असली टूट गई। झूठ का भी परिणाम सच हो सकता है। अगर झूठ भी प्रगाढ़ता से मान लिया जाए तो उसके परिणाम यथार्थ में घटित होने लगते हैं।

मनस्विद कहते हैं कि इस जगत में जितनी भिन्नताएं दिखाई पड़ती हैं, ये भिन्नताएं यथार्थ की कम हैं, मान्यता की ज्यादा हैं।

एक मनोवैज्ञानिक हारवर्ड विश्वविद्यालय में प्रयोग कर रहा था। वह एक बड़ी बोतल ठीक से बंद की हुई, सब तरह से पैक की हुई लेकर कमरे में आया, अपनी क्लास में। कोई पचास विद्यार्थी हैं। उसने वह बोतल टेबल पर रखी और उसने विद्यार्थियों को कहा कि इस बोतल में अमोनिया गैस है। मैं एक प्रयोग करना चाहता हूं कि अमोनिया गैस का जैसे ही मैं ढक्कन खोलूंगा तो उस गैस की सुगंध कितना समय लेती है पहुंचने में लोगों तक। तो जिसके पास पहुंचने लगे सुगंध वह हाथ ऊपर ऊठा दे। जैसे ही सुगंध का उसे पता चले, हाथ ऊपर उठा दे। तो मैं जानना चाहता हूं कि कितने सेकेंड लगते हैं कमरे की आखिरी पंक्ति तक पहुंचने में।

विद्यार्थी सजग होकर बैठ गए। उसने बोतल खोली। बोतल खोलते ही उसने जल्दी से अपनी नाक पर रुमाल रख लिया। अमोनिया गैस! पीछे हट कर खड़ा हो गया। दो सेकेंड नहीं बीते होंगे कि पहली पंक्ति में एक आदमी ने हाथ उठाया, फिर दूसरे ने, फिर तीसरे ने; फिर दूसरी पंक्ति में हाथ उठे, फिर तीसरी पंक्ति में। पंद्रह सेकेंड में पूरी क्लास में अमोनिया गैस पहुंच गई। और अमोनिया गैस उस बोतल में थी ही नहीं; वह खाली बोतल थी।

धारणा—तो परिणाम हो जाता है। मान लिया तो हो गया! जब उसने कहा, अमोनिया गैस इसमें है ही नहीं, तब भी विद्यार्थियों ने कहा कि हो या न हो, हमें

गंध आई। गंध मान्यता की आई। गंध जैसे भीतर से ही आई, बाहर तो कुछ था ही नहीं। सोचा तो आई।

मैंने सुना है, एक अस्पताल में एक आदमी बीमार है। एक नर्स उसके लिए रस लेकर आई—संतरे का रस। उस रस लाने वाली नर्स के पहले ही दूसरी नर्स उसे एक बोतल दे गई थी कि इसमें अपनी पेशाब भर कर रख दो—परीक्षण के लिए। वह थोड़ा मजाकिया आदमी था। उसने उस बोतल में संतरे का रस डाल कर रख दिया। जब वह नर्स लेने आई बोतल तो वह जरा चौंकी, क्योंकि यह रंग कुछ अजीब सा था। तो उस आदमी ने कहा, तुम्हें भी हैरानी होती है, रंग कुछ अजीब सा है। चलो मैं इसे एक दफा और शरीर में से गुजार देता हूं, रंग ठीक हो जाएगा—वह उठा कर बोतल और पी गया। कहते हैं, वह नर्स बेहोश होकर गिर पड़ी। क्योंकि उसने तो यही सोचा कि यह आदमी पेशाब पीए जा रहा है! फिर से कहता है कि एक दफा और निकाल देते हैं शरीर से तो रंग सुधर जाएगा, ढंग का हो जाएगा। यह आदमी कैसा है! लेकिन वहां केवल संतरे का रस था। अगर पता हो कि संतरे का ही रस है तो कोई बेहोश न हो जाएगा; लेकिन यह बेहोशी वास्तविक है। यह मान्यता की है।

तुम जीवन में चारों तरफ ऐसी हजारों घटनाएं खोज ले सकते हो, जब मान्यता काम कर जाती है, मान्यता वास्तविक हो जाती है।

मैं शरीर हूं, यह जन्मों-जन्मों से मानी हुई बात है; मान ली तो हम शरीर हो गए। मान ली तो हम क्षुद्र हो गए। मान ली तो हम सीमित हो गए।

अष्टावक्र का मौलिक आधार यही है कि यह आत्म-सम्मोहन है, आटो-हिप्नोसिस है। तुम शरीर हो नहीं गए हो, तुम शरीर हो नहीं सकते हो। इसका कोई उपाय ही नहीं है। जो तुम नहीं हो, वह कैसे हो सकते हो? जो तुम हो, तुम अभी भी वही हो। सिर्फ झूठी मान्यता को काट डालना है।

'उस पाश को, मैं बोध हूं, इस ज्ञान की तलवार से काट कर तू अभी सुखी हो जा।'

ज्ञानखंगेन तत् निष्कृत्य त्वं सुखी भव!

अभी सुख को जगा ले, क्योंकि सारे दुख हमारे उस मान्यता के पिछलग्गू हैं कि हम देह हैं।

बुद्ध भी मरते हैं, लेकिन मृत्यु की कोई पीड़ा नहीं है। रामकृष्ण भी मरते हैं, लेकिन मृत्यु की कोई पीड़ा नहीं है। रमण भी मरते हैं, लेकिन मृत्यु की कोई पीड़ा नहीं है।

रमण जब मरे तो उन्हें कैंसर था। चिकित्सक बहुत चकित थे। बड़ी कठिन बीमारी थी। बड़ी पीड़ादायी बीमारी थी। लेकिन रमण वैसे ही थे जैसे थे; जैसे बीमारी ने कोई भेद ही नहीं लाया; कहीं कोई अंतर ही नहीं पड़ा। चिकित्सक परेशान थे कि यह असंभव है। यह हो कैसे सकता है! मौत द्वार पर खड़ी है और आदमी अविचलित है। चिकित्सकों की बेचैनी हम समझ सकते हैं। इतनी पीड़ा हो रही है और आदमी अविचलित है, निस्तरंग है! उनकी बेचैनी, उनका तर्क हम समझ सकते हैं; क्योंकि शरीर ही हमारे लिए सब कुछ मालूम होता है। जिसको पता चल गया कि मैं शरीर नहीं हूं...मौत आ रही है लेकिन शरीर को आ रही है। और पीड़ा हो रही है, वह भी शरीर में हो रही है। एक नये चैतन्य का आविर्भाव हुआ है जो दूर खड़े होकर देख रहा है। और दूरी शरीर की और चेतना की इतनी है जैसे जमीन और आसमान की दूरी। इससे बड़ी कोई दूरी नहीं है। तुम्हारे भीतर दुनिया में अस्तित्व की सबसे दूर की चीजें मिल रही हैं। तुम क्षितिज हो, जहां जमीन और आसमान मिल रहे हैं।

जायते, अस्ति, वर्द्धते, विपरिणमते, अपक्षीयते, विनश्यति।

'जो उत्पन्न होता है, स्थित है, बढ़ता है, बदलता है, क्षीण होता है और नाश हो जाता है, वह तू नहीं है।'

जो इन सबको देखता है...बचपन देखा तुमने; फिर बचपन को जाते भी देखा! अगर तुम बचपन ही होते तो आज याद भी कौन करता कि बचपन था? तुम बचपन के साथ ही चले गए होते। जवानी देखी। जवानी आते देखी, जाते देखी। अगर तुम जवानी ही होते तो आज कौन याद करता? तुम जवानी के साथ ही चले गए होते। तुमने जवानी आते देखी, जाते देखी—स्वभावतः तुम जवानी से भिन्न हो।

इतनी सीधी सी बात है, इतनी साफ-सुथरी बात है! तुमने पीड़ा देखी, दर्द उठते देखा, दर्द के बादल घिरते देखे अपने चारों तरफ—फिर पीड़ा को जाते भी देखा; दर्द को विसर्जित होते देखा। तुमने दुख देखा, सुख देखा। कांटा चुभा—पीड़ा देखी। कांटा निकला—निष्पीड़ा हुए, वह भी देखा। तुम देखने वाले हो। तुम पार खड़े हो। तुम अछूते हो। कोई भी घटना तुम्हें छू नहीं पाती। तुम जल में कमलवत हो।

'तू असंग है, क्रियाशून्य है, स्वयं-प्रकाश है और निर्दोष है। तेरा बंधन यही है कि तू समाधि का अनुष्ठान करता है।'

यह अदभुत क्रांतिकारी वचन है। ऐसा क्रांतिकारी वचन दुनिया के किसी शास्त्र में खोजना असंभव है। इसका पूरा अर्थ समझोगे तो गहन अहोभाव पैदा होगा।

पतंजलि ने कहा है, चित्त-वृत्ति का निरोध योग है। यह योग की मान्य धारणा है कि जब तक चित्त-वृत्तियों का निरोध न हो जाए तब तक व्यक्ति स्वयं को नहीं जान पाता। जब चित्त की सारी वृत्तियां शांत हो जाती हैं तो व्यक्ति अपने को जान पाता है।

अष्टावक्र पतंजलि के सूत्र के विरोध में कह रहे हैं।

अष्टावक्र कह रहे हैं, 'तू असंग है, क्रिया-शून्य है, स्वयं-प्रकाश है और निर्दोष है। तेरा बंधन यही है कि तू समाधि का अनुष्ठान करता है।'

समाधि का अनुष्ठान हो ही नहीं सकता। समाधि का आयोजन हो ही नहीं सकता, क्योंकि समाधि तेरा स्वभाव है। चित्त-वृत्ति तो जड़ स्थितियां हैं। चित्त-वृत्तियों का निरोध तो ऐसे ही है जैसे किसी आदमी के घर में अंधेरा भरा हो, वह अंधेरे से लड़ने लगे।

इसे थोड़ा समझना! ले आए तलवारें, भाले, लट्ठ और लड़ने लगे अंधेरे से; बुला लिया जवानों को, मजबूत आदमियों को, धक्के देने लगे अंधेरे को—क्या वह जीतेगा कभी? यद्यपि यह परिभाषा सही है कि अंधेरे का न हो जाना प्रकाश है। लेकिन इस परिभाषा में थोड़ा समझ लेना, अंधेरे का न हो जाना प्रकाश है यह सच है; चित्त-वृत्तियों का शून्य हो जाना योग है यह सच है; लेकिन बात को उलटी तरफ से मत पकड़ लेना। अंधेरे का न हो जाना प्रकाश है, इसलिए अंधेरे को न करने में मत लग जाना। वस्तुतः स्थिति दूसरी तरफ से है। प्रकाश का हो जाना अंधेरे का न हो जाना है। तुम प्रकाश जला लेना, अंधेरा अपने आप चला जाएगा। अंधेरा है ही नहीं। अंधेरा केवल अभाव है।

पतंजलि कहते हैं, चित्त-वृत्तियों को शांत करो तो तुम आत्मा को जान लोगे। अष्टावक्र कहते हैं, आत्मा को जान लो, चित्त-वृत्तियां शांत हो जाएंगी। आत्मा को जाने बिना तुम चित्त-वृत्तियों को शांत कर भी न सकोगे। आत्मा को न जानने के कारण ही तो चित्त-वृत्तियां उठ रही हैं। समझा अपने को कि मैं शरीर हूं तो शरीर की वासनाएं उठती हैं। समझा अपने को कि मैं मन हूं तो मन की वासनाएं उठती हैं। जिसके साथ तुम जुड़ जाते हो उसी की वासनाएं तुममें प्रतिछायित होती हैं, प्रतिबिंबित होती हैं। तुम जिसके पास बैठ जाते हो, उसी का रंग तुम पर चढ़ जाता है।

जैसे स्फटिक मणि को कोई रंगीन पत्थर के पास रख दे, तो रंगीन पत्थर का रंग मणि पर झलकने लगता है। लाल पत्थर के पास रख दो, मणि लाल मालूम होने लगती है। नीले पत्थर के पास रख दो, मणि नीली मालूम होने लगती है। यह सान्निध्य-दोष है। मणि नीली हो नहीं जाती, सिर्फ प्रतीत होती है।

अंधेरा केवल प्रतीत होता है, है नहीं। प्रकाश के न होने का नाम अंधेरा है। अंधेरे की अपनी कोई सत्ता नहीं, अपना कोई वास्तविक अस्तित्व नहीं। तो तुम अंधेरे से मत लड़ने लगना।

योग और अष्टावक्र की दृष्टि बड़ी विपरीत है। इसलिए मैंने कहा, अगर अष्टावक्र को समझना हो तो कृष्णमूर्ति को समझने की कोशिश करना। कृष्णमूर्ति अष्टावक्र का आधुनिक संस्करण हैं। ठीक आधुनिक भाषा में, आज की भाषा में कृष्णमूर्ति जो कह रहे हैं, वह शुद्ध अष्टावक्र का सार है। कृष्णमूर्ति के मानने वाले ऐसा सोचते हैं कि कृष्णमूर्ति कोई नई बात कह रहे हैं। नई बात कहने को है ही नहीं। जो भी कहा जा सकता है, कहा जा चुका है। जितने जीवन के पहलू हो सकते हैं, सब छाने जा चुके हैं। अनंत काल से आदमी खोज कर रहा है। इस सूरज के नीचे नया कहने को कुछ है ही नहीं। केवल भाषा बदलती है, आवरण बदलते हैं, वस्त्र बदलते हैं! समय के अनुसार नई धारणाओं का प्रयोग बदलता है। लेकिन जो कहा जा रहा है, वह ठीक वही है।

अष्टावक्र की भाषा अति प्राचीन है। कृष्णमूर्ति की भाषा अति नवीन है। लेकिन जो थोड़ा भी समझ सकता है, उसे दिखाई पड़ जाएगा कि बात तो वही है।

कृष्णमूर्ति कहते हैं, योग की कोई जरूरत नहीं, ध्यान की कोई जरूरत नहीं, जप-तप की कोई जरूरत नहीं। ये सब अनुष्ठान हैं। अनुष्ठान उसके लिए करना होता है, जो हमारा स्वभाव नहीं है, स्वभाव को पाने के लिए क्या अनुष्ठान करना है? सब अनुष्ठान छोड़ कर अपने में झांक लो, स्वभाव प्रकट हो जाएगा।

'तू असंग है, क्रिया-शून्य है, स्वयं-प्रकाश और निर्दोष है!'—यह घोषणा तो देखो!

अष्टावक्र कहते हैं, तू निर्दोष है, इसलिए तू भूल कर भी यह मत समझना कि मैं पापी हूं। लाख तुम्हारे साधु-संत कहे चले जाएं कि तुम पापी हो, पाप का प्रक्षालन करो, पश्चात्ताप करो, बुरे कर्म किए हैं उनको छुड़ाओ—अष्टावक्र का वचन ध्यान में रखना: तू क्रिया-शून्य है, इसलिए कर्म तो तू करेगा कैसे?

अष्टावक्र कहते हैं: जीवन में छह लहरें हैं, षट ऊर्मियां। भूख-प्यास, शोक-मोह, जन्म-मरण ये छह तरंगें हैं। भूख-प्यास शरीर की तरंगें हैं। अगर शरीर न हो तो न तो भूख होगी न प्यास होगी। ये शरीर की जरूरतें हैं। जब शरीर स्वस्थ होता है तो ज्यादा भूख लगती है, जब शरीर बीमार होता है तो ज्यादा भूख नहीं लगती। अगर शरीर को धूप में खड़ा करोगे, ज्यादा प्यास लगेगी क्योंकि पसीना उड़

जाएगा। गरमी में ज्यादा प्यास लगेगी, सर्दियों में कम प्यास लगेगी। ये शरीर की जरूरतें हैं, ये शरीर की तरंगें हैं। भूख-प्यास—शरीर की। शोक-मोह—मन की।

कोई छूट जाता है तो दुख होता, क्योंकि मन पकड़ लेता है, राग बना लेता है। कोई मिल जाता, प्रियजन, तो सुख होता। कोई प्रियजन छूट जाता तो दुख होता। कोई अप्रियजन मिल जाता है तो दुख होता है; अप्रियजन छूट जाता है तो सुख होता है। लेकिन ये मन के खेल हैं; आसक्ति और विरक्ति के खेल हैं; आकर्षण और विकर्षण के खेल हैं। जिस आदमी के भीतर मन न रहा, उसके भीतर फिर कोई शोक नहीं, कोई मोह नहीं। ये तरंगें मन की हैं।

और जन्म-मरण...जन्म-मरण तरंगें प्राण की हैं। जन्म होता श्वास के साथ; मृत्यु होती श्वास के विदा होने के साथ। इसलिए जैसे ही बच्चा पैदा होता है, डाक्टर फिकर करता है कि बच्चा जल्दी श्वास ले, रोए। रोने का अर्थ केवल इतना ही है कि रोएगा तो श्वास ले लेगा। रोने के झटके में श्वास का द्वार खुल जाएगा। रोने के झटके में बंद फेफड़ा काम करने लगेगा। अगर बच्चा नहीं रोता कुछ सेकेंड के भीतर तो डाक्टर उसे उलटा लटका कर उस पर चोट करता है, बच्चे के ऊपर, ताकि धक्के में श्वास चल पड़े। श्वास जन्म है। श्वास यानी प्राण की प्रक्रिया। जब आदमी मरता है तो श्वास समाप्त हो जाती है। प्राण की प्रक्रिया बंद हो गई। प्रतिपल यही हो रहा है। श्वास भीतर आती है तो जीवन भीतर आता है। श्वास बाहर जाती है तो जीवन बाहर जाता है।

प्रतिपल जन्म और मृत्यु घट रही है। हर आती श्वास जीवन है। हर जाती श्वास मौत है। तो मौत और जन्म तो प्रतिपल घट रहे हैं। ये प्राण की तरंगें हैं।

अष्टावक्र कहते हैं, ये षट ऊर्मियां हैं; तुम इन छहों के पार हो, इनके द्रष्टा हो।

इसलिए बुद्ध ने तो श्वास पर ही सारी की सारी अपनी साधना की व्यवस्था खड़ी की। बुद्ध ने कहा, एक ही काम पर्याप्त है कि तुम आती-जाती श्वास को देखते रहो। क्या होगा आती-जाती श्वास को देखने से? धीरे-धीरे अगर तुम जाती श्वास को देखो कि श्वास बाहर गई, आती श्वास को देखो श्वास भीतर आई, तो बीच में तुम थोड़े समय ऐसे भी पाओगे जब श्वास थिर हो जाती है; न तो बाहर जाती न भीतर आती। हर आती-जाती श्वास के बीच में क्षण भर को अंतराल है—जब श्वास न चलती, न हिलती, न डुलती। बाहर जाती, फिर क्षण भर को रुकती, फिर भीतर आती। भीतर आती, फिर क्षण भर को रुकती, फिर बाहर जाती। तो अंतराल तुम्हें दिखाई पड़ने लगेंगे। उन्हीं अंतराल में तुम पाओगे कि तुम हो; श्वास का आना-जाना तो प्राण का खेल है। और अगर तुम श्वास को देखने में

समर्थ हो गए तो वह जो देखने वाला है वह श्वास से पृथक हो गया। वह श्वास से अलग हो गया।

शरीर हमारी बाहर की परिधि है; मन उसके भीतर की परिधि है; प्राण उसके और भी भीतर की परिधि है। तो ऐसा भी हो सकता है, शरीर अपंग हो जाए, टूट-फूट जाए तो भी आदमी जीता है। मन खंडित हो जाए, विक्षिप्त हो जाए, जड़ हो जाए, तो भी आदमी जीता है। लेकिन बिना श्वास के आदमी नहीं जीता। मस्तिष्क भी निकाल लो आदमी का पूरा का पूरा, तो भी आदमी जीए चला जाता है। पड़ा रहेगा, मगर जीवन रहेगा। शरीर के अंग-अंग काट डालो, बस श्वास भर चलती रहे, तो आदमी जीता रहेगा। श्वास बंद हो जाए तो सब मौजूद हो तो भी आदमी मर गया। ये छह तरंगें हैं और इन छह के पार द्रष्टा है।

'तू असंग है।'

कोई तेरा संगी-साथी नहीं। शरीर भी तेरा संगी-साथी नहीं, श्वास भी तेरी संगी-साथी नहीं, मन के विचार भी तेरे संगी-साथी नहीं। तू असंग है। भीतर भी कोई साथी नहीं, बाहर की तो बात ही क्या! पति-पत्नी, परिवार, मित्र, प्रियजन कोई साथी नहीं। साथ होंगे, संगी कोई भी नहीं। साथ होना केवल बाह्य घटना है। भीतर से किसी से कोई जोड़ बनता नहीं।

'तू असंग, क्रिया-शून्य है।'

इसलिए कर्म के जाल की तो बात ही मत उठाओ। अगर अष्टावक्र से तुम यह पूछोगे कि आप कहते हो अभी-अभी हो सकती है मुक्ति, तो कर्मों का क्या होगा? जन्म-जन्म तक पाप किए, उनका क्या होगा? उनसे छुटकारा कैसे होगा? अष्टावक्र कहते हैं, तुमने कभी किए ही नहीं। भूख के कारण शरीर ने किया होगा कुछ। प्राण के कारण प्राण ने किया होगा कुछ। मन के कारण मन ने किया होगा कुछ। तुमने कभी कुछ नहीं किया। तुम सदा से असंग हो; अकर्म में हो। कर्म तुमसे कभी हुआ नहीं; तुम सारे कर्मों के द्रष्टा हो। इसलिए इसी क्षण मुक्ति हो सकती है।

खयाल करना, अगर कर्मों के सारे जाल को हमें तोड़ना पड़े तो शायद मुक्ति कभी भी न हो सकेगी। असंभव है। अनंत काल में हमने कितने कर्म किए, उनका कुछ लेखा-जोखा करो। अगर उन सब कर्मों से छूटना पड़े तो उन कर्मों से छूटने में अनंत काल लगेगा। और यह जो अनंत काल छूटने में लगेगा, इसमें भी तुम बैठे थोड़े ही रहोगे, कुछ तो करोगे। तो कर्म तो फिर होते चले जाएंगे। तो यह शृंखला तो अंतहीन हो जाएगी। इस शृंखला की तो कभी कोई समाप्ति आने वाली नहीं; इसमें से कोई निष्कर्ष आने वाला नहीं।

अष्टावक्र कहते हैं, अगर कर्मों से मुक्त होना पड़े, फिर मुक्ति होती हो, तो मुक्ति कभी होगी ही नहीं। लेकिन मुक्ति होती है। मुक्ति का होना इस बात का सबूत है कि आत्मा ने कर्म कभी किए ही नहीं। न तो तुम पापी हो न तुम पुण्यात्मा हो; न तुम साधु हो न तुम असाधु हो। न तो कहीं कोई नरक है और न कहीं कोई स्वर्ग है। तुमने कभी कुछ किया नहीं; तुमने सिर्फ सपने देखे हैं; तुमने सिर्फ सोचा है। तुम भीतर सोए रहे, शरीर करता रहा। जिन शरीरों ने कर्म किए थे, वे जा चुके। उनका फल तुम्हारे लिए कैसा। तुम तो भीतर सोए रहे, मन ने कर्म किए। जिस मन ने किए वह प्रतिपल जा रहा है।

मैंने सुना है, एक भूतपूर्व महाराजा ने देखा कि ड्राइंग-रूम गंदा है। तो नौकर झनकू को डांटा। कहा, बैठक में मकड़ी के जाले लगे हैं। तुम दिन भर क्या करते हो?

झनकू ने कहा, हुजूर! जाला कौनो मकड़ी लगाई होई। हम तो अपन कोठरिया में औंघात रहे!

तुम तो औंघाते रहे भीतर, जाला कौनो मकड़ी लगाई होई। शरीर ने जाले बुने, मन ने जाले बुने, प्राण ने जाले बुने—तुम तो सोए रहे। जागो! जागते ही तुम पाओगे तुमने तो कभी कुछ किया नहीं। तुम तो करना भी चाहो तो कुछ कर नहीं सकते। अकर्म तुम्हारा स्वभाव है। अकर्ता तुम्हारी स्वाभाविक दशा है।

'तू असंग, क्रिया-शून्य, स्वयं-प्रकाश और निर्दोष है।'

यह सुनी घोषणा? तू निर्दोष है! तो जो कुछ तुम्हें सिखाया हो पंडितों ने, पुरोहितों ने—फेंको! तुम निर्दोष हो। उनकी सिखावन ने बड़े खतरे किए हैं; तुम्हें पापी बना दिया। तुम्हें हजार तरह की बातें सिखा दीं कि तुम ऐसे बुरे हो। तुम में दीनता भर दी और अपराध का भाव भर दिया। तुम निर्दोष हो, निरपराधी हो।

'तेरा बंधन यही है कि तू समाधि का अनुष्ठान करता है।'

इस वचन की क्रांति तो देखो! तेरा बंधन यही है कि तू समाधि का अनुष्ठान करता है—कि तू आयोजन करता है कि समाधि कैसे फले, फूल कैसे लगें ध्यान के, मुक्ति कैसे हो? अनुष्ठान!

ते बंधः हि समाधिम् अनुतिष्ठसि!

यही तेरा बंधन है। उठा तलवार बोध की और काट दे!

तो यहां तुम्हें साफ हो जाएंगी दो बातें कि योग का एक मार्ग है और बोध का बिलकुल दूसरा मार्ग है। बोध के मार्ग का प्राचीन नाम है सांख्य। सांख्य का अर्थ होता है: बोध। योग का अर्थ होता है: साधन। सांख्य का अर्थ होता है: सिर्फ जागना है बस, कुछ करना नहीं है। योग का अर्थ होता है: बहुत कुछ करना है,

तब जागरण घटेगा। योग में साधन हैं; सांख्य में सिर्फ साध्य है। मार्ग नहीं है, केवल मंजिल है। क्योंकि मंजिल से तुम कभी गए ही नहीं कहीं और, तुम अपने भीतर के मंदिर में ही बैठे हो। आना नहीं है वापिस; इतना ही जानना है कि कभी गए ही नहीं।

निःसंगो निष्क्रियोऽसि त्वं स्वप्रकाशो निरंजनः।

अयमेव हि ते बंधः समाधिमनुतिष्ठसि।

बस इतना ही बंधन है कि तुम मोक्ष खोज रहे हो। मोक्ष की खोज से नये बंधन निर्मित होते हैं।

एक आदमी संसार में बंधा है, फिर घबड़ा जाता है तो मोक्ष खोजने लगता है—तो इधर से घर-द्वार छोड़ता है, परिवार छोड़ता है, धन-दुकान छोड़ता है, फिर नये बंधनों में बंध जाता है—साधु हो गया। अब ऐसे उठो, ऐसे बैठो, ऐसे खाओ, ऐसे पीयो—अब नये बंधन अपने चारों तरफ रच लेता है।

तुमने देखा, साधुओं की हालत कैदियों जैसी है! साधु मुक्त नहीं है। क्योंकि साधु सोच रहा है, मुक्ति के लिए पहले तो बंधन करने पड़ेंगे। यह भी खूब मजे की बात है! मुक्ति के लिए पहले बंधन मानने पड़ेंगे। मुक्त होने के लिए कोई बंधन नहीं चाहिए।

कृष्णमूर्ति की एक किताब हैः द फर्स्ट एंड द लास्ट फ्रीडम—पहली और अंतिम मुक्ति। वह अष्टावक्र का आधुनिकतम वक्तव्य है।

अगर मुक्त होना है तो पहले ही चरण पर मुक्त हो जाओ। यह मत सोचो कि अंत में मुक्त होएंगे। पहले चरण पर ही मुक्त होना है; दूसरे चरण पर नहीं। क्योंकि अगर पहले ही चरण पर सोचा कि तैयारी करेंगे मुक्त होने की, तो उसी तैयारी में नये बंधन निर्मित हो जाएंगे। फिर उन नये बंधनों से छूटने के लिए फिर तैयारी करनी पड़ेगी। उस तैयारी में फिर नये बंधन निर्मित हो जाएंगे। तो तुम एक से छूटोगे, दूसरे से बंधोगे। कुएं से बचोगे, खाई में गिरोगे।

तो तुम देखो, गृहस्थ बंधा है और संन्यस्त बंधे हैं! दोनों के बंधन अलग-अलग हैं। मगर फर्क कुछ नहीं है। ऐसा लगता है कि मौलिक मूर्च्छा जब तक नहीं टूटती, तुम जो भी करोगे बंधन होगा।

मैंने सुना है कि एक आदमी की स्त्री भाग गई, तो उसे खोजने निकला। खोजते-खोजते जंगल में पहुंच गया। वहां एक साधु एक वृक्ष के नीचे बैठा था। उसने पूछा कि मेरी स्त्री को तो जाते नहीं देखा? घर से भाग गई है। बड़ा बेचैन हूं।

तो उस साधु ने पूछा, तेरी स्त्री का नाम क्या है? उसने कहा, 'मेरी स्त्री का नाम, फजीती।' साधु ने कहा, 'फजीती! तुमने भी खूब नाम रखा। ऐसे तो सभी

स्त्रियां फजीती होती हैं, बाकी तूने नाम भी खूब चुन कर रखा। तेरा नाम क्या है?'
साधु उत्सुक हुआ कि यह तो नाम में बड़ा होशियार है। उसने कहा, 'मेरा नाम
बेवकूफ।' वह साधु हंसने लगा। उसने कहा, तू खोज-बीन छोड़। तू तो जहां बैठ
जाएगा, फजीतियां वहीं आ जाएंगी। कोई कहीं तुझे जाने की जरूरत नहीं। तेरा
बेवकूफ होना काफी है। फजीतियां तुझे खुद खोज लेंगी।

संसार को छोड़ कर आदमी भाग जाता है तो संसार छोड़ने से उसकी
मंदबुद्धिता तो नहीं मिटती, उसकी मूढ़ता तो नहीं मिटती। मूर्च्छा तो नहीं मिटती;
वह उस मूर्च्छा को लेकर मंदिर में बैठ जाता है, नये बंधन बना लेता है। वह मूर्च्छा
नये जाले बुन देती है। पहले संसार में बंधा था, अब वह संन्यास में बंध जाता है;
लेकिन बिना बंधे नहीं रह सकता।

मुक्ति है प्रथम चरण पर। उसके लिए कोई आयोजन नहीं। आयोजन का
मतलब हुआ कि अब आयोजन में बंधे। इंतजाम किया तो इंतजाम में बंधे। फिर
इससे छूटना पड़ेगा। तो यह कहां तक चलेगा? यह तो अंतहीन हो जाएगा।

सुना है मैंने, एक आदमी डरता था मरघट से निकलने से। और मरघट के
पार उसका घर था। तो रोज निकलना पड़ता है। इतना डरता था कि रात घर से नहीं
निकलता था, सांझ घर लौट आता था तो कंपता हुआ आता था। आखिर एक साधु
को दया आ गई। उसने कहा कि तू यह फिकर छोड़। यह ताबीज ले। यह ताबीज
सदा बांध कर रख, फिर कोई भूत-प्रेत तेरे ऊपर कोई परिणाम न ला सकेगा।

परिणाम हुआ। ताबीज बांधते से ही भूत-प्रेत का डर मिट गया। लेकिन अब
एक नया डर पकड़ा कि ताबीज कहीं खो न जाए। स्वाभाविक, जिस ताबीज ने
भूत-प्रेतों से बचा दिया, अब वह आधी रात को भी निकल जाता मरघट से, कोई
डर नहीं। भूत-प्रेत तो कभी भी वहां नहीं थे। अपना ही डर था। ताबीज ने डर से
तो छुड़वा दिया, लेकिन नया डर पकड़ गया कि यह ताबीज कहीं खो न जाए। तो
वह स्नान-गृह में भी जाता तो ताबीज लेकर ही जाता; बार-बार ताबीज को टटोल
कर देख लेता। अब वह इतना भयभीत रहने लगा कि रात सोए तो डरे कि कोई
ताबीज न खोल ले, कोई ताबीज चुरा न ले जाए; क्योंकि ताबीज उसकी जिंदगी हो
गई। डर अपनी जगह कायम रहा—भूत का न रहा तो ताबीज का हो गया। अब
अगर कोई इसको ताबीज की जगह कुछ और दे दे तो क्या फर्क पड़ने वाला है।
इस आदमी की भयभीत दशा तो नहीं बदलती। भूत का थोड़ी प्रश्न है, भय का
प्रश्न है।

तो तुम भय को एक जगह से दूसरी जगह हटा सकते हो। बहुत से लोग
इसी तरह का वालीबाल का खेल खेलते रहते हैं; गेंद इधर से उधर फेंकी, उधर

से इधर आई, बस फेंकते रहते हैं, खेलते रहते हैं। और इस बीच जिंदगी गुजरती चली जाती है।

अष्टावक्र कहते हैं, समाधि का अनुष्ठान ही बंधन का कारण है। अगर तुझे मुक्त होना है तो मुक्त होने की घोषणा कर, आयोजन नहीं।

इसलिए मैं कहता हूं, इस वचन की क्रांति को देखो! यह वचन अनूठा है! यह बेजोड़ है!

अष्टावक्र कहते हैं, अभी और यहीं घोषणा करो मुक्त होने की! तैयारी मत करो। यह मत कहो कि पहले तैयार होंगे, फिर। क्योंकि फिर तैयारी बांध लेगी। फिर तैयारी को कैसे छोड़ोगे?

एक रोग से छूटते हैं, दूसरा रोग पकड़ जाता है। यह तो कंधे बदलना हुआ।

तुमने देखा, लोग मरघट ले जाते हैं लाश को, तो कंधे बदल लेते हैं; एक कंधे पर रखे-रखे थक गए तो दूसरे कंधे पर रख ली। थोड़ी देर राहत मिलती है। फिर दूसरा कंधा दुखने लगता है तो फिर बदल लेते हैं। ऐसे तो तुम जन्मों-जन्मों से कर रहे हो। बस यह सिर्फ राहत मिलती है। इससे परम विश्राम नहीं मिलता।

छोड़ो मुर्दों को ढोना। घोषणा करो! अगर तुम चाहो तो एक क्षण में, क्षण के एक अंश में घोषणा हो सकती है।

मुझसे लोग पूछते हैं कि आप हर किसी को संन्यास दे देते हैं। मैं कहता हूं कि हर कोई हकदार है; सिर्फ घोषणा करने की बात है। कुछ और करना थोड़े ही है; सिर्फ घोषणा करनी है। इस घोषणा को अपने हृदय में विराजमान करना है कि मैं संन्यस्त हूं, तो तुम संन्यस्त हो गए; कि मैं मुक्त हूं, तो तुम मुक्त हो गए। तुम्हारी घोषणा तुम्हारा जीवन है।

घोषणा करने की हिम्मत करो। क्या छोटी-मोटी घोषणाएं करनी? घोषणा करो : अहं ब्रह्मास्मि! मैं ब्रह्म हूं!—तुम ब्रह्म हो गए।

आगे के सूत्र में अष्टावक्र कहते हैं, 'यह संसार तुझसे व्याप्त है, तुझी में पिरोया है। तू यथार्थतः शुद्ध चैतन्य स्वरूप है, अतः क्षुद्र चित्त को मत प्राप्त हो।'

क्या छोटी-छोटी बातों से जुड़ता है? कभी जोड़ लेता—यह मकान मेरा, यह देह मेरी, यह धन मेरा, यह दुकान मेरी! क्या क्षुद्र बातों से मन को जोड़ रहा है?

त्वया व्याप्तमिदं विश्वं त्वयि प्रोतं यथार्थतः।

तुझसे ही सारा सत्य ओत-प्रोत है! तुझसे ही सारा ब्रह्म व्याप्त है!

शुद्धबुद्ध स्वरूपस्त्वं मागमः क्षुद्रचित्तताम्।।

क्यों छोटी-छोटी बातों की घोषणा करता है? बड़ी घोषणा कर! एक घोषणा कर : 'शुद्ध चैतन्य स्वरूप हूं! शुद्ध-बुद्ध स्वरूप हूं!' क्षुद्र चित्त को मत प्राप्त हो!

हमने बड़ी छोटी-छोटी घोषणाएं की हैं। जो हम घोषणा करते हैं वही हम हो जाते हैं।

इस दृष्टि से भारत का अनुदान जगत को बड़ा अनूठा है। क्योंकि भारत ने जगत में सबसे बड़ी घोषणाएं की हैं। मंसूर ने मुसलमानों की दुनिया में घोषणा की, 'अनलहक! मैं सत्य हूं,' उन्होंने मार डाला। उन्होंने कहा यह आदमी जरूरत से बड़ी घोषणा कर रहा है। 'मैं सत्य हूं!'—यह तो केवल परमात्मा कह सकता है, आदमी कैसे कहेगा!

लेकिन हमने अष्टावक्र को मार नहीं डाला, न हमने उपनिषद के ऋषियों को मार डाला, जिन्होंने कहा, अहं ब्रह्मास्मि! क्योंकि हमने एक बात समझी कि आदमी जैसी घोषणा करता है वैसा ही हो जाता है। तो फिर छोटी क्या घोषणा करनी! जब तुम्हारी घोषणा पर ही तुम्हारे जीवन का विस्तार निर्भर है तो परम विस्तार की घोषणा करो, विराट की घोषणा करो, विभु की, प्रभु की घोषणा करो। इससे छोटी पर क्यों राजी होना? इतनी कंजूसी क्या? घोषणा में ही कंजूसी कर जाते हो। फिर कंजूसी कर जाते हो तो वैसे ही हो जाते हो।

क्षुद्र मानोगे तो क्षुद्र हो जाओगे; विराट मानोगे तो विराट हो जाओगे। तुम्हारी मान्यता तुम्हारा जीवन है। तुम्हारी मान्यता तुम्हारे जीवन की शैली है।

'तू निरपेक्ष (अपेक्षा-रहित) है, निर्विकार है, स्वनिर्भर (चिदघन-रूप) है, शांति और मुक्ति का स्थान है, अगाध बुद्धिरूप है, क्षोभ-शून्य है। अतः चैतन्यमात्र में निष्ठावाला हो।'

एक निष्ठा पर्याप्त है। साधना नहीं—निष्ठा। साधना नहीं—श्रद्धा। इतनी निष्ठा पर्याप्त है कि मैं चैतन्यमात्र हूं। इस जगत में यह सबसे बड़ा जादू है।

मनस्विद कहते हैं कि अगर किसी व्यक्ति को बार-बार कहो कि तुम बुद्धिहीन हो, वह बुद्धिहीन हो जाता है। जितने लोग दुनिया में बुद्धिहीन दिखाई पड़ते हैं, ये सब बुद्धिहीन नहीं हैं। ये हैं तो परमात्मा। इनको बुद्धिहीन जतला दिया गया है, बतला दिया गया है। इतने लोगों ने इनको दोहरा दिया है और इन्होंने भी इतनी बार दोहरा लिया है कि बुद्धू हो गए हैं! जो बुद्ध हो सकते थे, वे बुद्धू होकर रह गए हैं।

मनस्विद कहते हैं, किसी आदमी को तुम राह पर मिलो—वह भला-चंगा है—तुम देखते ही उससे कहो, 'अरे तुम्हें क्या हो गया? चेहरा पीला है! बुखार है! देखें हाथ! बीमार हो! तुम्हारे पैर कंपते से मालूम पड़ते हैं।'

पहले तो वह इनकार करेगा—क्योंकि सोचा भी नहीं था क्षण भर पहले तक—वह कहेगा, 'नहीं-नहीं! मैं बिलकुल ठीक हूं। आप कैसी बातें कर रहे हैं?'

'ठीक है, आपकी मर्जी!'

फिर थोड़ी देर बाद दूसरा आदमी उसको मिले और कहे, 'अरे! चेहरा पीला पड़ गया है, क्या मामला है?' अब वह इतनी हिम्मत से न कह सकेगा कि मैं बिलकुल ठीक हूं। वह कहेगा, हां कुछ तबीयत खराब है। वह राजी होने लगा। हिम्मत उसकी खिसकने लगी।

फिर तीसरा आदमी मिले और कहे कि अरे...! अब तो वह घर ही लौट जाएगा कि तबीयत मेरी ज्यादा खराब है। अब बाजार जाने से कुछ सार नहीं।

तुमने कहानी सुनी कि एक ब्राह्मण एक बकरी को खरीद कर लाता था। तीन-चार लफंगों ने उसे देखा और उन्होंने सोचा कि इसकी बकरी तो छीनी जा सकती है। लेकिन ब्राह्मण मजबूत था और छीनना आसान मामला न था। तो उन्होंने सोचा कि थोड़ी कूटनीति करो।

एक उसे मिला राह के किनारे और कहा कि गजब, यह कुत्ता कितने में खरीद लाए! उस आदमी ने, ब्राह्मण ने कहा, 'कुत्ता! तू अंधा तो नहीं है? पागल कहीं के! बकरी है! बाजार से खरीद कर ला रहा हूं। पचास रुपये खर्च किए हैं।'

उसने कहा, 'तुम्हारी मर्जी, लेकिन तुम जानो। ब्राह्मण होकर कुत्ते को कंधे पर लिए हो! भई, मुझको तो कुत्ता दिखाई पड़ता है। हो सकता है मेरी गलती हो।'

ब्राह्मण चला सोचता हुआ कि यह आदमी भी कैसा है! मगर उसने एक बार टटोल कर बकरी के पैर देखे। उसने कहा, बकरी ही है। दूसरे किनारे पर राह के दूसरा उन्हीं का सगा साथी खड़ा था। उसने कहा कि कुत्ता तो गजब का खरीदा! अब ब्राह्मण इतनी हिम्मत से न कह सका कि कुत्ता नहीं है; हो न हो कुत्ता ही हो! दो आदमी गलत नहीं हो सकते। फिर भी उसने कहा कि नहीं-नहीं, कुत्ता नहीं है। लेकिन अब कमजोर था। कह तो रहा था, लेकिन भीतर की नींव हिल गई थी। उसने कहा कि नहीं-नहीं, बकरी है। उसने कहा कि बकरी है? इसको बकरी कहते हैं? तो फिर परिभाषा बदलनी पड़ेगी ब्राह्मण देवता! अगर इसको बकरी कहते हैं तो फिर कुत्ता किसको कहेंगे? वैसे आपकी मर्जी। आप पंडित आदमी हैं, हो सकता है बदल दें। नाम की तो बात है। चाहे कुत्ता कहो, चाहे बकरी कहो—रहेगा तो कुत्ता ही। कहने से कुछ नहीं होता।

वह आदमी तो चला गया, ब्राह्मण ने बकरी उतार कर नीचे रख कर देखी, बिलकुल बकरी है! बिलकुल बकरी जैसी बकरी है। आंखें मींड़ीं। रास्ते के किनारे लगे नल से पानी से आंखें धोईं। क्योंकि अपना पड़ोस करीब आता जाता और लोग देख लें कि ब्राह्मण कुत्ता सिर पर लिए है तो पूजा और पांडित्य को धक्का लगेगा! पूजा करवाते हैं, लोग न करवाएंगे; लोग पागल समझेंगे। मगर फिर देख-दाख कर उसने सब तरह से कि बकरी है; लेकिन इन दो आदमियों को क्या हुआ।

फिर रख कर चला, लेकिन अब जरा डरता हुआ चला कि फिर कोई और न देख ले। वह तीसरा उनका साथी खड़ा था। उसने कहा कि कुत्ता तो गजब का है। कहां से लाए? हम भी बड़े दिन से कुत्ता चाहते हैं।

उसने कहा, बाबा तू ही ले ले! अगर कुत्ता चाहते हो तुम्हीं ले लो। यह कुत्ता ही है। एक मित्र ने दे दिया है, इससे छुटकारा करो मेरा।

वह भागा वहां से घर की तरफ कि किसी को पता न चल जाए कि कुत्ता इसने लिया है।

आदमी ऐसे ही जी रहा है। तुमने जो मान रखा है वह तुम हो गए हो। और तुम्हारे चारों तरफ बहुत लफंगे हैं; जो तुम्हें बहुत सी बातें मनवा रहे हैं। उनके अपने प्रयोजन हैं। पुरोहित समझाना चाहता है कि तुम पापी हो; क्योंकि तुम पापी नहीं हो तो पूजा कैसे चलेगी? उसका हित इसमें है कि बकरी कुत्ता मालूम पड़े।

पंडित है, अगर तुम अज्ञानी नहीं हो तो उसके पांडित्य का क्या होगा? उसकी दुकान कैसे चलेगी? धर्मगुरु है, वह अगर तुम्हें समझा दे कि तुम अकर्ता हो, कर्म-शून्य हो, तुमने कभी पाप किया ही नहीं—तो उसकी जरूरत क्या है?

यह तो ऐसा हुआ कि डाक्टर के पास तुम जाओ। और वह समझा दे कि बीमार तुम हो ही नहीं, बीमार तुम कभी हुए ही नहीं, बीमार तुम हो ही नहीं सकते, स्वास्थ्य तुम्हारा स्वभाव है—तो यह डाक्टर आत्महत्या कर रहा है अपनी। इसकी दुकान का क्या होगा? तुम डाक्टर के पास जाओ भले-चंगे, जब तुम्हें कोई बीमारी नहीं है तब जाओ, तब भी तुम पाओगे कि वह बीमारी खोज लेगा। तुम जा कर देखो! बिलकुल भले-चंगे हो, तुम्हें कोई बीमारी नहीं है। जाकर, जरा चले जाओ, डाक्टर से कहना कि कुछ जांच-पड़ताल करवानी है। ऐसा डाक्टर खोजना बहुत मुश्किल है जो कह दे कि तुम बीमार नहीं हो।

मुल्ला नसरुद्दीन का बेटा डाक्टर हुआ। तो मैंने उससे पूछा कि कैसी चल रही है? उसने कहा कि काफी अच्छी चल रही है। मैंने कहा कि तुम कैसे समझे कि काफी अच्छी चल रही है। उसने कहा, इतनी अच्छी चल रही है कि कई दफे तो वह बीमारों को कह देता है कि तुम बीमार ही नहीं हो। यह तो बड़ा ही डाक्टर कह सकता है जिसकी खूब चल रही हो। चल रही ऐसी हो कि अब उसे उपद्रव ज्यादा लेना ही नहीं है, फुर्सत नहीं है। तो उसने कहा, इससे मैं सोचता हूं कि बिलकुल ठीक चल रही है। कई दफा आदमियों को कह देता है कि नहीं, तुम्हें कोई बीमारी नहीं है।

दुकानें हैं; उनके अपने हित हैं। तुम्हारे ऊपर हजारों दुकानें चल रही हैं—पंडित की है, पुरोहित की है, धर्मगुरु की है। तुम्हारा पापी होना जरूरी है। तुमने

बुरे कर्म किए हों, यह आवश्यक है; नहीं तो तुम्हारा बुरे कर्मों से छुटकारा दिलाने वालों का क्या होगा? मसीहाओं का क्या होगा, जो आते हैं तुम्हारी मुक्ति के लिए?

अगर अष्टावक्र सही हैं तो सब मसीहा व्यर्थ हैं। फिर तुम्हारे छुटकारे की कोई जरूरत नहीं; तुम छूटे ही हुए हो। तुम मुक्त ही हो! अष्टावक्र की जैसे कोई भी दुकान नहीं है। जैसे अष्टावक्र तुम्हारे साथ कोई धंधा नहीं करना चाहते। सीधी-सीधी बात कह देते हैं, दो टूक सत्य कह देते हैं।

'तू निरपेक्ष (अपेक्षा-रहित), निर्विकार, स्वनिर्भर (चिदघन-रूप), शांति और मुक्ति है तू। अगाध बुद्धिरूप, क्षोभ-शून्य है तू। अतः चैतन्यमात्र में निष्ठा वाला हो।'

एक ही निष्ठा होनी चाहिए कि मैं साक्षी-रूप हूं, बस पर्याप्त है। ऐसा निष्ठावान व्यक्ति धार्मिक है। और किसी निष्ठा की कोई जरूरत नहीं। न तो परमात्मा में निष्ठा की जरूरत है, न स्वर्ग-नरक में निष्ठा की जरूरत है, न कर्म के सिद्धांत में निष्ठा की जरूरत है। एक निष्ठा पर्याप्त है। और वह निष्ठा है कि मैं साक्षी, निर्विकार। और तुम जैसे ही निष्ठा करोगे, तुम पाओगे तुम निर्विकार होने लगे।

एक मनोवैज्ञानिक ने प्रयोग किया। एक कक्षा को दो हिस्सों में बांट दिया। आधे लड़के एक तरफ, आधे दूसरी तरफ—अलग-अलग कमरों में। फिर पहले हिस्से को जाकर कहा कि यह गणित बहुत कठिन है; तुममें से कोई भी हल न कर पाएगा। एक गणित लिखा बोर्ड पर और कहा, यह इतना कठिन है कि तुम्हारी तो सामर्थ्य ही नहीं, तुमसे आगे की कक्षा के विद्यार्थी भी इसको हल नहीं कर सकते। लेकिन हम एक प्रयोग कर रहे हैं। हम जानना चाहते हैं, क्या तुममें से कोई इसको हल करने के थोड़े-बहुत भी करीब आ सकता है? थोड़ी-बहुत विधि, दो-चार कदम भी ठीक उठा सकता है? यह असंभव है! उसने यह बार-बार दोहराया कि यह असंभव है। फिर भी तुम चेष्टा करो।

दूसरे कमरे में गया। उसी वर्ग के आधे लड़के। वही बोर्ड पर उसने गणित लिखा और कहा कि यह प्रश्न इतना सरल है कि यह असंभव है कि तुममें से कोई इसे हल न कर पाए। तुमसे नीची कक्षाओं के लड़कों ने हल कर लिया है। तो इसलिए नहीं दे रहे हैं कि यह तुम्हारी कोई परीक्षा करनी है, तुम तो हल कर ही लोगे, यह इतना सरल है। सिर्फ हम यह जानना चाहते हैं कि क्या एकाध विद्यार्थी ऐसा भी है तुम्हारी कक्षा में जो इसमें भी भूल-चूक कर जाए।

सवाल वही, कक्षा वही। बड़े अंतर आए परिणाम में। पहले वर्ग में पंद्रह लड़कों में से केवल तीन लड़के हल कर पाए। दूसरे वर्ग में पंद्रह में से बारह ने

हल किया, केवल तीन हल न कर पाए। इतना बड़ा अंतर! सवाल वही। उस सवाल के साथ जो भाव दिया गया, वह परिणामकारी हुआ।

अष्टावक्र तुमसे नहीं कहते कि धर्म दुःसाध्य है। अष्टावक्र कहते हैं, बड़ा सरल है। जो दुःसाध्य कहते हैं, वे दुःसाध्य बना देते हैं। जो कहते हैं, बड़ा असंभव है, खड्ग की धार, वे तुम्हें घबड़ा देते हैं। जो कहते हैं, यह तो हिमालय पर चढ़ने जैसा है, इसमें तो विरले चढ़ पाते हैं—तुम छोड़ ही देते फिकर कि 'विरले तो हम हैं नहीं, यह अपने बस की बात नहीं; तो चढ़ें विरले, हम इस झंझट में न पड़ेंगे। हम स्वागत करते हैं विरलों का, जाएं! मगर हम सीधे-सादे आदमी, हमें तो इसी घाटी में रहने दो!'

अष्टावक्र कहते हैं, यह बड़ा सरल है। यह इतना सरल है कि तुम्हें कुछ करने की भी जरूरत नहीं, सिर्फ जाग कर देखना पर्याप्त है।

यह मनुष्य की मेधा की अंतिम घोषणा है। यह मनुष्य की अंतिम संभावनाओं के प्रति मनुष्य को सजग करना। धर्म मनुष्य की प्रतिभा का आखिरी चमत्कार है। अगर तुलना करनी हो तो राजनीति मनुष्य की प्रतिभा का निकृष्टतम रूप है और धर्म मनुष्य की प्रतिभा का श्रेष्ठतम रूप है।

ऐसा हुआ, एक राजनेता सख्त बीमारी से उठा। तो डाक्टर ने सलाह दीः दो-तीन महीने तक आप कोई भी दिमागी काम न करें। राजनेता ने पूछा, 'डाक्टर साहब! यदि थोड़ी राजनीति इत्यादि करूं तो कोई आपत्ति है?' डाक्टर ने कहा, 'नहीं, बिलकुल नहीं, राजनीति आप जितनी चाहें करें, बस दिमागी काम बिलकुल न करें।'

राजनीति में दिमागी काम है भी नहीं। राजनीति में तो हिंसा है, प्रतिभा नहीं; छीन-झपट है, संघर्ष है, शांति नहीं; चैन नहीं, बेचैनी है; महत्वाकांक्षा है, ईर्ष्या है, आक्रमण है; आत्मा नहीं।

धर्म अनाक्रमण है, अहिंसा है, प्रतियोगिता-मुक्ति है; संघर्ष नहीं, समर्पण है। किसी से छीनना नहीं है; अपना जो है, उसकी घोषणा करनी है। अपना ही इतना काफी है कि किसी से छीनना क्या है? छीनते तो वे ही हैं जिन्हें अपना पता नहीं। टुकड़े-टुकड़े के लिए लड़ते हैं, और परमात्मा भीतर विराजमान है! टुकड़े-टुकड़े के लिए मरते हैं, और परम विस्तार भीतर मौजूद है! सागर मौजूद है, बूंदों के लिए तरसते हैं!

जिन्हें अपना पता नहीं है, वे ही राजनीति में होते हैं। और जब मैं राजनीति कहता हूं तो मेरा मतलब इतना ही नहीं कि वे लोग जो राजनीतिक पार्टियों में हैं। राजनीति से मेरा मतलब हैः वे सभी लोग जो किसी तरह के संघर्ष में हैं। वह धन

का संघर्ष हो तो धन की राजनीति। पद का संघर्ष हो तो पद की राजनीति। त्याग का संघर्ष हो तो त्याग की राजनीति।

त्यागियों में बड़ा संघर्ष होता है कि कोई दूसरा त्यागी हाथ न मार ले। ओलंपिक चलता रहता है त्यागियों का कि कोई महात्मा बड़ा न हो जाए! तो एक महात्मा दूसरे महात्मा को हराने में लगा है। वह तो अगर कभी भारत में ओलंपिक हो तो उसमें महात्माओं की भी प्रतियोगिता होनी चाहिए।

लेकिन जहां भी प्रतियोगिता है वहीं राजनीति है। राजनीति का मूल स्वर है कि मेरे पास नहीं है और दूसरों के पास है; छीन कर ही मेरे पास हो सकेगा। लेकिन जो तुम दूसरे से छीनते हो, वह तुम्हारा कब होगा, कैसे होगा? छीना हुआ तुम्हारा कैसे होगा? जो छीना गया है, वह छीना जाएगा। आज नहीं कल, तुमसे कोई दूसरा छीन लेगा। और अगर कोई भी न छीन पाया तो मौत तो निश्चित छीन लेगी। तुम्हारा तो सिर्फ वही है जो किसी से बिना छीने तुम्हारा है, तो फिर मौत भी न छीन पाएगी। तुम्हारा तो वही है जो जन्म के पहले तुम्हारा था, मौत के बाद भी तुम्हारा होगा।

उस एक की खोज करो। और उस एक की खोज के लिए साधन तक की जरूरत नहीं है—अष्टावक्र कहते हैं—सिर्फ सजगता, सिर्फ साक्षी-भाव।

जीवन में तुम्हें बहुत बार लगता भी है कि व्यर्थ दौड़े चले जा रहे हैं; लेकिन रुकें कैसे! ऐसा नहीं है कि तुम्हें नहीं लगता कि यह व्यर्थ दौड़-धूप है। तुम्हें भी लगता है लेकिन रुकें कैसे! फिर दौड़-धूप का अभ्यास प्राचीन है। रुकना भूल ही गए हैं। पैरों की आदत दौड़ने की हो गई है। मन की आदत दौड़ने की हो गई है। अभ्यास ऐसा हो गया है कि बैठ नहीं सकते। बैठने का अभ्यास खो गया है।

आ गई थी शिकायत लबों पे मगर
किससे कहते तो क्या, कहना बेकार था
चल पड़े दर्द पी कर तो चलते रहे
हार कर बैठ जाने से इनकार था।

और फिर लोग सोचते हैं कि ऐसे बैठ गए तो हार जाएंगे; बैठ गए तो लोग समझेंगे हार गए; बैठ गए तो लोग समझेंगे, अरे पलायनवादी! भगोड़े! बैठ गए तो जो भीड़ जा रही है हजारों की, वह निंदा से देखेगी।...तो लोग चलते रहते हैं।

शिकायत बहुत बार आ जाती है मन में कि यह सब व्यर्थ मालूम होता है, लेकिन किससे कहो! कौन समझेगा! यहां सभी तुम्हारे जैसे हैं। कोई किसी से कहता नहीं। अपने-अपने घाव छिपाए लोग चलते रहते हैं।

आ गई थी शिकायत लबों पे मगर
किससे कहते तो क्या, कहना बेकार था

कोई अष्टावक्र मिले, कोई बुद्ध मिले तो कहने का कोई सार है। किससे कहना यहां!

चल पड़े दर्द पी कर तो चलते रहे
दर्द पी-पीकर लोग चलते रहते हैं।
हार कर बैठ जाने से इनकार था।

और यह अहंकार की धारणा हो जाती है कि हारकर बैठने का मतलब तो गए, डूब गए, मर गए। चलते रहो, कुछ न कुछ करते रहो! कुछ न कुछ पाने की चेष्टा में लगे रहो! नहीं तो खो जाओगे।

और मिलता उन्हें है जो बैठ जाते हैं। मिलता उन्हें है जो रुक जाते हैं। परमात्मा भागने से नहीं मिलता, रुकने से मिलता है। इसलिए अष्टावक्र कहते हैं, परम विश्रांति में मिलता है।

कभी थोड़ा बैठो! कभी घड़ी भर खोजकर, सिर्फ बैठो, कुछ मत करो!

झेन फकीरों में एक प्रक्रिया है: झाझेन। झाझेन का मतलब होता है: बस बैठो और कुछ मत करो। बड़ी गहरी ध्यान की प्रक्रिया है। प्रक्रिया कहनी ठीक ही नहीं; क्योंकि प्रक्रिया तो कुछ भी नहीं, बस बैठो, कुछ भी न करो। जैसे अष्टावक्र जो कह रहे हैं, वही झेन कह रहा है: बैठ जाओ! कुछ देर सिर्फ बैठो विश्राम में। कुछ देर सब ऊहापोह छोड़ो! कुछ देर सब महत्वाकांक्षा छोड़ो। मन की दौड़-धूप, आपाधापी छोड़! थोड़ी देर सिर्फ बैठे रहो, डूबे रहो अपने में!

धीरे-धीरे तुम्हारे भीतर एक प्रकाश फैलना शुरू होगा। शुरू में शायद न दिखाई पड़े। ऐसे ही जैसे तुम भरी दोपहरी में घर लौटते हो तो घर के भीतर अंधेरा मालूम होता है; आंखें धूप की आदी हो गई हैं। थोड़ी देर बैठते हो, आंखें राजी हो जाती हैं तो फिर प्रकाश मालूम होने लगता है। धीरे-धीरे कमरे में प्रकाश हो जाता है।

ऐसा ही भीतर है। बाहर-बाहर चले जन्मों तक, तो भीतर अंधेरा मालूम होता है। पहली दफा जाओगे तो कुछ भी न सूझेगा...अंधेरा ही अंधेरा! घबड़ाना मत! बैठो! थोड़ा आंख को राजी होने दो भीतर के लिए। ये आंख की पुतलियां धूप के लिए आदी हो गई हैं।

तुमने खयाल किया, धूप में जब तुम जाते हो तो आंख की पुतलियां छोटी हो जाती हैं। धूप के बाद एकदम आईने में देखना तो तुम्हें पुतली बहुत छोटी मालूम पड़ेगी, क्योंकि उतनी धूप को भीतर नहीं ले जाया जा सकता, वह जरूरत से ज्यादा है, तो पुतली सिकुड़ जाती है। वह आटोमैटिक है, स्वचालित सिकुड़न है। फिर जब तुम अंधेरे में आते हो तो पुतली को फैलना पड़ता है, पुतली बड़ी

हो जाती है। अंधेरे में थोड़ी देर बैठने के बाद फिर आईने में देखना तो पाओगे पुतली बड़ी हो गई।

और जो इस बाहर की आंख का ढंग है, वही भीतर की तीसरी आंख का भी ढंग है। बाहर देखने के लिए पुतली छोटी चाहिए। भीतर देखने के लिए पुतली बड़ी चाहिए। तो अभ्यास हो गया है पुराना। उस अभ्यास को मिटाने के लिए कुछ नया अभ्यास नहीं करना है। बस बैठ रहो!

लोग पूछते हैं, 'बैठ कर क्या करें? चलो कुछ राम-नाम दे दो, कोई मंत्र दे दो; उसी को दोहराते रहेंगे। मगर कुछ दे दो कुछ करने को!' लोग कहते हैं, आलंबन चाहिए, सहारा चाहिए।

अनुष्ठान किया कि बंधन शुरू हुआ सिर्फ बैठो! बैठने का भी मतलब यह नहीं कि बैठो ही; खड़े भी रह सकते हो, लेट भी सकते हो। बैठने से मतलब इतना ही हैः कुछ न करो, थोड़ी देर चौबीस घंटे में अकर्ता हो जाओ! अकर्मण्य हो जाओ! खाली रह जाओ! होने दो जो हो रहा है। संसार बह रहा है, बहने दो; चल रहा है, चलने दो। आवाज आती है आने दो। रेल निकले, हवाई जहाज चले, शोरगुल हो—होने दो, तुम बैठे रहो। एकाग्रता नहीं—तुम सिर्फ बैठे रहो। समाधि धीरे-धीरे तुम्हारे भीतर सघन होने लगेगी। तुम अचानक समझ पाओगे अष्टावक्र का अर्थ क्या है—अनुष्ठान-रहित होने का अर्थ क्या है?

'साकार को मिथ्या जान, निराकार को निश्चल-नित्य जान इस यथार्थ (तत्व) उपदेश से पुनः संसार में उत्पत्ति नहीं होती।'

जिसको बुद्ध ने कहा है, अनागामिन—ऐसा व्यक्ति जब मरता है तो फिर वापस नहीं आता। क्योंकि वापस तो हम अपनी आकांक्षा के कारण आते हैं, राजनीति के कारण आते हैं। वापस तो हम वासना के कारण आते हैं। जो यह जान कर मरता है कि मैं सिर्फ जानने वाला हूं, उसका फिर कोई आगमन नहीं होता। वह इस व्यर्थ के चक्कर से छूट जाता है—आवागमन से।

'साकार को मिथ्या जान!'

साकारमनृतं विद्धि निराकारं निश्चलम् विद्धि।

'निराकार को निश्चल-नित्य जान।'

जो हमारे भीतर आकार है, वही भ्रांत है। जो हमारे भीतर निराकार है, वही सत्य है।

देखा कभी पानी में भंवर पड़ती है! भंवर क्या है? पानी में ही उठी एक लहर है, फिर शांत हो जाती है, तो भंवर कहां खो जाती है? भंवर थी ही नहीं; पानी में ही एक तरंग थी; पानी में ही एक रूप उठा था। ऐसे ही हम परमात्मा में उठी एक

तरंग हैं। तरंग खो जाती, कुछ भी पीछे छूटता नहीं। राख भी नहीं छूटती। निशान भी नहीं छूटता। जैसे पानी पर तुम कुछ लिखो, लिखते ही मिट जाता है—ऐसे ही जीवन की सारी आकार की स्थितियां तरंगें मात्र हैं।

'जिस तरह दर्पण अपने में प्रतिबिंबित रूप के भीतर और बाहर स्थित है, उसी तरह परमात्मा इस शरीर के भीतर और बाहर स्थित है।'

तुमने देखा दर्पण के सामने तुम खड़े होते हो, प्रतिबिंब बनता है! बनता है कुछ दर्पण में? प्रतिबिंब बनता है, यानी कुछ भी नहीं बनता। तुम हट गए, प्रतिबिंब हट जाता है। दर्पण जैसा था वैसा ही है। जैसे का तैसा। तुम्हारे सामने होने से दर्पण में प्रतिबिंब बना था, हट जाने से हट गया; लेकिन दर्पण में न तो कुछ बना और न कुछ हटा, दर्पण अपने स्वभाव में रहा।

यह सूत्र कहता है अष्टावक्र का, कि जैसे दर्पण के सामने खड़े हों, दर्पण में प्रतिबिंब बनता है; लेकिन प्रतिबिंब वस्तुतः बनता है क्या? बना हुआ प्रतीत होता है। प्रतिबिंब से धोखा मत खा जाना। बहुत लोग धोखा खाते हैं प्रतिबिंब से।

और यह सूत्र कहता है कि प्रतिबिंब के चारों तरफ दर्पण हैं—बाहर-भीतर; प्रतिबिंब में दर्पण ही दर्पण हैं, और कुछ भी नहीं है। ऐसा ही, उसी तरह परमात्मा इस शरीर के भीतर और बाहर स्थित है। परमात्मा भीतर, परमात्मा बाहर, परमात्मा ऊपर, परमात्मा नीचे, परमात्मा पश्चिम, परमात्मा पूरब, परमात्मा दक्षिण, परमात्मा उत्तर—सब तरफ वही एक है। उस विराट के सागर में उठी हम छोटी भंवरें, छोटी तरंगें हैं।

अपने को तरंग मान कर मत उलझ जाना। अपने को सागर ही मानना। बस इतनी ही मान्यता का भेद है—बंधन और मुक्ति में। जिसने अपने को तरंग समझा, वह बंध गया; जिसने अपने को सागर समझा, वह मुक्त हो गया।

'जिस तरह सर्वव्यापी एक आकाश घट के बाहर और भीतर स्थित है, उसी तरह नित्य और निरंतर ब्रह्म सब भूतों में स्थित है।'

'जिस तरह सर्वव्यापी एक आकाश घट के बाहर और भीतर...।'

घड़ा रखा है। घड़े के भीतर भी वही आकाश है, घड़े के बाहर भी वही आकाश है। तुम घड़े को फोड़ दो तो आकाश नहीं फूटता। तुम घड़े को बना लो तो आकाश बिगड़ता नहीं। घड़ा तिरछा हो, गोल हो, कैसा ही आकार हो, इससे आकाश पर कोई आकार नहीं चढ़ता।

हम सब मिट्टी के भांडे हैं; मिट्टी के घड़े! बाहर भी वही है, भीतर भी वही है। इस मिट्टी की पतली सी दीवार को तुम बहुत ज्यादा मूल्य मत दे देना। यह मिट्टी की पतली सी दीवाल तुम्हें एक घड़ा बना रही है। इससे बहुत जकड़ मत जाना।

अगर तुमने ऐसा मान लिया कि यह मिट्टी की दीवाल ही मैं हूं, तो फिर तुम बार-बार घड़े बनते रहोगे, क्योंकि तुम्हारी मान्यता तुम्हें वापिस खींच लाएगी। कोई और तुम्हें संसार में नहीं लाता है; तुम्हारे घड़े होने की धारणा ही तुम्हें वापिस ले आती है। एक बार तुम जान लो कि तुम घड़े के भीतर का शून्य हो...।

लाओत्सु के वचन अर्थपूर्ण हैं। लाओत्सु कहता हैः घड़े की दीवाल का क्या मूल्य है? असली मूल्य तो घड़े के भीतर के शून्य का होता है। पानी भरोगे तो शून्य में भरेगा, दीवाल में थोड़े ही! मकान बनाते हो तुम, तो तुम दीवाल को मकान कहते हो? तो गलती है। दीवाल के भीतर जो खाली जगह है, वही मकान है। रहते तो उसमें हो, दीवाल में थोड़े ही रहते हो! दीवाल तो केवल एक सीमा है। असली में रहते तो हम आकाश में ही हैं। हैं तो हम सब दिगंबर ही। भीतर के आकाश में रहो कि बाहर के आकाश में, दीवाल के कारण कोई फर्क थोड़े ही पड़ता है? दीवाल तो आज है, कल गिर जाएगी? आकाश सदा है।

तो तुम भूल से घर को अगर दीवाल समझ लेते हो और घड़े को अगर मिट्टी की पर्त समझ लेते हो और अपने को अगर देह समझ लेते हो, तो बस यही बंधन है। जरा सी गलती, पढ़ने में जीवन के शास्त्र को-और सब गलत हो जाता है। बड़ी छोटी सी भूल है!

मुल्ला नसरुद्दीन एक बार अपने विचारों में डूबा बस में चढ़ गया और सीट पर बैठ कर सिगरेट पीने लगा।

'साफ-साफ तो लिखा है कि बस में धूम्रपान वर्जित है, क्या आपने पढ़ा नहीं? क्या आपको पढ़ना नहीं आता', कंडक्टर ने क्रोधपूर्वक उससे कहा।

'पढ़ तो लिया, लेकिन लिखने को तो बस में बहुत कुछ लिखा है। मैं किस-किस की बात का पालन करूं?' नसरुद्दीन बोला। 'यही देखो! यहां लिखा है, हमेशा हैंडलूम की साड़ियां पहनो!'

जरा सा ऐसी भूलों से सावधान होना जरूरी है। शरीर बहुत करीब है, इसलिए शरीर की भाषा पढ़ लेनी बहुत आसान है। और शरीर इतना करीब है कि उसकी छाया भीतर के दर्पण पर पड़ती है, प्रतिबिंब बनता है। लेकिन तुम शरीर में हो, शरीर नहीं। शरीर तुम्हारा है, तुम शरीर के नहीं। शरीर तुम्हारा साधन है; तुम साध्य हो। शरीर का उपयोग करो; मालकियत मत खो दो! शरीर के भीतर रहते हुए भी शरीर के पार रहो—जल में कमलवत!

हरि ॐ तत्सत्!

✳ ✳ ✳

जागो और भोगो

पहला प्रश्न : वेदांत तथा अष्टावक्र-गीता जैसे ग्रंथों द्वारा स्वाध्याय करके यह जाना कि जो पाने योग्य है वह पाया हुआ ही है! उसके लिए प्रयास करना भटकन है। इस निष्ठा को गहन भी किया, तो भी आत्मज्ञान क्यों नहीं हुआ? कृपया मार्गदर्शन करें।

शास्त्र से जो समझ में आया वह तुम्हें समझ में आया, ऐसा नहीं है। शब्द से जो समझ में आया, वह तुम्हारी प्रतीति हो गई, ऐसा नहीं है। अष्टावक्र को सुन कर बहुतों को ऐसा लगेगा कि अरे, तो सब पाया ही हुआ है! लेकिन इससे मिल न जाएगा।

अष्टावक्र को सुन कर ही लगने से मिलने का क्या संबंध हो सकता है? यह प्रतीति तुम्हारी हो कि मिला ही हुआ है। यह अहसास तुम्हें हो, यह अनुभूति तुम्हारी हो; यह बौद्धिक निष्कर्ष न हो।

बुद्धि तो बड़ी जल्दी राजी हो जाती है। इससे सरल बात और क्या होगी कि मिला ही हुआ है। चलो, झंझट मिटी! अब कुछ खोजने की जरूरत नहीं, ध्यान की जरूरत नहीं; पूजा-प्रार्थना की जरूरत नहीं—मिला ही हुआ है!

बुद्धि इससे राजी हो जाती है—इसलिए नहीं कि बुद्धि समझ गई; बुद्धि राजी हो जाती है, क्योंकि मार्ग की अड़चन भी छूटी, साधन का श्रम भी छूटा, उपाय करने की जरूरत भी छूटी। फिर तुम चारों तरफ देखने लगते हो कि अरे, अभी तक मिला नहीं।

अगर बुद्धि को ही समझने से मिलता था तो फिर अध्यात्म के विश्वविद्यालय हो सकते थे। अध्यात्म का कोई विश्वविद्यालय नहीं है। शास्त्र से न मिलेगा, स्वयं की स्वस्फूर्त प्रज्ञा से मिलेगा।

अष्टावक्र को सुनो, लेकिन जल्दी मत करना मानने की। तुम्हारा लोभ जल्दी करवा देगा। तुम्हारा लोभ कहेगा, यह तो बड़ी सुलभ बात है; यह खजाना मिला ही हुआ है। तो चलो पाने का भी उपद्रव मिटा, अब कहीं जाना भी नहीं, अब कुछ करना भी नहीं।

यही तो तुम सदा से चाहते थे कि बिना किए मिल जाए। लेकिन ध्यान रखना इस सबके पीछे पाने की आकांक्षा बनी ही हुई हैः बिना किए मिल जाए! पहले सोचते थे करके मिलेगा, अब सोचते हो बिना किए मिल जाए। पाने की आकांक्षा बनी हुई है। इसलिए तो प्रश्न उठता है कि अभी तक आत्मज्ञान क्यों नहीं हुआ?

जिसको समझ में आ गई बात—भाड़ में जाए आत्मज्ञान, करना क्या है? अगर अष्टावक्र को समझ गए तो दूसरा प्रश्न उठ ही नहीं सकता। आत्मज्ञान नहीं मिला, तो इसका अर्थ हुआ कि अष्टावक्र को मानने के साथ-साथ आंख के कोने से देख रहे थे, अभी तक मिला कि नहीं मिला? नजर अभी भी मिलने पर लगी थी।

मेरे पास लोग आते हैं। उनको मैं कहता हूं कि ध्यान तब तक न गहरा होगा, जब तक तुम कुछ मांग जारी रखोगे। जब तक तुम सोचोगे कुछ मिले—आनंद मिले, परमात्मा मिले, आत्मा मिले—तब तक ध्यान गहरा न होगा; क्योंकि यह लोभ की वृत्ति है, जो मिलने की बात सोच रही है; यह महत्वाकांक्षा है, यह राजनीति है, अभी धर्म नहीं हुआ। तो वे कहते हैं, 'अच्छा! तो अब बिना सोचे बैठेंगे, फिर तो मिलेगा न?'

अंतर जरा भी नहीं पड़ा। वे इसके लिए भी राजी हैं कि न सोचेंगे, चलो आप कहते हो मिलने के लिए यही उपाय है, तो न सोचेंगे; लेकिन फिर मिलेगा न?

तुम लोभ से छूट नहीं पाते। अष्टावक्र को सुन कर बड़े जल्दी, बहुत लोग मान लेंगे कि चलो, मिल गया। इतनी जल्दी अगर मिलता होता! और ऐसा नहीं है कि कोई बाधा है मिलने में। बाधा है तो तुम्हारी कामना की नासमझी ही। है तो बिलकुल पास।

ठीक अष्टावक्र कहते हैं, मिला ही हुआ है। लेकिन 'यह मिला हुआ ही है' तब समझ में आएगा, जब पाने की सारी आकांक्षा विसर्जित हो जाएगी। तब तुम्हारी समग्रता से तुम जानोगे कि मिला हुआ है। अभी तो बुद्धि का खिलवाड़ हो जाता है।

अष्टावक्र जैसे महर्षि कहते हैं तो ठीक ही कहते होंगे। तुम जल्दी कर लेते हो मानने की। तुम्हारी श्रद्धा बड़ी नपुंसक है। तुम संदेह भी नहीं करते, तुम जल्दी मान

लेते हो। शास्त्र के वचन पर इस देश में तो संदेह करने की आदत ही खो गई है; शास्त्र कहते हैं तो ठीक ही कहते होंगे।

मुल्ला नसरुद्दीन एक दिन आया, तो एक बड़ी खूबसूरत छतरी लिए हुए था। मैंने पूछा, कहां मिल गई? इतनी खूबसूरत छतरी यहां तो बनती नहीं!

उसने कहा, बहन ने भेंट भेजी है।

मैंने कहा, नसरुद्दीन! तुम तो सदा कहते रहे कि तुम्हारी कोई बहन नहीं!

वह कहने लगा, यह बात तो सच है।

तो फिर मैंने कहा, यह बहन ने भेंट भेजी?

उसने कहा, अब आप न मानो तो इसकी डंडी पर लिखा हुआ हैः बहन की ओर से भाई को भेंट। एक होटल से निकलने लगा, यह छतरी पर लिखा था, मैंने सोचा अब हो न हो, बहन हो ही। जब लिखा हुआ है तो मानना ही पड़ता है। और फिर ऐसे कोई फुफेरी, ममेरी, कोई चचेरी बहन शायद हो भी। और फिर अध्यात्मवादी तो सदा से कहते हैं कि अपनी पत्नी को छोड़ कर सभी को माता-बहन समझो।

लिखी हुई बात पर—और फिर शास्त्र में लिखी हो! छपी बात पर बड़ी जल्दी श्रद्धा आती है। कुछ बात कहो किसी से, वह कहता है, कहां लिखी है? लिखा हुआ बता दो तो वह राजी हो जाता है। जैसे लिखे होने में कोई बल है। कितनी पुरानी? तो लोग राजी हो जाते हैं। जैसे सत्य का पुराना होने से कोई संबंध है! किसने कही? अष्टावक्र ने कही? बुद्ध ने कही? महावीर ने कही?—तो फिर ठीक ही कही।

तुम थोड़ा भी तो अपनी तरफ से, थोड़ा भी, इंच भर भी जागने का प्रयास नहीं करते। किसी ने कह दी, तुमने मान ली—और फिर ऐसी सरल बात कि बिना कुछ किए मिल जाए।

कृष्णमूर्ति को मानने वाले चालीस वर्षों से सुन रहे हैं—करीब-करीब वे ही के वे लोग। मिला कुछ भी नहीं है। मेरे पास कभी-कभी उनमें से कोई आता है तो कहता है कि हमें पता है कि सब मिला ही हुआ है, मगर मिलता क्यों नहीं? हम कृष्णमूर्ति को सुनते हैं, बात समझ में आती है कि सब मिला ही हुआ है।

ये लोभीजन हैं। ये चाहते ही थे पहले से कि कोई श्रम न करना पड़े, मुफ्त मिल जाए। इन्होंने कृष्णमूर्ति को नहीं सुना, न अष्टावक्र को समझा है, इन्होंने अपने लोभ को सुना है। इन्होंने अपने लोभ के माध्यम से सुना है। फिर इन्होंने अपने हिसाब से व्याख्या कर ली!

किसी मित्र ने पूछा है कि अब ध्यान करना बड़ा बेहूदा लगता है। पांच-पांच ध्यान—और अष्टावक्र पर चल रही प्रवचनमाला—बड़ा बेहूदा लगता है!

ध्यान छोड़ने में कितनी सुगमता है—करने में कठिनता है! अष्टावक्र को भी जो मिला, वह कुछ करके मिला, ऐसा नहीं; लेकिन बिना कुछ किए मिला, ऐसा भी नहीं।

अब इसे तुम समझना। यह थोड़ा जटिल मामला है।

मैंने तुमसे कहा, बुद्ध को मिला जब उन्होंने सब करना छोड़ दिया; लेकिन पहले सब किया। छह वर्ष तक अथक श्रम किया, सब दांव पर लगा दिया। उस दांव पर लगाने से ही यह अनुभव आया कि करने से कुछ नहीं मिलता। अष्टावक्र को पढ़ने से थोड़े ही, नहीं तो अष्टावक्र की गीता बुद्ध के समय में उपलब्ध थी। उन्होंने पढ़ ली होती, छह साल मेहनत करने की जरूरत न थी। छह साल अथक श्रम किया और श्रम कर-कर के जाना कि श्रम से तो नहीं मिलता। रत्ती भर रेखा भी न बची भीतर कि श्रम करने से मिल सकता है। ऐसी कोई वासना भी न बची भीतर। करके देख लिया, नहीं मिलता। यह इतना प्रगाढ़ हो गया कि एक दिन इसी प्रगाढ़ता में करना छूट गया, तभी मिल गया।

तो मैं तुमसे यह कहना चाहता हूं कि न करने की अवस्था आएगी, जब तुम सब कर चुके होओगे। जल्दबाजी मत करना; अन्यथा थोड़ा-बहुत ध्यान कर रहे हो, वह भी छूट जाएगा; थोड़ी बहुत पूजा-प्रार्थना में लगे हो, वह भी छूट जाएगी। अष्टावक्र तो दूर रहे, तुम जो हो थोड़े-बहुत, चल रहे थे किसी यात्रा पर, वह भी बंद हो जाएगा।

इसके पहले कि कोई रुके, समग्र रूप से दौड़ लेना जरूरी है। तो ही दौड़ने से नहीं मिलता, यह बोध प्रगाढ़ होता है। छूटता है एक दिन श्रम, लेकिन केवल बुद्धि के समझने से नहीं—तुम्हारा रोआं-रोआं, तुम्हारा कण-कण समझ लेता है कि व्यर्थ है, उसी घड़ी मिल जाता है।

ठीक कहते हैं अष्टावक्र कि अनुष्ठान बंधन है। लेकिन जो अनुष्ठान करेगा, उसको ही पता चलेगा।

मैं तुमसे कह रहा हूं, क्योंकि अनुष्ठान किया और पाया कि बंधन है। मैं तुमसे कह रहा हूं, क्योंकि साधन किए और पाया कि कोई साधन साध्य तक नहीं पहुंचते। ध्यान कर करके पाया कि कोई ध्यान समाधि तक नहीं लाता। लेकिन जब ऐसा करके तुम पाते हो कि कोई ध्यान समाधि तक नहीं लाता, ऐसी तुम्हारी गहन होती अनुभूति, एक दिन उस जगह आ जाती, सौ डिग्री पर उबलती, तुम सब दांव पर लगा देते हो, कुछ बचाते नहीं, अपने को पूरा झोंक देते हो आग में, श्रम परिपूर्ण हो जाता है, तपश्चर्या पूरी हो जाती है, साधन पूरा हो जाता है; अब तुमसे कोई अस्तित्व यह मांग नहीं कर सकता कि तुमने कुछ भी बचाया था; सब लगा

दिया—उस दिन, उस प्रगाढ़ता में, उस प्रज्वलित चित्त की दशा में अचानक सब भस्मीभूत हो जाता है। सब साधन, सब अनुष्ठान, सब ध्यान, सब तप-त्याग—अचानक तुम जाग कर पाते हो कि अरे, यह तो मिला ही था जिसे मैं खोज रहा था!

लेकिन यह अष्टावक्र को पढ़ने से हो जाता होता तो बात बड़ी सुगम थी। अष्टावक्र को पढ़ना क्या कठिन है? सूत्र तो बड़े सीधे-साफ हैं।

ध्यान रखना, सीधी-सरल बातें समझना इस जगत में सबसे कठिन है। और कठिनाई तुम्हारे भीतर से आती है। तुम चाहते ही थे कि कुछ न करना पड़े। ध्यान बामुश्किल लोग करने को राजी होते हैं। अब यह कसौटी है—अष्टावक्र की गीता। अष्टावक्र को सुन कर भी जो ध्यान करते रहेंगे, वे ही समझे। जो अष्टावक्र को सुन कर ध्यान छोड़ देंगे, अष्टावक्र को तो समझे ही नहीं, ध्यान भी गया।

अनुष्ठान करके ही पता चलेगाः अनुष्ठान बंधन है। यह तो आखिरी दशा है अनुष्ठान करने की। इससे तुम जल्दबाजी मत कर लेना।

'वेदांत और अष्टावक्र जैसे ग्रंथों द्वारा स्वाध्याय करके यह जाना...।'

स्वाध्याय करके किसी ने कहीं जाना? पठन-पाठन करके किसी ने जाना? शास्त्र, शब्दों को सीख लेने से किसी ने जाना? यह जानना नहीं है, यह जानकारी है। 'जानकारी हुई' कहो, कि जो पाने योग्य है पाया ही हुआ है। अगर जान ही लिया तो बात खत्म हो गई। सूचना मिली, गुदगुदी उठी, लोभ में अंकुर हुआ! लोभ ने कहा, अरे! हम नाहक मेहनत करते थे; ये अष्टावक्र कहते हैं, बिना ही किए, तो चलो बिना ही किए बैठ जाएं। तो तुम बिना ही किए बैठ गए। थोड़ी ही देर में तुम देखने लगेः 'अभी तक घटी नहीं घटना; देर लग रही है, बात क्या है? और अष्टावक्र कहते हैं, अभी!' तुम घड़ी पर नजर लगाए बैठे हो कि 'पांच सेकेंड निकल गए, पांच मिनिट निकल गए, यह घंटा भी बीता जा रहा है—और अष्टावक्र कहते हैं, तत्क्षण! इसी वक्त! एक क्षण के भी विदा होने की जरूरत नहीं!' फिर तुम कहने लगे, झूठ ही कहते होंगे। श्रद्धा टूट गई।

जाना नहीं—जानकारी हुई। जानकारी और जानने के फर्क को सदा याद रखना। जानकारी अर्थात उधार। किसी और ने जाना, उससे सुन कर तुम्हें जानकारी हुई। इन्फार्मेशन—जानकारी। जानना तो अनुभव है। तुम्हारे अतिरिक्त कोई तुम्हारे लिए जान नहीं सकता। यह उधार नहीं हो सकता। मैं जान लूं, इससे तुम्हारे जानने की थोड़े ही घटना घटेगी। मेरा जानना मेरा होगा, तुम्हारा जानना तुम्हारा होगा। हां, अगर मेरे शब्दों को तुमने संग्रह कर लिया तो वह जानकारी है। जानकारी से आदमी

पंडित बनता है, प्रज्ञावान नहीं। ज्ञान का बोझ इकट्ठा हो जाता है, ज्ञान की मुक्ति नहीं। शब्दों का जाल खड़ा हो जाता है, सत्य का सौंदर्य नहीं। शब्द और घेर लेते हैं, और बांध लेते हैं। इसलिए तुम पंडित को बड़ा बंधा हुआ पाओगे। खुला आकाश कहां?

'यह जाना कि जो पाने योग्य है वह पाया ही हुआ है।' अगर जान ही लिया, तो अब क्या पूछने को बचा?

'उसके लिए प्रयास भटकन है।' अगर यह जान ही लिया, तो अब और क्या पूछने को बचा?

'इस निष्ठा को गहन भी किया।' यह निष्ठा या तो होती है या नहीं होती; इसे गहन करने का उपाय नहीं है। गहन कैसे करोगे? निष्ठा होती है तो होती है, नहीं होती तो नहीं होती—गहन कैसे करोगे? क्या उपाय है निष्ठा को गहन करने का? संदेह को दबाओगे? संदेह की छाती पर बैठ जाओगे? क्या करोगे? संदेह को झुठलाओगे? मन में प्रश्न उठेंगे, नहीं सुनोगे? भीतर संदेह का कीड़ा काटेगा, और कहेगा कि सुनो भी, कहीं बिना किए कुछ मिला है? बैठे-बैठे कहीं कुछ हुआ है? कुछ करने से होता है, खाली बैठने से कहीं होता है? मुफ्त कहीं कुछ मिलता है? किन बातों में पड़े हो? किस भ्रांति में भटके हो? उठो, चलो, दौड़ो, अन्यथा जीवन निकल जाएगा, जीवन निकला ही जा रहा है! ऐसे बैठे-बैठे मूढ़ की भांति समय मत गंवाओ।

ये संदेह उठेंगे, इनका क्या करोगे? इनको दबा लोगे? इनको झुठला दोगे? कहोगे कि नहीं सुनना चाहता? इनको अचेतन में फेंक दोगे? तलघरे में छिपा दोगे भीतर? इनके सामने आंख करके न देखोगे? क्या करोगे निष्ठा गहन करने में? ऐसा ही कुछ करोगे। किसी तरह का दमन करोगे। यह निष्ठा झूठी होगी। इसके नीचे अविश्वास सुलगता होगा। यह निष्ठा ऊपर-ऊपर होगी। इसकी झीनी चादर होगी ऊपर; भीतर अविश्वास के, संदेह के अंगारे होंगे, वह जल्दी ही इस निष्ठा को जला डालेंगे। यह निष्ठा किसी भी काम की नहीं है, इसको तुम गहरा नहीं कर सकते। निष्ठा होती है, तो होती है।

ऐसा समझो कि कोई आदमी एक वर्तुल खींचे, आधा वर्तुल खींचे, तो क्या तुम उसे वर्तुल कहोगे? आधे वर्तुल को वर्तुल कहा जा सकता है? चाप कहते हैं, वर्तुल नहीं। वर्तुल तो तभी कहते हैं, जब पूरा होता है। अधूरे वर्तुल का नाम वर्तुल नहीं है।

अधूरी श्रद्धा का नाम श्रद्धा नहीं है, क्योंकि अधूरी श्रद्धा का अर्थ हुआ कि अधूरा अभी अविश्वास भी खड़ा है। वह जो आधी जगह खाली है, वहां कौन

होगा? वहां संदेह होगा। संदेह के साथ श्रद्धा चल ही नहीं सकती। यह तो ऐसा हुआ कि एक पैर पूरब जा रहा है, एक पैर पश्चिम जा रहा है—तुम कहीं पहुंचोगे नहीं। यह तो ऐसा हुआ कि तुम दो नावों पर सवार हो, एक इस किनारे को आ रही, एक उस किनारे को जा रही है—तुम पहुंचोगे कहां?

संदेह की यात्रा अलग, श्रद्धा की यात्रा अलग। तुम दो नावों पर सवार हो। अधूरी श्रद्धा का क्या अर्थ? अधूरी निष्ठा का क्या अर्थ? कि आधा अविश्वास, आधा संदेह भी मौजूद है! श्रद्धा होती तो पूरी, नहीं होती तो नहीं होती।

और एक और मजे की बात ध्यान रखना, इस जगत में जब भी श्रेष्ठ को निकृष्ट से मिलाओगे, तो निकृष्ट कुछ भी नहीं खोता, श्रेष्ठ का कुछ खो जाता है। जब भी तुम श्रेष्ठ के साथ निकृष्ट को मिलाओगे, तो निकृष्ट की कोई हानि नहीं होती, श्रेष्ठ की हानि हो जाती है।

शुद्ध पकवान, भोजन तैयार है, तुम जरा सी मुट्ठी भर गंदगी लाकर डाल दो। तुम कहोगे, यह पकवान का तो ढेर लगा है मनों, इसमें मुट्ठी भर गंदगी से क्या होता है? तो मुट्ठी भर गंदगी उस पूरे शुद्ध भोजन को नष्ट कर देगी। वह पूरा शुद्ध भोजन भी उस मुट्ठी भर गंदगी को नष्ट न कर पाएगा।

तुम एक फूल पर पत्थर फेंक दो, तो पत्थर का कुछ न बिगड़ेगा, फूल समाप्त हो जाएगा। पत्थर जड़ है, निकृष्ट है। फूल महिमावान है। फूल आकाश का है, पत्थर पृथ्वी का है। फूल काव्य है जीवन का। पत्थर और फूल की टक्कर होगी, तो फूल का सब बिगड़ जाएगा, पत्थर का कुछ भी न बिगड़ेगा।

एक बूंद जहर पर्याप्त है।

तो ध्यान रखना, संदेह निकृष्ट है। श्रद्धा के फूल के साथ अगर संदेह का पत्थर भी पड़ा है तो फूल दबेगा और मर जाएगा, हत्या हो जाएगी फूल की।

तुम यह मत सोचना कि श्रद्धा, पत्थर को बदल लेगी। पत्थर फूल को नष्ट कर देगा।

निष्ठा या तो होती है या नहीं होती। इसमें दो मत नहीं हैं। होती है, तो सारे जीवन को घेर लेती है, रोएं-रोएं को व्याप्त कर लेती है। निष्ठा व्यापक है फिर। पर ऐसी निष्ठा शास्त्र से नहीं मिलती है, न मिल सकती है। ऐसी निष्ठा जीवंत अनुभव से मिलती है। जीवन के शास्त्र को पढ़ोगे तो मिलेगी, अष्टावक्र को पढ़ने से नहीं।

अष्टावक्र को समझ लो। उस समझ को ज्ञान मत समझ लेना। अष्टावक्र को समझकर, अपने भीतर सम्हाल कर, एक कोने में रख दो। एक कसौटी मिली। ज्ञान नहीं मिला, एक कसौटी मिली। अब जब तुम्हें ज्ञान मिलेगा, तब अष्टावक्र की कसौटी पर उसे कसने में तुम्हें सुविधा हो जाएगी।

कसौटी सोना नहीं है। तुम जाते हो एक सुनार के पास, देखते हो रखा है काला पत्थर कसौटी का। वह काला पत्थर सोना नहीं है। जब सोना मिलता है तो सुनार उस काले पत्थर पर घिस कर देख लेता है कि सोना सोना है या नहीं है?

अष्टावक्र की बात को समझकर, कसौटी की तरह सम्हाल कर रख लो, गांठ बांध लो, जब तुम्हारे जीवन का अनुभव आएगा, तो कस लेना। अष्टावक्र की कसौटी उस वक्त काम आएगी। तुम जान पाओगे कि जो हुआ है, वह क्या हुआ? तुम्हारे पास समझने को भाषा होगी। तुम्हारे पास समझने को उपाय होगा। अष्टावक्र तुम्हारे गवाह होंगे।

मैं शास्त्रों को इसी अर्थ में लेता हूं। शास्त्र गवाह हैं। अनजाना है मार्ग सत्य का। उस अनजाने मार्ग पर तुम्हें कुछ गवाहियां चाहिए। तुम जब पहली दफा स्वयं सत्य के सामने आओगे, सत्य इतना विराट होगा कि तुम कंपोगे, समझ न पाओगे। तुम जड़-मूल से कंप जाओगे। बहुत डर है कि तुम पागल हो जाओ।

थोड़ा सोचो तो, कि एक आदमी जो जन्मों-जन्मों से किसी खजाने को खोज रहा था, एक दिन अचानक पाए कि खजाना वहीं गड़ा है जहां वह खड़ा है—वह पागल नहीं हो जाएगा? यह जन्मों-जन्मों की खोज व्यर्थ गई। और खजाना यहीं गड़ा था जहां मैं खड़ा हूं।

तुम थोड़ा सोचो! उस आदमी पर यह आघात बड़ा हो जाएगा। 'तो इतने दिन मैं व्यर्थ जीया! तो यह सारा अनंत काल तक जीना एक निरर्थक चेष्टा थी, एक दुख-स्वप्न था! जिसे मैं खोज रहा था, वह भीतर पड़ा था!' क्या ऐसी चोट में, संघात में आदमी पागल न हो जाएगा? उस वक्त अष्टावक्र की मधुर वाणी शीतल करेगी। उस वक्त वेदांत, बुद्ध के वचन, उपनिषद, बाइबिल, कुरान तुम्हारे साक्षी होकर खड़े हो जाएंगे। उनकी उपस्थिति में जो नया तुम्हें घट रहा है, तुम उसे समझने में सफल हो पाओगे; अन्यथा अकेले में बड़ी मुश्किल हो जाएगी।

शास्त्रों पर मैं बोल रहा हूं—इसलिए नहीं कि शास्त्रों को सुन कर तुम ज्ञानी हो जाओगे; इसलिए बोल रहा हूं कि ध्यान के मार्ग पर चले हो, आज नहीं कल घटना घटेगी, घटनी ही चाहिए। जब घटना घटे तो ऐसा न हो कि सोना सामने हो और तुम समझ भी न पाओ। कसौटी तुम्हें दे रहा हूं। इन कसौटियों पर कस लेना।

अष्टावक्र शुद्धतम कसौटी हैं। अष्टावक्र पर निष्ठा नहीं करनी है; अष्टावक्र की कसौटी का उपयोग करना है स्वयं के अनुभव पर। अष्टावक्र को गवाही बनाना है।

जीसस ने कहा है अपने शिष्यों से कि जब तुम पहुंचोगे, मैं तुम्हारा गवाह रहूंगा। शिष्य तो फिर भी गलत समझे। शिष्य तो समझे कि हम जब मरेंगे और

परमात्मा के स्वर्ग में पहुंचेंगे तो जीसस हमारी गवाही देंगे कि ये मेरे शिष्य हैं, इन्हें भीतर आने दो; ये अपने वाले हैं, ईसाई हैं। इनके साथ थोड़ी विशेष अनुकंपा करो। इन पर प्रसाद ज्यादा हो!

लेकिन जीसस का मतलब बहुत और था। जीसस ने कहा कि जब तुम पहुंचोगे, मैं तुम्हारी गवाही होऊंगा—इसका यह मतलब नहीं कि जीसस वहां खड़े होंगे। लेकिन जीसस ने जो कहा है, वह कसौटी की तरह पड़ा रहेगा। जब तुम्हारा अनुभव होगा, झट तुम उसे कस लोगे और गुत्थी सुलझ जाएगी। अन्यथा, असत्य में भटके हो इतने दिन तक कि तुम्हारी आंखें असत्य की आदी हो गई हैं। सत्य का आघात कहीं तुम्हें तोड़ न दे, विक्षिप्त न कर दे।

इसे याद रखना, सत्य के बहुत खोजी पागल हो गए हैं। सत्य के बहुत खोजी ठीक उस दशा के करीब, जब परमहंस होने को होते हैं, तभी पागल हो जाते हैं, विक्षिप्त हो जाते हैं। क्योंकि घटना इतनी बड़ी है, अविश्वसनीय है, भरोसे-योग्य नहीं है; जैसे पूरा आकाश टूट पड़े तुम पर; छोटा तुम्हारा पात्र है और विराट तुम्हारे पात्र पर बरस जाए! तुम अस्तव्यस्त हो जाओगे। तुम सम्हाल न पाओगे। जैसे सूरज एकदम सामने आ जाए और तुम्हारी आंखें झकपका जाएं, धुंधलका हो जाए! सूरज सामने हो और अंधेरा हो जाए, क्योंकि तुम्हारी आंखें बंद हो जाएं। उस घड़ी अष्टावक्र के वचन तुम्हें सूरज को समझने में उपयोगी हो जाएंगे। उस समय तुम्हारे अचेतन में पड़ी अष्टावक्र की वाणी तत्क्षण मुखर हो जाएगी। गूंजने लगेंगे उपनिषद के वचन, गूंजने लगेगी गीता, गूंजने लगेगा कुरान, उठने लगेंगी आयतें! उनकी गंध तुम्हें आश्वस्त करेगी कि तुम घर आ गए हो, घबड़ाने की कोई बात नहीं। यह विराट हो तुम!

अष्टावक्र कहते हैं : तू व्यापक है! तू विराट है। तू विभु है। तू कर्म-शून्य! तू शुद्ध-बुद्ध। तू सिर्फ ब्रह्मस्वरूप है!

ये वचन उस क्षण व्याख्या बनेंगे। इन पर निष्ठा करने मात्र से, इनको पकड़ लेने मात्र से तुम कहीं भी पहुंचोगे नहीं। और लोभ तुम्हारा भीतर खड़ा है कि आत्मज्ञान हुआ नहीं।

वासना को बांधने को
तूमड़ी जो स्वरतार बिछाती है।
आह! उसी में कैसी एकांत-निबिड़
वासना थरथराती है!
सुनो फिर—
वासना को बांधने को
तूमड़ी जो स्वरतार बिछाती है।

आह! उसी में कैसी एकांत-निबिड़
वासना थरथराती है!
तभी तो सांप की कुंडली हिलती नहीं,
फन डोलता है।

तुम वासना से मुक्त भी होना चाहते हो, तो भी तुम वासना का ही जाल बिछाते हो। तुम परम शुद्ध-बुद्ध होना चाहते हो, तो भी लोभ के माध्यम से ही, तो भी वासना ही थरथराती है।

आह! उसी में कैसी एकांत-निबिड़
वासना थरथराती है।
वासना को बांधने को
तूमड़ी जो स्वरतार बिछाती है।

तुम परमात्मा को पाने चलते हो, लेकिन तुम्हारे पाने का ढंग वही है जो धन पाने वाले का होता है। तुम परमात्मा को पाने चलते हो, लेकिन तुम्हारी वासना, कामना वही है—जो पदार्थ को पाने वाले की होती है। संसार को पाने वाले की जो दीवानगी होती है, वही दीवानगी तुम्हारी है।

वासना विषय बदल लेती है, वासना नहीं बदलती।

सुन कर अष्टावक्र को तुम्हारी वासना कहती है: 'अरे, यह तो बड़ा शुभ हुआ! हमें पता ही न था कि जिसे हम खोज रहे हैं वह मिला ही हुआ है। तो अब बस बैठ जाएं।' फिर तुम प्रतीक्षा करते हो: अब मिले, अब मिले, अब मिले! कैसी वासना थरथराती है! अब मिले! तो तुम समझे ही नहीं।

फिर से सुनो अष्टावक्र को। अष्टावक्र कहते हैं: मिला ही हुआ है। लेकिन इसे तुम कैसे सुनोगे? कैसे समझोगे? तुम्हारी वासना तो थरथरा रही है।

जब तक तुम अपनी वासना में दौड़ न लो, दौड़-दौड़ कर वासना की व्यर्थता देख न लो, दौड़ो और गिरो और लहूलुहान न हो जाओ, हाथ-पैर न तोड़ लो—तब तक तुम नहीं समझ पाओगे। वासना के अनुभव से जब वासना व्यर्थ हो जाती है, थक कर गिर जाती है और टूट जाती है—उस निर्वासना के क्षण में तुम समझ पाओगे, कि जिसे तुम खोजते हो वह मिला ही हुआ है।

अन्यथा, तुम तोते हो जाओगे। इससे कोई फर्क नहीं पड़ता कि तुम हिंदू तोते हो कि मुसलमान कि ईसाई कि जैन कि बौद्ध, इससे कुछ फर्क नहीं पड़ता—तोते यानी तोते। तोते को तुम चाहो तो बाइबिल रटा दो, और तोते को तुम चाहो तो गीता रटा दो। तोता तोता है; वह रट कर दोहराने लगेगा।

मंदिर के भीतर वे सब धुले-पुंछे

उघड़े, अवलिप्त, खुले गले से,
मुखर स्वरों में, अति प्रगल्भ
गाते जाते थे राम-नाम।
भीतर सब गूंगे, बहरे, अर्थहीन
जलपक, निर्बोध, अयाने, नाटे,
पर बाहर,
जितने बच्चे, उतने ही बड़बोले!
मंदिरों में देखो!
मंदिर के भीतर वे सब धुले-पुंछे,
उघड़े, अवलिप्त...!

कैसे लोग निर्दोष मालूम पड़ते हैं मंदिर में। उन्हीं शक्लों को बाजार में देखो, उन्हीं को मंदिर में देखो। मंदिर में उनका आवरण भिन्न मालूम होता है।

खुले गले से, मुखर स्वरों में
अति प्रगल्भ, गाते जाते थे राम-नाम।

देखा तुमने माला लिए, किसी को राम-नाम जपते? राम चदरिया ओढ़े, चंदन-तिलक लगाए—कैसी शुभ लगती है प्रतिमा! इन्हीं सज्जन को बाजार में देखो, भीड़-भाड़ में देखो, पहचान भी न पाओगे। लोगों के चेहरे अलग-अलग हैं; बाजार में एक चेहरा ओढ़ लेते हैं, मंदिर में एक चेहरा ओढ़ लेते हैं।

अति प्रगल्भ, गाते जाते थे राम-नाम
भीतर सब गूंगे, बहरे, अर्थहीन
जलपक, निर्बोध, अयाने, नाटे,
पर बाहर,
जितने बच्चे उतने ही बड़बोले!

जानकारी तुम्हें तोता बना सकती है, बड़बोला बना सकती है। जानकारी तुम्हें धार्मिक होने की भ्रांति दे सकती है, धोखा दे सकती है। लेकिन ज्ञान उसे मत मान लेना। और जानकारी के आधार पर तुम जो निष्ठा सम्हालोगे, वह निष्ठा संदेह के ऊपर बैठी होगी, संदेह के कंधे पर सवार होगी। वह निष्ठा कहीं सत्य के द्वार तक ले जाने वाली नहीं है। उस निष्ठा पर बहुत भरोसा मत करना। वह निष्ठा दो कौड़ी की है।

निष्ठा आनी चाहिए स्वानुभव से। निष्ठा आनी चाहिए शुद्ध निर्विकार स्वयं की ध्यान-अवस्था से।

दूसरा प्रश्नः कल संध्या घूम रहा था कि अचानक आपका कल सुबह का पूरा प्रवचन मेरे रोम-रोम में गूंजने लगा। दर्शक होकर दृश्यों की छवि निहार रहा था कि कहीं से द्रष्टा की याद आ गई। द्रष्टा का खेल भी जरा देर चला, लेकिन इसी बीच मेरे पैर लड़खड़ाने लगे और गिरने से बचने के लिए मैं सड़क के किनारे बैठ गया। और तभी न दृश्य रहा न दर्शक रहा और न द्रष्टा ही रहा। सब कुछ समाप्त हो गया और फिर भी कुछ था। कभी अंधेरा, कभी प्रकाश की आंख-मिचौनी चलती रही। लेकिन तभी से बेचैनी भी बढ़ गई और समझ में नहीं आया कि यह सब क्या है!

यही मैं तुमसे कह रहा हूं।

अगर सत्य की थोड़ी सी झलक भी तुम्हारे पास आएगी तो तुम बेचैन हो जाओगे; तुम समझ न पाओगे यह क्या है। न समझ पाए कि क्या है, तो गहन अशांति पकड़ लेगी, विक्षिप्तता भी पकड़ सकती है। इसलिए बोलता हूं इन शास्त्रों पर। इसलिए रोज तुम्हें समझाए जाता हूं कि कहीं तुम्हारे अचेतन में जानकारी पड़ी रहे और जब घटनाएं घटें तो तुम उनकी ठीक-ठीक व्याख्या कर लो, सुलझा लो। अन्यथा तुम सुलझाओगे कैसे?—तुम्हारे पास भाषा न होगी; शब्द न होंगे; समझने का कोई उपाय न होगा; मापदंड न होगा। तराजू न होगा, तुम तौलोगे कैसे? कसौटी न होगी, तुम परखोगे कैसे?

पूछा हैः 'मेरे रोम-रोम में प्रवचन गूंजने लगा। दर्शक होकर दृश्यों की छवि निहार रहा था, कहीं से द्रष्टा की याद आ गई। द्रष्टा का खेल भी जरा देर चला, लेकिन इसी बीच मेरे पैर लड़खड़ाने लगे और गिरने से बचने के लिए मैं सड़क के किनारे बैठ गया।'

निश्चित ही ऐसा ही होता है। जब पहली दफा तुम्हें द्रष्टा का थोड़ा सा बोध होगा, तुम लड़खड़ा जाओगे; तुम्हारी पूरी जिंदगी लड़खड़ा जाएगी। क्योंकि तुम्हारी पूरी जिंदगी ही द्रष्टा के बिना खड़ी है। यह नई घटना सब अस्तव्यस्त कर देगी। जैसे अंधे आदमी की अचानक आंख खुल जाए, थोड़ा सोचो, वह चल पाएगा रास्ते पर? वह लड़खड़ा जाएगा। चालीस साल, पचास साल से अंधा था, लकड़ी के सहारे टटोल-टटोल कर चलता था। अंधेरे में चलने की धीरे-धीरे क्षमता आ गई थी अंधेपन के साथ ही। कुशल हो गया था। आवाजें समझ लेता था। रास्तों के मोड़ पहचान में आ गए थे। कान के द्वारा आंख का काम लेना सीख गया था। पचास साल से सब ठीक व्यवस्थित हो गया था।

एक जिंदगी है अंधे की—तुम उसकी कल्पना भी नहीं कर सकते—प्रकाश-

विहीन, रंग-विहीन, रूप-विहीन, आकार-विहीन; सिर्फ ध्वनि के माध्यम पर टिकी। उसकी एक ही भाषा है: ध्वनि। तो उसी के आधार पर उसने अपना सारा जीवन संरचित कर लिया था। आज अचानक सुबह वह जा रहा है बाजार, उसकी अचानक आंख खुल जाए, थोड़ा सोचो क्या होगा? उसका सारा संसार झकपका कर गिर पड़ेगा। उसकी ध्वनि का सारा लोक एकदम अस्तव्यस्त हो जाएगा। यह घटना इतनी बड़ी होगी—आंख का खुलना, लोगों के चेहरे दिखाई पड़ने, रंग दिखाई पड़ने, सूरज की किरणें, धूप-छांव, यह भीड़-भाड़, इतने लोग, बसें, कारें, साईकिलें—वह एकदम घबड़ा जाएगा। यह इतना बड़ा आघात होगा उसके ऊपर कि उसकी छोटी सी दुनिया जो ध्वनि के सहारे बनी थी, वह कहीं दब जाएगी, पिछड़ जाएगी, मर जाएगी, कुचल जाएगी! वह वहीं थरथरा कर बैठ जाएगा, लड़खड़ा कर गिर पड़ेगा; शायद घर न आ सके, या बेहोश हो जाए।

और यह उदाहरण कुछ भी नहीं है। जब तुम्हारे जीवन में द्रष्टा का प्रवेश होगा, एक किरण भी द्रष्टा की आएगी, तो यह उदाहरण कुछ भी नहीं है—वह घटना और भी बड़ी है। भीतर की आंख खुल रही है। तुमने उस भीतर की आंख के बिना ही अपना एक संसार रच लिया है। अचानक वह भीतर की आंख खुलते ही तुम्हारे सारे संसार को गलत कर देगी। तुम चौंक कर अवाक रह जाओगे।

जिसने पूछा है, ठीक ही पूछा है और अनुभव से पूछा है। इसे खयाल करना।

प्रश्न दो तरह के होते हैं। एक तो सैद्धांतिक होते हैं। उनका कोई बड़ा मूल्य नहीं होता। यह प्रश्न अनुभव का है। अनुभव से न हुआ होता तो यह प्रश्न बन ही नहीं सकता था। ये पैर लड़खड़ाए न होते तो यह प्रश्न बन नहीं सकता था। यह प्रश्न सीधे अनुभव का है।

'कहीं से द्रष्टा की याद आ गई।'

गूंज रहे होंगे अष्टावक्र के वचन। जो मैंने कहा था सुबह, उसकी गूंज बाकी रह गई होगी, उसकी सुगंध तुम्हारे भीतर उठ रही होगी, उसकी थोड़ी सी लकीरें कहीं उलझी रह गई होंगी।

'आ गई कहीं से द्रष्टा की याद! द्रष्टा का खेल थोड़ी देर चला।'

शायद क्षण भर ही चला हो। वह क्षण भी बहुत लंबा मालूम होता है जब खेल द्रष्टा का चलता है, क्योंकि द्रष्टा समयातीत है। यहां घड़ी में क्षण बीतता है, वहां द्रष्टा होने में ऐसा लग सकता है कि सदियां बीत गईं। यह घड़ी वहां काम नहीं आती। यह घड़ी भीतर की आंख के लिए नहीं बनी है।

'थोड़ी देर खेल चला, लेकिन इसी बीच मेरे पैर लड़खड़ाने लगे, जिनसे बचने के लिए मैं सड़क के किनारे बैठ गया।'

यह लड़खड़ाहट बताती है कि घटना घटी। प्रश्न पूछने वाले ने सुन कर प्रश्न नहीं पूछा है, पढ़ कर प्रश्न नहीं पूछा है—कुछ घटा।

'और तभी न दृश्य रहा, न दर्शक रहा, न द्रष्टा रहा।' उस लड़खड़ाहट में सब बिखर गया, सब खो गया।

ऐसी घड़ी में ही कभी विक्षिप्तता आ सकती है, अगर धीरे-धीरे अभ्यास न हो। अगर रत्ती-रत्ती हम इसको आत्मसात न करते चलें और यह एकदम से फूट पड़े, तो विस्फोट हो सकता है।

'सब कुछ समाप्त हो गया और फिर भी कुछ था।'

निश्चित कुछ था। वस्तुतः पहली दफा सब कुछ था। तुम्हारा सब कुछ समाप्त हो गया। तुमने जो बना ली थी अपनी छोटी सी घास-फूस की कुटिया—वह गिर गई। आकाश था, चांद-तारे थे। परमात्मा ही बचा! तुमने जो बना ली थी सीमाएं, रेखाएं—वे खो गईं। निर्भ्र आकाश बचा! तुमने जो छोटे से में रहने का अभ्यास कर लिया था, वह लड़खड़ा गया। उसी लड़खड़ाहट में तुम भी घबरा कर सड़क के किनारे बैठ गए।

निश्चित कुछ था। लेकिन जिसको यह अनुभव हुआ, अवाक कर गया। वह पकड़ नहीं पाया, क्या था, कौन था!

तुम्हें खयाल है? कभी-कभी ऐसा होता है, सुबह अचानक कोई तुम्हें जगा दे जब तुम गहरी नींद में सोए थे—पांच बजे हों, तुम गहरी नींद में थे, रात की सबसे गहरी घड़ी थी—कोई अचानक जगा दे, कोई शोरगुल हो जाए, रास्ते पर कोई बम फूट जाए, कोई कार टकरा जाए द्वार पर, कोई शोरगुल हो जाए—तुम अचानक से जाग जाओ। अचानक! नींद से एकदम होश में आ जाओ। नींद की गहराई से तीर की तरह आ जाओ।

साधारणतः हम जब आते हैं नींद की गहराई से तो धीरे-धीरे आते हैं। पहले गहरी नींद छूटती है, फिर धीरे-धीरे सपने तैरना शुरू होते हैं। फिर सपनों में हम थोड़ी देर रहते हैं। इसलिए तुम्हें सुबह के सपने याद रहते हैं रात के सपने तुम्हें याद नहीं रहते। क्योंकि सुबह के सपने बहुत हलके होते हैं, और नींद और जागरण के ठीक मध्य में होते हैं। फिर धीरे-धीरे सपने हटते हैं। फिर अधूरी-अधूरी टूटी सी नींद होती है। फिर धूप-छांव की आंख-मिचौनी चलती है थोड़ी देर, क्षण भर को लगता है जागे, क्षण भर को फिर नींद में हो जाते हैं, करवट बदल लेते हैं, करवट बदलते तब लगता है जागे हैं; बीच में आवाज भी सुनाई दे जाती है कि पत्नी चाय बनाने लगी, कि बर्तन गिर गया, कि दूध वाला आ गया, कि राह से कोई गुजर रहा, कि नौकरानी ने दस्तक

दी, कि बच्चे स्कूल जाने की तैयारी करने लगे। फिर करवट लेकर फिर तुम एक गहराई में डुबकी लगा जाते हो। ऐसा धीरे-धीरे, धीरे-धीरे सतह पर आते हो। फिर तुम आंख खोलते हो।

लेकिन अगर कभी कोई अचानक घटना घट जाए तो तुम तीर की तरह गहराई से सीधे जागरण में आ जाते हो। आंख खोल कर तुम्हें लगेगा अचानक, तुम कहां हो, कौन हो? एक क्षण को कुछ समझ में न आएगा।

ऐसा तुम सबको हुआ होगा कभी किसी घड़ी में: 'कौन हूं? नाम-पता भी याद नहीं आता। कहां हूं? यह भी समझ में नहीं आता। जैसे किसी अजनबी दुनिया में अचानक आ गए हों! यह क्षण भर ही रहती है बात, फिर तुम सम्हल जाते हो। क्योंकि यह धक्का कोई बहुत बड़ा धक्का नहीं है। और फिर इसके तुम अभ्यासी हो। रोज ही यह होता है। रोज सुबह तुम उठते हो, सपने की दुनिया से वापस जागृति की दुनिया में लौटते हो। यह अभ्यास पुराना है, फिर भी कभी-कभी अचानक हो जाए तो चौंका जाता है, घबड़ा जाता है।

असली जागरण जब घटता है तो तुम बिलकुल ही अवाक रह जाओगे। तुम्हें कुछ समझ में न आएगा, क्या हो रहा है? सब सन्नाटा और शून्य हो जाएगा।

लेकिन ठीक हुआ।

'न द्रष्टा रहा, न दर्शक, न दृश्य। सब कुछ समाप्त हो गया। फिर भी कुछ था।'

इस कुछ की ही तुम व्याख्या कर सको, इसीलिए इतने शास्त्रों पर मैं बोल रहा हूं। इस कुछ की ही तुम व्याख्या करने में समर्थ हो जाओ; इस कुछ को तुम अर्थ दे सको; इस कुछ की तुम प्रत्यभिज्ञा कर सको, परिभाषा कर सको, नहीं तो यह कुछ तुम्हें डुबा लेगा। तुम बाढ़ में बह जाओगे। तुम्हारे पास खड़े होने की कोई जगह रहे, इसीलिए इतनी बातें कह रहा हूं।

'सब कुछ समाप्त हो गया, फिर भी कुछ था। कभी अंधेरा, कभी प्रकाश की आंख-मिचौनी चलती रही। लेकिन तभी से बेचैनी बढ़ गई है। और समझ में नहीं आता कि यह सब क्या था।'

जो मैं कहता हूं, उसे सम्हाले जाओ। उसकी मंजूषा बनाओ। उसे ज्ञान मत समझना, जानकारी ही समझना। समझपूर्वक उसकी मंजूषा बनाओ। फिर धीरे-धीरे तुम पाओगे, जब-जब अनुभव घटेगा, जो अनुभव घटेगा, उस अनुभव को सुस्पष्ट, सुविष्ट कर देने वाले मेरे शब्द तुम्हारे अचेतन से उठ कर खड़े हो जाएंगे। मैं तुम्हारा साक्षी बन जाऊंगा। मैं तुम्हारा गवाह हूं।

लेकिन अगर सुनते वक्त तुम मेरे साथ विवाद कर रहे हो तो फिर मैं तुम्हारा गवाह न बन सकूंगा। अगर सुनते वक्त तुम मुझसे किसी तरह का आंतरिक संघर्ष कर रहे हो, तर्क कर रहे हो; अगर सुनते वक्त तुम मुझे सहानुभूति, प्रेम से नहीं सुन रहे हो, विवाद कर रहे हो—तो मैं तुम्हारा गवाह न बन सकूंगा। क्योंकि फिर तुम जो अपनी मंजूषा में रखोगे, वह मेरा नहीं होगा, तुम्हारा ही होगा।

कल रात आस्ट्रेलिया से आए एक मनोवैज्ञानिक ने संन्यास लिया। उस मनोवैज्ञानिक को मैंने कहा कि तुम संन्यास न लो, तो भी तुम्हारा स्वागत है। लेकिन तब तुम मेरे अतिथि न रहोगे। स्वागत तो तुम्हारा है। अगर तुम संन्यास ले लो तो भी स्वागत तुम्हारा है, पर तुम मेरे अतिथि भी हो गए।

मुझसे लोग पूछते हैं कि 'अगर हम संन्यास न लें तो क्या आपका प्रेम हम पर कम रहेगा?' मेरा प्रेम तुम पर पूरा रहेगा। स्वागत है। लेकिन संन्यास लेते ही तुम अतिथि भी हो गए।

और बड़ा फर्क है। बिना संन्यास लिए तुम सुन रहे हो दूरी से; संन्यास लेकर तुम पास आ गए। बिना संन्यास लिए तुम सुन रहे हो, अपनी बुद्धि से विश्लेषण कर रहे हो, तुम छांट रहे हो मैं जो कह रहा हूं। उसमें जो तुम्हें मन-भाता है, वह रख लेते हो; जो मन नहीं भाता, वह छोड़ देते हो। और संभावना इसकी है कि जो तुम्हें मन नहीं भाता है वही काम पड़ने वाला है। क्योंकि तुम्हें जो मन-भाता है, वह तुम्हें बदल नहीं सकता। तुम्हें मन-भाता है, उसका अर्थ है तुम्हारे अतीत से मेल खाता है। जो तुम्हारे अतीत से मेल नहीं खाता, वही तुम्हारे भीतर क्रांति की किरण बनेगा। जो तुमसे मेल नहीं खाता वही तुम्हें रूपांतरित करेगा। जो तुमसे बिलकुल मेल खा जाता है, वह तुम्हें मजबूत करेगा, रूपांतरित नहीं करेगा। तो तुम चुन रहे हो। तुम सोचते हो तुम बुद्धिमान हो।

बुद्धिमान कभी-कभी बड़ी नासमझियां करते हैं। वे चुन रहे हैं बैठे। वे चुनते रहते हैं। अपने मतलब का जो है, वह सम्हाल लेंगे; जो अपने मतलब का नहीं, उससे हमें क्या लेना-देना!

लेकिन मैं तुमसे फिर कहता हूं: जो तुम्हें लगता है तुम्हारे मतलब का नहीं है, वही किसी दिन तुम्हारे काम पड़ेगा। आज तुम्हारे पास उसको समझने का भी कोई उपाय नहीं है, क्योंकि तुम्हारे पास उसका कोई अनुभव नहीं है। लेकिन फिर भी मैं कहता हूं, सम्हाल कर रख लो। किसी दिन अनुभव जब आएगा, तो अचानक तुम्हारे अचेतन से उठेगी बात और हल कर जाएगी। तब तुम अवाक न रहोगे। तब तुम्हारा विस्मय तुम्हें तोड़ नहीं देगा। और तब तुम घबड़ा न जाओगे और बेचैनी न होगी।

ऊपर ही ऊपर,
जो हवा ने गाया
देवदारू ने दोहराया
जो हिम-चोटियों पर झलका
जो सांझ के आकाश से छलका
वह किसने पाया?
जिसने आयत करने की आकांक्षा का हाथ बढ़ाया?
आह, वह तो मेरे
दे दिए गए हृदय में उतरा
मेरे स्वीकारे आंसू में ढलका
वह अनजाना, अनपहचाना ही आया
वह इन सबके और मेरे माध्यम से
अपने में, अपने को लाया
अपने में समाया
अकेला वह तेजोमय है जहां
दीठ बेबस झुक जाती है
वाणी तो क्या, सन्नाटे तक की गूंज
वहां चुक जाती है।

सुनो मुझे—गहन आंसुओं से! सुनो मुझे—हृदय से! सुनो मुझे—प्रेम से!
बुद्धि से नहीं, तर्क से नहीं। वही श्रद्धा और निष्ठा का अर्थ है।

ऊपर ही ऊपर,
जो हवा ने गाया
जो देवदारू ने दोहराया
जो हिम-चोटियों पर झलका
जो सांझ के आकाश से छलका
वह किसने पाया?
क्या उसने, जिसने
आयत करने की आकांक्षा का हाथ बढ़ाया?

नहीं! जहां आकांक्षा का हाथ बढ़ा, वहां तो हाथ बड़ा छोटा हो
गया। आकांक्षा के हाथ में तो भिक्षा ही समाती है, साम्राज्य नहीं समाते।
साम्राज्य समाने के लिए तो प्रेम से खुला हुआ हृदय चाहिए; भिक्षा का,
वासना का पात्र नहीं।

वह किसने पाया?

जिसने आयत करने की आकांक्षा का हाथ बढ़ाया?

तो तुम मुझे यहां ऐसे सुन सकते हो कि चलो, जो अपने मतलब का हो उसे उठा लें, अपनी झोली में सम्हाल लें। तो तुम आकांक्षा के हाथ से मेरे पास आ रहे हो। आकांक्षा तो भिक्षु है। तो तुम कुछ थोड़ा-बहुत ले जाओगे, लेकिन तुम जो ले जाओगे वे टेबल से गिरे रोटी के टुकड़े इत्यादि थे। तुम अतिथि न हो पाए। संन्यास तुम्हें अतिथि बना देता है।

आह, वह तो मेरे दे दिए गए
हृदय में उतरा!
आह, वह तो मेरे दे दिए गए
हृदय में उतरा।
मेरे स्वीकारे आंसू में ढलका
वह अनजाना-अनपहचाना ही आया
वह इन सबके और मेरे माध्यम से
अपने में, अपने को लाया
अपने में समाया
अकेला वह तेजोमय है जहां
दीठ बेबस झुक जाती है।
वहां आंख तो झुक जाती है।
वाणी तो क्या, सन्नाटे तक की गूंज
वहां चुक जाती है।

उसके लिए तैयारी करो। उसके लिए हृदय को प्रेम से भरो। उसके लिए सहानुभूति से सुनना सीखो। और मैं तुमसे जो कह रहा हूं, उसे मंजूषा में संजोओ। तो फिर बेचैनी न होगी। फिर वह उतरे अपरिचित, अनजान—तुम उसे समझ पाओगे। तुम उसके गूढ़ स्वर को समझ पाओगे। तुम उसके सन्नाटे में डूबोगे नहीं, घबड़ाओगे नहीं—मुक्त हो जाओगे। अन्यथा, वह मौत जैसा लगेगा। परमात्मा अगर बिना समझे हुए आ जाए, तुम्हारे पास अगर समझने का कोई भी उपाय न हो, तो मौत जैसा लगेगा कि मरे! अगर तुम्हारे पास समझने का थोड़ा उपाय हो, थोड़ी तैयारी हो, तुमने सदगुरुओं से कुछ सीखा हो, सत्संग किया हो—तो परमात्मा मोक्ष है, अन्यथा मृत्यु जैसा मालूम पड़ता है। और एक बार तुम घबड़ा गए तो तुम उस तरफ जाना बंद कर दोगे। एक बार तुम बहुत भयभीत हो गए, तो तुम्हारा रोआं-रोआं डरने लगेगा। तुम और सब जगह जाओगे, वहां न जाओगे जहां ऐसा

भय है; जहां हाथ-पैर लड़खड़ा जाएं; जहां राह के किनारे बैठ जाना पड़े; जहां सब धूमिल हो जाए, सब खोता मालूम पड़े; कुछ अज्ञात, अनजाना शेष रहे और घबड़ाए और बेचैनी दे—फिर तुम वहां न जाओगे।

रवींद्रनाथ का गीत है कि मैं परमात्मा को खोजता था अनेक जन्मों से। बहुत खोजा, मिला नहीं। कभी-कभी दूर, बहुत दूर चांद-तारों पर उसकी झलक दिखाई पड़ जाती थी। आशा बंधी रही, खोजता रहा। फिर एक दिन संयोग और सौभाग्य कि उसके द्वार पर पहुंच गया। तख्ती लगी थी—यही रहा घर भगवान का! चढ़ गया सीढ़ियां एक छलांग में, जन्मों-जन्मों की यात्रा पूरी हुई थी। अहोभाग्य! हाथ में सांकल लेकर बजाने को ही था कि तब एक भय पकड़ा कि अगर वह मिल गया, तो फिर? फिर मैं क्या करूंगा? अब तक परमात्मा को खोजना ही तो मेरा कुल कृत्य था। अब तक इसी सहारे जीया। यही थी मेरी जीवन-यात्रा। तो परमात्मा अगर मिल गया तो वह तो मृत्यु हो जाएगी। फिर मेरे जीवन का क्या? फिर मेरी यात्रा कहां? फिर कहां जाना है, किसको पाना है, क्या खोजना है? फिर तो कुछ भी न बचेगा। तो बहुत घबड़ा गया। छोड़ दी सांकल आहिस्ता से, कि कहीं आवाज न हो जाए, कहीं वह द्वार खोल ही न दे! जूते हाथ में ले लिए। भागा...तो तब से भाग रहा हूं।

अब भी खोजता हूं—रवींद्रनाथ ने लिखा है उस गीत में—अब भी खोजता हूं परमात्मा को; हालांकि मुझे पता है उसका घर कहां है। उस जगह को भर छोड़ कर सब जगह खोजता हूं; क्योंकि खोजना ही जीवन है। उस जगह भर जाने से बचता हूं। उस घर की तरफ भर नहीं जाता। वहां से किनारा काट लेता हूं। और सब जगह पूछता फिरता हूं, परमात्मा कहां है? और मुझे पता है कि परमात्मा कहां है।

मेरे देखे, बहुत लोग अनंत जन्मों की यात्रा में कई बार उस घर के करीब पहुंच गए हैं, लेकिन घबड़ा गए हैं। ऐसे घबड़ा गए कि सब भूल गया, वह घबड़ाहट नहीं भूली है अभी तक! इसीलिए लोग ध्यान करने को आसानी से उत्सुक नहीं होते। ध्यान वगैरह की बात से ही लोग डरते हैं, बचते हैं। परमात्मा शब्द का औपचारिक उपयोग कर लेते हैं, लेकिन परमात्मा को कभी जीवन की गहरी खोज नहीं बनने देते। मंदिर-मस्जिद हो आते हैं—सामाजिक औपचारिकता है, लोकाचार। जाना चाहिए, इसीलिए चले जाते हैं। लेकिन कभी मंदिर को, मस्जिद को हृदय में नहीं बसने देते। उतना खतरा मोल नहीं लेते। दूर-दूर रखते हैं परमात्मा को। उसका कारण होगा। कहीं किसी गहन अनुभव में, कहीं छिपी किसी गहरी स्मृति में कोई भय का अनुभव छिपा है। कभी लड़खड़ा गए होंगे उसके घर के पास।

अब जिन मित्र को यह अनुभव हुआ है, अगर वे ठीक से न समझें तो घबड़ाने

लगेंगे। अब रास्ते पर ऐसा घबड़ा कर बैठ जाना, हाथ-पैर कंप जाना, हृदय का जोर से धड़कने लगना, श्वास का बेतहाशा चलने लगना, कुछ से कुछ हो जाए—ऐसे ध्यान से दूर ही रहना अच्छा! यह तो झंझट की बात है। फिर लौट आए तो ठीक; अगर न लौट पाए तो? अगर ऐसे ही बैठे रह जाएं रास्ते के किनारे तो लोग पागल समझ लेंगे। घड़ी दो घड़ी तो ठीक, फिर पुलिस आ जाएगी। फिर पास-पड़ोस के लोग कहेंगे कि अब इनको उठाओ, अस्पताल भेजो, क्या हो गया? चिकित्सक इंजेक्शन देने लगेंगे कि इनका होश खो गया, कि मस्तिष्क खराब हो गया?

मेरे एक मित्र ने लिखा है—संन्यासी हैं—कि यहां से गए तो नाचते हुए, आनंदित होकर गए। घर के लोगों ने कभी उन्हें नाचते और आनंदित तो देखा नहीं था। जब वे घर नाचते, आनंदित पहुंचे, तो लोगों ने समझा पागल हो गए। घर के लोगों ने एकदम दौड़ कर उन्हें पकड़ लिया कि बैठो, क्या हो गया तुमको? 'अरे,' उन्होंने कहा, 'मुझे कुछ हुआ नहीं। मैं बड़ा प्रसन्न हूं, बड़ा आनंद में हूं।' वे जितने ज्ञान की बातें करें, घर के लोग उतने संदिग्ध हुए कि गड़बड़ हो गई। वे उन्हें घर से न निकलने दें। जबरदस्ती उनको अस्पताल में भरती करवा दिया। उनका पत्र आया है कि मैं पड़ा हंस रहा हूं यहां अस्पताल में। यह खूब मजा है! मैं दुखी था, मुझे कोई अस्पताल न लाया। अब मैं प्रसन्न हूं तो लोग मुझे अस्पताल ले आए हैं। मैं देख रहा हूं खेल। मगर वे समझते हैं कि मैं पागल हूं। और जितना वे मुझे समझते हैं कि पागल हूं, उतनी मुझे हंसी आती है। जितनी मुझे हंसी आती है, वे समझते हैं कि बिलकुल गए काम से!

ठीक हुआ जो पूछ लिया। घबड़ाना मत। यह अनुभव धीरे-धीरे शांत हो जाएगा। साक्षी-भाव रखना। ऐसा स्वाभाविक है।

तीसरा प्रश्न : हम ईश्वर-अंश हैं और अविनाशी भी। कृपया बताएं कि यह अंश मूल से कब, क्यों और कैसे बिछुड़ा? और अंश का मूल से पुनर्मिलन, कभी न बिछुड़ने वाला मिलना संभव है या नहीं? यदि संभव है तो अंश को मूल में मिला देने की कृपा करें कि बार-बार इस कोलाहल में आकर भयभीत न होना पड़े।

देखें फर्क! अभी एक प्रश्न था—वह अनुभव का था। यह प्रश्न शास्त्रीय है: 'हम ईश्वर-अंश हैं और अविनाशी भी!'

यह तुम्हें पता है? सुन लिया, पढ़ लिया—और अहंकार को तृप्ति देता है—मान भी लिया। इससे बड़ी अहंकार को तृप्ति देने वाली और क्या बात हो

सकती है कि हम ईश्वर-अंश हैं? ईश्वर हैं, ब्रह्म हैं, अविनाशी हैं! यही तो तुम चाहते हो। यही तो अहंकार की खोज है। यही तो तुम्हारी गहरी से गहरी आकांक्षा है कि अविनाशी हो जाओ, ईश्वर-अंश हो जाओ, ब्रह्मस्वरूप हो जाओ, सारे जगत के मालिक हो जाओ!

'हम ईश्वर-अंश हैं और अविनाशी भी।'

ऐसा तुम्हें पता है? अगर तुम्हें पता है तो प्रश्न की कोई जरूरत नहीं। अगर तुम्हें पता नहीं है तो यह बात लिखना ही व्यर्थ है, फिर प्रश्न ही लिखना काफी है।

'कृपया बताएं कि यह अंश मूल से कब, क्यों और कैसे बिछुड़ा?'

ये पांडित्य के प्रश्न हैं। कब?—समय, तारीख, तिथि चाहिए। क्या करोगे? अगर मैं तिथि भी बता दूं, उससे क्या अंतर पड़ेगा? संवत बता दूं, समय बता दूं कि ठीक सुबह छह बजे फलां-फलां दिन—उससे क्या फर्क पड़ेगा? उससे तुम्हारे जीवन में क्या क्रांति होगी, तुम्हें क्या मिलेगा?

'कब, क्यों और कैसे बिछुड़ा?'

अगर तुम्हें पता है कि तुम ईश्वर-अंश हो तो तुम्हें पता होगा कि बिछुड़ा कभी भी नहीं। तुमने बिछुड़ने का सपना देखा। बिछुड़ा कभी भी नहीं, क्योंकि अंश बिछुड़ कैसे सकता है? अंश तो अंशी के साथ ही होता है। तुम्हें याद भूल गई हो; बिछुड़न नहीं हो सकती, विस्मृति हो सकती है। बिछुड़ने का तो उपाय ही नहीं है। हम जो हैं, वही हैं। चाहे हम भूल जाएं, विस्मरण कर दें, चाहे हम याद कर लें—सारा भेद विस्मृति और स्मृति का है।

'मूल से कब, क्यों और कैसे बिछुड़ा?'

बिछुड़ा होता तो हम बता देते कि कब, क्यों और कैसे बिछुड़ा। बिछुड़ा नहीं। रात तुम सोए, तुमने सपना देखा कि सपने में तुम घोड़े हो गए। अब सुबह तुम पूछो कि हम घोड़े क्यों, कैसे, कब हुए—बहुत मुश्किल की बात है। 'क्यों घोड़े हुए?' हुए ही नहीं, पहली तो बात। हो गए होते तो पूछने वाला बचता? घोड़े तो नहीं पूछते। तुम कभी हुए नहीं; सिर्फ सपना देखा। सुबह जाग कर तुमने पाया कि अरे, खूब सपना देखा! जब तुम सपना देख रहे थे तब भी तुम घोड़े नहीं थे, याद रखना। हालांकि तुम बिलकुल ही लिप्त हो गए थे इस भाव में कि घोड़ा हो गया। यही तो अष्टावक्र की मूल धारणा है।

अष्टावक्र कहते हैं: जिस बात से भी तुम अपने मैं—भाव को जोड़ लोगे, वही हो जाओगे। देहाभिमान—तो देह हो गए। कहा 'मैं देह हूं', तो देह हो गए। ब्रह्माभिमान—कहा कि मैं ब्रह्म हूं, तो ब्रह्म हो गए। तुम जिससे अपने मैं को जोड़ लेते हो, वही हो जाते हो। सपने में तुमने घोड़े से जोड़ लिया, तुम घोड़े हो गए।

अभी तुमने शरीर से जोड़ लिया तो तुम आदमी हो गए। लेकिन तुम हुए कभी भी नहीं हो। हो तो तुम वही, जो तुम हो। जस के तस! वैसे के वैसे! तुम्हारे स्वभाव में तो कहीं कोई अंतर नहीं पड़ा है।

इसलिए इस तरह के प्रश्न अर्थहीन हैं। और इस तरह के प्रश्न पूछने में समय मत गंवाओ। और इस तरह के प्रश्नों के जो उत्तर देते हैं, वे तुमसे भी ज्यादा नासमझ हैं।

झेन फकीर बोकोजू के जीवन में उल्लेख हैः एक दिन सुबह उठा और उठ कर उसने अपने प्रधान शिष्य को बुलाया और कहा कि सुनो, मैंने रात एक सपना देखा। उसकी तुम व्याख्या कर सकोगे?

उस शिष्य ने कहा कि रुकें। मैं थोड़ा पानी ले आऊं, आप हाथ-मुंह पहले धो लें।

वह मटकी में पानी भर लाया और गुरु का उसने हाथ-मुंह धुलवा दिया। वह हाथ-मुंह धुला रहा था, तभी दूसरा शिष्य पास से गुजरता था। गुरु ने कहा, सुनो! मैंने रात एक सपना देखा। तुम उसकी व्याख्या करोगे?

उसने कहा कि ठहरो, एक कप चाय ले लेना आपके लिए अच्छा रहेगा। वह एक कप चाय ले आया। गुरु खूब हंसने लगा। उसने कहा कि अगर तुमने व्याख्या की होती मेरे सपने की, तो मार कर बाहर निकाल देता।

सपने की क्या व्याख्या? अब देख भी लिया, जाग भी गए, अब छोड़ो पंचायत!

शिष्यों ने बिलकुल ठीक उत्तर दिए। वह कसौटी थी। वह परीक्षा थी उनकी। वह परीक्षा का क्षण आ गया था। एक शिष्य पानी ले आया कि आप हाथ-मुंह धो लें। सपना गया, अब मामला खत्म करें! अब और व्याख्या क्या करनी? सपना सपना था, बात खत्म हो गई; व्याख्या क्या करनी? व्याख्या सत्य की होती है, सपनों की थोड़े ही। झूठ की क्या व्याख्या हो सकती है? जो हुआ ही नहीं, उसकी क्या व्याख्या हो सकती है? इतना काफी है कि जान लिया सपना था, अब हाथ-मुंह धो लें। अब बाहर आ ही जाएं, जब आ ही गए।

दूसरे युवक ने भी ठीक किया कि चाय ले आया, कि हाथ-मुंह तो धुल गया लेकिन लगता है थोड़ी नींद बाकी है, आप ठीक से चाय पी लें, बिलकुल जाग जाएं।

यही मैं तुमसे कहता हूंः हाथ-मुंह धो लो, चाय पी लो! तुम कभी अलग हुए नहीं। अलग होने का कोई उपाय नहीं है।

फिर पूछते हैंः 'अंश का मूल से पुनर्मिलन, कभी न बिछुड़ने वाला मिलन संभव है या नहीं?'

जब तुम बिछुड़े ही नहीं तो मिलन की बात ही बकवास है। इसीलिए तो अष्टावक्र कहते हैं कि मुक्ति का अनुष्ठान मुक्ति का बंधन है। वे क्या कह रहे हैं? वे यह कह रहे हैं कि जिससे तुम कभी अलग ही नहीं हुए, उससे मिलने की योजना? तो हद हो गई पागलपन की! तो यह योजना ही तुम्हें मिलने न देगी।

थोड़ा सोचो! अगर तुम अपने घर के बाहर कभी गए ही नहीं, तो घर लौटने की चेष्टा तुम्हें जागने न देगी।

एक शराबी रात घर लौटा। ज्यादा पी गया। दरवाजे पर टटोल कर तो देखा, लेकिन समझ में न आया कि अपना मकान है। उसकी मां ने दरवाजा खोला, तो उसने कहा, हे बूढ़ी मां! मुझे मेरे घर का पता बता दें।

वह बूढ़ी कहने लगी, तू मेरा बेटा है, मैं तेरी मां हूं, पागल! यह तेरा घर है।

उसने कहा कि मुझे भरमाओ मत। मुझे भटकाओ मत। इतना मुझे पक्का है कि घर यहीं कहीं है, लेकिन कहां है?

मोहल्ले के लोग इकट्ठे हो गए। लोग समझाने लगे। अब शराबी को समझाने की जरूरत नहीं होती। शराबी को जो समझाएं वह भी शराब पीए है। वे समझाने लगे कि यही तेरा घर है। सिद्ध करने लगे, प्रमाण जुटाने लगे कि देख, यह देख। वे इतनी बात समझ ही नहीं रहे कि वह आदमी शराब पीए है, कहां प्रमाण! उसे न मालूम क्या-क्या दिखाई पड़ रहा है, जिसकी तुम सोच भी नहीं कर सकते। जो तुम्हें दिखाई पड़ रहा है उसे दिखाई पड़ ही नहीं रहा है। वह किसी दूसरे लोक में है। वह अपनी मां को नहीं पहचान रहा है, क्या खाक अपने घर को पहचानेगा! वह अपने को नहीं पहचान रहा है, वह क्या किसी और को पहचानेगा!

उसके पीछे एक दूसरा शराबी आया। वह अपनी बैलगाड़ी जोते चला आ रहा था। तो उसने कहा कि तू मेरी बैलगाड़ी में बैठ, मैं तुझे पहुंचा दूंगा तेरे घर।

उसने कहा कि यह आदमी ठीक मालूम होता है। सदगुरु मिल गए! ये सब तो नासमझ थे। हम पूछते हैं, हमारा घर कहां है, बस वे एक ही रट लगाए हुए हैं कि यही तेरा घर है! हम क्या अंधे हैं? यह आदमी सदगुरु है!

तुम ध्यान रखना। तुम गलत प्रश्न पूछोगे, तुम गलत गुरुओं के जाल में पड़ जाओगे। एक बार तुमने गलत प्रश्न पूछा तो कोई न कोई गलत उत्तर देने वाला मिल ही जाएगा। यह जीवन का नियम है। पूछो कि उत्तर देने वाला तैयार है। सच तो यह है कि तुम न पूछो तो उत्तर देने वाले तैयार हैं। वे तुम्हें खोज ही रहे हैं। इस तरह के प्रश्न पूछ कर तुम केवल उलझनों में अपने को डालने का आयोजन करते हो।

'क्या पुनर्मिलन संभव है?'

बिछुड़न हुई ही नहीं, विदा कभी ली ही नहीं—पुनर्मिलन की बात ही क्या करनी?

और फिर पूछते हैं कि 'क्या न बिछुड़ने वाला मिलन संभव है?' कहीं ऐसा न हो कि मिलन हो और फिर बिछुड़ जाएं!

ये सारी बातें सार्थक मालूम पड़ती हैं, क्योंकि हमें याद ही नहीं कि हम कौन हैं?

परमात्मा अगर भिन्न हो तो ये बातें सब सच हैं। परमात्मा तुम्हारा स्वभाव है। स्वभाव को भूल सकते हैं हम। यह भी हमारे स्वभाव में है कि हम स्वभाव को भूल सकते हैं।

एक मित्र ने पूछा है कि अगर आत्मा शुद्ध-बुद्ध है और आत्मा अगर मुक्त है और आत्मा अगर असीम ऊर्जा है, परम स्वतंत्रता है—तो फिर वासना का जन्म कैसे हुआ?

यह भी आत्मा की स्वतंत्रता है कि अगर वासना करना चाहे तो कर सकती है। अगर आत्मा वासना न कर सके तो परतंत्र हो जाएगी। थोड़ा सोचो!

संसार तुम्हारी स्वतंत्रता है; तुमने चाहा तो हो गया। तुम्हारी चाह मुक्त है। तुम चाहो तो अभी न हो जाए। तुम चाहो तो अभी फिर हो जाए।

तो मैं तुमसे यह नहीं कह सकता कि न बिछुड़ने वाला मिलन कैसे होगा। बिछुड़न तो कभी हुई नहीं है, लेकिन आत्मा की यह परम स्वतंत्रता है कि वह जब चाहे जिस चीज को भूल जाए, और जिस चीज को चाहे याद कर ले। अगर आत्मा की यह संभावना न हो तो आत्मा सीमित हो जाएगी; उसकी मुक्ति बंधित हो जाएगी; उस पर आरोपण हो जाएगा, उपाधि हो जाएगी।

पश्चिम में एक विचारक हुआ: दिदरो। उसने सिद्ध किया है कि ईश्वर पूर्ण शक्तिमान नहीं है, सर्व शक्तिमान नहीं है। उसने तर्क जो दिए हैं, वे ऐसे हैं कि लगेगा कि बात ठीक कह रहा है। जैसे वह कहता है, 'क्या ईश्वर दो और दो के जोड़ से पांच बना सकता है?' यह अपने को भी अड़चन मालूम होती है कि दो और दो से पांच ईश्वर भी कैसे बनाएगा? तो फिर सर्वशक्तिवान कैसा? दो और दो चार ही होंगे। 'क्या ईश्वर एक त्रिकोण में चार कोण बना सकता है?' कैसे बनाएगा? चार कोण बनाएगा तो वह त्रिकोण नहीं रहा। त्रिकोण रहेगा तो चार कोण बन नहीं सकते उसमें। 'तो सीमित हो गया ईश्वर।'

ईसाइयों की जो ईश्वर के बाबत धारणा है, उसको तो दिदरो ने झकझोर दिया। लेकिन अगर दिदरो को भारतीयों की धारणा पता होती तो मुश्किल में पड़ जाता। वे कहते कि यही तो सारा उपद्रव है कि ईश्वर की स्वतंत्रता ऐसी है कि दो और दो

पांच बना देता है, दो और दो तीन बना देता है। इसी को तो हम माया कहते हैं, जिसमें दो और दो पांच हो जाते हैं, दो और दो तीन हो जाते हैं। जब दो और दो चार हो गए, माया के बाहर हो गए।

यहां त्रिकोण चतुर्भुज जैसे बैठे हैं। यहां बड़ा धोखा चल रहा है। यहां कोई कुछ समझे है, कोई कुछ समझे है। जो जैसा है, वैसे भर का पता नहीं रहा । दो और दो चार नहीं रहे, एक बात पक्की है; और सब हो गया है। इसको ही हम माया कहते हैं।

माया को हमने परमात्मा की शक्ति कहा है। तुमने कभी सोचा है, इसका क्या अर्थ होता है? माया को हमने परमात्मा की शक्ति कहा है! इसका अर्थ हुआ कि अगर परमात्मा चाहे तो अपने को भ्रम देने की भी शक्ति उसमें है; नहीं तो सीमित हो जाएगा। वह परमात्मा भी क्या परमात्मा जो सपना न देख सके? तो उतनी सीमा हो जाएगी कि सपना देखने में असमर्थ है।

नहीं, परमात्मा सपना देख सकता है। तुम सपना देख रहे हो। तुम परमात्मा हो, जो सपना देख रहा है। जागं सकते हो, सपना देख सकते हो—और यह क्षमता तुम्हारी है। इसलिए तुम जब चाहो तब सपना देख सकते हो, और तुम तब चाहो तब जाग सकते हो। यह तुम्हारी मर्जी है कि तुम अगर जागे ही रहना चाहो तो तुम जागे ही रहोगे; तुम अगर सपने में ही रहना चाहो तो तुम सपना देखते रहोगे।

मनुष्य की स्वतंत्रता अबाध है। आत्मा की शक्ति अबाध है। सत्य और स्वप्न—आत्मा की दो धाराएं हैं। उन दो धाराओं में सब समाविष्ट है।

तुम पूछते हो कि क्या पुनर्मिलन संभव है?

पहले तो 'पुनर्मिलन' कहो मत। पुनस्मरण कहो, तो तुमने ठीक शब्द उपयोग किया।

फिर तुम पूछते हो कि 'क्या न बिछुड़ने वाला... ?'

उसकी गारंटी मैं नहीं दे सकता। क्योंकि वह तुम्हारे ऊपर निर्भर है, तुम्हारी मर्जी। तुम अगर उसे छोड़ना चाहो, भूलना चाहो, तो तुम्हें कोई भी रोक नहीं सकता।

तुम उसे याद करना चाहो तो तुम्हें कोई रोक नहीं सकता। और इससे तुम परेशान मत होना। इससे तो तुम अहोभाव मानना कि तुम्हारी स्वतंत्रता कितनी है, कि तुम परमात्मा तक को भूलना चाहो तो कोई बाधा नहीं है। परमात्मा जरा भी अड़चन तुम्हें देता नहीं। तुम अगर उसके विपरीत जाना चाहो तो भी कोई बाधा नहीं। वह तब भी तुम्हारे साथ है। तुम तब विपरीत जाना चाहते हो, तब भी तुम्हें शक्ति दिए चला जाता है।

सूफी फकीर हसन ने लिखा है कि मैंने एक रात परमात्मा से पूछा, कि इस गांव में सबसे श्रेष्ठ धर्मात्मा पुरुष कौन है? तो परमात्मा ने मुझे कहा कि वही जो तेरे पड़ोस में रहता है।

उस पर तो कभी हसन ने खयाल ही न दिया था। वह तो बड़ा सीधा-सादा आदमी था। सीधे-सादे आदमियों को कोई खयाल देता है! खयाल तो उपद्रवियों पर जाता है। सीधा-सादा आदमी था, चुपचाप रहता था, साधारण आदमी था, अपनी मस्ती में था—न किसी से लेना न देना। किसी ने खयाल ही न दिया था। हसन ने कहा, यह आदमी सबसे बड़ा पुण्यात्मा!

दूसरे दिन सुबह गौर से देखा तो लगा कि बड़ी प्रभा है इस आदमी की! दूसरी रात उसने फिर परमात्मा से कहा कि अब एक प्रश्न और। यह तो अच्छा हुआ, आपने बता दिया। पूजा करूंगा इस पुरुष की। नमन करूंगा इसे। यह मेरा गुरु हुआ। अब एक बात और बता, इस गांव में सबसे बुरा कौन आदमी है जिससे मैं बचूं?

परमात्मा ने कहा, वही तेरा पड़ोसी।

उसने कहा, यह जरा उलझन की बात है।

तो परमात्मा ने कहा, मैं क्या करूं? कल रात वह अच्छे भाव में था, आज बुरे भाव में। मैं कुछ कर सकता नहीं। कल सुबह मैं कह नहीं सकता कि क्या हालत होगी। वह फिर अच्छे भाव में आ सकता है।

आत्मा परम स्वतंत्र है। उस पर कोई बंधन नहीं है। इस परम स्वतंत्रता को ही हम मोक्ष कहते हैं। मोक्ष में यह बात समाविष्ट है कि तुम चाहो भूलना तो तुम्हें कोई रोक नहीं सकता। वह मोक्ष भी क्या मोक्ष होगा, जिसके तुम बाहर निकलना चाहो और निकल न सको?

मैंने सुना है कि एक ईसाई पादरी मरा। स्वर्ग पहुंचा, तो वह बड़ा हैरान हुआ। कई लोग उसने देखे कि जंजीरों में, बेड़ियों में बंधे पड़े हैं। उसने कहा, यह मामला क्या है? स्वर्ग में और जंजीरें-बेड़ियां!

उन्होंने कहा, ये वापस—ये अमरीकन हैं—वापस अमरीका जाना चाहते हैं। ये कहते हैं, वहीं ज्यादा मजा था। इनको हथकड़ियां डालनी पड़ी हैं, क्योंकि यह तो स्वर्ग की तौहीन हो जाएगी। ये कहते हैं, 'स्वर्ग में हमें रहना नहीं; हमें वापस अमरीका जाना है। वहां ज्यादा मजा था। इन अप्सराओं से बेहतर स्त्रियां वहां थीं। शराब! इससे बेहतर शराब वहां थी। मकान! इससे ऊंचे मकान वहां थे। यह भी तुम कहां के पुराने जमाने के मकानों को लेकर बैठे हो?'

अब स्वर्ग के मकान हैं, दकियानूसी हैं; समय के बिलकुल बाहर पड़ गए हैं। उनके इंजीनियर, उनके आर्किटेक्ट...दस-पच्चीस हजार साल पहले बनाए थे, वह चल रहा है।

'वे कहते हैं, हमें अमरीका जाना है। तो इनको हमें बांध कर रखना पड़ा है। अगर ये भाग जाएं और अमरीका पहुंच जाएं, तो स्वर्ग की बड़ी तौहीन होगी। फिर स्वर्ग कोई आना कैसे चाहेगा?'

लेकिन स्वर्ग क्या रहा अगर वहां हथकड़ियां डली हों? इससे तो फिर नरक बेहतर; कम से कम हथकड़ियां तो नहीं हैं। एक बात ध्यान रखना, स्वतंत्रता यानी स्वर्ग। मुक्ति यानी मोक्ष। तुम अपनी स्वतंत्रता से जहां हो, वहीं मुक्ति है। और यह अंतिम घटना है। यह अंतिम बेशर्त बात है। इसके ऊपर कोई शर्त नहीं है।

तो अगर किसी मुक्त आत्मा की मर्जी हो जाए कि फिर वापस लौटना है संसार में, तो कोई रोक सकता नहीं। लौटती नहीं मुक्त आत्माएं, यह दूसरी बात है। लेकिन अगर कोई मुक्त आत्मा लौटना ही चाहे तो कोई रोक सकता नहीं। क्योंकि कौन रोकेगा? और अगर कोई रोक ले तो मुक्त आत्मा मुक्त कहां रही?

तुम निकलने लगे स्वर्ग के दरवाजे से। उन्होंने कहा, 'रुको! बाहर न जाने देंगे। यह स्वर्ग है, कहां जा रहे हो?'—यह स्वर्ग इसी क्षण समाप्त हो गया।

मैं तुमसे यह नहीं कह रहा हूं कि मुक्त आत्माएं लौटती हैं। मैं यह कहता हूं कि लौटना चाहें तो कोई रोक नहीं सकता। इसलिए मैं तुम्हें गारंटी नहीं दे सकता। तुम अगर लौटना चाहो तो मैं क्या करूंगा? तुम अगर परमात्मा को भूलना चाहो तो मैं क्या करूंगा? मैं सिर्फ तुम्हारी पूर्ण मुक्ति की घोषणा करता हूं।

'यदि संभव हो तो अंश को मूल से मिला देने की कृपा करें!'

बहुत सस्ते में तुम्हारा इरादा है। तुम यह कह रहे हो कि तुम तो मिलना नहीं चाहते, कोई मिला देने की कृपा करे। यह कैसे होगा? अगर तुम मिलना चाहते हो तो ही मिलना हो सकता है। यह तुम्हारी ही चाहत, यह तुम्हारा ही संकल्प, तुम्हारी ही आकांक्षा होगी, अभीप्सा होगी—तो...। कोई और तुम्हें नहीं मिला सकेगा। जबर्दस्ती मोक्ष में ले जाने का कोई उपाय नहीं है—न बाहर न भीतर। तुम अपनी मर्जी से जाते हो।

और अगर मैं किसी तरह मिला भी दूं तो तुम फिर छूट जाओगे। क्योंकि वह बाहर से लाई हुई घटना तुम्हारी आत्मा का संबंध न बन पाएगी। वह जबरदस्ती होगी। यह हो नहीं सकता। अन्यथा एक ही बुद्धपुरुष सारी दुनिया को मुक्त कर देता। एक बुद्धपुरुष काफी था। वह सबको मुक्त कर देता, सबको मिला देता। कोई

बुद्धपुरुषों की करुणा में कमी है? नहीं, उनकी करुणा में कोई कमी नहीं। लेकिन तुम्हारी मर्जी के खिलाफ कुछ भी नहीं हो सकता। और तुम्हारी मर्जी हो तो अभी हो सकता है, इसी क्षण हो सकता है। सुखी भव! अभी हो जाओ!

और यह दूसरे से आकांक्षा रखना कि कोई तुम्हें मिला दे परमात्मा से, यही संसार में लौटने का उपाय है। दूसरे की आकांक्षा ही संसार में लौटने का उपाय है। कोई दूसरा सुख दे, कोई दूसरा प्रेम दे, कोई दूसरा आदर दे—वही पुरानी आदत अब कहती है, कोई दूसरा मुक्त करवा दे, परमात्मा से मिला दे—मगर दूसरा!

तुम कब तक कमजोर, निर्बल, नपुंसक बने रहोगे? कब तुम जागोगे अपने बल के प्रति? कब तुम अपने वीर्य की घोषणा करोगे? कब तुम अपने पैरों पर खड़े होओगे? कभी पत्नी के कंधे पर झुके रहे, कभी सत्ताधिकारियों के कंधे पर झुके रहे, कभी नेताओं के कंधों पर झुके रहे।

मैंने सुना है, दिल्ली के पास कुछ मजदूर सड़क पर काम करने भेजे गए। वे वहां पहुंच तो गए, लेकिन पहुंच कर पता चला कि अपने फावड़े भूल आए, कुदालियां-फावड़े नहीं लाए। उन्होंने वहां से फोन किया इंजीनियर को, कि कुदाली-फावड़े हम भूल आए हैं, तत्काल भेजो।

उन्होंने कहा, भेजते हैं, तब तक तुम एक-दूसरे के कंधे पर झुके रहो।

मजदूर करते ही यही काम हैं। कुदाली-फावड़ा लेकर उस पर झुक कर खड़े रहते हैं—विश्राम का सहारा। उस इंजीनियर ने कहा, मैं भेजता हूं जितनी जल्दी हो सके; तब तक तुम ऐसा करो, एक-दूसरे के कंधे पर झुके रहो।

हम झुके हैं—कंधे बदल लेते हैं। फिर इन सबसे छुटकारा हुआ तो गुरु का कंधा, कि अब कोई गुरु लगा दे पार, कि चलो तुम्हीं तारण-तरण, तुम्हीं पार लगा दो!

तुम अपनी घोषणा, अपने स्वत्व की घोषणा कब करोगे? तुम्हारी स्वत्व की घोषणा में ही तुम्हारे स्वभाव की संभावना है—फूलने की, खिलने की। यह कब तक तुम शरण गहोगे? कब तक तुम भिखारी रहने की जिद बांधे बैठे हो? परमात्मा भी भिक्षा में मिल जाए! जागो इस तंद्रा से!

'ऐसी कृपा करें कि बार-बार इस कोलाहल में आकर भयभीत न होना पड़े।'

इस कोलाहल में तुम आना चाहते हो, इसलिए आते हो। और मजा यह है कि तुमको अगर एकांत में रखा जाए तो तुम भयभीत वहां भी हो जाओगे। कौन तुम्हें रोक रहा है? भाग जाओ हिमालय, बैठ जाओ एकांत में। वहां एकांत का डर लगेगा, भाग आओगे कोलाहल में वापस। कोलाहल में हम इसलिए रह रहे हैं कि एकांत में डर लगता है, अकेले रह नहीं सकते। भीड़ में बुरा लगता है। बड़ा मुश्किल है मामला। न अकेले रह सकते, न भीड़ में रह सकते।

तुमने कभी देखा, जब तुम अकेले छूट जाते हो तो क्या होता है। अंधेरी रात में अकेले हो जंगल में, क्या होता है? आनंद आता है?

कोलाहल में ज्यादा बेहतर लगता है। कोई मिल जाए, कोई बातचीत हो जाए! अकेले में तुम बहुत घबड़ाने लगते हो कि मरे। अकेले में तो मौत लगती है।

परमात्मा में डूबोगे तो बिलकुल अकेले रह जाओगे, क्योंकि दो परमात्मा नहीं हैं दुनिया में—एक परमात्मा है। डूबे कि अकेले हुए। परमात्मा में डूबे कि तुम तुम न रहे, परमात्मा परमात्मा न रहा—बस एक ही बचा। इसलिए तो ध्यान की तैयारी करनी पड़ती है, ताकि तुम एकांत का थोड़ा रस लेने लगो। इसके पहले कि परम एकांत में उतरो, एकांत में थोड़ा आनंद आने लगे, धुन बजने लगे, गीत गूंजने लगे। एकांत में रस आने लगे तो फिर तुम परम एकांत में उतर सकोगे। यह अभ्यास है परमात्मा को झेलने का।

अगर तुम मुझसे पूछो तो मैं कहूंगा कि ध्यान परमात्मा को पाने की प्रक्रिया नहीं। परमात्मा तो बिना ध्यान के भी पाया जा सकता है। ध्यान परमात्मा को झेलने का अभ्यास। ध्यान पात्रता देता है कि तुम झेल सको। परम एकांत उतरेगा तो फिर तुम बिलकुल अकेले रह जाओगे। फिर न रेडियो, न टेलीविजन, न अखबार, न मित्र, न क्लब, न सभा-समाज—कुछ भी नहीं; बिलकुल अकेले रह जाओगे। उस अकेले की तैयारी है।

मैं तो तैयार हूं, तुम्हें कोलाहल के बाहर ले चलूं; लेकिन तुम तैयार हो? तुम अकेले में भी बैठते हो तो तुम्हारे सिर में कोलाहल चलाने लगते हो। जिन मित्रों को घर छोड़ आए हो, उनसे सिर में बात करने लगते हो। जिस पत्नी को घर छोड़ आए, उससे सिर में बात करने लगते हो। सारी भीड़ फिर इकट्ठी कर लेते हो। कल्पना का जाल बुनने लगते हो। अकेले तुम रह ही नहीं सकते। इसलिए तो तुम बार-बार लौट आते हो।

संसार में तुम अकारण नहीं लौट रहे हो। संसार में तुम अपने ही कारण लौट रहे हो। यह कोलाहल तुमने चाहा है, इसलिए तुम्हें मिला है।

आदमी की हयात कुछ भी नहीं
बात यह है कि बात कुछ भी नहीं।
आदमी की हयात कुछ भी नहीं
आदमी की जिंदगी कोई जिंदगी थोड़ी है। जिंदगी तो परमात्मा की है।
बात यह है कि बात कुछ भी नहीं।
आदमी तो बेबात की बात है।

वह कल मुल्ला नसरुद्दीन जो गिर पड़ा था बिस्तर से—बेबात की बात है। लड़का हुआ नहीं था, उसके लिए जगह बना रहे थे। उसमें गिरे, टांग टूट गई।

एक अदालत में मुकदमा था। दो आदमियों ने एक-दूसरे का सिर खोल दिया। मजिस्ट्रेट ने पूछा, मामला क्या है? वे दोनों बड़े सकुचाए। उन्होंने कहा, मामला क्या बताएं! मामला बताने में बड़ा संकोच होता है। आप तो जो सजा देना हो दे दो।

उसने कहा, फिर मामला भी तो पता चले। सजा किस को दे दें?

तो वे दोनों एक-दूसरे की तरफ देखें कि तुम्हीं कह दो। फिर मजबूरी में जब मजिस्ट्रेट नाराज होने लगा कि कहते हो या नहीं, तो फिर उन्होंने बताया कि मामला ऐसा है, हम दोनों मित्र हैं। बैठे थे नदी के किनारे रेत पर। यह मित्र कहने लगा कि मैं एक भैंस खरीद रहा हूं। मैंने कहा, भैंस मत खरीदो, क्योंकि मैं एक खेत खरीद रहा हूं; और तुम्हारी भैंस खेत में घुस जाए तो अपनी जिंदगी भर की दोस्ती खराब हो जाए।

इसने कहा: जा, जा! तेरे खेत के खरीदने से हम अपनी भैंस न खरीदें? तू खेत मत खरीद! और फिर भैंस तो भैंस है—यह कहने लगा—अब घुस ही गई तो घुस ही गई। अब कोई भैंस के पीछे हम दिन भर थोड़े ही खड़े रहेंगे। और ऐसी दोस्ती क्या मूल्य की कि हमारी भैंस तुम्हारे खेत में घुस जाए और इससे ही तुम्हें अड़चन हो जाए।

तो मैं भी रोब में आ गया और मैंने कहा, तो अच्छा खरीद लिया खेत, तू दिखा खरीद कर भैंस। तो मैंने ऐसा जमीन पर रेत पर, लकड़ी से खेत बना दिया कि यह रहा खेत और इस मूरख ने एक दूसरी लकड़ी से भैंस घुसा दी। झगड़ा हो गया, मारपीट हो गई! अब आपसे क्या कहें! आप सजा दे दो। कहने में संकोच होता है।

आदमी की हयात कुछ भी नहीं
बात यह है कि बात कुछ भी नहीं।
तूने सब कुछ दिया है इन्सां को
फिर भी इन्सां की जात कुछ भी नहीं।
इस्तिराबे-दिलो-जिगर के सिवा
शौक की वारिदात कुछ भी नहीं।
हुस्न की कायनात सब कुछ है
इश्क की कायनात कुछ भी नहीं।
आदमी पैरहन बदलता है।

यह हयातो-मयात कुछ भी नहीं।
आदमी सिर्फ कपड़े बदलता है। न तो जिंदगी कुछ है, न मौत कुछ है।
आदमी पैरहन बदलता है।
यह हयातो-मयात कुछ भी नहीं।
आदमी की हयात कुछ भी नहीं
बात यह है कि बात कुछ भी नहीं।

इतना तुम्हें समझ में आ जाए कि तुम बेबात की बात हो, कि तुम्हें सब समझ में आ गया।

आखिरी प्रश्न ः कब से आपको पूछना चाहती हूं। कृपया आप ही बताएं कि क्या पूछूं? मेरे प्रणाम स्वीकार करें!

निश्चित यह बात है। वर्षों से मैं उसे जानता हूं। उसने कभी कुछ पूछा नहीं। बहुत थोड़े लोग हैं जिन्होंने कभी कुछ न पूछा हो। यह पहली दफे उसने पूछा, यह भी कुछ पूछा नहीं हैः

'कब से आपसे पूछना चाहती हूं। कृपया आप ही बताएं कि क्या पूछूं?'

जीवन का वास्तविक प्रश्न ऐसा है कि पूछा नहीं जा सकता। जो प्रश्न तुम पूछ सकते हो, वह पूछने योग्य नहीं। जो तुम नहीं पूछ सकते, वही पूछने योग्य है। जीवन का वास्तविक प्रश्न शब्दों में बांधा नहीं जा सकता। जीवन का प्रश्न तो केवल सूनी आंखों से, जिज्ञासा-भरी आंखों से निवेदित किया जा सकता है। जीवन का प्रश्न तो अस्तित्वगत है; तुम्हारी पूरी भाव-दशा से प्रकट होता है।

दुलारी को मैं जानता हूं। उसने कभी पूछा नहीं, लेकिन उसका प्रश्न मैंने सुना है। उसका प्रश्न उसका भी नहीं है, क्योंकि जो तुम पूछते हो वह तुम्हारा होता है। जो तुम पूछ ही नहीं सकते, वह सबका है।

हम सबके भीतर एक ही प्रश्न है। और वह प्रश्न है कि यह सब हो रहा है, यह सब चल रहा है और फिर भी कुछ सार मालूम नहीं होता! यह दौड़-धूप, यह आपा-धापी—फिर भी कुछ अर्थ दिखाई नहीं पड़ता। इतना पाना, खोना—फिर भी न कुछ मिलता मालूम पड़ता है, न कुछ खोता मालूम पड़ता है। जन्म-जन्म बड़ी यात्रा, मंजिल कहीं दिखाई नहीं पड़ती। हम हैं—क्यों हैं? यह हमारा होना क्या है? हम कहां जा रहे हैं और क्या हो रहा है? हमारा अर्थ क्या है? इस संगीत का प्रयोजन क्या है?

सभी के भीतर दबा पड़ा हुआ है अस्तित्व का प्रश्न, कि अस्तित्व का अर्थ

क्या है? और इसके लिए कोई शब्दों में उत्तर भी नहीं है। जो प्रश्न ही शब्दों में नहीं बनता, उसका उत्तर भी शब्दों में नहीं हो सकता।

यह जो भीतर है हमारे—कहो साक्षी, द्रष्टा, जीवन की धारा, चैतन्य, जो भी नाम चाहो; ऐसे तो अनाम है, तुम जो भी नाम देना चाहो दो—परमात्मा, मोक्ष, निर्वाण, आत्मा, अनात्मा, जो तुम कहना चाहो—पूर्ण, शून्य, जो भी.यह भीतर है अनाम—इसमें डूबो! इसमें डूबने से ही प्रश्न धीरे-धीरे विसर्जित हो जाएगा। उत्तर मिलेगा, ऐसा मैं नहीं कह रहा हूं; सिर्फ प्रश्न विसर्जित हो जाएगा। और प्रश्न के विसर्जित हो जाने पर तुम्हारी जो चैतन्य की दशा होती है वही उत्तर है। उत्तर मिलेगा, ऐसा मैं नहीं कह रहा। निष्प्रश्न जब तुम हो जाते हो तो जीवन में आनंद है, मंगल है, शुभाशीष बरसता है। तुम नाचते हो, तुम गुनगुनाते हो। समाधि फलती है। फिर तुम कुछ पूछते नहीं। फिर कुछ पूछने को है ही नहीं। फिर जीवन एक प्रश्न की तरह मालूम नहीं होता; फिर जीवन एक रहस्य है। समस्या नहीं, जिसका समाधान करना है; एक रहस्य है, जिसे जीना है, जिसे नाचना है, जिसे गाना है; एक रहस्य, जिसका उत्सव मनाना है।

भीतर उतरो। शरीर के पार, मन के पार, भाव के पार—भीतर उतरो!

जान सके न जीवन भर हम
ममता कैसी, प्यार कहां
और पुष्प कहां पर महका करता?
जान सके न जीवन भर हम
ममता कैसी, प्यार कहां
और पुष्प कहां पर महका करता?

गंध तो आती मालूम होती है—कहां से आती है? जीवन है, इसकी छाया तो पड़ती है; पर इसका मूल कहां है? प्रतिबिंब तो झलकता है, लेकिन मूल कहां? प्रतिध्वनि तो गूंजती है पहाड़ों पर, लेकिन मूल ध्वनि कहां है?

जान सके न जीवन भर हम
ममता कैसी, प्यार कहां
और पुष्प कहां पर महका करता?
मिली दुलारी आहों की
और हास मिला है शूलों का
जान सके न जीवन भर हम
सौरभ कैसा, पराग कहां
और मेघ कहां पर बरसा करता?

पर मेघ बरस रहा है—तुम्हारे ही गहनतम अंतस्तल में। फूल महक रहा है—तुम्हारे ही गहन अंतस्तल में। कस्तूरी कुंडल बसै! यह जो महक तुम्हें घेर रही है और प्रश्न बन गई है—कहां से आती है? यह महक तुम्हारी है; यह किसी और की नहीं। इसे अगर तुमने बाहर देखा तो मृग-मरीचिका बनती है; माया का जाल फैलता है; जन्मों-जन्मों की यात्रा चलती है। जिस दिन तुमने इसे भीतर झांक कर देखा, उसी दिन मंदिर के द्वार खुल गए। उसी दिन पहुंच गए अपने सुरभि के केंद्र पर। वहीं है प्रेम, वहीं है प्रभु!

मन उलझाए रखता है बाहर। मन कहता है : चलेंगे भीतर, लेकिन अभी थोड़ी देर और।

किसी कामना के सहारे
नदी के किनारे
बड़ी देर से
मौन धारे खड़ा हूं अकेला।
सुहानी है गोधूलि-बेला
लगा है उमंगों का मेला।
यह गोधूलि-बेला का हलका धुंधलका
मेरी सोच पर छा रहा है।
मैं यह सोचता हूं,
मेरी सोच की शाम भी हो चली है।
बड़ी बेकली है।
मगर जिंदगी में
निराशा में भी एक आशा पली है
मचल ले अभी कुछ देर और ऐ दिल!
सुहाने धुंधलके से हंस कर गले मिल
अभी रात आने में काफी समय है!

मन समझाए चला जाता है; थोड़ी देर और, थोड़ी देर और—भुला लो अपने को सपनों में; थोड़ी देर और दौड़ लो मृग-मरीचिकाओं के पीछे। बड़े सुंदर सपने हैं! और फिर अभी मौत आने में तो बहुत देर है।

इसलिए तो लोग सोचते हैं, संन्यास लेंगे, प्रार्थना करेंगे, ध्यान करेंगे—बुढ़ापे में, जब मृत्यु द्वार पर आकर खड़ी हो जाएगी। जब एक पैर उतर चुकेगा कब्र में तब हम एक पैर ध्यान के लिए उठाएंगे।

मचल ले अभी कुछ देर और ऐ दिल!
सुहाने धुंधलके से हंस कर गले मिल
अभी रात आने में काफी समय है।

ऐसे हम टाले चले जाते हैं। रात आती चली जाती है। काफी समय नहीं है, रात आ ही गई है। बहुत बार हमने ऐसे ही जन्म और जीवन गंवाया, मौत की हम प्रतीक्षा करते रहे—मौत आ गई, ध्यान आने के पहले। एक जीवन फिर खराब गया। एक अवसर फिर व्यर्थ हुआ। अब इस बार ऐसा न हो। अब टालो मत! यह गंध तुम्हारी अपनी है। यह जीवन तुम्हारे भीतर ही छिपा है। घूंघट भीतर के ही उठाने हैं।

प्रश्न कहीं बाहर पूछने का नहीं है। उत्तर कहीं से बाहर से आने को नहीं है। जहां से प्रश्न उठ रहा है भीतर, वहीं उतर चलो। प्रश्न भी साफ नहीं है, फिकर मत करो। जहां यह गैर-साफ धुंधलका है प्रश्न का, वहीं उतरो। उसी संध्या से भरी रोशनी में, धुंधलके में धीरे-धीरे भीतर उतरो। जहां से प्रश्न आ रहा है, उसी की खोज करो। प्रश्न की बहुत फिकर मत करो कि प्रश्न क्या है—इतनी ही फिकर करो कि कहां से आ रहा है? अपने ही भीतर उस तल को खोजो, उस गहरे तल को, जहां से प्रश्न का बीज उमगा है, जहां से प्रश्न के पत्ते उठे हैं। वहीं जड़ है और वहीं तुम उत्तर पाओगे।

उत्तर का अर्थ यह नहीं कि तुम्हें कोई बंधा-बंधाया उत्तर, निष्कर्ष वहां मिल जाएगा। उत्तर का अर्थ: वहां तुम्हें जीवन का अहोभाव अनुभव होगा। वहां जीवन एक समस्या नहीं रह जाता, उत्सव बन जाता है।

एक चिकना मौन
जिसमें मुखर, तपती वासनाएं
दाहक होतीं, लीन होती हैं।
उसी में रवहीन तेरा गूंजता है छंद
ऋत विझप्त होता है!
एक चिकना मौन
जिसमें मुखर, तपती वासनाएं
दाहक होतीं, लीन होती हैं।

नहीं, भीतर एक मौन, एक शांति, जिसमें सारी वासनाओं का ताप धीरे-धीरे खो जाता और शांत हो जाता है। उसी में रवहीन तेरा गूंजता है छंद—फिर कोई स्वर सुनाई नहीं देते, सिर्फ छंद गूंजता है—शब्दहीन, स्वरहीन छंद। शुद्ध छंद गूंजता है।

उसी में रवहीन तेरा गूंजता है छंद
ऋत विश्रप्त होता है!
वहीं जीवन का सत्य प्रकट होता है—ऋत विश्रप्त होता है।
एक काले घोल की-सी रात
जिसमें रूप, प्रतिमा, मूर्तियां
सब पिघल जातीं, ओट पातीं
एक स्वप्नातीत रूपातीत पुनीत गहरी नींद की
उसी में से तू बढ़ा कर हाथ
सहसा खींच लेता है, गले मिलता है!

छिपा है परमात्मा तुम्हारे ही भीतर। उतरो थोड़ा। छोड़ो मूर्तियों को, विचारों को, प्रतिमाओं को, धारणाओं को—मन के बुलबुले! थोड़े गहरे उतरो! जहां लहरें नहीं, जहां शब्द नहीं—जहां मौन है। जहां परम मौन मुखर है! जहां केवल मौन ही गूंजता है!

उसी में रवहीन तेरा गूंजता है छंद
ऋत विश्रप्त होता है।
उतरो वहां!
उसी में से तू बढ़ा कर हाथ
सहसा खींच लेता है, गले मिलता है।
वहीं है मिलन!

तुम जिसे खोजते हो, तुम्हारे भीतर छिपा है। तुम जिस प्रश्न की तलाश कर रहे हो, उसका उत्तर तुम्हारे भीतर छिपा है। जागो! इसी क्षण भोगो उसे! अष्टावक्र के सारे सूत्र एक ही खबर देते हैं: पाना नहीं है उसे, पाया ही हुआ है। जागो और भोगो!

हरि ॐ तत्सत्!

✳   ✳   ✳

प्रवचन : 07

जागरण महामंत्र है

जनक उवाच।

अहो निरंजनः शांतो बोधोऽहं प्रकृतेः परः।
एतावंतमहं कालं मोहेनैव विडंबितः।।21।।
यथा प्रकाशाम्येको देहमेनं तथा जगत्।
अतो मम जगत्सर्वमथवा न च किंचन।।22।।
सशरीरमहो विश्वं परित्यज्य मयाऽधुना!
कुतश्चित् कौशलादेव परमात्मा विलोक्यते।।23।।
यथा न तोयतो भिन्नस्तरंगाः फेनबुद्बुदाः।
आत्मनो न तथा भिन्नं विश्वमात्मविनिर्गतम्।।24।।
तंतुमात्रो भवेदेव पटो यद्वद्विचारतः।
आत्मतन्मात्रमेवेदं तद्वद्विश्वं विचारितम्।।25।।
यथैवेक्षुरसे क्लृप्ता तेन व्याप्तेव शर्करा।
तथा विश्वं मयि क्लृप्तं मया व्याप्तं निरंतरम्।।26।।
आत्माऽज्ञानाज्जगद्भाति आत्मज्ञानान्न भासते
रज्ज्वज्ञानादहिर्भाति तज्ज्ञानाद्भासते न हि।।27।।

अंधेरे में जैसे अनायास किरण उतरे, या जैसे अंधे को अचानक आंखें मिल जाएं—ऐसा ही जनक को हुआ। जो नहीं देखा था कभी, वह दिखाई पड़ा। जो नहीं सुना था कभी, वह सुनाई पड़ा। हृदय एक नई तरंग, एक नई उमंग से भर गया। प्राणों ने एक नया दर्शन किया। निश्चित ही जनक सुपात्र थे!

वर्षा होती है, पहाड़ों पर होती है, पहाड़ खाली रह जाते हैं; क्योंकि पहले से ही भरे हैं। झीलों में होती है, खाली झीलें भर जाती हैं।

जो खाली है, वही सुपात्र है; जो भरा है, अपात्र है।

अहंकार आदमी को पत्थर जैसा बना देता है। निर-अहंकार आदमी को शून्यता देता है।

जनक शून्य पात्र रहे होंगे। तत्क्षण अहोभाव पैदा हुआ। सुनते ही जागे। पुकारा नहीं था कि पुकार पहुंच गई। कोड़े की छाया काफी मालूम हुई; कोड़ा फटकारने की जरूरत न पड़ी; मारने का सवाल ही न था।

अष्टावक्र भी भाग्यशाली हैं कि जनक जैसा सुपात्र सुनने को मिला। मनुष्य-जाति के इतिहास में जितने सदगुरु हुए, उनमें अष्टावक्र जैसा सौभाग्यशाली सदगुरु दूसरा नहीं; क्योंकि जनक जैसा शिष्य पाना अति दुर्लभ है—जो जरा से इशारे से जाग जाए; जैसे तैयार ही था; जैसे बस हवा का जरा सा झकोरा काफी था और नींद टूट जाएगी। नींद गहरी न थी। किन्हीं सपनों में दबा न था। उठा-उठी की ही हालत थी। ब्रह्ममुहूर्त आ ही गया था। सुबह होने को थी।

बौद्ध जातकों में कथा है कि बुद्ध जब ज्ञान को उपलब्ध हुए तो सात दिन चुप रह गए; क्योंकि सोचा बुद्ध ने : जो मेरी बात समझेंगे, वे मेरे बिना समझाए भी समझ ही लेंगे; जो मेरी बात नहीं समझेंगे, वे मेरे समझाए-समझाए भी नहीं समझेंगे। तो फायदा क्या? क्यों बोलूं? क्यों व्यर्थ श्रम करूं? जो तैयार हैं जागने को, उन्हें कोई भी कारण जगाने का बन जाएगा; उन्हें पुकारने और चिल्लाने की जरूरत नहीं। कोई पक्षी गुनगुनाएगा गीत, हवा का झोंका वृक्षों से गुजरेगा, उतना काफी होगा!

और ऐसा हुआ है।

लाओत्सु बैठा था एक वृक्ष के नीचे, एक सूखा पत्ता वृक्ष से गिरा, और उस सूखे पत्ते को वृक्ष से गिरते देख कर वह परम बोध को उपलब्ध हो गया। सूखा पत्ता गुरु हो गया। बस देख लिया सब! देख लिया उस सूखे पत्ते में—अपना जन्म, अपना मरण! उस सूखे पत्ते की मौत में सब मर गया। आज नहीं कल मैं भी सूखे पत्ते की तरह गिर जाऊंगा—बात पूरी हो गई।

खुद बुद्ध को ऐसा ही हुआ था। राह पर देख कर एक बीमार बूढ़े आदमी को वे चौंक गए। मुर्दे की लाश को देख कर उन्होंने पूछा, इसे क्या हुआ?

सारथी ने कहा, यही आपको भी, सभी को होगा। एक दिन मौत आएगी ही।

फिर बुद्ध ने कहा, लौटा लो रथ घर की ओर वापस। अब कहीं जाने को न रहा। जब मौत आ रही है, जीवन व्यर्थ हो गया!

तुमने भी राह से निकलती लाशें देखी हैं। तुम भी राह के किनारे खड़े हो कर क्षण भर को सहानुभूति प्रकट किए हो। तुम कहते हो, बहुत बुरा हुआ, बेचारा मर गया! अभी तो जवान था। अभी तो घर-गृहस्थी कच्ची थी। बुरा हुआ!

तुमने दया की है जो मर गया उस पर। तुम्हें जरा भी दया अपने पर नहीं आई कि उस मरने वाले में तुम्हारे मरने की खबर आ गई, कि जैसे आज यह अरथी पर बंधा जा रहा है; कल, कल नहीं परसों तुम भी बंधे चले जाओगे। जैसे आज तुम राह के किनारे खड़े होकर इस पर सहानुभूति प्रकट कर रहे हो, दूसरे लोग राह के किनारे खड़े होकर सहानुभूति प्रकट करेंगे। अवश तुम इतने होओगे कि धन्यवाद भी न दे सकोगे। यह जो लाश जा रही है, यह तुम्हारी है।

देखने वाला हो, आंख हो, गहरी हो, प्रगाढ़ चैतन्य हो, तो बस एक आदमी मरा कि सारी मनुष्यता मर गई, कि जीवन व्यर्थ हो गया!

बुद्ध चले गए थे छोड़ कर।

तो जब उन्हें बोध हुआ, तो उन्होंने सोचा कि जिसको जागना है वह बिना किसी के जगाए भी जग जाता है। उसे कोई भी बहाना काफी हो जाता है।

कहते हैं, एक झेन साधिका कुएं से पानी भर कर लौटती थी कि बांस टूट गया, घड़े नीचे गिर गए। पूर्णिमा की रात थी, घड़ों में चांद का प्रतिबिंब बन रहा था। कांवर को लिए, घड़ों को लटकाए वह लौटती थी आश्रम की तरफ, देखती घड़ों के जल में चांद के प्रतिबिंब को बनते। घड़े गिरे। चौंक कर खड़ी हो गई। घड़ा गिरा, जल बहा—चांद भी बह गया! कहते हैं, बस बोध को उत्पन्न हो गई। सम्यक समाधि लग गई। नाचती हुई लौटी; दिखाई पड़ गया कि यह जगत प्रतिबिंब से ज्यादा नहीं है। यहां जो हम बनाए चले जा रहे हैं, यह कभी भी टूट जाएगा। ये सब चांद खो जाएंगे। ये सब सुंदर कविताएं खो जाएंगी। ये मनमोहिनी सूरतें सब खो जाएंगी। ये सब पानी में बने प्रतिबिंब हैं। ऐसा दिख गया, बात खतम हो गई।

तो बुद्ध ने सोचा, क्या सार है? किससे कहूंगा? जिसे जागना है, वह मेरे बिना भी देर-अबेर जाग ही जाएगा, थोड़े-बहुत समय का अंतर पड़ेगा। और जिसे जागना नहीं है, चीखो-चिल्लाओ, वह करवट लेकर सो जाता है। आंख भी खोलता है तो नाराजगी से देखता है कि क्यों नींद खराब कर रहे हो? तुम्हें कोई और काम नहीं? सोयों को सोने नहीं देते! शांति से नींद चल रही थी, तुम जगाने आ गए!

तुम खुद ही किसी को कह दो कि सुबह मुझे जगा देना, जब वह जगाता है तो नाराजगी आती है। कहा तुम्हीं ने था कि ट्रेन पकड़नी है, सुबह जरा जल्दी चार बजे उठा देना। जगाता है तो मारने की तबीयत होती है।

इमेनुएल कांट, बड़ा विचारक हुआ जर्मनी में। वह रोज तीन बजे रात उठता था। घड़ी के हिसाब से चलता था, घड़ी के कांटे के हिसाब से चलता था। कहते हैं, जब वह यूनिवर्सिटी जाता था पढ़ाने तो घरों में लोग अपनी घड़ियां मिला लेते थे। क्योंकि वह नियम से, वर्षों से, तीस वर्ष निरंतर ठीक मिनिट-मिनिट सेकेंड-सेकेंड के हिसाब से निकला था। लेकिन कभी बहुत सर्दी होती तो अपने नौकर को कह देता कि कुछ भी हो जाए, तीन बजे उठाना। अगर मैं मारूं-पीटूं भी तो तू फिकर मत करना तू भी मारना-पीटना, मगर उठाना! उसके घर नौकर न टिकते थे, क्योंकि यह बड़ी झंझट की बात थी। तीन बजे उठाएं तो वह बहुत नाराज होता था, न उठाएं तो सुबह जाग कर नाराज होता था। और ऐसा नहीं था कि नाराज ही होता था, मारपीट होती। वह भी मारता। नौकर को भी कह रखा था, तू फिकर मत करना, उठना तो तीन बजे है ही। घसीटना, उठाना, लेकिन तीन बजे उठा कर खड़ा कर देना! तू चिंता ही मत करना कि मैं क्या कर रहा हूं। उस वक्त मैं क्या कहता हूं, वह मत सुनना; क्योंकि उस वक्त मैं नींद में होता हूं। उस समय जो मैं कहता हूं वह सुनने की जरूरत नहीं।

तो ऐसे लोग भी हैं!

बुद्ध ने सोचा, क्या सार है? जिसे सोना है, वह मेरी चिल्लाहट पर भी सोता रहेगा। जिसे जागना है वह मेरे बिना बुलाए भी जाग ही जाएगा।

सात दिन वह बैठे रहे चुप। फिर देवताओं ने उनसे प्रार्थना की कि आप यह क्या कर रहे हैं? कभी-कभी कोई बुद्धत्व को उपलब्ध होता है, भू तरसती है, प्यासे लोग तरसते हैं, कि मेघ बना है अब तो बरसेगा। आप चुप हैं, बरसें! फूल खिला है, गंध को बहने दें! यह रसधार बहे! अनेक प्यासे हैं जन्मों-जन्मों से। और आपका तर्क हमने सुन लिया। हम आपके मन को देख रहे हैं सात दिन से निरंतर। आप कहते हैं: कुछ हैं जो मेरे बिना बुलाए जग जाएंगे; और कुछ हैं जो मेरे बुलाए-बुलाए न जगेंगे। इसलिए आप चुप हैं? हम सोच-समझ कर आए हैं। कुछ ऐसे भी हैं जो दोनों के बीच में खड़े हैं! उनको आप इनकार न कर सकेंगे। अगर कोई जगाएगा तो जग जाएंगे। अगर कोई न जगाएगा तो जन्मों-जन्मों तक सोए रह जाएंगे। उन कुछ का खयाल करें। आप जो कहते हैं, वे होंगे निन्यानबे प्रतिशत; पर एक प्रतिशत उनका भी तो खयाल करें जो ठीक सीमा पर खड़े हैं—कोई जगा देगा तो जग जाएंगे, और कोई न जगाएगा तो सोए रह जाएंगे।

बुद्ध को इसका उत्तर न सूझा, इसलिए बोलना पड़ा। देवताओं ने उन्हें राजी कर लिया। उन्होंने बात बेच दी।

बुद्ध का खयाल तो ठीक ही था। देवताओं का खयाल भी ठीक था।

तो तीन तरह के श्रोता हुए। एक जो जगाए-जगाए न जगेंगे। दुनिया में अधिक भीड़ उन्हीं लोगों की है। सुनते हैं, फिर भी नहीं सुनते। देखते हैं, फिर भी नहीं देखते। समझ में आ जाता है, फिर भी अपने को समझा-बुझा लेते हैं, समझ को लीपपोत देते हैं। समझ में आ जाता है तो भी नासमझी को सम्हाले रखते हैं। नासमझी के साथ उनका बड़ा गहरा स्वार्थ बन गया है। पुराना परिचय छोड़ने में डर लगता है।

फिर दूसरे तरह के श्रोता हैं, जो बीच में हैं। कोई थोड़ा श्रम करे—कोई बुद्ध, कोई अष्टावक्र, कोई कृष्ण—तो जग जाएंगे। अर्जुन ऐसे ही श्रोता थे। कृष्ण को मेहनत करनी पड़ी। कृष्ण को लंबी मेहनत करनी पड़ी। उसी लंबी मेहनत से गीता निर्मित हुई। अंत-अंत में जाकर अर्जुन को लगता है कि मेरे भ्रम दूर हुए, मेरे संशय गिरे, मैं तुम्हारी शरण आता हूं, मुझे दिखाई पड़ गया! लेकिन बड़ी जद्दोजहद हुई, बड़ा संघर्ष चला।

फिर और भी श्रेष्ठ श्रोता हैं—जनक की तरह, जिनसे कहा नहीं कि उन्होंने सुन लिया। इधर अष्टावक्र ने कहा होगा कि उधर जनक को दिखाई पड़ने लगा।

आज के सूत्र जनक के वचन हैं। इतनी जल्दी, इतनी शीघ्रता से जनक को दिखाई पड़ गया कि अष्टावक्र जो कह रहे हैं, बिलकुल ठीक कह रहे हैं; चोट पड़ गई।

तो मैंने कहा, वर्षा होती है, कभी ऐसी जमीन पर हो जाती है जो पथरीली है; तो वर्षा तो हो जाती है, लेकिन अंकुर नहीं फूटते। फिर कभी ऐसी जमीन पर होती है जो थोड़ी-बहुत कंकरीली है, अंकुर फूटते हैं; जितने फूटने थे, उतने नहीं फूटते। फिर कभी ऐसी जमीन पर होती है, जो बिलकुल तैयार थी, जो उपजाऊ है, जिसमें कंकड़-पत्थर नहीं हैं। बड़ी फसल होती है!

जनक ऐसी ही भूमि हैं। इशारा काफी हो गया।

जनक की यह स्थिति समझने के लिए समझने-योग्य है, क्योंकि तुम भी इन तीन में से कहीं होओगे। और यह तुम पर निर्भर है कि तुम इन तीन में से कहां होने की जिद करते हो। तुम साधारण जन हो सकते हो, जिसने जिद कर रखी है कि सुनेगा नहीं; जिसने सत्य के खिलाफ लड़ने की कसम खा ली है; जो सुनेगा तो कुछ और सुन लेगा, सुनते ही व्याख्या कर लेगा, सुनते ही अपने को उसकी सुनी हुई बात के ऊपर डाल देगा, रंग लेगा, विकृत कर लेगा, कुछ का कुछ सुन लेगा।

तुम वही नहीं सुनते, जो कहा जाता है। तुम वही सुन लेते हो, जो तुम सुनना चाहते हो।

मैंने सुना है कि एक दिन मुल्ला नसरुद्दीन की पत्नी गुस्से से भरी हुई घर आई और उसने मुल्ला से कहा कि भिखारी भी बड़े धोखेबाज होते हैं।

'क्यों क्या हो गया?' नसरुद्दीन ने पूछा।

'अजी एक भिखारी की गर्दन में तख्ती लगी थी, जिस पर लिखा था : जन्म से अंधा। मैंने दया करके पर्स में से दस पैसे निकाल कर उसके दान-पात्र में डाल लिए। तो जानते हो कहने लगा, हे सुंदरी, भगवान तुम्हें खुश रखे। अब तुम्हीं बताओ कि उसे कैसे मालूम हुआ कि मैं सुंदरी हूं?'

मुल्ला खिलखिला कर हंसने लगा और कहने लगा, तब तो वह वास्तव में अंधा है और जन्म से अंधा है।

तो मुल्ला कहने लगा, मैं ही एक अंधा नहीं हूं, एक और अंधा भी है। अन्यथा पता ही कैसे चलता उसे कि तू सुंदरी है, अगर आंख होती?

पत्नी कुछ कह रही है, मुल्ला कुछ सुन रहा है। मुल्ला वही सुन रहा है जो सुनना चाहता है।

खयाल करना, चौबीस घंटे यह घटना घट रही है। तुम वही सुन लेते हो, जो तुम सुनना चाहते हो; यद्यपि तुम सोचते भी नहीं इस पर कि जो मैंने सुना वह मेरा है या कहा गया था?

मुल्ला एक जगह काम करता था। मालिक ने उससे कहा कि तुम अच्छी तरह काम नहीं करते, नसरुद्दीन! मजबूरन अब मुझे दूसरा नौकर रखना पड़ेगा।

नसरुद्दीन ने कहा, अवश्य रखिए हुजूर, यहां काम ही दो आदमियों का है।

मालिक कह रहा है कि तुमसे अब छुटकारा पाना है, दूसरा आदमी रखना है। मुल्ला कह रहा है, यहां काम ही दो आदमियों का है, जरूर रखिए!

पीछे खड़े होकर जो तुम सुनते हो उस पर एक बार पुनर्विचार करना : यही कहा गया था? अगर व्यक्ति ठीक-ठीक सुनने में समर्थ हो जाए तो नंबर दो का, श्रोता हो जाता है, नंबर तीन से ऊपर उठ आता है। नंबर तीन का श्रोता अपनी मिलाता है। नंबर तीन का श्रोता अपने को ही सुनता है, अपनी प्रतिध्वनियों को सुनता है। उसकी दृष्टि साफ-सुथरी नहीं है। वह सब विकृत कर लेता है।

नंबर दो का श्रोता वही सुनता है जो कहा जा रहा है। नंबर दो के श्रोता को थोड़ी देर तो लगेगी; क्योंकि सुन लेने पर भी—जो कहा गया है वह सुन लेने पर भी—उसे करने के लिए साहस की जरूरत होगी। मगर सुन लिया तो साहस भी आ जाएगा। क्योंकि सत्य को सुन लेने के बाद ज्यादा देर तक असत्य में रहना असंभव है। जब एक बार देख लिया कि सत्य क्या है तो फिर पुरानी आदत कितनी ही पुरानी क्यों न हो, उसे छोड़ना ही पड़ेगा। जब पता ही चल गया कि दो और दो चार होते हैं तो कितना ही पुराना अभ्यास हो दो और दो पांच मानने का, उसे छोड़ना ही पड़ेगा। जब एक बार दिखाई पड़ गया कि दरवाजा कहां है तो फिर दीवाल से

निकलना असंभव हो जाएगा। फिर दीवाल से सिर टकराना असंभव हो जाएगा। सत्य समझ में आ जाए तो देर-अबेर इतना साहस भी आ जाता है कि आदमी छलांग ले, अपने को रूपांतरित कर दे।

फिर नंबर एक के श्रोता हैं। अगर तुममें समझ और साहस दोनों हों तो तुम नंबर एक के श्रोता हो जाओगे। नंबर एक के श्रोता का अर्थ है कि समझ और साहस युगपत घटित होते हैं—इधर समझ, उधर साहस; समझ और साहस में अंतराल नहीं होता। ऐसा नहीं कि आज समझता है और कल साहस; इस जन्म में समझता है और अगले जन्म में साहस। यहां समझता है और यहीं साहस। इसी क्षण समझता है और इसी क्षण साहस। तब आकस्मिक घटना घटती है। तब सूर्योदय अचानक हो जाता है।

जनक पहली कोटि के श्रोता हैं।

इस संबंध में एक बात और खयाल रख लेनी चाहिए। जनक सम्राट हैं। उनके पास सब है। जितना चाहिए उससे ज्यादा है। भोग भोगा है। जो व्यक्ति भोग को ठीक से भोग लेता है उसके जीवन में योग की क्रांति घटनी आसान हो जाती है। क्योंकि जीवन का अनुभव ही उसे कह देता है कि जिसे मैं जीवन जानता हूं वह तो व्यर्थ है। आधा काम तो जीवन ही कर देता है कि जिसे मैं जीवन जानता हूं वह व्यर्थ है। उसके मन में प्रश्न उठने लगते हैं कि फिर और जीवन कहां? फिर दूसरा जीवन कहां? फिर सत्य का जीवन कहां? लेकिन जिस व्यक्ति के जीवन में भोग नहीं है और सिर्फ भोग की आकांक्षा है; मिला नहीं है कुछ, सिर्फ मिलने की आकांक्षा है—उसे बड़ी कठिनाई होती है। इसलिए तुम चकित मत होना अगर भारत के सारे तीर्थकर, सारे महाद्रष्टा—जैनों के हों, बौद्धों के हों, हिंदुओं के हों—अगर सभी राजपुत्र थे तो आश्चर्यचकित मत होना। अकारण नहीं। इससे केवल इतनी ही सूचना मिलती है कि भोग के द्वारा ही आदमी भोग से मुक्त होता है। सम्राट को एक बात तो दिखाई पड़ जाती है कि धन में कुछ भी नहीं है, क्योंकि धन का अंबार लगा है और भीतर शून्य है, खालीपन है। सुंदर स्त्रियों का ढेर लगा है, और भीतर कुछ भी नहीं है। सुंदर महल हैं, और भीतर सन्नाटा है, रेगिस्तान है। जब सब होता है तो स्पष्ट दिखाई पड़ने लगता है कि कुछ भी नहीं है। जब कुछ भी नहीं होता तो आदमी आशा के सहारे जीता है।

आशा से छूटना बहुत मुश्किल है। क्योंकि आशा को परखने का कोई उपाय नहीं है। गरीब आदमी सोचता है, कल धन मिलेगा तो सुख से जीऊंगा। अमीर आदमी को धन मिल चुका है, अब आशा का कोई उपाय नहीं। इसीलिए जब भी

कोई समाज संपन्न होता है तो धार्मिक होता है। तुम आश्चर्यचकित मत होना, अगर अमरीका में धर्म की हवा जोर से फैलनी शुरू हुई है। यह सदा से हुआ है। जब भारत संपन्न था—अष्टावक्र के दिनों में संपन्न रहा होगा, बुद्ध के दिनों में संपन्न था, महावीर के दिनों में संपन्न था—जब भारत अपनी संपन्नता के शिखर पर था तब योग ने बड़ी ऊंचाइयां लीं, तब अध्यात्म ने आखिरी उड़ान भरी। क्योंकि तब लोगों को दिखाई पड़ा कि कुछ भी सार नहीं; सब मिल जाए तो भी कुछ सार नहीं। दीन-दरिद्र होता है देश, तब बहुत कठिन होता है।

मैं यह नहीं कहता हूं कि गरीब आदमी मुक्त नहीं हो सकता। गरीब आदमी मुक्त हो सकता है। गरीब आदमी धार्मिक हो सकता है। लेकिन गरीब समाज धार्मिक नहीं हो सकता। व्यक्ति तो अपवाद हो सकते हैं। उसके लिए बड़ी प्रगाढ़ता चाहिए।

थोड़ा तुम सोचो। धन हो तो देख लेना कि धन व्यर्थ है, बहुत आसान है; धन न हो तो देख लेना कि धन व्यर्थ है, जरा कठिन है—अति कठिन है। जो नहीं है उसकी व्यर्थता कैसे परखो? तुम्हारे हाथ में सोना हो तो परख सकते हो कि सही है कि खोटा। हाथ में सोना न हो, केवल सपने में हो, सपने का सोना कसने को तो कोई कसौटी बनी नहीं। वास्तविक सोना हो तो कसा जा सकता है।

गरीब आदमी का धर्म वास्तविक धर्म नहीं होता। इसलिए गरीब आदमी जब मंदिर जाता है तो धन मांगता है, पद मांगता है, नौकरी मांगता है। बीमारी है तो बीमारी कैसे ठीक हो जाए, यह मांगता है। बेटे को नौकरी नहीं लगती तो नौकरी कैसे लग जाए, यह मांगता है। मंदिर भी एंप्लायमेंट एक्सचेंज रह जाता है। मंदिर में भी प्रेम की और प्रार्थना की सुगंध नहीं उठती। अस्पताल जाना था, मंदिर आ गया है। नौकरी दिलाने वाले दफ्तर जाना था, मंदिर आ गया है।

गरीब आदमी मंदिर में भी वही मांगता रहता है जो संसार में उसे नहीं मिल रहा है। जिसका अभाव संसार में है, हम वही मांगते हैं।

लेकिन, अगर तुम्हारे जीवन में सब हो या तुममें इतनी प्रतिभा हो, या तुममें इतनी मेधा हो कि तुम केवल विचार करके जाग सको और देख सको कि सब होगा तो भी क्या होगा? दूसरों के पास धन है, उन्हें क्या हुआ है? स्वयं के पास न भी हो तो फिर प्रतिभा चाहिए कि तुम देख सकोः जो महलों में रह रहे हैं, उन्हें क्या हुआ है? उनकी आंखों में तरंगें हैं आनंद की? उनके पैरों में नृत्य है? उनके आसपास गंध है परमात्मा की? जब उनको नहीं हुआ तो तुम्हें कैसे हो जाएगा? लेकिन यह थोड़ा कठिन है।

अधिक लोग तो ऐसे हैं कि उनके पास खुद ही धन होता है तो नहीं दिखाई पड़ता है कि धन व्यर्थ है—तो फिर यह सोचना कि जब धन न होगा तब दिखाई पड़ जाएगा...। पड़ सकता है, संभावना तो है, पर बड़ी दूर की संभावना है। बुद्ध के लिए आसान रहा होगा जाग जाना। जनक के लिए आसान रहा होगा जाग जाना। अर्जुन के लिए भी आसान रहा होगा जाग जाना। कबीर के लिए बड़ा कठिन रहा होगा। दादू के लिए, सहजो के लिए बड़ा कठिन रहा होगा। क्राइस्ट के लिए, मुहम्मद के लिए बड़ा कठिन रहा होगा। क्योंकि इनके पास नहीं था—और जागे!

जीवन में, जो हमारे पास नहीं है, उसकी कामना हमें घेरती है; उसकी कामना हमें पकड़े रहती है। कल रात मैं एक गीत पढ़ता थाः

मैं चाहता हूं, इसलिए एक जन्म और लेना
कि मुझको उसमें शायद मिल जाए ऐसी हमदम
कि जिसको आता हो प्यार देना।
जो सुबह उठ कर मेरी तरफ मुस्कुरा के देखे
दिलोजिगर में समा के देखे
जो दोपहर को बहुत-से कामों के दरमियां
हो उदास मुझ बिन
गुजार दे इंतजार में दिन
जो शाम को यूं करे स्वागत
तमाम चाहत तमाम राहत से राम कर ले
जन्म मरण से रिहाई दे कर
मुझे रहीने-दवाम कर ले!
एक ऐसी हमदम की आरजू है
जो मेरे सुख को
वफा की ज्योति का संग दे दे
मेरे दुख को भी
अपने गर्म आंसुओं के मोतियों का रंग दे दे
जो घर में इफ्लास का समय हो, न तिलमिलाए
सफर कठिन हो तो उसके माथे पे बल न आए
एक ऐसी हमदम मिलेगी अगले जन्म में शायद
कि जिसको आता हो प्यार देना
मैं चाहता हूं इसलिए एक जन्म और लेना।

जो नहीं मिला है—किसी को प्रेयसी नहीं मिली है, किसी को धन नहीं मिला है, किसी को पद नहीं मिला है, किसी को प्रतिष्ठा नहीं मिली है—तो हम और एक जन्म लेना चाहते हैं। अनंत जन्म हम ले चुके हैं, लेकिन कुछ न कुछ कमी रह जाती है, कुछ न कुछ खाली रह जाता है, कुछ न कुछ ओछा रह जाता है—उसके लिए अगला जन्म, और अगला जन्म।

वासनाओं का कोई अंत नहीं है। जरूरतें बहुत थोड़ी हैं, कामनाओं की कोई सीमा नहीं है। उन्हीं कामनाओं के सहारे आदमी जीता चला जाता है।

ध्यान रखना, धन नहीं बांधता, धन की आकांक्षा बांधती है; पद नहीं बांधता, पद की आकांक्षा बांधती है। प्रतिष्ठा नहीं बांधती, प्रतिष्ठा की आकांक्षा बांधती है।

जनक के पास सब था। देख लिया सब। तैयार ही खड़े थे जैसे, कि कोई जरा सा इशारा कर दे, जाग जाएं। सब सपने व्यर्थ हो चुके थे। नींद टूटी-टूटी होने को थी।

इसीलिए मैं कहता हूं, अष्टावक्र को परम शिष्य मिला।

जनक ने कहा : 'मैं निर्दोष हूं, शांत हूं, बोध हूं, प्रकृति से परे हूं! आश्चर्य! अहो! कि मैं इतने काल तक मोह के द्वारा बस ठगा गया हूं!'

उतरने लगी किरण। अहो निरंजनः। आश्चर्य!

सुना अष्टावक्र को कि तू निरंजन है, निर्दोष है, सुनते ही पहुंच गई किरण प्राणों की आखिरी गहराई तक; जैसे सूई चुभ जाए सीधी।

अहो निरंजनः शांतो बोधोऽहं प्रकृतेः परः।

आश्चर्य, क्या कहते हैं आप? मैं निर्दोष हूं! शांत हूं! बोध हूं! प्रकृति से परे हूं! आश्चर्य कि इतने काल तक मैं मोह के द्वारा बस ठगा गया हूं।

एतावंतमहं कालं मोहेनैव विडंबितः।

चौंक गए जनक। जो सुना, वह कभी सुना नहीं था। अष्टावक्र में जो देखा, वह कभी देखा नहीं था। न कानों सुना, न आंखों देखा—ऐसा अपूर्व प्रगट हुआ। अष्टावक्र ज्योतिर्मय हो उठे! उनकी आभा, उनकी आभा के मंडल में जनक चकित हो गए : 'अहो, बोध हुआ कि मैं निरंजन हूं!' एकदम भरोसा नहीं आता, विश्वास नहीं आता।

सत्य इतना अविश्वसनीय है, क्योंकि हमने असत्य पर इतने लंबे जन्मों तक विश्वास किया है। सोचो, अंधे की अचानक आंख खुल जाए तो क्या अंधा विश्वास कर सकेगा कि प्रकाश है, रंग हैं, ये हजार-हजार रंग, ये इंद्रधनुष, ये फूल, ये वृक्ष, ये चांद-तारे? एकदम से अंधे की आंख खुल जाए तो वह कहेगा, अहो, आश्चर्य! मैं तो सोच भी न सकता था कि यह है। और यह है। और मैंने तो इसका कभी सपना भी न देखा था।

प्रकाश तो दूर, अंधे आदमी को अंधेरे का भी पता नहीं होता। तुम साधारणतः सोचते होओगे कि अंधा आदमी अंधेरे में रहता है, तो तुम गलत सोचते हो। अंधेरा देखने के लिए भी आंख चाहिए। तुम आंख बंद करते हो तो तुम्हें अंधेरा दिखाई पड़ता है, क्योंकि आंख खोल कर तुम प्रकाश को जानते हो। लेकिन जिसकी कभी आंख ही नहीं खुली, वह अंधेरा भी नहीं जानता; प्रकाश तो दूर, अंधेरे से भी पहचान नहीं है। कोई उपाय नहीं अंधे के पास कि सपना देख सके इंद्रधनुषों का। लेकिन जब आंख खोल कर देखेगा, तो यह सारा जगत अविश्वसनीय मालूम होगा, भरोसा न आएगा।

जनक को भी एक धक्का लगा है, एक चौंक पैदा हुई! अचंभे से भर गए हैं! कहने लगे, 'अहो, मैं निर्दोष!'

सदा से अपने को दोषी जाना और सदा से धर्मगुरुओं ने यही कहा कि तुम पापी हो! और सदा से पंडित-पुरोहितों ने यही समझाया कि धोओ अपने कर्मों के पाप। किसी ने भी यह न कहा कि तुम निर्दोष हो, कि तुम्हारी निर्दोषता ऐसी है कि उसके खंडित होने का कोई उपाय नहीं, कि तुम लाख पाप करो तो भी पापी तुम नहीं हो सकते हो।

तुम्हारे सब किए गए पाप, देखे गए सपने हैं—जागते ही खो जाते हैं। न पुण्य तुम्हारा है, न पाप तुम्हारा है; क्योंकि कर्म तुम्हारा नहीं, कृत्य तुम्हारे नहीं; क्योंकि कर्ता तुम नहीं हो—तुम केवल द्रष्टा, साक्षी हो।

'मैं निर्दोष हूं!' चौंक कर जनक ने कहाः 'मैं शांत हूं!' क्योंकि जानी तो है केवल अशांति।

तुमने कभी शांति जानी है? साधारणतः तुम कहते हो कि हां। लेकिन बहुत गौर करोगे तो तुम पाओगे ः जिसे तुम शांति कहते हो वह केवल दो अशांतियों के बीच का थोड़ा सा समय है। अंग्रेजी में शब्द है 'कोल्ड वार'। वह शब्द बड़ा अच्छा है ः ठंडा युद्ध। दो युद्धों के बीच में ठंडा युद्ध चलता है। दो गर्म युद्ध, बीच में ठंडा युद्ध, मगर युद्ध तो जारी रहता है। पहला महायुद्ध खतम हुआ, दूसरा महायुद्ध शुरू हुआ। कई वर्ष बीते, कोई बीस वर्ष बीते; लेकिन वे बीस वर्ष ठंडे युद्ध के थे। लड़ाई तो जारी रहती है, युद्ध की तैयारी जारी रहती है। हां, लड़ाई अब प्रकट नहीं होती; भीतर-भीतर होती है; अंडरग्राउंड होती है; जमीन के भीतर दबी होती है।

अभी ठंडा युद्ध चल रहा है दुनिया में, लड़ाई की तैयारियां चल रही हैं। सैनिक कवायदें कर रहे हैं। बम बनाए जा रहे हैं। बंदूकों पर पॉलिश चढ़ाया जा रहा है। तलवारों पर धार रखी जा रही है। यह ठंडी लड़ाई है। युद्ध जारी है। यह किसी भी दिन भड़केगा। किसी भी दिन युद्ध खड़ा हो जाएगा।

जिसको तुम शांति कहते हो, वह ठंडी अशांति है। कभी उत्तप्त हो जाते हो तो गर्म अशांति। दो गर्म अशांतियों के बीच में जो थोड़े से समय बीतते हैं, जिनको तुम शांति के कहते हो, वह शांति के नहीं हैं; वह केवल ठंडी अशांति के हैं। पारा बहुत ऊपर नहीं चढ़ा है, ताप बहुत ज्यादा नहीं है—सम्हाल पाते हो, इतना है। लेकिन शांति तुमने जानी नहीं। दो अशांतियों के बीच में कहीं शांति हो सकती है? और दो युद्धों के बीच में कहीं शांति हो सकती है?

शांति जिसने जानी है, उसकी अशांति सदा के लिए समाप्त हो जाती है। तुमने शांति जानी नहीं, शब्द सुना है। अशांति तुम्हारा अनुभव है; शांति तुम्हारी आकांक्षा है, आशा है।

तो जनक कहने लगे, 'मैं शांत हूं, बोध हूं!' क्योंकि जाना तो सिर्फ मूर्च्छा को है। तुम इतने काम कर रहे हो, वे सब मूर्च्छित हैं। तुम्हें अगर कोई ठीक-ठीक पूछे तो तुम एक बात का भी उत्तर न दे पाओगे। कोई पूछे कि इस स्त्री के प्रेम में क्यों पड़ गए, तो तुम कहोगेः पता नहीं, पड़ गए, ऐसा हो गया। यह कोई उत्तर हुआ? प्रेम जैसी बात के लिए यह उत्तर हुआ कि हो गया! बस घटना घट गई! पहली दृष्टि में ही प्रेम हो गया! देखते ही प्रेम हो गया! तुम्हें पता है, यह प्रेम तुम्हारे भीतर कहां से उठा? कैसे आया? कुछ भी पता नहीं है। फिर इस प्रेम से तुम चाहते हो कि जीवन में सुख आए। इस प्रेम का ही तुम्हें पता नहीं, कहां से आता है? किस अचेतन के तल से उठता है? कहां इसका बीज है? कहां से अंकुरित होता है? फिर तुम कहते हो इस प्रेम से जीवन में सुख मिले! सुख नहीं मिलता; दुख मिलता है, कलह मिलती है, वैमनस्य मिलता है, ईर्ष्या, जलन मिलती है। तो तुम तड़पते हो। तुम कहते हो, यह क्या हुआ? यह प्रेम सब धोखा निकला!

पहले ही से मूर्च्छा थी।

तुम दौड़े जा रहे हो—धन कमाना है! तुमसे कोई पूछे, किसलिए? शायद तुम कुछ छोटे-मोटे उत्तर दे सको। तुम कहो कि बिना धन के कैसे जीएंगे? लेकिन ऐसे लोग हैं, जिनके पास जीने के लिए काफी है, वे भी दौड़े जा रहे हैं। और तुम भी पक्का मानना, जिस दिन इतना कमा लोगे कि रुक सकते हो, फिर भी रुक न सकोगे। फिर भी तुम दौड़े जाओगे।

एंड्रू कारनेगी मरा तो दस अरब रुपये छोड़ कर मरा; लेकिन मरते वक्त भी कमा रहा था। मरने के दो दिन पहले उसके सेक्रेटरी ने पूछा कि 'आप तो तृप्त होंगे? दस अरब रुपये!' उसने कहा, 'तृप्त! मैं बहुत अशांति में मर रहा हूं, क्योंकि मेरी योजना सौ अरब रुपये कमाने की थी।'

अब जिसकी सौ अरब रुपए कमाने की योजना थी, दस अरब-नब्बे अरब का घाटा है। उसका घाटा तो देखो! तुम दस अरब देख रहे हो। दस अरब तो दस पैसे हो गए। दस अरब का कोई मूल्य ही न रहा।

न तो खा सकते हो दस अरब रुपयों को, न पी सकते हो। कोई उनका उपयोग नहीं है। मगर एक दफा दौड़ शुरू हो जाती है तो चलती जाती है।

तुम पूछो अपने से, किसलिए दौड़ रहे हो? तुम्हारे पास उत्तर नहीं। मूर्च्छा है! पता नहीं क्यों दौड़ रहे हैं! पता नहीं कहां जा रहे हैं, किसलिए जा रहे हैं! न जाएं तो क्या करें? रुकें तो कैसे रुकें? रुकें तो किसलिए रुकें? उसका भी कुछ पता नहीं है।

आदमी ऐसे चल रहा है जैसे नशे में चल रहा हो। हमारे जीवन के छोर हमारे हाथ में नहीं हैं। हम बोधहीन हैं।

गुरजिएफ कहता था : हम करीब-करीब नींद में चल रहे हैं। आंख खुली हैं, माना; मगर नींद नहीं टूटी है। आंखें नींद से भरी हैं। कुछ होता है, कुछ करते रहते हैं, कुछ चलता जाता है। क्यों? 'क्यों' पूछने से हम डरते हैं, क्योंकि उत्तर तो नहीं है। ऐसे प्रश्न उठाने से बेचैनी आती है।

जनक ने कहा : 'मैं बोध हूं। अहो निरंजनः शांतो बोधोऽहं। और इतना ही नहीं, आप कहते हैं : प्रकृति से परे हो! प्रकृतेः परः! शरीर नहीं हो, मन नहीं हो। यह जो दिखाई पड़ता है, यह नहीं हो। यह जो दृश्य है, यह नहीं हो। द्रष्टा हो। सदा पार हो। प्रकृति के पार, सदा अतिक्रमण करने वाले हो।'

इसे समझना। यह अष्टावक्र का मौलिक उपाय है, मौलिक विधि है—अगर विधि कह सकें—प्रकृति के पार हो जाना! जो भी दिखाई पड़ता है, वह मैं नहीं हूं। जो भी अनुभव में आता है, वह मैं नहीं हूं। क्योंकि जो भी मुझे दिखाई पड़ता है, मैं उससे पार हो गया; मैं देखने वाला हूं। दिखाई पड़ने वाला मैं नहीं हूं। जो भी मेरे अनुभव में आ गया है, मैं उसके पार हो गया; क्योंकि मैं अनुभव का द्रष्टा हूं, अनुभव कैसे हो सकता हूं? तो न मैं देह हूं, न मन हूं, न भाव हूं; न हिंदू, न मुसलमान, न ईसाई, न ब्राह्मण, न शूद्र; न बच्चा, न जवान, न बूढ़ा; न सुंदर, न असुंदर; न बुद्धिमान, न बुद्धू—मैं कोई भी नहीं हूं। सारी प्रकृति के परे हूं!

यह किरण उतरी जनक के हृदय में। आश्चर्य से भर गई, चकित कर गई, चौंका गई। आंखें खुलीं पहली दफा।

'आश्चर्य कि मैं इतने काल तक मोह के द्वारा बस ठगा गया हूं!'

कि अब तक जो भी मैंने बसाया था, जो भी मैंने चाहा था, जो भी सुंदर सपने मैंने देखे, वह सब मोह-निद्रा थी! वे सब सपने ही थे! नींद में उठे हुए खयाल थे, उनका कोई भी अस्तित्व नहीं है!

अहो अहं एतावंतमहं कालं मोहेनैव विडंबितः।

आप मुझे चौंकाते हैं! आपने मुझे हिला दिया। तो ये गिर गए सारे भवन जो मैंने बनाए थे! और ये सारे साम्राज्य जो मैंने फैलाए थे, सब मोह की विडंबना थी!

समझने की कोशिश करना। अगर तुम भी सुनोगे तो ऐसा ही होगा। अगर तुम भी सुन सकोगे तो ठीक ऐसा ही होगा। तुम्हारा किया-कराया सब व्यर्थ हो जाएगा। पाया नहीं पाया, सब व्यर्थ हो जाएगा।

मुल्ला नसरुद्दीन एक रात नींद में बड़बड़ा रहा था। आंख खोल कर अपनी पत्नी से बोला, जल्दी चश्मा ला!

पत्नी ने कहा, चश्मा क्या करोगे आधी रात में बिस्तर पर?

उसने कहा, देर मत कर, जल्दी चश्मा ला। एक सुंदर स्त्री दिखाई पड़ रही है, सपने में! तो ठीक से देखना चाहता हूं चश्मा लगा कर। थोड़ा धुंधला-धुंधला है सपना।

सपने को भी तुम सत्य बनाने की चेष्टा में लगे रहते हो: किसी तरह सपना सत्य हो जाए! तुम चाहते नहीं कि कोई तुम्हारे सपने को सपना कहे, तुम नाराज होते हो। संतों को हमने ऐसे ही थोड़ी जहर दिया, ऐसे ही थोड़ी पत्थर मारे। उन्होंने हमें खूब नाराज किया। हम सपना देखते थे, वे हमें हिलाने लगे। हम गहरी नींद में थे, वे हमें जगाने लगे। हमसे बिना पूछे हमारी नींद तोड़ने लगे, अलार्म बजाने लगे। नाराजगी स्वाभाविक थी।

लेकिन अगर सुनोगे तो तुम कृतज्ञ हो जाओगे, तुम सदा के लिए कृतज्ञता का अनुभव करोगे।

खयाल करो, कृष्ण की गीता में, जब कृष्ण बोलते हैं तो अर्जुन प्रश्न उठाता है। अष्टावक्र की गीता में अष्टावक्र बोले, जनक ने कोई प्रश्न नहीं उठाया। जनक ने सिर्फ अहोभाव प्रकट किया। जनक ने सिर्फ स्वीकृति दी। जनक ने सिर्फ इतना कहा कि चौंका दिया प्रभु मुझे, जगा दिया मुझे! पूछने को कुछ नहीं है। जनक को प्रतीति होने लगी कि मैं निर्दोष हूं कि मैं शांत हूं कि मैं बोध हूं, प्रकृति से परे हूं।

यह हमें कठिन लगता है, इतनी जल्दी हो गया! हमें लगता है, थोड़ा समय लगना चाहिए। हमें बड़ी हैरानी होती है: इतनी शीघ्रता से, इतनी त्वरा से घटना घटी!

झेन फकीरों के जीवन में बहुत से उल्लेख हैं। अब झेन पर किताबें पूर्व में, पश्चिम में सब तरफ फैलनी शुरू हुई हैं, तो लोग पढ़ कर बड़े हैरान होते हैं। क्योंकि उनमें ऐसे हजारों उल्लेख हैं जब कि बस क्षण भर में फकीर जाग गया और बोध को उपलब्ध हो गया। हमें भरोसा नहीं आता, क्योंकि हम तो बड़े उपाय करते

हैं, फिर भी बोध को उपलब्ध नहीं होते; श्रम करते हैं, फिर भी ध्यान नहीं लगता; जप करने बैठते हैं, तप करने बैठते हैं, मन उचाट रहता है। और यह जनक एक क्षण में जाग ही गए!

कभी-कभी ऐसा होता है। तुम्हारी पात्रता पर निर्भर है। तुम्हारी पात्रता में जितनी कमी होगी उतनी देर लग जाएगी। देरी घटना के कारण नहीं है। घटना तो अभी घट सकती है; जैसा बार-बार अष्टावक्र कहते हैं, 'सुखी भव! अभी हो जा सुखी! मुक्त हो! अभी हो जा मुक्त! इसी क्षण!'

घटना तो अभी घटती है, देर लगती है हमारी पात्रता के कारण। हमारी पात्रता ही नहीं है। तो जो समय लगता है वह बीच में जो पत्थर पड़े हैं, उन्हें हटाने में लगता है। झरना तो अभी फूट सकता है, झरना तो तैयार है, झरना तो तरंगित है, झरना तो प्रतीक्षा कर रहा है कि हटाओ पत्थर, मैं दौड़ पड़ूं सागर की तरफ! लेकिन कितने पत्थर बीच में पड़े हैं, और कितनी बड़ी चट्टानें पड़ी हैं—इस पर निर्भर करेगा। झरने के निकलने में देर नहीं है—झरने की राह खुली है, बंद तो नहीं है। कहीं से झरना अभी फूट जाएगा, कहीं थोड़ा खोदना पड़ेगा। कहीं बड़ी चट्टान हो सकती है, डॉयनामाइट लगाना पड़े। पर तीनों ही स्थितियों में, चाहे अभी झरना फूटे, चाहे घड़ी भर बाद फूटे, चाहे जन्मों बाद फूटे—झरना तो सदा मौजूद था। बाधा झरने के फूटने में न थी, बाधा झरने के प्रकट होने के बीच पड़े पत्थर के कारण थी। जनक की चेतना पर कोई भी पत्थर न रहा होगा—अहोभाव प्रकट हो गया, कृतज्ञता का ज्ञापन हो गया! नाच उठे! मगन हो गए!

'जैसे इस देह को मैं अकेला ही प्रकाशित करता हूं,' जनक ने कहा, 'वैसे ही संसार को भी प्रकाशित करता हूं। इसलिए तो मेरा संपूर्ण संसार है अथवा मेरा कुछ भी नहीं।'

यह आस्तिकता है। अर्जुन तो नास्तिक है। अर्जुन तो इनकार करता है। अर्जुन तो बार-बार सवाल उठाता है। अर्जुन तो हजार संदेह करता है। अर्जुन तो इस तरफ से पूछता है, उस तरफ से पूछता है। जनक ने कुछ पूछा ही नहीं।

इसलिए मैंने इस गीता को महागीता कहा है। अर्जुन की नास्तिकता अंत में मिटती है, वह घर आता है। जनक में नास्तिकता है ही नहीं। वे जैसे घर के द्वार पर ही खड़े थे और किसी ने झकझोर दिया और कहा कि जनक, तुम घर पर ही खड़े हो, कहीं जाना नहीं। और वे कहने लगे, 'अहो! जैसे इस देह को मैं अकेला ही प्रकाशित करता हूं, वैसे ही संसार को भी प्रकाशित करता हूं।'

अष्टावक्र ने कहा कि तुम्हारा वह जो आत्यंतिक साक्षी-भाव रूप है, वह तुम्हारा ही नहीं है, वह तुम्हारा ही केंद्र नहीं है, वह समस्त सृष्टि का केंद्र है। ऊपर-

ऊपर हम अलग-अलग, भीतर हम बिलकुल एक हैं। बाहर-बाहर हम अलग-अलग; जैसे-जैसे भीतर चले, हम एक हैं। जैसे लहरें अलग-अलग हैं सागर की छाती पर, लेकिन सागर के गहनतम में तो सारी लहरें एक हैं। ऊपर एक लहर छोटी, एक लहर बड़ी; एक लहर सुंदर, एक लहर कुरूप; एक लहर गंदी, एक लहर स्वच्छ-ऊपर बड़े भेद हैं। लेकिन सागर में सब जुड़ी हैं। जिसको केंद्र का स्मरण आया, उसका व्यक्तित्व गया; फिर वह व्यक्ति नहीं रह जाता।

तो जनक कहते हैं, जैसे इस देह को मैं अकेला प्रकाशित करता हूं, वैसे ही सारे संसार को भी प्रकाशित करता हूं। क्या कह रहे हैं आप? भरोसा नहीं आता!

कल एक युवक ने रात्रि मुझे आ कर कहा कि जो हुआ है ध्यान में, उस पर भरोसा नहीं आता। ठीक! जब कुछ होता है तो ऐसा ही होता है, भरोसा नहीं आता। हमारा भरोसा ही छोटी चीजों पर है, क्षुद्र पर है। जब विराट घटता है तो भरोसा आएगा कैसे?

जब परमात्मा तुम्हारे सामने खड़ा होगा तो तुम आश्चर्यचकित और अवाक रह जाओगे।

पश्चिम में एक बहुत बड़ा संत हुआ: तरतूलियन। उसका वचन है—किसी ने पूछा कि तरतूलियन, ईश्वर के लिए कोई प्रमाण है? उसने कहा, एक ही प्रमाण है: ईश्वर है, क्योंकि वह भरोसे-योग्य नहीं है। ईश्वर है, क्योंकि उस पर विश्वास नहीं आता। ईश्वर है, क्योंकि वह असंभव है।

यह बड़ी अनूठी बात तरतूलियन ने कही: ईश्वर है, क्योंकि असंभव है! संभव तो संसार है, ईश्वर असंभव है। संभव तो क्षुद्र है, विराट तो असंभव है। लेकिन असंभव भी घटता है, तरतूलियन बोला। तुम राजी हो जाओ असंभव को, तो असंभव भी घटता है। जब घटता है तो बिलकुल भरोसा नहीं आता। तुम्हारी सारी जड़ें उखड़ जाती हैं, भरोसा कहां आएगा? तुम मिट जाते हो जब घटता है, तो भरोसा किसको आएगा। तुम बिखर जाते हो जब घटता है।

तुम अब तक अंधेरे जैसे हो। जब उसका सूरज निकलेगा तो तुम विसर्जित हो जाओगे।

जनक कहने लगे, 'इसलिए तो या तो संपूर्ण संसार मेरा है या मेरा कुछ भी नहीं है।'

ये दो ही बातें संभव हैं। इसके बीच में कोई भी दृष्टि हो तो भ्रांत है। या तो संपूर्ण संसार मेरा है, क्योंकि मैं परमात्मा का हिस्सा हूं; चूंकि मैं परमात्मा हूं; चूंकि मैं सारे संसार का केंद्र हूं; चूंकि मेरा साक्षी सारे संसार का साक्षी है। तो या तो सारा संसार मेरा है—एक संभावना; या फिर मेरा कुछ भी नहीं है, क्योंकि मैं हूं ही कहां!

साक्षी में मैं तो नहीं बचता, सिर्फ साक्षी-भाव बचता है। वहां दावेदार तो बचता नहीं, कौन दावा करेगा कि सब मेरा है?

तो जनक कहते हैं, दो संभावनाएं हैं। ये दो अभिव्यक्तियां हैं धर्म की—या तो पूर्ण या शून्य। कृष्ण ने चुना पूर्ण। उपनिषदों ने चुना पूर्ण। उस पूर्ण से ही सब निकलता, फिर भी पीछे पूर्ण शेष रह जाता है। उस पूर्ण में ही सब लीन होता, फिर भी पूर्ण न घटता न बढ़ता।

उपनिषदों ने, कृष्ण ने, हिंदुओं ने, सूफियों ने चुना पूर्ण। बुद्ध ने चुना शून्य। यह जो जनक ने वचन कहा कि इसलिए या तो सब मेरा है, मैं पूर्ण हूं, पूर्ण परात्पर ब्रह्म हूं; और या फिर कुछ भी मेरा नहीं, मैं परम शून्य हूं! ये दोनों बातें ही सच हैं।

बुद्ध का वक्तव्य अधूरा है। कृष्ण का वक्तव्य भी अधूरा है। जनक के इस वक्तव्य में पूरी बात हो जाती है। जनक कहते हैं, दोनों बातें कही जा सकती हैं। क्यों? क्योंकि अगर मैं ही सारे जगत का केंद्र हूं तो सारा जगत मेरा। लेकिन जब मैं सारे जगत का केंद्र होता हूं तो मैं मैं ही नहीं होता; मेरा मैं-पन तो बहुत पीछे छूट जाता है; धूल की तरह उड़ता रह जाता है पीछे। यात्री आगे निकल जाता, धूल पड़ी रह जाती है। तो फिर मेरा क्या? या फिर मेरा कुछ भी नहीं है।

अतः मम सर्वम् जगत्...

—या तो सब जगत मेरा है।

अथवा मम किंचन न,

—या फिर मेरा कुछ भी नहीं।

'आश्चर्य है कि शरीर सहित विश्व को त्याग कर किसी कुशलता से ही अर्थात उपदेश से ही अब मैं परमात्मा को देखता हूं।'

अहो सशरीरम् विश्वं परित्यज्य...।

आश्चर्य है कि मेरा शरीर गया, शरीर के साथ सारा जगत गया! त्याग घट गया! त्याग किया नहीं जाता। त्याग तो बोध की एक दशा है। त्याग कृत्य नहीं है। अगर कोई कहे, मैंने त्याग किया, तो त्याग हुआ ही नहीं। उसने त्याग में भी भोग को बना लिया। अगर कोई कहे, मैं त्यागी हूं, तो उसे त्याग का कोई भी पता नहीं। क्योंकि जब तक 'मैं' है, तब तक त्याग कैसा?

त्याग का अर्थ छोड़ना नहीं है। त्याग का अर्थ जाग कर देखना है कि मेरा कुछ है ही नहीं, छोडूं कैसे? छोडूं क्या? पकड़ा हो तो छोडूं। हो तो छोडूं।

तुम सुबह उठ कर यह तो नहीं कहते कि चलो अब सपने का त्याग करें। तुम यह तो नहीं कहते सुबह उठ कर कि रात सपने में सम्राट बन गया था, बड़े स्वर्ण-

महल थे, रत्न-जटित आभूषण थे, बड़े दूर-दूर तक मेरा राज्य था, सुंदर पुत्र थे, पत्नी थी—सुबह उठ कर तुम यह तो नहीं कहते कि चलो अब सब छोड़ता हूं। कहो तो तुम पागल मालूम पड़ोगे। अगर तुम सुबह उठ कर गांव में ढिंढोरा पीटने लगो कि मैंने सब त्याग कर दिया है—राज्य का, धन का, वैभव का, पत्नी-बच्चे, सब छोड़ दिए—लोग चौंकेंगे। वे कहेंगे, 'कौन सा राज्य? हमें तो पता ही नहीं कि तुम्हारे पास कोई राज्य भी था।' तुम कहोगे, रात सपने में! तो लोग हंसेंगे कि तुम पागल हो गए हो। सपने का राज्य छोड़ा तो नहीं जा सकता।

इसलिए परमज्ञान का सूत्र यही है कि जब तुम्हें दिखाई पड़ता है कि यह संसार कुछ भी नहीं है, तो छोड़ने की क्या बात है? लेकिन लोग हैं जो हिसाब रखते हैं कि कितना छोड़ा।

एक मित्र मुझे मिलने आए थे। उनकी पत्नी भी साथ थी। मित्र का नाम है बड़े दानियों में। तो मित्र की पत्नी कहने लगी कि शायद आपको मेरे पति से परिचय नहीं, ये बड़े दानी हैं! कोई लाख रुपया दान कर दिया!

पति ने जल्दी से पत्नी के हाथ पर हाथ रखा कि लाख नहीं, एक लाख दस हजार!

यह दान न हुआ, यह हिसाब हुआ। यह सौदा हुआ। यह कौड़ी-कौड़ी का हिसाब चल रहा है। अगर कहीं इनको परमात्मा मिल गया तो उसकी गर्दन पकड़ लेंगे, कि एक लाख दस हजार दिया था, बदले में क्या देते हो बोलो? दिया भी इसीलिए है कि शास्त्र कहते हैं कि यहां एक दो, वहां करोड़ गुना मिलता है। ऐसा धंधा कौन छोड़ेगा! करोड़ गुना! सुना है ब्याज? कोई धंधा देखा? जुआरी भी इतने बड़े जुआरी नहीं। करोड़ गुना तो वहां भी नहीं मिलता। यह तो जुआरीपन हुआ। इस आशा में छोड़ा है कि लाख छोड़ेंगे तो करोड़ गुना मिलेगा। यह लोभ का ही विस्तार हुआ।

और लाख का हिसाब? तो रुपए का मूल्य अभी समाप्त नहीं हुआ है! पहले तिजोड़ी में रुपये रखते थे; अब तिजोड़ी में रुपये की जगह, क्या-क्या त्याग किया है, उसका हिसाब रख लिया है। मगर सपना टूटा नहीं।

चीन में एक बड़ी प्राचीन कथा है कि एक सम्राट का एक ही बेटा था। वह बेटा मरण-शय्या पर पड़ा था। चिकित्सकों ने कह दिया हार कर कि हम कुछ कर न सकेंगे; बचेगा नहीं, बचना असंभव है। बीमारी ऐसी थी कि कोई इलाज नहीं था। दिन दो दिन की बात थी, कभी भी मर जाएगा। तो बाप रात भर जाग कर बैठा रहा। विदा देने की बात ही थी। आंख से आंसू बहते रहे, बैठा रहा। कोई तीन बजे करीब रात को झपकी लग गई बाप को बैठे-बैठे ही। झपकी लगी तो एक सपना देखा कि एक बहुत बड़ा साम्राज्य है, जिसका वह मालिक है। उसके बारह बेटे

हैं—बड़े सुंदर, युवा, कुशल, बुद्धिमान, महारथी, योद्धा! उन जैसा कोई व्यक्ति नहीं संसार में। खूब धन का अंबार है! कोई सीमा नहीं! वह चक्रवर्ती है। सारे जगत पर उसका साम्राज्य है! ऐसा सपना देखता था, तभी बेटा मर गया। पत्नी दहाड़ मार कर रो उठी। उसकी आंख खुली। चौंका एकदम। किंकर्तव्यविमूढ़ हो गया। क्योंकि अभी-अभी एक दूसरा राज्य था, बारह बेटे थे, बड़ा धन था—वह सब चला गया; और इधर यह बेटा मर गया! लेकिन वह ठगा सा रह गया। उसकी पत्नी ने समझा कि कहीं दिमाग तो खराब नहीं हो गया, क्योंकि बेटे से उसका बड़ा लगाव था। एक आंसू नहीं आ रहा आंख में। बेटा जिंदा था तो रोता था उसके लिए, अब बेटा मर गया तो रो नहीं रहा बाप। पत्नी ने उसे हिलाया और कहा, तुम्हें कुछ हो तो नहीं गया? रोते क्यों नहीं?

उसने कहा, 'किस-किस के लिए रोओ? बारह अभी थे, वे मर गए। बड़ा साम्राज्य था, वह चला गया। उनके लिए रोऊं कि इसके लिए रोऊं? अब मैं सोच रहा हूं कि किस-किस के लिए रोऊं। जैसे बारह गए, वैसे तेरह गए।'

बात समाप्त हो गई, उसने कहा। वह भी एक सपना था, यह भी एक सपना है। क्योंकि जब उस सपने को देख रहा था तो इस बेटे को बिलकुल भूल गया था। ये राज्य, तू सब भूल गए थे। अब वह सपना टूट गया तो तुम याद आ गए हो। आज रात फिर सो जाऊंगा, फिर तुम भूल जाओगे। तो जो आता-जाता है, अभी है अभी नहीं, अब दोनों ही गए। अब मैं सपने से जागा। अब किसी सपने में न रमूंगा। हो गया बहुत, समय आ गया। फल पक गया, गिरने का वक्त है!

जनक कहते हैं, 'आश्चर्य कि शरीर सहित विश्व को त्याग कर...।'

त्याग घट गया! अभी इंच भर भी हिले नहीं; जहां हैं वहीं हैं, उसी राजमहल में। जहां अष्टावक्र को ले आए थे निमंत्रण दे कर, बिठाया था सिंहासन पर—वहीं बैठे हैं अष्टावक्र के सामने। कहीं कुछ गए नहीं, राज्य चल रहा है, धन-वैभव है, द्वार पर द्वारपाल खड़े हैं, नौकर-सेवक पंखा झलते होंगे। सब कुछ ठीक वैसा का वैसा है, तिजोरी अपनी जगह है। धन अपनी जगह है। लेकिन जनक कहते हैं, 'आश्चर्य, त्याग घट गया!'

त्याग अंतर का है। त्याग भीतर का है। त्याग बोध का है।

'आश्चर्य कि इस शरीर सहित विश्व को त्याग कर किस कुशलता से...।'

और किस कुशलता से यह बात घट गई कि पत्ता न हिला और क्रांति हो गई; कि जरा सा घाव न बना और सर्जरी पूरी हो गई! किस कुशलता से! कैसा तुम्हारा उपदेश! अब मैं परमात्मा को देखता हूं, संसार दिखाई ही नहीं पड़ रहा है। सारी दृष्टि रूपांतरित हो गई।

यह अत्यंत मूल्यवान सूत्र है: तुम जहां हो वहीं रहते, तुम जैसे हो वैसे ही रहते—क्रांति घट सकती है। कोई हिमालय भाग जाने की जरूरत नहीं है। संन्यास पलायन नहीं है, भगोड़ापन नहीं है। पत्नी है, बच्चे हैं, घर-द्वार है—सब वैसा ही रहेगा। किसी को कानों-कान खबर भी न होगी—और क्रांति घट जाएगी। यह भीतर की बात है। तुम्हीं चकित हो जाओगे कि यह हुआ क्या? अब पत्नी अपनी नहीं मालूम होगी, अब बेटा अपना नहीं मालूम होगा, मकान अपना नहीं मालूम होगा। अब भी तुम रहोगे, अब अतिथि की तरह रहोगे। सराय हो गई; घर वही है। सब वही है। करोगे काम; उठोगे, बैठोगे; दुकान-दफ्तर जाओगे; श्रम करोगे—पर अब कोई चिंता नहीं पकड़ती। एक बार यह बात दिखाई पड़ जाए कि यहां सब खेल है, बड़ा नाटक है, तो क्रांति घट जाती है।

मुझसे एक अभिनेता पूछते थे कि कहें कि मैं अभिनय में और कैसे कुशल हो जाऊं? तो मैंने कहा: एक ही सूत्र है। जो लोग जीवन में कुशल होना चाहते हों तो उनके लिए सूत्र है कि जीवन को अभिनय समझें। और जो लोग अभिनय में कुशल होना चाहते हैं, उनके लिए सूत्र है कि अभिनय को जीवन समझें। और तो कोई सूत्र नहीं है। अगर अभिनेता अभिनय को जीवन समझ ले तो कुशल हो जाता है। तब नाटक को वह असली मान लेता है।

तुम उसी अभिनेता से प्रभावित होओगे जिसके लिए कुशलता इतनी गहरी हो गई है कि वह झूठ को सच मान लेता है। अगर अभिनेता झूठ को सच न मान पाए तो अभिनय में कुशल नहीं हो सकता। तो वह बाहर-बाहर रहेगा, भीतर न हो पाएगा। तो खड़ा-खड़ा, दूर-दूर कर लेगा काम; लेकिन तुम पाओगे, उसके प्राण उसमें रमे नहीं। गए नहीं भीतर।

अभिनेता बिलकुल भूल जाता है अभिनय में। जब कोई राम का अभिनय करता है तो वह बिलकुल भूल जाता है, वह राम हो जाता है। जब उसकी सीता चुराई जाती है तो वह ऐसा नहीं सोचता कि अपना क्या लेना-देना है; अभी घड़ी भर बाद सब खेल खतम, अपने घर चले जाएंगे, क्यों नाहक रोओ! क्यों पूछो वृक्षों से कि मेरी सीता कहां है? क्यों चीखो-चिल्लाओ? क्या सार है? अपनी कोई सीता है कि कुछ...? और सीता वहां है भी नहीं, कोई दूसरा आदमी सीता बना है। कुछ लेना-देना नहीं है। अगर वह अभिनय में खोए न, तो अभिनय-कुशल नहीं हो पाता। अभिनय की कुशलता यही है कि वह अभिनय को जीवन मान लेता है, वह बिलकुल यथार्थ मान लेता है। उसकी ही सीता खो गई है। वे आंसू झूठ नहीं हैं। वे आंसू सच हैं। वह ऐसे ही रोता है जैसे उसकी प्रेयसी खो गई हो। वह ऐसे ही लड़ता है। अभिनय को सच कर लेता है।

जीवन में अगर कुशलता लानी हो तो जीवन को अभिनय समझ लेना। यह भी नाटक है। देर-अबेर पर्दा उठेगा। देर-अबेर सब विदा हो जाएंगे। मंच बड़ी है माना; पर मंच ही है, कितनी ही बड़ी हो। यहां घर मत बनाना। यहां सराय में ही ठहरना। यह प्रतीक्षालय है। यह क्यू लगा है। मौत आती—जाती, लोग विदा होते चले जाते। तुम्हें विदा हो जाना है। यहां जड़ें जमा कर खड़े हो जाने की कोई जरूरत नहीं, अन्यथा उतना ही दुख होगा।

तो जो व्यक्ति इस संसार में जड़ें नहीं जमाता, वही व्यक्ति संन्यासी। जो यहां जम कर खड़ा नहीं हो जाता, जिसका पैर अंगद का पैर नहीं है, वही संन्यासी है। जो तत्पर है सदा जाने को...। इस जगत में वही व्यक्ति संन्यासी है जो बंजारा है, खानाबदोश है।

शब्द 'खानाबदोश' बहुत अच्छा है। इसका अर्थ होता है: जिसका घर अपने कंधे पर है। खाना अर्थात घर, बदोश यानी कंधे पर—जिसका घर अपने कंधे पर है। जो खानाबदोश है, वही संन्यासी है। तंबू लगा लेना ज्यादा से ज्यादा, घर मत बनाना यहां। तंबू, कि कभी भी उखाड़ लो, क्षण भर भी देर न लगे। सराय!

कहते हैं, सूफी फकीर हुआ इब्राहीम। पहले वह बल्ख का सम्राट था। एक रात उसने देखा कि सोया अपने महल में, कोई छप्पर पर चल रहा है। उसने पूछा, 'कौन बदतमीज आधी रात को छप्पर पर चल रहा है? कौन है तू?'

उसने कहा, बदतमीज नहीं हूं, मेरा ऊंट खो गया है। उसे खोज रहा हूं।

इब्राहीम को भी हंसी आ गई। उसने कहा, पागल! तू पागल है! ऊंट कहीं छप्परों पर मिलते हैं अगर खो जाएं? यह भी तो सोच कि ऊंट छप्पर पर पहुंचेगा कैसे?

ऊपर से आवाज आई: इसके पहले कि दूसरों को बदतमीज और पागल कह, अपने बाबत सोच। धन में, वैभव में, सुरा-संगीत में सुख मिलता है? अगर धन में, वैभव में, सुरा-संगीत में सुख मिल सकता है तो ऊंट भी छप्परों पर मिल सकते हैं।

इब्राहीम चौंका। आधी रात थी, वह उठा, भागा। उसने आदमी दौड़ाए कि पकड़ो इस आदमी को, यह कुछ जानकार आदमी मालूम होता है। लेकिन तब तक वह आदमी निकल गया। इब्राहीम ने आदमी छुड़वा रखे राजधानी में कि पता लगाओ कौन आदमी था। कोई पहुंचा हुआ फकीर मालूम होता है। क्या बात कही? किस प्रयोजन से कही है?

लेकिन रात भर इब्राहीम फिर सो न सका। दूसरे दिन सुबह जब वह दरबार में बैठा था, तो वह उदास था, मलिनचित्त था, क्योंकि बात तो उसको चोट कर

गई। जनक जैसा आदमी रहा होगा। चोट कर गई कि बात तो ठीक ही कहता है। अगर यह आदमी पागल है तो मैं कौन सा बुद्धिमान हूं? किसको मिला है सुख संसार में? यहीं तो मैं भी खोज रहा हूं। सुख संसार में मिलता नहीं और अगर मिल सकता है तो फिर ऊंट भी मिल सकता है। फिर असंभव घटता है। फिर कोई अड़चन नहीं है। पर यह आदमी कौन है? कैसे पहुंच गया छप्पर पर? फिर कैसे भाग गया, कहां गया?

वह चिंता में बैठा है। बैठा है दरबार में। दरबार चल रहा है, काम की बातें चल रही हैं, लेकिन आज उसका मन यहां नहीं। मन कहीं उड़ गया। मन-पक्षी किसी दूसरे लोक में जा चुका है। जैसे त्याग घट गया! एक छोटी सी बात, जैसे खुद अष्टावक्र छप्पर पर चढ़ कर बोल गए।

तभी उसने देखा कि दरवाजे पर कुछ झंझट चल रही है। एक आदमी भीतर आना चाहता है और दरबार से कह रहा है कि मैं इस सराय में रुकना चाहता हूं। और दरबान कह रहा है कि 'पागल हो, यह सराय नहीं है, सम्राट का महल है! सराय बस्ती में बहुत हैं, जाओ वहां ठहरो।' पर वह आदमी कह रहा है, मैं यहीं ठहरूंगा। मैं पहले भी यहां ठहरता रहा हूं और यह सराय ही है। तुम किसी और को बनाना। तुम किसी और को चराना।

अचानक उसकी आवाज सुन कर इब्राहीम को लगा कि यह आवाज वही है और यह फिर वही आदमी है। उसने कहा, उसे भीतर लाओ, उसे हटाओ मत।

वह भीतर लाया गया। इब्राहीम ने पूछा कि तुम क्या कह रहे हो? यह किस तरह की जिद कर रहे हो? यह मेरा महल है। इसको तुम सराय कहते हो? यह अपमान है!

उसने कहा, अपमान हो या सम्मान हो, एक बात पूछता हूं कि मैं पहले भी यहां आया था, लेकिन तब इस सिंहासन पर कोई और बैठा था।

इब्राहीम ने कहा, वे मेरे पिताश्री थे, मेरे पिता थे।

और उस फकीर ने कहा, इसके भी पहले मैं आया था, तब कोई दूसरा ही आदमी बैठा था।

तो उसने कहा, वे मेरे पिता के पिता थे।

तो उसने कहा, इसलिए तो मैं इसको सराय कहता हूं। यहां लोग बैठते हैं, चले जाते हैं, आते हैं चले जाते हैं। तुम कितनी देर बैठोगे? मैं फिर आऊंगा, फिर कोई दूसरा बैठा हुआ मिलेगा। इसलिए तो सराय कहता हूं। यह घर नहीं है। घर तो वह है जहां बस गए तो बस गए; जहां से कोई हटा न सके, जहां से हटना संभव ही नहीं।

इब्राहीम, कहते हैं, सिंहासन से उतर गया और उसने उस फकीर से कहा कि प्रणाम करता हूं। यह सराय है। आप यहां रुकें, मैं जाता हूं। क्योंकि अब सराय में रुकने से क्या सार है?

इब्राहीम ने महल छोड़ दिया। पात्र रहा होगा, सुपात्र रहा होगा।

जनक कहते हैं कि एक क्षण में मुझे दिखाई पड़ गया कि शरीर-सहित विश्व को त्याग कर, मैं संन्यस्त हो गया हूं। यह किस कुशलता से कर दिया! यह कैसा उपदेश दिया! यह कैसी कुशलता आपकी! यह कैसी कला आपकी!

अहो शरीरम् विश्वम् परित्यज्य, कुतश्चित् कौशलात्।

—कैसी कुशलता! कैसे गुरु से मिलना हो गया!

एव मया मधुना परमात्मा विलोक्यते।

—अब मुझे सिर्फ परमात्मा दिखाई पड़ रहा है। मुझे कुछ और दिखाई नहीं पड़ता। अब यह सब परमात्मा का ही रूप मालूम होता है, उसकी ही तरंगें हैं।

'जैसे जल से तरंग, फेन और बुलबुला भिन्न नहीं, वैसे ही आत्म-विशिष्ट विश्व आत्मा से भिन्न नहीं।'

यथा न तोयतो भिन्नस्तरंगाः फेन बुद्बुदाः।

आत्मनो न तथा भिन्नं विश्वमात्मविनिर्गतम्।।

जैसे पानी में लहरें उठती हैं, बुदबुदे उठते हैं, फेन उठता। और जल से अलग नहीं। उठता उसी में है, उसी में खो जाता है। ऐसा ही परमात्मा से भिन्न यहां कुछ भी नहीं। सब उसके बुदबुदे। सब उसका फेन। सब उसकी तरंगें। उसी में उठते, उसी में लीन हो जाते।

यथा तोयतः तरंगः फेन बुद्बुदाः भिन्नाः न।

ऐसे ही हम हैं। ऐसा मुझे दिखाई पड़ने लगा, प्रभु!

जनक कहने लगे अष्टावक्र से कि ऐसा मैं देख रहा हूं प्रत्यक्ष। यह कोई दार्शनिक का वक्तव्य नहीं है। यह एक अनुभव, गहन अनुभव से उठा हुआ वक्तव्य है कि ऐसा मैं देख रहा हूं।

तुम भी देखो! यह सिर्फ जरा सी दृष्टि के फर्क की बात है; जिसको पश्चिम में गैस्टॉल्ट कहते हैं, गैस्टॉल्ट की बात है। गैस्टॉल्ट शब्द बड़ा महत्वपूर्ण है। तुमने कभी देखा होगा बच्चों की किताबों में तस्वीरें बनी होती हैं। एक तस्वीर ऐसी होती है कि उसमें अगर गौर से देखो तो कभी बुढ़िया दिखाई पड़ती है, कभी जवान औरत दिखाई पड़ती है। अगर तुम देखते रूहो तो बदलाहट होने लगती है। कभी फिर बुढ़िया दिखाई पड़ती है, कभी फिर जवान औरत दिखाई पड़ने लगती है। वही लकीरें दोनों को बनाती हैं। लेकिन एक बात—तुम हैरान हो जाओगे, वह तुमने

शायद खयाल न की हो—दोनों को तुम साथ-साथ न देख सकोगे, हालांकि तुमने दोनों देख लीं। उसी चित्र में तुमने बुढ़िया देख ली, उसी चित्र में तुमने जवान औरत देख ली। अब तुमको पता है कि दोनों उस चित्र में हैं। फिर भी तुम दोनों को साथ-साथ न देख पाओगे। जब तुम जवान को देखोगे, बुढ़िया खो जाएगी। जब तुम बुढ़िया को देखोगे, जवान खो जाएगी। क्योंकि वही लकीरें दोनों के काम आ रही हैं। इसको जर्मन भाषा में गैस्टॉल्ट कहते हैं।

गैस्टॉल्ट का मतलब होता है ः देखने के एक ढंग से चीज एक तरह की दिखाई पड़ती है; दूसरे ढंग से दूसरे तरह की दिखाई पड़ती है। चीज तो वही है, लेकिन तुम्हारा देखने का ढंग सारा अर्थ बदल देता है।

संसार तो यही है। अज्ञानी भी देखता है इसको तो अनंत वस्तुएं दिखाई पड़ती हैं। एक गैस्टॉल्ट, एक ढंग हुआ। फिर ज्ञानी देखता इसी को तो अनंत खो जाता; अनेक-अनेक रूप खो जाते। फिर एक विराट दिखाई पड़ता।

जनक कहने लगे ः एव मया अधुना परमात्मा विलोक्यते—एक परमात्मा दिखाई पड़ने लगा!

ये हरे वृक्ष उसी की हरियाली है। इन फूलों में वही रंगीन होकर खिला। फूलों की गंध में वही हवा के साथ खिलवाड़ कर रहा है। आकाश में घिरे मेघों में वही घिरा है। तुम्हारे भीतर वही सोया है। बुद्ध और अष्टावक्र के भीतर वही जागा है। पत्थर में वही सघनीभूत पड़ा है गहन तंद्रा में। मनुष्य में वही थोड़ा चौंका है। थोड़ा जागरण शुरू हुआ है। लेकिन है वही! उसी के सब रूप हैं। कहीं उलटा खड़ा है, कहीं सीधा खड़ा है। वृक्ष आदमी के हिसाब से उलटे खड़े हैं।

कुछ दिन पहले मैं वनस्पति-शास्त्र की एक किताब पढ़ रहा था। तो चकित हुआ। बात ठीक मालूम पड़ी। उस वैज्ञानिक ने लिखा है कि वृक्षों का सिर जमीन में गड़ा है। क्योंकि वृक्ष जमीन में से भोजन करते हैं तो मुंह उनका जमीन में है। जमीन में ही से वे भोजन करते, पानी लेते, तो उनका मुंह जमीन में है, और पैर आकाश में खड़े हैं—शीर्षासन कर रहे हैं वृक्ष। बड़े प्राचीन योगी मालूम होते हैं।

उस वैज्ञानिक ने सिद्ध करने की कोशिश की है कि धीरे-धीरे हम पूरे मनुष्य के विकास को इसी आधार पर समझ सकते हैं। फिर केंचुए हैं, मछलियां हैं—वे समतल हैं। वह समानांतर जमीन के हैं। उनकी पूंछ और उनका मुंह एक सीधी रेखा में जमीन के साथ समानांतर रेखा बनाता है। वह वृक्ष से थोड़ा रूपांतर हुआ। फिर कुत्ते हैं, बिल्लियां हैं, शेर हैं, चीते हैं—इनका सिर थोड़ा उठा हुआ है। समानांतर से थोड़ी बदलाहट हुई, सिर थोड़ा ऊपर उठा। कोण बदला। फिर बंदर हैं वे बैठ सकते हैं, वे करीब-करीब जमीन से नब्बे का कोण बनाने लगे, लेकिन खड़े नहीं

हो सकते। वे बैठे हुए आदमी हैं। वृक्ष शीर्षासन करते हुए आदमी हैं। फिर आदमी है, वह सीधा खड़ा हो गया, नब्बे का कोण बनाता। वृक्ष से ठीक उलटा हो गया है। सिर ऊपर हो गया, पैर नीचे हो गए हैं।

बात मुझे प्रीतिकर लगी। सभी एक का ही खेल है। कहीं उलटा खड़ा, कहीं सीधा खड़ा, कहीं लेटा, कहीं सोया, कहीं जागा; कहीं दुख में डूबा, कहीं सुख में; कहीं अशांत, कहीं शांत—मगर तरंगें सब एक की हैं।

यथा तोयतः तरंगाः फेन बुद्बुदाः भिन्नाः न।

—जैसे जल से तरंग, फेन, बुदबुदा भिन्न नहीं, वैसे ही आत्मा से कुछ भी भिन्न नहीं है। सब अभिन्न है।

इसे तुम देखो, सुनो मत! यह गैस्टॉल्ट के परिवर्तन की बात है। इसमें एक झलक में दिखाई पड़ सकता है। एक झलक! गौर से देखो, तो धीरे से तुम पाओगे कि सब एक में तिरोहित हो गया, और खो गया। एक विराट सागर लहरें मार रहा है। यह ज्यादा देर न टिकेगा, क्योंकि इसको टिकाने के लिए तुम्हारी क्षमता विकसित होनी चाहिए। लेकिन यह क्षण भर को भी दिखाई पड़े कि एक विराट लहरें मार रहा है, हम सब उसी की तरंगें हैं; एक ही सूरज प्रकाशित है, हम सब उसी की किरणें हैं; यहां एक ही संगीत बज रहा है, हम सब उसी के स्वर हैं—तो जीवन में क्रांति घट जाएगी। वह एक क्षण धीरे-धीरे तुम्हारा शाश्वत स्वरूप बन जाएगा।

इसे तुम चाहो तो पकड़ लो, चाहो तो चूक जाओ। जनक ने पकड़ लिया।

रात मैं जागा
अंधकार की सिरकी के पीछे से मुझे लगा
मैं सहसा सुन पाया सन्नाटे की कनबतियां
धीमी रहस्य-सुरीली, परम गीत में
और गीत वह मुझसे बोला
दुर्निवार! अरे तुम अभी तक नहीं जागे?
और यह मुक्त स्रोत-सा
सभी ओर बह चला उजाला
अरे, अभागे कितनी बार भरा
अनदेखे, छलक-छलक बह गया तुम्हारा प्याला!

तुम पहली दफे नहीं सुन रहे हो इन वचनों को; बहुत बार सुन चुके हो। तुम अति प्राचीन हो। हो सकता है, अष्टावक्र से भी तुमने सुना हो। तुम में से कुछ ने तो निश्चित सुना होगा। कुछ ने बुद्ध से सुना हो, कुछ ने कृष्ण से, कुछ ने क्राइस्ट

से, कुछ ने मुहम्मद से, किसी ने लाओत्सु से, जरथुस्त्र से। पृथ्वी पर इतने अनंत पुरुष हुए हैं, उन सबको तुम पार करके आते गए हो। इतने दीये जले हैं, असंभव है कि किसी दीये की रोशनी तुम्हारी आंखों में न पड़ी हो। तुम्हारा प्याला बहुत बार भरा गया है।

अरे अभागे! कितनी बार भरा

अनदेखे, छलक-छलक बह गया तुम्हारा प्याला!

तुम्हारा प्याला भर भी दिया जाता है तो भी खाली रह जाता है। तुम उसे संभाल नहीं पाते।

और गीत वह मुझसे बोला

दुर्निवार! अरे, तुम अभी तक नहीं जागे?

और यह मुक्त स्रोत-सा

सभी ओर बह चला उजाला।

सुबह होने लगी। और बहुत बार सुबह हुई है, और बहुत बार सूरज निकला, पर तुम हो कि अपने अंधेरे को पकड़े बैठे हो। यह अभागापन तुम छोड़ोगे तो छूटेगा।

जनक कहने लगे, एक ही दिखाई पड़ता है। मैं उसी एक में लीन हो गया हूं। वह एक मुझमें लीन हो गया है।

वेद यह कहते हैं

जो इन्सां त्यागी, यानी संन्यासी है

वेदों से भी है बलातर

उसकी जगमग जग से बढ़कर

वह बसता है जगदीश्वर में

उसमें बसता है जगदीश्वर!

वेद यह कहते हैं

जो इन्सां त्यागी, यानी संन्यासी है

वेदों से भी है बलातर

—वेदों से भी श्रेष्ठ है। क्योंकिः

उसमें बसता है जगदीश्वर

वह बसता है जगदीश्वर में!

उस घड़ी जनक की चेतना अलग न रही, एक होने लगी। चौंक गए हैं स्वयं।

'जैसे विचार करने से वस्त्र तंतुमात्र ही होता है, वैसे ही विचार करने से यह संसार आत्म-सत्ता मात्र ही है।'

जाग कर देखने से, विवेक करने से, बोधपूर्वक देखने से...। जैसे गौर से तुम वस्त्र को देखो तो पाओगे क्या? तंतुओं का जाल ही पाओगे। एक धागा आड़ा, एक धागा सीधा—ऐसे ही रख-रख कर वस्त्र बन जाता है। तंतुओं का जाल है वस्त्र। फिर भी देखो मजा, तंतुओं को पहन न सकोगे, वस्त्र को पहन लेते हो! अगर धागे का ढेर रख दिया जाए तो उसे पहन न सकोगे। यद्यपि वस्त्र भी धागे का ढेर ही है, सिर्फ आयोजन का अंतर है; आड़ा-तिरछा, धागे की बुनावट है, तो वस्त्र बन गया। तो वस्त्र से तुम ढांक लेते हो अपने को। लेकिन इससे क्या फर्क पड़ा? धागे ही रहे। कैसे तुमने रखे, इससे क्या फर्क पड़ता है?

जनक कह रहे हैं कि परमात्मा कहीं हरा होकर वृक्ष है, कहीं लाल सुर्ख होकर गुलाब का फूल है; कहीं जल है, कहीं पहाड़-पर्वत है; कहीं चांद-तारा है। ये सब उसी के चैतन्य की अलग-अलग संघटनाएं हैं। जैसे वस्त्र को धागे से बुना जाता, फिर उससे ही तुम अनेक तरह के वस्त्र बुन लेते हो : गर्मी में पहनने के लिए झीने-पतले; सर्दी में पहनने के लिए मोटे। फिर उससे ही तुम सुंदर-असुंदर, गरीब के अमीर के, सब तरह के वस्त्र बुन लेते हो। उससे ही तुम हजार-हजार रूप के निर्माण कर लेते हो।

वैज्ञानिक कहते हैं कि सारा अस्तित्व एक ही ऊर्जा से बना है। उनका नाम है ऊर्जा के लिए 'विद्युत'। नाम से क्या फर्क पड़ता है? लेकिन एक बात से वैज्ञानिक राजी हैं कि सारा अस्तित्व एक ही चीज से बना है। उसी एक चीज के अलग-अलग ढांचे हैं। जैसे सोने के बहुत से आभूषण, सभी सोने के बने हैं—गला दो तो सोना बचे। आकार बड़े भिन्न, लेकिन आकार जिस पर खड़ा है वह अभिन्न।

यद्वत् पटः तंतुमात्रं
—जैसे वस्त्र केवल तंतुमात्र हैं।

इदं विश्वम् आत्मतन्मात्रम्
—ऐसा ही यह सारा अस्तित्व भी आत्मा-रूपी तत्व से बुना गया है।

और निश्चित ही विद्युत कहने से आत्मा कहना बेहतर है। क्योंकि विद्युत जड़ है। और विद्युत से चैतन्य के उत्पन्न होने की कोई संभावना नहीं है। और अगर विद्युत से चैतन्य होने की संभावना है तो फिर विद्युत को विद्युत कहना व्यर्थ है। क्योंकि जो पैदा हो सकता है, वह छिपा होना चाहिए। चैतन्य दिखाई पड़ रहा है। चैतन्य प्रकट हुआ है। तो जो प्रकट हुआ है वह मूल में भी होना ही चाहिए, अन्यथा प्रकट कैसे होगा? तुमने आम का बीज बोया, आम का वृक्ष प्रकट हुआ; उसमें आम लग गए। तुमने नीम का बीज बोया, नीम प्रकट हुई; उसमें निमोलियां लग गईं।

जो बीज में है, वही प्रगट होता है, वही लगता है। इतना चैतन्य दिखाई पड़ता है दुनिया में, इतनी चेतना दिखाई पड़ती है, विभिन्न चेतना के रूप दिखाई पड़ते हैं—तो जो मूल संघट है इस अस्तित्व का, उसमें चैतन्य छुपा होना चाहिए। इसलिए विद्युत कहना उचित नहीं, आत्मा कहना ज्यादा उचित है। आत्म-विद्युत कहो, मगर चैतन्य को वहां डालना ही होगा। जो दिखाई पड़ने लगा है, वह आया है तो मूल में छिपा रहा होगा।

'जैसे विचार करने से वस्त्र तंतुमात्र ही होता है, वैसे ही विचार करने से यह संसार आत्म-मात्र है।'

'जैसे ईख के रस से बनी हुई शक्कर ईख के रस से व्याप्त है, वैसे ही मुझसे बना हुआ संसार मुझसे भी व्याप्त है।'

जैसे तुमने ईख से शक्कर निकाल ली तो शक्कर में ईख का रस व्याप्त है, ऐसे ही चैतन्य में परमात्मा व्याप्त है, मुझमें परमात्मा व्याप्त है, तुममें परमात्मा व्याप्त है, और तुम परमात्मा में व्याप्त हो।

'आत्मा के अज्ञान से संसार भासता है...!'

इसे समझना। यह बहुत महत्वपूर्ण है।

'आत्मा के अज्ञान से संसार भासता है और आत्मा के ज्ञान से नहीं भासता...।'

गैस्टॉल्ट बदल जाता है, देखने का ढंग बदल जाता है।

'...जैसे कि रस्सी के अज्ञान से सांप भासता है और उसके ज्ञान से वह नहीं भासता है।'

रात के अंधेरे में देख ली रस्सी, घबड़ा गए, समझा कि सांप है। भागने लगे, लकड़ियां लेकर मारने लगे। फिर कोई दीया ले आया, तो लकड़ियां हाथ से गिर जाएंगी, भय विसर्जित हो जाएगा। प्रकाश में दिखाई पड़ गयाः सांप नहीं है, रस्सी है। रस्सी को रस्सी की तरह न देख पाने के कारण सांप था। सांप था नहीं—सिर्फ आभास था।

आत्मा को आत्मा की तरह न देख पाने के कारण संसार है। जिसने स्वयं को जाना, उसका संसार मिट गया। इसका यह अर्थ नहीं कि द्वार-दरवाजे, दीवाल, पहाड़-पत्थर खो जाएंगे। न, ये सब होंगे; लेकिन ये सब एक में ही लीन हो जाएंगे। ये एक की ही विभिन्न तरंगें होंगी, फेन, बुदबुदे!

जिसने स्वयं को जाना, उसका संसार समाप्त हुआ। और जिसने स्वयं को नहीं जाना, उसका संसार कभी समाप्त नहीं होता। संसार छोड़ने से तुम स्वयं को न जान सकोगे। लेकिन स्वयं को जान लो तो संसार छूट गया।

त्याग की दो धाराएं हैं। एक धारा है जो कहती है कि संसार को छोड़ो तो तुम स्वयं को जान सकोगे। दूसरी धारा है, जो कहती हैः स्वयं को जान लो, संसार छूटा ही है। पहली धारा भ्रांत है। संसार को छोड़ने से नहीं तुम स्वयं को जान सकोगे। क्योंकि संसार के छोड़ने में भी संसार के होने का भ्रम बना रहता है।

समझो थोड़ा। रस्सी पड़ी है, सांप दिखाई पड़ा। कोई तुमसे मिलता है, वह कहता हैः तुम सांप का भाव छोड़ दो तो तुम्हें रस्सी दिखाई पड़ जाएगी। तुम कहोगेः 'सांप का भाव छोड़ कैसे दें? सांप दिखाई पड़ रहा है, रस्सी तो दिखाई पड़ती नहीं।' तो तुम अगर हिम्मत करके, राम-राम जप कर किसी तरह अकड़ कर खड़े हो जाओ कि चलो नहीं सांप है, रस्सी है, रस्सी है, रस्सी है, तो भी तुम्हारे भीतर तो तुम जानोगे सांप ही है, किसको झुठला रहे हो? पास मत चले जाना, कोई झंझट न हो जाए! भागते तो तुम चले ही जाओगे। तुम कहोगे, रस्सी है। माना कि रस्सी है, मगर पास क्यों जाएं?

अब जो आदमी संसार छोड़ कर भागता है—वह कहता है, संसार माया है, फिर भी भागता है। थोड़ा उससे पूछो कि अगर माया है तो भाग क्यों रहे हो? अगर है ही नहीं तो भाग कहां रहे हो? किसको छोड़ कर जा रहे हो? वह कहता है, धन तो मिट्टी है। तो फिर धन से इतने घबराए क्यों हो? फिर इतने भयभीत क्यों हो रहे हो? अगर धन मिट्टी है तो मिट्टी से तो तुम भयभीत नहीं होते! तो धन से क्यों भयभीत हो रहे हो? मिट्टी है, अगर दिखाई ही पड़ गया, तो बात ठीक है; धन पड़ा रहे तो ठीक, न पड़ा रहे तो ठीक। कभी मिट्टी की जरूरत होती है तो आदमी मिट्टी का भी उपयोग करता है; धन की जरूरत हुई, धन का उपयोग कर लेता है। लेकिन अब यह सब स्वप्नवत है, खेल जैसा है।

दूसरी धारा ज्यादा गहरी और सत्य के करीब है कि तुम दीया जलाओ और रस्सी को रस्सी की भांति देख लो, तो संसार गया, सांप गया।

'आत्मा के अज्ञान से संसार भासता है और आत्मा के ज्ञान से नहीं भासता है।'

आत्मा को देख लो, संसार नहीं दिखाई पड़ता। संसार को देखो, आत्मा नहीं दिखाई पड़ती। दो में से एक ही दिखाई पड़ता है, दोनों साथ-साथ दिखाई नहीं पड़ते। अगर तुम्हें संसार दिखाई पड़ रहा है तो आत्मा दिखाई नहीं पड़ेगी। आत्मा दिखाई पड़ने लगे, संसार दिखाई नहीं पड़ेगा। इन दोनों को साथ-साथ देखने का कोई भी उपाय नहीं है।

यह तो ऐसे ही है कि जैसे तुम कमरे में बैठे हो, अंधेरा अंधेरा दिखाई पड़ रहा है। फिर तुम रोशनी ले आओ कि जरा अंधेरे को गौर से देखें, रोशनी में देखें तो और साफ दिखाई पड़ेगा। फिर कुछ भी दिखाई न पड़ेगा। रोशनी ले आए तो अंधेरा दिखाई ही न पड़ेगा। अगर अंधेरा देखना हो तो रोशनी भूल कर मत लाना। अगर अंधेरा न देखना हो तो रोशनी लाना। क्योंकि अंधेरा और रोशनी साथ-साथ दिखाई नहीं पड़ सकते। क्यों नहीं दिखाई पड़ते साथ-साथ? क्योंकि अंधेरा रोशनी का अभाव है। जब रोशनी का भाव हो जाता है तो अभाव साथ-साथ कैसे होगा?

संसार आत्मज्ञान का अभाव है। जब आत्मज्ञान का उदय होगा तो संसार गया। सब जहां का तहां रहता है और फिर भी कुछ वैसा का वैसा नहीं रह जाता। सब जहां का तहां—और सब रूपांतरित हो जाता है।

मुझसे लोग पूछते हैं कि आप संन्यास देते हैं, लेकिन लोगों को कहते नहीं कि घर छोड़ें, पत्नी छोड़ें, बच्चे छोड़ें। मैं कहता हूं कि मैं उनको यह नहीं कहता कि छोड़ें; मैं उनको इतना ही कहता कि आत्मवत हों, आत्मवान हों, ताकि दिखाई पड़ने लगे कि जो है वह है। जो है, उसे छोड़ा नहीं जा सकता। जो नहीं है, उसे छोड़ने की कोई जरूरत नहीं है।

हम जो देखना चाहें देख लेते हैं।

अदालत में एक मुकदमा था। मजिस्ट्रेट ने पूछा, मुल्ला नसरुद्दीन को, इन एक जैसी सैकड़ों भैंसों में से, तुमने अपनी ही भैंस को किस तरह पहचान लिया?

नसरुद्दीन बोला, यह कौन सी बड़ी बात है मालिक! आपकी कचहरी में काले कोट पहने सैकड़ों वकील खड़े हैं, फिर भी मैं अपने वकील को पहचान ही रहा हूं कि नहीं?

कहने लगा, जिसको हम पहचानना चाहते हैं, पहचान ही लेते हैं। अपनी भैंस भी पहचान लेता है आदमी; क्योंकि एक ही जैसी भैंसें हैं—वकीलों जैसी!

जो हम जानना चाहते हैं, उसे हम जान ही लेते हैं। जो हम पहचानना चाहते हैं उसे हम पहचान ही लेते हैं। हमारा अभिप्राय ही हमारे जीवन की सार्थकता बन जाता है। इस संसार से जागना हो तो संसार से जूझना मत। इस संसार से जागना हो तो सिर्फ भीतर जागने की कोशिश करना।

मुल्ला नसरुद्दीन और उसकी पत्नी अपनी गोद में एक खेलते हुए बच्चे को ले कर नृत्य का एक कार्यक्रम देखने गए। दरबान ने उन्हें चेतावनी दी कि नसरुद्दीन, यदि नृत्य के दौरान बच्चा रोया तो तुम्हें हाल से उठ जाना पड़ेगा। और यदि चाहोगे तो तुम्हारी टिकटों के दाम भी हम लौटा देंगे, मगर फिर बैठने न देंगे, तो खयाल

रखना। लगभग आधा कार्यक्रम पूरा हो जाने के बाद नसरुद्दीन ने पत्नी से पूछा, नृत्य कैसा लग रहा है?

एकदम बेकार है! श्रीमती ने उत्तर दिया।

तो उसने कहा, फिर देर क्या कर रही हो, काटो एक चुटकी बेबी को।

जब तुम संसार को बिलकुल बेकार जान लो तो देर मत करना। काटना एक चुटकी। भीतर झकझोरना अपने को, जगाना अपने को। अपनी जाग से सब हो जाता है। जागरण महामंत्र है—एकमात्र मंत्र!

हरि ॐ तत्सत्!

�֍ �֍ ✖

नियंता नहीं—साक्षी बनो

पहला प्रश्न : मुझे लगता है कि मेरा शरीर एक पिंजड़े या बोतल जैसा है, जिसमें एक बड़ा शक्तिशाली सिंह कैद है, और वह जन्मों-जन्मों से सोया हुआ था, लेकिन आपके छेड़ने से वह जाग गया है। वह भूखा है और पिंजरे से मुक्त होने के लिए बड़ा बेचैन है। दिन में अनेक बार वह बौखला कर हुंकार मारता, गर्जन करता, और ऊपर की ओर उछलता है। उसकी हुंकार, गर्जन, और ऊपर की ओर उछलने के धक्के से मेरा रोआं-रोआं कंप जाता है, और माथे व सिर का ऊपरी हिस्सा ऊर्जा से फटने लगता है। इसके बाद मैं एक अजीब नशे व मस्ती में डूब जाता हूं। फिर वह सिंह जरा शांत होकर कसमसाता, चहलकदमी करता व गुर्राता रहता है। और फिर कीर्तन में या आपके स्मरण से वह मस्त होकर नाचता भी है! अनुकंपा करके समझाएं कि यह क्या हो रहा है?

शुभ हो रहा है! जैसा होना चाहिए, वैसा हो रहा है। इससे भयभीत मत होना। इसे होने देना। इसके साथ सहयोग करना। एक अनूठी प्रक्रिया शुरू हुई है, जिसका अंतिम परिणाम मुक्ति है।

हम निश्चित ही शरीर में कैद हैं। सिंह पिंजड़े में बंद है! बहुत समय से बंद है, इसलिए सिंह भूल ही गया है अपनी गर्जना को। बहुत समय से बंद है, और सिंह सोचने लगा है कि यह पिंजड़ा ही उसका घर है। इतना ही नहीं, सोचने लगा है कि मैं पिंजड़ा ही हूं। देहोऽहम्! मैं शरीर ही हूं!

चोट करनी है! उसी के लिए तुम मेरे पास हो कि मैं चोट करूं और तुम जगो।

ये वचन जो मैं तुमसे बोल रहा हूं, सिर्फ वचन नहीं हैं; इन्हें तीर समझना; ये छेदेंगे तुम्हें। कभी तुम नाराज भी हो जाओगे मुझ पर, क्योंकि सब शांत चल रहा

था, सुविधापूर्ण था, और बेचैनी खड़ी हो गई। लेकिन जागने का और कोई उपाय नहीं; पीड़ा से गुजरना होगा।

जब भीतर की ऊर्जा उठेगी, तो शरीर राजी नहीं होता उसे झेलने को; शरीर उसे झेलने को बना नहीं है। शरीर की सामर्थ्य बड़ी छोटी है; ऊर्जा विराट है। जैसे कोई किसी छोटे आंगन में पूरे आकाश को बंद करना चाहे।

तो जब ऊर्जा जगेगी, तो शरीर में कई उत्पात शुरू होंगे। सिर फटेगा। कभी-कभी तो ऐसा होता है कि पूर्ण ज्ञान के बाद भी शरीर में उत्पात जारी रहते हैं। ज्ञान की घटना के पहले तो बिलकुल स्वाभाविक हैं, क्योंकि शरीर राजी नहीं है। जैसे जिस बिजली के तार में सौ कैंडल की बिजली दौड़ाने की क्षमता हो, उसमें हजार कैंडल की बिजली दौड़ा दो, तो तार झनझना जाएगा, जल उठेगा! ऐसे ही जब तुम्हारे भीतर ऊर्जा जगेगी—जो सोई पड़ी थी—प्रकट होगी, तो तुम्हारा शरीर उसके लिए राजी नहीं है। शरीर तुम्हारा भिखमंगा होने के लिए राजी है, सम्राट होने को राजी नहीं है। शरीर की सीमा है, तुम्हारी कोई सीमा नहीं। झकझोरे लगेंगे, आंधियां उठेंगी। ज्ञान की घटना के पहले, समाधि के पहले तो ये झकझोरे बिलकुल स्वाभाविक हैं। कभी-कभी ऐसा भी होता है कि समाधि भी घट जाती है, और झकझोरे जारी रहते हैं, आंधी जारी रहती है; क्योंकि शरीर राजी नहीं हो पाता।

कृष्णमूर्ति के मामले में ऐसा ही हुआ है। चालीस साल से, परमज्ञान की उपलब्धि के बाद भी प्रक्रिया जारी है, शरीर झटके झेल नहीं पाता। कृष्णमूर्ति आधी रात में चिल्ला कर, चीख कर, उठ आते हैं; गुरनि लगते हैं—वस्तुतः गुरनि लगते हैं। और सिर में चालीस साल से दर्द बना हुआ है, जो जाता नहीं; आता है, जाता है, लेकिन पूरी तरह जाता नहीं। दर्द कभी इतना प्रगाढ़ हो जाता है कि सिर फटने लगता है।

कृष्णमूर्ति के पिछले चालीस वर्ष शरीर की दृष्टि से बड़े कष्ट के रहे। ऐसा कभी-कभी होता है। अक्सर तो समाधि के साथ-साथ शरीर राजी हो जाता है। लेकिन कृष्णमूर्ति के साथ इसलिए नहीं हो पाया शांत, क्योंकि समाधि के लिए बड़ी चेष्टा की गई। थियोसाफी के जिन विचारकों ने कृष्णमूर्ति को बड़ा किया, उन्होंने बड़ा प्रयास किया, समाधि को लाने के लिए बड़ी अथक चेष्टा की। उनकी आकांक्षा थी कि एक जगतगुरु को वे पैदा करें; जगत को जरूरत है—कोई बुद्धावतार पैदा हो।

कृष्णमूर्ति ने अगर अपनी ही चेष्टा से काम किया होता तो शायद उन्हें एकाध-दो जन्म और लग जाते। लेकिन तब यह अड़चन न होती। त्वरा के साथ काम किया गया; जो दो जन्मों में होना चाहिए था, वह शीघ्रता से घट गया। घट तो गया,

लेकिन शरीर राजी नहीं हो पाया। आकस्मिक घट गया; शरीर तैयार न था, और घट गया। तो चालीस वर्ष शारीरिक पीड़ा के रहे। आज भी कृष्णमूर्ति रात गुरति हैं, नींद से उठ-उठ आते हैं। ऊर्जा सोने नहीं देती। चीखते हैं!

यह थोड़ी हैरानी की बात मालूम होगी कि परमज्ञान को उपलब्ध व्यक्ति रात को चीखे! लेकिन पूरा गणित साफ है। जिस घटना को घटने में दो जन्म कम से कम लगते, वह बड़ी शीघ्रता से घटा ली गई। उसके लिए शरीर तैयार नहीं हो पाया था, इसलिए प्रक्रिया अभी भी जारी है। घटना घट गई, और तैयारी जारी है। घर पहुंच गए, और शरीर पीछे रह गया है। वह अभी भी घिसट रहा है। आत्मा घर पहुंच गई, शरीर घर नहीं पहुंचा है। वह जो घिसटन है, वह जारी है; उससे दर्द है, पीड़ा है।

तो इससे घबड़ाना मत। ये समाधि के आने की पहली खबरें हैं। ये समाधि के पहले चरण हैं। इन्हें सौभाग्य मानना, इनसे राजी हो जाना। इन्हें सौभाग्य मान कर राजी हो जाओगे तो शीघ्र ये धीरे-धीरे शांत हो जायेंगे। और जैसे-जैसे शरीर इनके लिए राजी होने लगेगा, सहयोग करने लगेगा, वैसे-वैसे शरीर की पात्रता और क्षमता बढ़ जाएगी।

उस असीम को पुकारा है, तो असीम बनना होगा। उस विराट को चुनौती दी है, तो विराट बनना होगा।

पुरानी बाइबिल में बड़ी अनूठी कथा है—जैकब की। जैकब ईश्वर की खोज करने में लगा है। उसने अपनी सारी संपत्ति बेच दी; अपने सारे प्रियजनों, अपनी पत्नी, अपने बच्चे, अपने नौकर, सबको अपने से दूर भेज दिया। वह एकांत नदी तट पर ईश्वर की प्रतीक्षा कर रहा है। ईश्वर का आगमन हुआ।

लेकिन घटना बड़ी अदभुत है, कि जैकब ईश्वर से कुश्ती करने लगा! अब ईश्वर से कोई कुश्ती करता है! लेकिन जैकब ईश्वर से उलझने लगा। कहते हैं, रात भर दोनों लड़ते रहे। सुबह होते-होते, भोर होते-होते, जैकब हार पाया। जब ईश्वर जाने लगे, तो जैकब ने ईश्वर के पैर पकड़ लिए और कहा, 'अब मुझे आशीर्वाद तो दे दो!' ईश्वर ने कहा, 'तेरा नाम क्या है?' तो जैकब ने अपना नाम बताया, कहा, 'मेरा नाम जैकब है।' ईश्वर ने कहा, 'आज से तू इजरायल हुआ'—जिस नाम से यहूदी जाने जाते हैं—'आज से तू इजरायल। अब तू जैकब न रहा; जैकब मर गया।' जैसे मैं तुम्हारा नाम बदल देता हूं, जब संन्यास देता हूं। पुराना गया!

ईश्वर ने जैकब को कहा, 'जैकब मर गया; अब से तू इजरायल है।'

यह कहानी पुरानी बाइबिल में है। ऐसी कहानी कहीं भी नहीं कि कोई आदमी ईश्वर से लड़ा हो। लेकिन इस कहानी में बड़ी सचाई है। जब वह परम-ऊर्जा

उतरती है तो करीब-करीब जो घटना घटती है वह लड़ाई जैसी ही है। और जब वह परम घटना घट जाती है और तुम ईश्वर से हार जाते हो और तुम्हारा शरीर पस्त हो जाता है और तुम हार स्वीकार कर लेते हो—तो तुम्हारी परम-दीक्षा हुई! उसी घड़ी ईश्वर का आशीर्वाद बरसता है। तब तुम नये हुए। तभी तुमने पहली बार अमृत का स्वाद चखा।

तो 'योग चिन्मय' करीब-करीब वहां हैं, जहां जैकब रहा होगा। रात कितनी बड़ी होगी, कहना कठिन है। संघर्ष कितना होगा, कहना कठिन है। कोई भविष्यवाणी नहीं की जा सकती। लेकिन शुभ है संघर्ष।

इस ऊर्जा को सहारा देना। यह जो सिंह भीतर मुक्त होना चाहता है, यही तुम हो। यह जो ऊर्जा उठना चाहती है सिर की तरफ, काम-केंद्र से सहस्रार की तरफ जाना चाहती है, राह बनाना चाहती है—यही तुम हो। यह जन्मों-जन्मों से कुंडली मार कर पड़ी थी; अब यह फन उठाना शुरू कर रही है। सौभाग्यशाली हो, धन्यभागी हो! इसी से परम आशीर्वाद के करीब आओगे! तुम्हारा वास्तविक रूपांतरण होगा!

कृष्णमूर्ति ने अपनी नोटबुक में लिखा है, कि जब भी यह सिर फटता है और रात मैं सो नहीं पाता और चीख-पुकार उठती है, और कोई मेरे भीतर गुर्राता है—उसके बाद ही बड़े अनूठे अनुभव घटते हैं। उसके बाद ही बड़ी शांति उतरती है। चारों तरफ वरदान की वर्षा होती है। सब तरफ कमल ही कमल खिल जाते हैं।

ठीक वैसा ही 'चिन्मय' को होना शुरू हुआ, अच्छा है।

'इसके बाद मैं एक अजीब नशे और मस्ती में डूब जाता हूं।'

क्योंकि जब ऊर्जा अपना संघर्ष करके ऊपर उठेगी और शरीर थोड़ा सा राजी होगा, तो एक नई मस्ती आएगीः विकास हुआ! तुम थोड़े ऊपर उठे। तुमने थोड़ा अतिक्रमण किया। तुम कारागृह के थोड़े से बाहर हुए, स्वतंत्र आकाश मिला! तुम प्रफुल्लित होओगे। तुम नाचोगे, तुम मगन होकर नाचोगे!

'फिर वह सिंह शांत होकर कसमसाता, चहलकदमी करता, गुर्राता रहता है, और कीर्तन में या आपके स्मरण से मस्त होकर नाचता भी है।'

वह सिंह नाचना ही चाहता है; शरीर में जगह नहीं है नाचने लायक। नाचने को स्थान तो चाहिए; शरीर में स्थान कहां है? शरीर के बाहर ही नृत्य हो सकता है। इसलिए अगर तुम ठीक से नाचोगे, तो तुम पाओगे कि तुम शरीर नहीं रहे। नाच की आखिरी गरिमा में, आखिरी ऊंचाई पर, तुम शरीर के बाहर हो जाते हो। शरीर फिरकता रहता, थिरकता रहता; लेकिन तुम बाहर होते हो, तुम भीतर नहीं होते।

इसलिए तो मैं ध्यान की प्रक्रियाओं में नृत्य को अनिवार्य रूप से जोड़ दिया हूं; क्योंकि नृत्य से अदभुत ध्यान के लिए और कोई प्रक्रिया नहीं है। अगर तुम भरपूर नाच लो, अगर तुम समग्ररूप से नाच लो, तो उस नाच में तुम्हारी आत्मा शरीर के बाहर हो जाएगी। शरीर थिरकता रहेगा, लेकिन तुम अनुभव करोगे कि तुम शरीर के बाहर हो। और तब तुम्हारा असली नृत्य शुरू होगाः यहां शरीर नीचे नाचता रहेगा, तुम वहां ऊपर नाचोगे। शरीर पृथ्वी पर, तुम आकाश पर! शरीर पार्थिव में, तुम अपार्थिव में! शरीर जड़ नृत्य करेगा, तुम चैतन्य का नृत्य करोगे। तुम नटराज हो जाओगे।

पूछा है, 'समझाएं यह क्या हो रहा है?'

अनूठा हो रहा है! अदभुत हो रहा है! अपूर्व हो रहा है! समझाने योग्य नहीं है, जो हो रहा हैः अनुभव करने योग्य है। जो भी मैं कहूंगा, उससे कुछ समझ में नहीं आएगा; उससे इतना ही हो सकता है कि तुम ज्यादा सरलता से इसे स्वीकार करने में समर्थ हो जाओ। इससे राजी हो जाओ। इसे दबाना मत!

स्वाभाविक मन होता है दबाने का, कि यह क्या पागलपन है कि मैं सिंह की तरह गुर्रा रहा हूं! यह गर्जना कैसी! लोग पागल समझेंगे! तो स्वाभाविक मन होता है कि दबा लो इसे, छिपा लो इसे! मत किसी को पता चलने दो! कोई क्या कहेगा!

फिकर मत करना! कौन क्या कहता है, इसकी फिकर मत करना। लोग पागल कहें तो पागल हो जाना! पागल हुए बिना कभी कोई परमहंस हुआ है? तुम तो अपने भीतर पर ध्यान देना। अगर इससे आनंद आ रहा है, मस्ती आ रही है, सुरा बरस रही है, तो तुम फिकर मत करना। इस संसार के पास कुछ भी नहीं है! इतना मूल्यवान तुम्हें देने को। इसलिए इस संसार से कोई सौदा मत करना। इंच भर भी आत्मा मत बेचना, अगर पूरे जगत का साम्राज्य भी बदले में मिलता हो।

जीसस ने कहा है, पूरा जगत भी मिल जाए, और आत्मा खो जाए, तो क्या सार? आत्मा बच जाए, और सारा जगत भी खो जाए, तो भी सार ही सार है।

हिम्मत रखना! साहस रखना! भरोसे से, श्रद्धा से बढ़े जाना! जल्दी ही धीरे-धीरे करके शरीर राजी हो जाएगा। तब गर्जना भी खो जाएगी; तब नृत्य ही रह जाएगा। तब सिंह तड़फेगा नहीं, क्योंकि सिंह को रास्ता मिल जाएगा; जब जाना चाहे बाहर चला जाए, जब आना चाहे तब भीतर आ जाए। तब यह देह कारागृह नहीं रह जाती, तब यह देह विश्राम का स्थल हो जाती है। तुम जब आना हो भीतर आ जाओ, जब तुम जाना हो बाहर चले जाओ।

जब तुम इतनी सरलता से बाहर-भीतर आ सकते हो, जैसे अपने घर में आते-जाते हो—सर्दी है, शीत लग रही, तो तुम बाहर चले जाते हो, धूप में बैठ जाते हो।

फिर धूप बढ़ गई, सूरज चढ़ आया, गरमी होने लगी, पसीना बहने लगा—तुम उठ कर भीतर चले आते हो। जैसे तुम अपने घर में बाहर-भीतर आते हो, तो घर कारागृह नहीं है—ऐसा अगर तुम कारागृह में बैठे हो, तो इतनी सुविधा नहीं है कि जब तुम्हारा दिल हो बाहर आ जाओ, जब तुम्हारा दिल हो भीतर आ जाओ। कारागृह में तुम बंदी हो, घर में तुम मालिक हो। जैसे-जैसे तुम्हारा सिंह नाच सकेगा बाहर, उड़ सकेगा आकाश में, चांद-तारों के साथ खेल सकेगा—फिर कोई बात नहीं। फिर शरीर से कोई झगड़ा नहीं है; फिर शरीर विश्राम का स्थल है। जब थक जाएगा, तुम भीतर लौट कर विश्राम भी करोगे। फिर शरीर से कोई दुश्मनी भी नहीं है। शरीर फिर मंदिर है।

दूसरा प्रश्न: कल आपने कहा कि आप तो सदा हमारे साथ हैं, लेकिन हमारे संन्यास लेने से हम भी आपके साथ हो लेते हैं। मुझे तो ऐसा कोई क्षण स्मरण नहीं आता, जब मैंने संन्यास लिया हो: कब लिया, कहां लिया! आपने ही दिया था। मैं आप तक पहुंचा कहां हूं अभी! मुझे तब कुछ पता न था संन्यास का, और न आज ही है। तो कैसे होऊं संन्यस्त, प्रभु? कैसे आऊं मैं आप तक? मेरी उतनी पात्रता कहां! मेरी उतनी श्रद्धा व समर्पण कहां!

ऐसा भी बहुत बार हुआ है कि मैंने संन्यास उनको भी दिया है, जिन्हें संन्यास का कोई भी पता नहीं। उन्हें भी संन्यास दिया है, जो संन्यास लेने आए नहीं थे। उन्हें भी संन्यास दिया है, जिन्होंने कभी स्वप्न में भी संन्यास के लिए नहीं सोचा था। क्योंकि तुम्हारे मन को ही मैं नहीं देखता, तुम्हारे मन के अचेतन में दबी हुई बहुत सी बातों को देखता हूं।

कल रात्रि ही एक युवती आई। उससे मैंने पूछा भी नहीं। उससे मैंने कहा, 'आंख बंद कर और संन्यास ले।' उससे मैंने पूछा भी नहीं कि तू संन्यास चाहती है? उसने आंख बंद कर ली, और संन्यास स्वीकार कर लिया। अन्यथा आदमी चौंकता है। आदमी सोचता है! संन्यास लेना है तो महीनों सोचते हैं कुछ लोग, वर्षों सोचते हैं। कुछ तो सोचते-सोचते मर गए और नहीं ले पाए। उसने चुपचाप स्वीकार कर लिया। उसे चेतन रूप से कुछ भी पता नहीं है।

लेकिन हम नये थोड़े ही हैं—हम अति प्राचीन हैं! वह युवती बहुत जन्मों से खोजती रही है। ध्यान की उसके पास संपदा है। उस संपदा को देख कर ही मैंने कहा कि तू डूब, आंख बंद कर! उससे मैंने कहा, तुझसे मैं पूछूंगा नहीं कि तुझे संन्यास लेना या नहीं। पूछने की कोई जरूरत नहीं है।

ऐसा ही मैंने 'दयाल' को भी संन्यास दिया था। दयाल का यह प्रश्न है। दयाल से पूछा नहीं है, दयाल को पता भी नहीं है।

तुम्हें अपना ही पता कहां है! तुम कहां से आते हो, पता नहीं। क्या-क्या संचित संपदा लाते हो, पता नहीं। क्या-क्या तुमने किया है अनेक-अनेक जन्मों में, उसका तुम्हें पता नहीं। क्या-क्या तुमने खोज लिया था, क्या-क्या अधूरा रह गया है, उसका तुम्हें कुछ पता नहीं। हर बार मौत आती है, और तुमने जो किया था, सब चौपट कर जाती है। तुममें से बहुत ऐसे हैं, जो बहुत बार संन्यस्त हो चुके हैं—हर बार मौत आकर चौपट कर गई। और तुम्हारी इतनी स्मृति नहीं है कि तुम याद कर लो।

ऐसा ही समझो कि तुम एक काम कर रहे थे, तुम एक चित्र बना रहे थे, अधूरा बना पाए थे कि मौत आ गई। बस मौत आ गई कि तुम भूल गए। फिर तुम जन्मे। फिर अगर तुम्हें वह अधूरे चित्र की सूचना भी मिल जाए, वह अधूरा चित्र भी तुम्हारे सामने लाकर रख दिया जाए, तो भी तुम्हें याद नहीं आता; क्योंकि तुमने तो सोचा ही नहीं इस जन्म में, कि मैं और चित्रकार! और अगर मैं तुमसे कहूं कि इसे पूरा कर लो, यह अधूरा पड़ा है; तुमने बड़ी आकांक्षा से बनाया था; तुमने बड़ी गहन अभीप्सा से रचा था—अब इसे पूरा कर लो, मौत बीच में आ गई थी, अधूरा छूट गया था। तुम कहोगे, 'मुझे तो कुछ पता नहीं, आप पकड़ा देते हैं तूलिका तो ठीक है; लेकिन मुझे तूलिका पकड़ना भी नहीं आता है। आप रख देते हैं ये रंग, तो ठीक है रंग दूंगा; लेकिन मुझे कुछ पता नहीं कि चित्र कैसे बनाए जाते हैं।' फिर भी मैं तुमसे कहता हूं कि शुरू करो, शुरू करने से ही याद आ जाएगी। चलो, पकड़ो तूलिका हाथ में, याद आ जाए शायद!

ऐसा हुआ, दूसरे महायुद्ध में, एक सैनिक गिरा चोट खाकर, उसकी स्मृति खो गई गिरते ही। सिर पर चोट लगी, स्मृति के तंतु अस्तव्यस्त हो गए, वह भूल गया। वह भूल गया—अपना नाम भी! वह भूल गया मैं कौन हूं! और युद्ध के मैदान से जब वह लाया गया तो वह बेहोश था; कहीं उसका तगमा भी गिर गया, उसका नंबर भी गिर गया। बड़ी कठिनाई खड़ी हो गई। जब वह होश में आया तो न उसे अपना नंबर पता है, न अपना नाम पता है, न अपना ओहदा पता है। मनोवैज्ञानिकों ने बड़ी चेष्टा की खोज-बीन करने की; सब तरह के उपाय किए, कुछ पता न चले। वह आदमी बिलकुल कोरा हो गया; जैसे अचानक उसकी स्मृतियों से सारा संबंध टूट गया। फिर किसी ने सुझाव दिया कि अब एक ही उपाय है कि इसे इंग्लैंड में घुमाया जाए। वह इंग्लैंड की सेना का आदमी था। इसे इंग्लैंड में घुमाया जाए, शायद अपने गांव के पास पहुंच कर इसे याद आ जाए।

तो उसे इंग्लैंड में घुमाया गया ट्रेन पर बिठा कर; दो आदमी उसे लेकर चले। हर स्टेशन पर गाड़ी रुकती, वह उसे नीचे उतारते। वह देखता खड़े हो कर! वह थक गए। इंग्लैंड छोटा मुल्क है, इसलिए बहुत अड़चन न थी, सब जगह घुमा दिया। और अंततः एक छोटे से स्टेशन पर, जहां गाड़ी रुकती भी नहीं थी, लेकिन किसी कारणवश रुक गई, वह आदमी नीचे उतरा, उसने स्टेशन पर लगी तख्ती देखी, उसने कहा, 'अरे, यह रहा मेरा गांव!' वह दौड़ने लगा। वह पीछे भूल ही गया कि मेरे साथ दो आदमी हैं। वे दो आदमी उसके पीछे भागने लगे। वह स्टेशन से निकल कर गांव में दौड़ा। सब याद आ गया! गली-कूचे याद आ गए। उसने किसी से पूछा भी नहीं। गली-कूचों को पार करके वह अपने घर के सामने पहुंच गया। उसने कहा, 'अरे! यह रहा मेरा घर, यह रहा मेरा नाम! यह मेरी तख्ती भी लगी है!' उसे सब याद आ गई। बस एक चोट पड़ी कि फिर उसे सारी याद आ गई। विस्मृति खो गई, स्मृति का तंतु फिर जुड़ गया।

तो कभी-कभी मैं, जैसे 'दयाल' को संन्यास दिया, इसी आशा में कि घुमाऊंगा गेरुए वस्त्रों में, शायद याद आ जाए कि तुम पहले भी गेरुए वस्त्रों में घूमे हो! कि कहूंगाः नाचो! शायद नाचते-नाचते किसी दिन उस मनोअवस्था में पहुंच जाओ, जहां तुम्हें अतीत जन्मों के नृत्य याद आ जाएं। कहूंगाः ध्यान करो! ध्यान करते-करते शायद अचेतन का कोई द्वार खुल जाए, स्मृतियों का बहाव आ जाए!

इसीलिए तो बोले चला जाता हूं—कभी गीता पर, कभी अष्टावक्र पर, कभी जरथुस्त्र पर, कभी बुद्ध पर, कभी जीसस पर, कभी कृष्ण पर! न मालूम कौन सा शब्द तुम्हारे भीतर गूंज बना दे; न मालूम कौन सा शब्द तुम्हारे भीतर कुंजी बन जाए; न मालूम कौन सा शब्द तुम्हें जगा दे तुम्हारी नींद से! सब उपाय किए चला जाता हूं। कोशिश सिर्फ इतनी है, कि किसी तरह मृत्युओं ने जो बीच-बीच में आकर तोड़ दिया है और तुम्हारा जीवन अस्तव्यस्त हो गया है, उसमें एक सिलसिला पैदा हो जाए, उसमें एकतानता आ जाए, एकरसता आ जाए। बस एकरसता आते ही तुम्हारी नियति करीब आने लगेगी। तुमने घर तो बहुत बार बनाया, अधूरा-अधूरा छूट गया।

इसलिए 'दयाल' ठीक ही कहता है कि मुझे तो ऐसा कोई क्षण स्मरण नहीं आता जब मैंने संन्यास लिया हो। उसने लिया भी नहीं, मैंने दिया है।

'कब लिया, कहां लिया! आपने ही दिया था। मैं आप तक पहुंचा कहां हूं अभी!'

मुझ तक तो तुम तभी पहुंचोगे, जब तुम तुम तक पहुंच जाओगे। मुझ तक पहुंचने का और कोई उपाय भी नहीं। अपने तक पहुंच जाओ कि मुझ तक पहुंच

गए। स्वयं को जान लो, तो मुझे जान लिया। मेरे पास आने के लिए बाहर की कोई यात्रा नहीं करनी है—अंतर्तम, और अंतर्तम में उतर जाना है।

'न मुझे तब कुछ पता था संन्यास का और न आज ही पता है।'

होगा, शीघ्र ही पता होगा। न तब पता था, न आज पता है—यह सच है। लेकिन यह मनोदशा अच्छी है कि तुम सोचते हो, जानते हो कि तुम्हें पता नहीं। दुर्भाग्य तो उनका है जिनको पता नहीं, और सोचते हैं कि पता है। तुम तो ठीक स्थिति में हो। यही तो निर्दोष चित्त की बात है कि मुझे पता नहीं! तो तुम खाली हो, तो तुम्हें भरा जा सकता है। कुछ हैं जिन्हें कुछ भी पता नहीं है—और बहुत है उनकी संख्या—लेकिन सोचते हैं उन्हें पता है। इसी भ्रांति के कारण, पता हो सकता है, उससे भी वंचित रह जाते हैं।

ज्ञान रोक लेता है, ज्ञान तक जाने से। अगर तुम्हें पता है कि मैं अज्ञानी हूं, तो तुम ठीक दिशा में हो। ऐसी निर्दोषचित्तता में ही ज्ञान की परम घटना घटती है। यह जानना कि मैं नहीं जानता हूं, जानने की तरफ पहला कदम है।,

'मेरी पात्रता कहां! मेरी उतनी श्रद्धा और समर्पण कहां!'

यह पात्र व्यक्ति के हृदय में ही भाव उठता है कि मेरी पात्रता कहां! अपात्र तो समझते हैं, हम जैसा सुपात्र कहां! यह विनम्र भाव ही तो पात्रता है कि मेरी पात्रता कहां, कि मेरा समर्पण कहां, कि मेरी श्रद्धा कहां! यही तो श्रद्धा की सूचना है। बीज मौजूद हैं, बस समय की प्रतीक्षा है: ठीक अनुकूल समय पर, ठीक अनुकूल ऋतु में, अंकुरण होगा, क्रांति घटेगी।

और यह यात्रा तो अनूठी यात्रा है। यह यात्रा तो अपरिचित, अज्ञेय की यात्रा है।

मुसलसल खामोशी की ये पर्दापोशी,
अबस है कि अब राजदां हो गए हम।
सुकूं खो दिया हमने तेरे जुनूं में,
तेरे गम में शोला-बजां हो गए हम।
हुए इस तरह खम जमानों के हाथों,
कभी तीर थे, अब कमां हो गए हम।
न रहबर न कोई रफीके-सफर है,
ये किस रास्ते पर रवां हो गए हम।
हमें बेखुदी में बड़ा लुत्फ आया,
कि गुम हो के मंजिलनिशां हो गए हम।

यह मंजिल ऐसी है कि खोकर मिलती है। तुम जब तक हो, तब तक नहीं मिलेगी; तुम खोए कि मिलेगी।

हमें बेखुदी में बड़ा लुत्फ आया,

जहां तुम नहीं, जहां तुम्हारा अहंकार गया, जहां बेखुदी आई...।

हमें बेखुदी में बड़ा लुत्फ आया,

कि गुम हो के मंजिलनिशां हो गए हम।

कि खोकर और पहुंच गए! यह रास्ता मिटने का रास्ता है।

तो अगर तुम्हें लगता है, 'मेरी समर्पण की पात्रता कहां?' तो मिटना शुरू हो गए, बेखुदी आने लगी। अगर तुम्हें लगता है कि 'मेरी श्रद्धा कहां?' तो बेखुदी आने लगी, तुम मिटने लगे।

संन्यास यही है कि तुम मिट जाओ, ताकि परमात्मा हो सके।

न रहबर, न कोई रफीके-सफर है!

यह तो बड़ी अकेले की यात्रा है।

न रहबर, न कोई रफीके-सफर है!

न कोई साथी है, न कोई मार्गदर्शक है। अंततः तो गुरु भी छूट जाता है, क्योंकि वहां इतनी जगह भी कहां! प्रेम-गली अति सांकरी, तामें दो न समाएं! वहां इतनी जगह कहां कि तीन बन सकें! दो भी नहीं बनते। तो शिष्य हो, गुरु हो, परमात्मा हो, तब तो तीन हो गए! वहां तो दो भी नहीं बनते। तो वहां गुरु भी छूट जाता है। वहां तुम भी छूट जाते; वहां परमात्मा ही बचता है।

न रहबर, न कोई रफीके-सफर है

ये किस रास्ते पर रवां हो गए हम।

संन्यास तो बड़ी अनजानी यात्रा है; बड़ी हिम्मत, बड़े साहस की यात्रा है! जो अनजान में उतरने का जोखिम ले सकते हैं—उनकी। यह होशियारों, हिसाब लगाने वालों का काम नहीं। यह कोई गणित नहीं है। यह तो प्रेम की छलांग है।

तीसरा प्रश्नः आपने कहा कि 'तू अभी, यहीं, इसी क्षण मुक्त है'; लेकिन मैं इस 'मैं' से कैसे मुक्त होऊं?

कैसे पूछा कि चूक गए; फिर समझे नहीं। यही तो अष्टावक्र का पूरा उपदेश है: अनुष्ठान...। 'कैसे' यानी अनुष्ठान; 'कैसे' यानी किस विधि से; विधि-विधान। 'कैसे' पूछा कि चूक गए, फिर अष्टावक्र समझ में नहीं आयेंगे। फिर तुम पतंजलि के दरवाजे पर खटखटाओ, फिर वे बतायेंगे: 'कैसे'। अगर 'कैसे' में बहुत जिद है, तो पतंजलि तुम्हारे लिए मार्ग होंगे। वे तुम्हें बहुत सा बतायेंगे कि करो यम, नियम, संयम, प्राणायाम, प्रत्याहार, धारणा, ध्यान, समाधि। वे इतना फैलायेंगे कि

तुम भी कहोगेः महाराज, थोड़ा कम! कोई सरल तरकीब बता दें; यह तो बहुत बड़ा हो गया, इसमें तो जन्मों लग जायेंगे।

अधिक योगी तो यम ही साधते रहते हैं; नियम तक भी नहीं पहुंच पाते। अधिक योगी तो आसन ही साधते-साधते मर जाते हैं—कहां धारणा, कहां ध्यान! आसन ही इतने हैं; और आसन की ही साधना पूरी हो जाए तो कठिन मालूम होती है। बहुत खोज करने वाले ज्यादा से ज्यादा धारणा तक पहुंच पाते हैं। और घटना तो समाधि में घटेगी। और समाधि को भी पतंजलि दो में बांट देते हैंः सविकल्प समाधि; निर्विकल्प समाधि। वे बांटते चले जाते हैं, सीढ़ियां बनाते चले जाते हैं। वे जमीन से लेकर आकाश तक सीढ़ियां लगा देते हैं।

अगर तुम्हें 'कैसे' में रुचि है—अनुष्ठान में—तो फिर तुम पतंजलि से पूछो। हालांकि आखिर में पतंजलि भी कहते हैं कि अब सब छोड़ो, बहुत हो गया 'करना'। मगर कुछ लोग हैं जो बिना किए नहीं छोड़ सकते, तो करना पड़ेगा।

ऐसा ही समझो कि छोटा बच्चा है घर में, शोरगुल मचाता है, ऊधम करता है; तुम कहते हो, 'बैठ शांत', तो वह बैठ भी जाता है तो भी उबलता है। हाथ-पैर उसके कंप रहे हैं, सिर हिला रहा है—वह कुछ करना चाहता है, उसके पास ऊर्जा है। यह कोई ढंग नहीं है उसको बिठाने का। इसमें तो खतरा है। इसमें तो विस्फोट होगा। इसमें तो वह कुछ न कुछ करेगा। बेहतर तो यह है कि उससे कहो कि जा, दौड़ कर जरा घर के सात चक्कर लगा आ। फिर वह खुद ही हांफते हुए आकर शांत बैठ जाएगा। फिर तुम्हें कहना न पड़ेगा, शांत हो जा। उसी कुर्सी पर शांत होकर बैठ जाएगा, जिस पर पहले शांत नहीं बैठ पाता था।

पतंजलि उनके लिए हैं, जो सीधे शांत नहीं हो सकते। वे कहते हैं, सात चक्कर लगा आओ। दौड़-धूप कर लो काफी। शरीर को आड़ा-तिरछा करो, शीर्षासन करो, ऐसा करो, वैसा करो। कर-कर के आखिर एक दिन तुम पूछते हो कि महाराज, अब करने से थक गए! वे कहते हैं, यह अगर तुम पहले ही कह देते, तो हम भी बचते, तुम भी बचते; अब तुम शांत होकर बैठ जाओ!

आदमी करना चाहता है। क्योंकि बिना किए तुम्हारे तर्क में ही नहीं बैठता कि बिना किए कुछ हो सकता है! अष्टावक्र तुम्हारे तर्क के बाहर हैं। अष्टावक्र तो कहते हैं, तुम मुक्त हो! तुम फिर गलत समझे। तुम कहते हो, 'तू अभी मुक्त, यहीं मुक्त'; लेकिन मैं इस 'मैं' से कैसे मुक्त होऊं?'

अष्टावक्र यह कहते हैं कि यह 'कैसे' की बात ही तब है, जब कोई मान ले कि मैं अमुक्त हूं। तो तुमने एक बात तो मान ही ली पहले ही कि मैं बंधन में हूं, अब कैसे मुक्त होऊं? अष्टावक्र कहते हैंः बंधन नहीं है—भ्रांति है बंधन की। तुम

फिर कहोगे, इस भ्रांति से कैसे मुक्त होएं? तो भी तुम्हें समझ में न आया, क्योंकि भ्रांति का अर्थ ही होता है कि नहीं है, मुक्त क्या होना है? देखते ही, जागते ही—मुक्त हो।

अगर तरकीबों में पड़े, तो बड़ी मुश्किल में पड़ोगे।

हर तरकीब खोटी पड़ गई,

आखिर जिंदगी छोटी पड़ गई।

ऐसे अगर तरकीबों में पड़े तो तुम पाओगे कि एक जिंदगी क्या, अनेक जिंदगियां छोटी हैं। तरकीबें बहुत हैं। कितने-कितने जन्मों से तो तरकीबें साधते रहे! करने पर तुम्हारा भरोसा है, क्योंकि करने से अहंकार भरता है।

अष्टावक्र कह रहे हैं, कुछ करो मत। करने वाला परमात्मा है। जो हो रहा है, हो रहा है; तुम उसमें सम्मिलित हो जाओ। तुम इतना भी मत पूछो कि इस 'मैं' से कैसे मुक्त होऊं? अगर यह 'मैं' हो रहा है तो होने दो; तुम हो कौन, जो इससे मुक्त होने की चेष्टा करो? तुम इसे भी स्वीकार कर लेते हो कि ठीक है, अगर यह हो रहा है, तो यही हो रहा है। तुमने तो बनाया नहीं। याद है, तुमने कब बनाया इसे? तुमने तो ढाला नहीं। तुम तो इसे लाए नहीं। तो जिसे तुम नहीं लाए, उससे तुम छूट कैसे सकोगे? जो तुमने ढाला नहीं, उसे तुम मिटाओगे कैसे? तुम कहते हो, क्या कर सकते हैं? दो आंखें मिलीं, एक नाक मिली, ऐसा यह अहंकार भी मिला। यह सब मिला है। अपने हाथ में कुछ भी नहीं। तो जो है ठीक है। 'मैं' भी सही, यह भी ठीक है।

इसमें रंचमात्र भी शिकायत न रखो। उस बे-शिकायत की भाव-दशा में, उस परम स्वीकार में, तुम अचानक पाओगेः गया 'मैं'! क्योंकि 'मैं' बनता ही कर्ता से है। जब तुम कुछ करते हो, तो 'मैं' बनता है।

अब तुम एक नई बात पूछ रहे हो, कि 'मैं' को कैसे मिटाऊं? तो यह मिटाने वाला 'मैं' बन जाएगा, कहीं बच न पाओगे तुम। इसलिए तो विनम्र आदमी का भी अहंकार होता है—और कभी-कभी अहंकारी आदमी से ज्यादा बड़ा होता है।

तुमने देखा विनम्र आदमी का अहंकार! वह कहता है, मैं आपके पैर की धूल! मगर उसकी आंख में देखना, वह क्या कह रहा है! अगर तुम कहो कि आप बिलकुल ठीक कह रहे हैं, हमको तो पहले ही से पता था कि आप पैर की धूल हैं, तो वह झगड़ने को खड़ा हो जाएगा। वह यह कह नहीं रहा है कि आप भी इसको मान लो। वह तो यह कह रहा है कि आप कहो कि आप जैसा विनम्र आदमी... दर्शन हो गए बड़ी कृपा! वह यह कह रहा है कि आप खंडन करो कि 'आप, और पैर की धूल? आप तो स्वर्ण-शिखर हैं! आप तो

मंदिर के कलश हैं!' जैसे-जैसे तुम कहोगे ऊंचा, वह कहेगा कि नहीं, मैं बिलकुल पैर की धूल हूं। लेकिन जब कोई कहे कि मैं पैर की धूल हूं, तुम अगर स्वीकार कर लो कि आप बिलकुल ठीक कह रहे हैं, सभी ऐसा मानते हैं कि आप बिलकुल पैर की धूल हैं, तो वह आदमी फिर तुम्हारी तरफ कभी देखेगा भी नहीं। वह विनम्रता नहीं थी—वह नया अहंकार का रंग था; अहंकार ने नये वस्त्र ओढ़े थे, विनम्रता के वस्त्र ओढ़े थे।

तो तुम अगर 'मैं' से छूटने की कोशिश किए, तो यह जो छूटने वाला है, यह एक नये 'मैं' को निर्मित कर लेगा। आदमी पैरहन बदलता है! कपड़े बदल लिए, मगर तुम तो वही रहोगे।

अष्टावक्र की बात समझने की कोशिश करो; जल्दी मत करो कि क्या करें, कैसे अहंकार से छुटकारा हो? करने की जल्दी मत करो; थोड़ा समझने के लिए विश्राम लो। अष्टावक्र यह कह रहे हैं कि 'मैं' बनता कैसे है, यह समझ लो—करने से बनता है, चेष्टा से बनता है, यत्न से बनता है, सफलता से बनता है। तो तुम जहां भी यत्न करोगे, वहीं बन जाएगा।

तो फिर एक बात साफ हो गई कि अगर अहंकार से मुक्त होना है तो यत्न मत करो, चेष्टा मत करो। जो है, उसे वैसा ही स्वीकार कर लो। उसी स्वीकार में तुम पाओगेः अहंकार ऐसे मिट गया, जैसे कभी था ही नहीं। क्योंकि उसको जो ऊर्जा देने वाला तत्व था, वह खिसक गया; बुनियाद गिर गई, अब भवन ज्यादा देर न खड़ा रहेगा।

और अगर कर्ता का भाव गिर जाए, तो जीवन की सारी बीमारियां गिर जाती हैं; अन्यथा जीवन में बड़े जाल हैं। धन की दौड़ भी कर्ता की दौड़ है। पद की दौड़ भी कर्ता की दौड़ है। प्रतिष्ठा की दौड़ भी कर्ता की दौड़ है। तुम दुनिया को कुछ करके दिखाना चाहते हो।

मेरे पास कई लोग आ जाते हैं, वे कहते हैं कि ऐसा कुछ मार्ग दें कि दुनिया में कुछ करके दिखा जायें। क्या करके दिखाना चाहते हो? कि नहीं, वे कहते हैं कि 'नाम रह जाए। हम तो चले जाएंगे, लेकिन नाम रह जाए!' नाम रहने से क्या प्रयोजन? तुम्हारे नाम में और किसी की कोई उत्सुकता नहीं है, सिवाय तुम्हारे। जब तुम्हीं चले गए, कौन फिकर करता है! जब तुम्हीं न बचोगे, तो तुम्हारा नाम क्या खाक बचेगा? तुम न बचे, जीवंत, तो नाम तो केवल तख्ती थी, वह क्या खाक बचेगा? कौन फिकर करता है तुम्हारे नाम की? और नाम बच भी गया तो क्या सार है? किन्हीं किताबों में दबा पड़ा रहेगा, तड़फेगा वहां! सिकंदर का नाम है, नेपोलियन का नाम है—क्या सार है?

नहीं, लेकिन हमें बचपन से ये रोग सिखाए गए हैं। बचपन से यह कहा गया है: 'कुछ करके मरना, बिना करे मत मर जाना! अच्छा हो तो अच्छा, नहीं तो बुरा करके मरना, लेकिन नाम छोड़ जाना।' लोग कहते हैं, 'बदनाम हुए तो क्या, कुछ नाम तो होगा ही। अगर ठीक रास्ता न मिले, तो उलटे रास्ते से कुछ करना, लेकिन नाम छोड़ कर जाना!' लोग ऐसे दीवाने हैं कि पहाड़ जाते हैं, तो पत्थर पर नाम खोद आते हैं। पुराना किला देखने जाते हैं, तो दीवालों पर नाम लिख आते हैं। और जो आदमी नाम लिख रहा है, वह यह भी नहीं देखता कि दूसरे नाम पोंछ कर लिख रहा है। तुम्हारा नाम कोई दूसरा पोंछ कर लिख जाएगा। तुम दूसरे का पोंछ कर लिख रहे हो। दूसरों के लिखे हैं, उनके ऊपर तुम अपना लिख रहे हो—और मोटे अक्षरों में; कोई और आकर उससे मोटे अक्षरों में लिख जाएगा। किस पागलपन में पड़े हो?

अलबेले अरमानों ने सपनों के बुने हैं जाल कई।

एक चमक ले कर उठे हैं, जज्बाते-पामाल कई।

रूप की मस्ती, प्यार का नशा, नाम की अजमत, जर का गुरूर

धरती पर इन्सां के लिए हैं, फैले मायाजाल कई।

अपनी-अपनी किस्मत है, और अपनी-अपनी फितरत है,

खुशियों से पामाल कई हैं, गम से मालामाल कई।

इंसानों का काल पड़ा है, वक्त कड़ा है दुनिया पर,

ऐसे कड़े कब वक्त पड़े थे, यूं तो पड़े हैं काल कई।

दिल की दौलत कम मिलती है, दौलत तो मिलती है बहुत,

दिल उनके मुफलिस थे हमने देखे अहलेमाल कई।

कितने मंजर पिनहां हैं, मदहोशी की गहराई में,

होश का आलम एक मगर, मदहोशी के पाताल कई।

कितने मंजर पिनहां हैं मदहोशी की गहराई में! यह जो हमारी मूर्च्छा है, इसमें कितने दृश्य छिपे हैं—दृश्य के बाद दृश्य; परदे के पीछे परदे; कहानियों के पीछे कहानियां! यह जो हमारी मूर्च्छा है, इसमें कितने पाताल छिपे हैं—धन के, पद के, प्रतिष्ठा के, सपनों के! जाल बिछे हैं!

कितने मंजर पिनहां हैं मदहोशी की गहराई में,

होश का आलम एक मगर, मदहोशी के पाताल कई।

लेकिन जो होश में आ गया है, उसका आलम एक है, उसका स्वभाव एक है, उसका स्वरूप एक है, उसका स्वाद एक है!

बुद्ध ने कहा है: 'जैसे चखो सागर को कहीं भी तो खारा है, ऐसा ही तुम मुझे चखो तो मैं सभी जगह से होशपूर्ण हूं। मेरा एक ही स्वाद है—होश।'

वही स्वाद अष्टावक्र का है। कर्ता नहीं, भोक्ता नहीं—साक्षी!

तो यह तो पूछो ही मत: कैसे! क्योंकि 'कैसे' में तो कर्ता आ गया, भोक्ता आ गया—तो तुम चूक गए; अष्टावक्र की बात चूक गए। अष्टावक्र इतना ही कहते हैं: जो भी है, उसे देखो; साक्षी बनो। बस देखो! अहंकार है तो अहंकार को देखो; करने का क्या है? सिर्फ देखो—और देखने से क्रांति घटित होती है।

तुम समझे बात? बात थोड़ी जटिल है, लेकिन जटिल इतनी नहीं कि समझ में न आए। बात सीधी-साफ भी है। अष्टावक्र कह रहे हैं कि तुम सिर्फ देखो, तो देखने में कर्ता तो रह नहीं जाता, मात्र साक्षी रह जाते हो। कर्ता हटा कि कर्ता से जिन-जिन चीजों को रस मिलता था, बल मिलता था, वे सब गिर जाएंगी। बिना कर्ता के धन की दौड़ कहां? पद की दौड़ कहां? बिना कर्ता के अहंकार कहां? वे सब अपने आप गिरने लगेंगे।

एक बात साध लो—साक्षी; शेष कुछ भी करने को नहीं है। शेष सब अपने से हो जाएगा। शेष सदा होता ही रहा है। तुम नाहक ही बीच-बीच में खड़े हो जाते हो।

मैंने सुना है, एक हाथी एक पुल पर से गुजरता था। हाथी का वजन-पुल कंपने लगा! एक मक्खी उसकी सूंड़ पर बैठी थी। जब दोनों उस पार हो गए, तो मक्खी ने कहा, 'बेटा! हमने पुल को बिलकुल हिला दिया।' हाथी ने कहा, 'देवी! मुझे तेरा पता ही न था, जब तक तू बोली न थी कि तू भी है।'

यह तुम जो सोच रहे हो तुमने पुल को हिला दिया, यह तुम नहीं हो—यह जीवन-ऊर्जा है। तुम तो मक्खी की तरह हो, जो जीवन-ऊर्जा पर बैठे कहते हो, 'बेटा, देखो कैसा हिला दिया!'

यह अहंकार तो सिर्फ तुम्हारे ऊपर बैठा है। तुम्हारी जो अनंत ऊर्जा है, उससे सब कुछ हो रहा है। वह परमात्मा की ऊर्जा है; उसमें तुम्हारा कुछ लेना-देना नहीं है। वही तुममें श्वास लेता, वही तुममें जागता, वही तुममें सोता; तुम बीच में ही अकड़ ले लेते हो। इतना जरूर है कि तुम जब अकड़ लेते हो तो वह बाधा नहीं डालता।

हाथी ने तो कम से कम बाधा डाली। हाथी ने कहा कि देवी, मुझे पता ही न था कि तू भी मेरे ऊपर बैठी है। इतना तो कम से कम हाथी ने कहा; परमात्मा इतना भी नहीं कहता। परमात्मा परम मौन है।

तुम अकड़ते हो तो अकड़ लेने देता है। तुम उसके कृत्य पर अपना दावा करते हो तो कर लेने देता है। जो तुमने किया ही नहीं है, उसको भी तुम कहते हो मैं कर रहा हूं, तो भी वह बीच में आकर नहीं कहता कि नहीं, तुम नहीं, मैं कर रहा हूं!

क्योंकि उसके पास तो कोई 'मैं' है नहीं, तो कैसे तुमसे कहे कि मैं कर रहा हूं? इसलिए तुम्हारी भ्रांति चलती जाती है।

लेकिन गौर से देखो, थोड़ा आंख खोल कर देखोः तुम्हारे किए थोड़े ही कुछ हो रहा है; सब अपने से हो रहा है!

यही नियति का अपूर्व सिद्धांत है, भाग्य का अपूर्व सिद्धांत है कि सब अपने से हो रहा है। गलत लोगों ने उसके गलत अर्थ ले लिए, गलत लोगों की भूल। अन्यथा भाग्य का इतना ही अर्थ है कि भाग्य के सिद्धांत को अगर तुम ठीक से समझ लो, तो तुम साक्षी रह जाओगे, और कुछ करने को नहीं है फिर। लेकिन भाग्य से लोग साक्षी तो न बने, अकर्मण्य बन गए; अकर्ता तो न बने, अकर्मण्य बन गए।

अकर्ता और अकर्मण्य में भेद है। अकर्मण्य तो काहिल है, सुस्त है, मुर्दा है। अकर्ता ऊर्जा से भरा है—सिर्फ इतना नहीं कहता कि मैं कर रहा हूं। परमात्मा कर रहा है! मैं तो सिर्फ देख रहा हूं। यह लीला हो रही है, मैं देख रहा हूं।

आदमी बहुत बेईमान है; सुंदरतम सत्यों का भी बड़ा कुरूपतम उपयोग करता है। भाग्य बड़ा सुंदर सत्य है। उसका केवल इतना ही अर्थ है कि सब हो रहा है; तुम्हारे किए कुछ नहीं हो रहा है। सब नियत है। जो होना है, होगा। जो होना है, होता है। जो हुआ है, होना था। तुम किनारे बैठ कर शांति से देख सकते हो लीला, कोई तुम्हें बीच में उछल-कूद करने की जरूरत नहीं है। तुम्हारे आगे-पीछे दौड़ने से कुछ भी फर्क नहीं पड़ रहा है; जो होना है, वही हो रहा है। जो होना है, वही होगा। फिर तुम साक्षी हो जाते हो।

साक्षी की तरफ ले जाने के लिए भाग्य का ढांचा खोजा गया था। लोग साक्षी की तरफ तो नहीं गए; लोग अकर्मण्य होकर बैठ गए। उन्होंने कहा, जब जो होना है, होना है, तो फिर ठीक; फिर हम करें ही क्यों? अभी भी धारणा यही रही कि हमारे करने का कोई बल है, हम करें ही क्यों? पहले कहते थे, हम करके दिखायेंगे; अब कहते हैं, करने में सार क्या! मगर कर्ता का भाव न गया; वह अपनी जगह खड़ा हुआ है।

अष्टावक्र को अगर तुम समझो, तो कोई विधि नहीं है, कोई अनुष्ठान नहीं है। अष्टावक्र कहते हैंः अनुष्ठान ही बंधन है; विधि ही बंधन है; करना ही बंधन है।

चौथा प्रश्न: आपकी अनुकंपा से आकाश देख पाता हूं; प्रकाश के अनुभव भी होते हैं, और भीतर के बहाव के साथ भी एक हो पाता हूं। लेकिन जब कामवासना पकड़ती है, तब उसमें भी उतना ही डूबना चाहता हूं, जितना ध्यान में। कृपया बताएं, यह मेरी कैसी स्थिति है?

पहली बात: कामवासना के भी साक्षी बनो। उसके भी नियंता मत बनो। उसको भी जबरदस्ती नियंत्रण में लाने की चेष्टा मत करो, उसके भी साक्षी रहो। जैसे और सब चीजों के साक्षी हो वैसे ही कामवासना के भी साक्षी रहो।

कठिन है, क्योंकि सदियों से तुम्हें सिखाया गया कि कामवासना पाप है। उस पाप की धारणा मन में बैठी है।

इस जगत में पाप है ही नहीं—बस परमात्मा है। यह धारणा छोड़ो। इस जगत में एक ही है रूप समाया सब में—वह परमात्मा है। क्षुद्र से क्षुद्र में वही, विराट से विराट में वही! निम्न में वही, श्रेष्ठ में वही! कामवासना में भी वही है, और समाधि में भी वही है। यहां पाप कुछ है ही नहीं।

इसका यह अर्थ नहीं कि मैं यह कह रहा हूं कि तुम कामवासना में ही अटके रह जाओ। मैं सिर्फ इतना कह रहा हूं: उसे भी तुम परमात्मा का ही एक रूप समझो। और भी रूप हैं। शायद कामवासना पहली सीढ़ी है उसके रूप की। थोड़ा सा स्वाद समाधि का कामवासना में फलित होता है, इसलिए इतना रस है। जब और बड़ी समाधि घटने लगेगी, तो वह रस अपने से खो जाएगा।

जिन मित्र ने पूछा है कि 'ध्यान में लीन होता हूं, भीतर के बहाव के साथ एक हो पाता हूं, कामवासना पकड़ती है, तब उसमें भी उतना ही डूबना चाहता हूं।' डूबो! रोकने की कोई जरूरत नहीं है। बस डूबते-डूबते साक्षी बने रहना। देखते रहना कि डुबकी लग रही है। देखते रहना कि कामवासना ने घेरा। असल में 'कामवासना' शब्द ही निंदा ले आता है मन में। ऐसा कहना: परमात्मा के एक ढंग ने घेरा; यह परमात्मा की ऊर्जा ने घेरा; यह परमात्मा की प्रकृति ने घेरा; परमात्मा की माया ने घेरा! लेकिन कामवासना शब्द का उपयोग करते ही—पुराने सहयोग, संबंध शब्द के साथ गलत हैं—ऐसा लगता है पाप हुआ; साक्षी रहना मुश्किल हो जाता है—या तो मूर्च्छित हो जाओ और या नियंता हो जाओ। साक्षी होना न तो मूर्च्छित होना है और न नियंता होना है—दोनों के मध्य में खड़ा होना है। एक तरफ गिरो, कुंआ; एक तरफ गिरो, खाई-बीच में रह जाओ, तो सधे, तो समाधि।

ये दोनों आसान हैं। कामवासना में मूर्च्छित हो जाना बिलकुल आसान है; बिलकुल भूल जाना कि क्या हो रहा है, नशे में हो जाना आसान है। कामवासना

को नियंत्रण कर लेना, जबरदस्ती रोक लेना, सम्हाल लेना, वह भी आसान है। मगर दोनों में ही तुम चूक रहे हो। व्यभिचारी भी चूक रहा है, ब्रह्मचारी भी चूक रहा है। वास्तविक ब्रह्मचर्य तो तब घटित होता है, जब तुम दोनों के मध्य में खड़े हो, जब तुम सिर्फ देख रहे हो। तब तुम पाओगे कि कामवासना भी शरीर में ही उठी और शरीर में ही गूंजी; मन में थोड़ी छाया पड़ी, और विदा हो गई। तुम तो दूर खड़े रहे! तुममें कैसी कामवासना! तुममें वासना हो ही कैसे सकती है? तुम तो द्रष्टा-मात्र हो।

और अक्सर ऐसा होगा कि जब ध्यान ठीक लगने लगेगा, तो कामवासना जोर पकड़ेगी। यह तुम समझ लो, क्योंकि अधिक लोगों को ऐसा होगा। ध्यान जब ठीक लगने लगेगा, तो तुम्हारे जीवन में एक विश्राम आएगा, तनाव कम होगा। तो जन्मों-जन्मों से तुमने जो जबरदस्ती की थी, कामवासना के साथ जो दमन किया था, वह हटेगा। तो दबी-दबाई वासना तेज ज्वाला की तरह उठेगी। इसलिए ध्यान के साथ अगर कामवासना उठे, तो घबड़ाना मत, यह ठीक लक्षण है कि ध्यान ठीक जा रहा है; ध्यान काम कर रहा है; ध्यान तुम्हारे तनाव हटा रहा है, नियंत्रण हटा रहा है, तुम्हारा दमन हटा रहा है; ध्यान तुम्हें सहज प्रकृति की तरफ ला रहा है।

पहले ध्यान तुम्हें प्रकृतिस्थ करेगा और फिर परमात्मा तक ले जाएगा। क्योंकि जो अभी नैसर्गिक नहीं है, उसका स्वाभाविक होना असंभव है। जो अभी प्रकृति के साथ भी नहीं है, वह परमात्मा के साथ नहीं हो सकता। तो ध्यान पहले तुम्हें प्रकृति के साथ ले जाएगा, फिर तुम्हें परमात्मा के साथ ले जाएगा। प्रकृति, परमात्मा का बाह्य आवरण है। अगर उससे भी तुम्हारा मेल नहीं है, तो अंतरतम के परमात्मा से कैसे मेल होगा? प्रकृति तो परमात्मा के मंदिर की सीढ़ियां हैं। अगर तुम सीढ़ियां ही न चढ़े, तो मंदिर के अंतर्गृह में कैसे प्रवेश होगा?

अगर तुम मेरी बात समझ पाओ, तो अब और दमन मत करो! अब चुपचाप उसे भी स्वीकार कर लो। परमात्मा जो दृश्य दिखाता है, शुभ ही होगा। परमात्मा दिखाता है, तो शुभ ही होगा। तुम नियंत्रण मत करो, और न तुम निर्णायक बनो, और न तुम पीछे से खड़े होकर यह कहो कि यह ठीक और यह गलत; मैं ऐसा करना चाहता और ऐसा नहीं करना चाहता। तुम सिर्फ देखो!

उम्र ढलती जा रही है,

शमा-ए-अरमां भी पिघलती जा रही है,

रफ्त-रफ्ता आग बुझती जा रही है,

शौक रमते जा रहे हैं,

सैल थमते जा रहे हैं,

राग थमता जा रहा है,

खामोशी का रंग जमता जा रहा है,

आग बुझती जा रही है।

ठीक हो रहा है। लेकिन इसके पहले कि आग बुझे, आखिरी लपट उठेगी। तुम चिकित्सकों से पूछो, मरने के पहले आदमी थोड़ी देर को बिलकुल स्वस्थ हो जाता है; सब बीमारियां खो जाती हैं। जो मुर्दे की तरह बिस्तर पर पड़ा था, उठ कर बैठ जाता है, आंख खोल देता है, ताजा मालूम पड़ता है। मरने के थोड़ी देर पहले सब बीमारियां खो जाती हैं, क्योंकि जीवन आखिरी छलांग लेता है, ऊर्जा जीवन की फिर से उठती है।

तुमने देखा, दीया बुझने के पहले आखिरी भभक से जलता है! इसके पहले कि आखिरी तेल चुक जाए, आखिरी बूंद तेल की पी कर भभक उठता है। वह आखिरी भभक है। सुबह होने के पहले रात देखा, कैसी अंधेरी हो जाती है! वह आखिरी भभक है।

ऐसे ही ध्यान में भी जब तुम गहरे उतरोगे, तो तुम पाओगे, आग जब बुझने के करीब आने लगती है, तो आखिरी भभक...। काम-ऊर्जा भी उठेगी।

उम्र ढलती जा रही है

शमा-ए-अरमां भी पिघलती जा रही है

—कामना का दीया पिघल रहा है, उम्र ढल रही है।

रफ्ता-रफ्ता आग बुझती जा रही है।

शौक रमते जा रहे हैं,

सैल थमते जा रहे हैं,

—प्रवाह रुक रहा है जीवन का।

राग थमता जा रहा है,

खामोशी का रंग जमता जा रहा है।

—ध्यान का रंग जम रहा है, मौन का रंग जम रहा है।

खामोशी का रंग जमता जा रहा है।

आग बुझती जा रही है।

इसमें किसी भी घड़ी भभक उठेगी। ऐसी भभक ही उठ रही है। उसे देख लो। उसे दबा मत देना, अन्यथा फिर तुम्हारे भीतर सरक जाएगी। छुटकारा होने के करीब है, तुम उसे दबा मत लेना; अन्यथा फिर बंधन शुरू हो जायगा। जो दबाया गया है, वह फिर-फिर निकलेगा। जिसके साथ तुमने जबर्दस्ती की है, वह फिर-

फिर आएगा। जाने ही दो, निकल ही जाने दो, बह जाने दो। होने दो भभक कितनी ही बड़ी, तुम शांत भाव से देखते रहो। तुम्हारे ध्यान में कुछ बाधा नहीं पड़ती इससे। तुम साक्षी बने रहो!

पांचवां प्रश्नः आपने कहा कि किसी भी बंधन में मत पड़ो, शांत और सुखी हो जाओ। तो क्या संन्यास भी एक बंधन नहीं है? और क्या विधि, उपाय व प्रक्रिया भी बंधन नहीं हैं? कृपया समझाएं!

अगर बात समझ में आ गई तो पूछो ही मत। अगर पूछते हो तो बात समझ में आई नहीं। अगर बात समझ में आ गई मेरी कि किसी बंधन में मत पड़ो, शांत और सुखी हो जाओ, तो समझते से ही तुम सुखी और शांत हो जाओगे; फिर यह प्रश्न कहां? सुखी और शांत आदमी प्रश्न पूछता है? सब प्रश्न अशांति से उठते, दुख से उठते, पीड़ा से उठते।

अगर तुम अभी भी प्रश्न पूछ रहे हो, तो तुम शांत अभी भी हुए नहीं; संन्यास की जरूरत पड़ेगी। अगर शांत तुम हो जाओ, तो क्या जरूरत संन्यास की? संन्यास हो गया!

लेकिन अपने को धोखा मत दे लेना! संन्यास लेने की हिम्मत न हो, अष्टावक्र का सहारा मत ले लेना। हां, अगर शांत हो गए हो तो कोई संन्यास की जरूरत नहीं है। शांति की खोज में ही तो आदमी संन्यास लेता है।

अगर तुम सुखी हो गए, समझते ही सुखी हो गए, अगर जनक जैसे पात्र हो, तो बात खतम हो गई। मगर तब यह प्रश्न न उठता। जनक ने प्रश्न नहीं पूछा; जनक ने कहा, 'अहो प्रभु! तो मैं मुक्त हूं? आश्चर्य कि अब तक कैसे माया-मोह में पड़ा रहा!'

तुम अगर जनक जैसे पात्र होते, तो तुम कहते, 'धन्य! तो मैं मुक्त हूं! तो अब तक कैसे माया-मोह में पड़ा रहा!' तुम यह प्रश्न पूछते ही नहीं।

मामला ऐसा है कि संन्यास लेने की कामना मन में है, हिम्मत नहीं है। अष्टावक्र को सुन कर तुमने सोचा, यह अच्छा हुआ कि संन्यास में बंधन है, कोई पड़ने की जरूरत नहीं! और दूसरे बंधन छोड़ोगे कि सिर्फ संन्यास का ही बंधन छोड़ोगे? और संन्यासी तुम अभी हो ही नहीं, तो उसे छोड़ने का कोई उपाय नहीं है, जो तुम्हारे पास ही नहीं। और बंधन क्या-क्या छोड़ोगे? पत्नी छोड़ोगे? घर छोड़ोगे? धन छोड़ोगे? पद छोड़ोगे? मन छोड़ोगे? कर्ता छोड़ोगे? अहंकार-भाव छोड़ोगे? और क्या-क्या छोड़ोगे जो तुम्हारे पास है? निश्चित जो तुम्हारे पास है

वही तुम छोड़ सकते हो। यह तो संन्यासियों को पूछने दो, जो संन्यासी हो गए हैं। तुम तो अभी संन्यासी हुए नहीं। यह तो संन्यासी पूछे कि क्या अब छोड़ दें संन्यास, तो समझ में आता है। उसके पास संन्यास है; तुम्हारे पास है ही नहीं। जो तुम्हारे पास नहीं, उसे तुम छोड़ोगे कैसे? जो तुम्हारे पास है, वही पूछो। गृहस्थी छोड़ दें, यह पूछो।

अष्टावक्र की पूरी बात सुन कर तुमको इतना ही समझ में आया कि संन्यास बंधन है! और कोई चीज बंधन है?

आदमी चालाक है। मन बेईमान है। मन बड़े हिसाब में रहता है। वह देखता है, अपने मतलब की बात निकाल लो कि चलो यह तो बहुत ही अच्छा हुआ, झंझट से बचे! डरे-डरे लेने की सोच रहे थे, ये अष्टावक्र अच्छे मिल गए रास्ते पर; इन्होंने खूब समझा दिया, ठीक समझा दिया, अब कभी भूल कर संन्यास न लेंगे!

अष्टावक्र से कुछ और सीखोगे?

लोग मेरे पास आ जाते हैं। वे कहते हैं, 'अब ध्यान छोड़ दें? क्योंकि अष्टावक्र कहते हैं, ध्यान में बंधन है।' धन छोड़ोगे? पद छोड़ोगे? सिर्फ ध्यान...! और ध्यान अभी लगा ही नहीं; छोड़ोगे खाक? ध्यान होता और तुम कहते छोड़ दें, तो मैं कहता, छोड़ दो! मगर जिसका ध्यान लग गया, वह कहेगा ही नहीं छोड़ने की बात; वह छोड़ने-पकड़ने के बाहर गया। वह अष्टावक्र को समझ लेगा, आनंदित होगा, गदगद होगा। वह कहेगा, ठीक, बिलकुल बात यही तो है। ध्यान में ध्यान ही तो छूटता है। संन्यास में बंधन ही तो छूटते हैं। संन्यास कोई बंधन नहीं है। यह तो केवल और सारे बंधनों को छोड़ने का एक उपाय है। अंततः तो यह भी छूट जाएगा।

ऐसा ही समझो कि पैर में कांटा लगा, तो तुम दूसरा कांटा उठा कर पहले कांटे को निकाल लेते हो। दूसरा कांटा भी कांटा है; लेकिन पहले कांटे को निकालने के काम आ जाता है। फिर तो तुम दोनों को फेंक देते हो। फिर दूसरे कांटे को सम्हाल कर थोड़े ही रखते, कि इसने बड़ी कृपा की कि पहले कांटे को निकाल दिया! फिर ऐसा थोड़े ही करते कि अब पहला कांटा जहां लगा था, वहां दूसरा लगा लो, यह बड़ा प्रिय है!

संन्यास तो कांटा है। संसार का कांटा लगा है, उसे निकालने का एक उपाय है। अगर तुम बिना कांटे के निकाल सको, तो बड़ा शुभ। अष्टावक्र की बात समझ में आ जाए, तो इससे शुभ और क्या हो सकता है! फिर किसी संन्यास की कोई जरूरत नहीं है। लेकिन जरा सोच लेना, कहीं यह बेईमानी न हो! अगर बेईमानी हो, तो हिम्मत करो और संन्यास में उतरो। कभी ऐसी घड़ी आएगी, जब संन्यास को भी छोड़ने के तुम योग्य हो जाओगे।

लेकिन छोड़ना क्या है? जब समझ आती है, तो छोड़ने को कुछ भी नहीं—सब छूट जाता है। यही तो जनक ने कहा कि प्रभु, यह शरीर भी छूट गया! अभी जनक शरीर में हैं, शरीर छूट नहीं गया; लेकिन जनक कहते हैं, यह शरीर भी छूट गया! यह सारा संसार भी छूट गया! यह सब छूट गया! मैं बिलकुल अलिप्त, भावातीत हो गया! कैसी कुशलता आपके उपदेश की! यह कैसी कला! कुछ भी हुआ नहीं, न महल छूटा, न संसार छूटा, न शरीर छूटा—और सब छूट गया!

जिस दिन तुम समझोगे तो फिर कुछ छोड़ने को नहीं है—न संसार और न संन्यास! छोड़ने की बात ही उस आदमी की है, जो सोचता है कुछ पकड़ने को है।

त्याग भी भोग की छाया है। त्यागी भी भोगी का ही शीर्षासन करता हुआ रूप है। जब भोग जाता है, त्याग भी जाता है। वे दोनों साथ रहते हैं, साथ जाते हैं। इसलिए तो तुम देखते हो, भोगियों को त्यागियों के पैर पड़ते! वे साथ-साथ हैं। आधा काम त्यागी कर रहे, आधा भोगी कर रहे—दोनों एक-दूसरे के साथ जुड़े हैं। न भोगी जी सकते त्यागी के बिना, न त्यागी जी सकते भोगी के बिना। तुमने देखा यह षडयंत्र!

एक आदमी मेरे पास आया, कहा कि ध्यान सीखना है। वे संन्यासी थे—पुराने ढब के संन्यासी! तो मैंने कहा कि ठीक है, कल सुबह ध्यान में आ जाओ। उन्होंने कहा, वह तो जरा मुश्किल है। मैंने कहा, 'क्यों, इसमें क्या मुश्किल है?' उन्होंने कहा कि मुश्किल यह है कि ये मेरे साथ जो हैं, जब तक ये मेरे साथ न आएं, मैं नहीं आ सकता; क्योंकि पैसा ये रखते हैं, पैसा मैं नहीं छूता। इनको सुबह कहीं और जाना है, तो मैं कल सुबह तो न आ सकूंगा।

यह भी खूब मजा हुआ! पैसे की जरूरत तो तुम्हें है ही, फिर तुम अपनी जेब में रखो कि दूसरे की जेब में, इससे क्या फर्क पड़ता है? और यह तो और बंधन हो गया। इससे तो वे ही ठीक जो अपनी जेब में रखते हैं; कम से कम जहां जाना है, जा तो सकते हैं! अब यह एक अजीब मामला हो गया कि यह आदमी जब तक साथ न हो, तब तक तुम आ नहीं सकते, क्योंकि टैक्सी में पैसे देने पड़ेंगे—पैसा हम छूते नहीं हैं! तो तुम अपना पाप इस आदमी से करवा रहे हो? अपना पाप खुद करो। यह बड़े मजे की बात है कि टैक्सी में तुम बैठोगे, नरक यह जाएगा! इस पर कुछ दया करो। यह भोगी-योगी का खूब जोड़ है!

तुम्हारे सारे त्यागी भोगियों से बंधे जी रहे हैं। और तुम्हारा भोगी भी त्यागियों से बंधा जी रहा है, क्योंकि वह त्यागी के चरण छू कर सोचता है, 'आज त्यागी नहीं तो कम से कम त्यागी के चरण तो छूता हूं, चलो कुछ तो

तृप्ति, कुछ तो किया! आज नहीं कल, मैं भी त्यागी हो जाऊंगा। लेकिन अभी त्यागी की पूजा-अर्चना तो करता हूं!'

जैन कहते हैं, कहां जा रहे हो?—साधु जी की सेवा करने जा रहे हैं! सेवा करके सोचते हैं कि चलो, कुछ तो लाभ-अर्जन कर रहे हैं। उधर साधु बैठे हैं, वे राह देख रहे हैं, कि भोगी जी कब आयें! इधर भोगी जी हैं, वे देखते हैं कि साधु जी कब गांव में पधारें! तो भोगी जी और साधु जी, दोनों एक ही सिक्के के पहलू हैं।

तुम जरा सोचो, अगर भोगी साधुओं के पास जाना बंद कर दें, कितने साधु वहां बैठे रहेंगे! वे सब भाग खड़े होंगे। कौन इंतजाम करेगा, कौन व्यवस्था करेगा! वे सब जा चुके होंगे। लेकिन भोगी साधु को सम्हालता है; साधु भोगी को सम्हाले रखता है। यह पारस्परिक है।

वास्तविक ज्ञानी न तो त्यागी होता, न भोगी होता। वह इतना ही जान लेता है कि मैं सिर्फ साक्षी हूं। अब पैसे दूसरे की जेब में रखो कि अपनी जेब में रखो, क्या फर्क पड़ता है? वह साक्षी है। हो, तो साक्षी है; न हो, तो साक्षी है। गरीब हो, तो साक्षी है; अमीर हो, तो साक्षी है। साक्षी में थोड़े ही गरीबी-अमीरी से फर्क पड़ता है! क्या तुम सोचते हो भिखमंगा साक्षी होगा तो उसका साक्षीपन थोड़ा कम होगा, और सम्राट साक्षी होगा तो उसका साक्षीपन थोड़ा ज्यादा होगा? साक्षीपन कहीं कम-ज्यादा होता है? गरीब हो कि अमीर, स्वस्थ हो कि अस्वस्थ, पढ़ा-लिखा हो कि बेपढ़ा-लिखा, सुंदर हो कि कुरूप, ख्यातिनाम हो कि बदनाम—इससे कोई फर्क नहीं पड़ता। साक्षी कुछ ऐसी संपदा है, जो सभी के भीतर बराबर है, उसमें कुछ कम-ज्यादा नहीं होता।

हर स्थिति के हम साक्षी हो सकते हैं—सफलता के, विफलता के; सम्मान के, अपमान के।

साक्षी बनो, इतना ही अष्टावक्र का कहना है। लेकिन अगर पाओ कि कठिन है साक्षी बनना और अभी तो विधि का उपयोग करना होगा, तो विधि का उपयोग करो, घबड़ाओ मत। विधि का उपयोग कर-कर के तुम इस योग्य बनोगे कि विधि के भी साक्षी हो जाओगे। इसलिए तो मैं कहता हूं, ध्यान करो, कोई फिकर नहीं। क्योंकि मैं जानता हूं, ध्यान न करने से तुम्हें साक्षी-भाव नहीं आने वाला, ध्यान न करने से केवल तुम्हारे विचार चलेंगे। तो विकल्प 'ध्यान और साक्षी' में थोड़े ही है; विकल्प 'विचार और ध्यान' में है।

समझे मेरी बात? तुम जब नहीं ध्यान करोगे—सुन लिया अष्टावक्र को—अष्टावक्र ने कहा ध्यान इत्यादि सब बंधन है—और बिलकुल ठीक कहा, सौ प्रतिशत ठीक कहा—तो तुमने ध्यान छोड़ दिया तो तुम क्या करोगे? साक्षी हो

जाओगे उस समय? तुम वही कूड़ा-करकट विचार दोहराओगे। तो यह तो बड़े मजे की बात हुई। यह तो अष्टावक्र के कारण तुम और भी संसार में गिरे। यह तो सीढ़ी, जिससे चढ़ना था, तुमने नरक में उतरने के लिए लगा ली। सीढ़ी वही है।

मैं तुमसे कहता हूं, ध्यान करो। क्योंकि अभी तुम्हारे सामने विकल्प ध्यान और विचार, इसका है; अभी साक्षी का तो तुम्हारे सामने विकल्प नहीं है। हां, जब ध्यान कर-कर के विचार समाप्त हो जाएगा, तब एक नया विकल्प आएगा, कि अब चुनना हैः साक्षी या ध्यान? तब साक्षी चुनना, और ध्यान को भी छोड़ देना।

अभी अगर तुमने तय किया कि संन्यास नहीं लेना है, तो तुम संसारी रहोगे। अभी विकल्प संन्यास और संसार में है। अभी मैं कहता हूंः लो संन्यास! फिर एक दिन ऐसी घड़ी आएगी कि विकल्प संसार और संन्यास का नहीं रह जाएगा। संसार तो गया, संन्यास रह गया। तब परम संन्यास और संन्यास का विकल्प होगा। तब मैं तुमसे कहूंगाः जाने दो संन्यास! अब डूबो परम संन्यास में।

हां, अगर तुम क्षण भर में जनक जैसे जा सकते हो, तो मैं बाधा देने वाला नहीं! तुम सुखी हो जाओ! सुखी भव! न हो पाओ, तो इसमें कोई और निर्णय करेगा नहीं, तुम्हीं निर्णय करना कि अगर सुखी नहीं हो पा रहे, तो फिर कुछ करना जरूरी है।

सत्य भी तुम असत्य कर ले सकते हो, और फूल भी तुम्हारे लिए कांटे बन सकते हैं—तुम पर निर्भर है।

उजियारे में नैन मूंद कर भाग नहीं
मेरे भोले मन!
डगरें सब अनजानी हैं,
पथ में मिलते शूल-शिला
भीनी-भीनी गंध देख कर,
सुमनों का विश्वास न कर!

तुम जरा खयाल करना, जाग कर कदम उठाना! क्योंकि तुम जो कदम उठाओगे, वह कहीं भीनी-भीनी गंध को देख कर ही मत उठा लेना।

पथ में मिलते शूल-शिला
भीनी-भीनी गंध देख कर
सुमनों का विश्वास न कर।

वह जो तुम्हें भीनी गंध मिलती है, खयाल कर लेना, वह कहीं तुम्हारी आरोपित ही न हो! वह कहीं तुम्हारा लोभ ही न हो! वह तुम्हारा कहीं भय ही न हो! वह कहीं तुम्हारी कमजोरी ही न हो, जो तुम आरोपित कर लेते हो। और उस भीनी गंध में तुम भटक मत जाना।

बड़ा सुगम है कुछ न करना, सुन कर ऐसा लगता है। लेकिन जब करने चलोगे 'कुछ न करना', तो इससे ज्यादा कठिन और कोई बात नहीं। सुन कर तो साक्षी की बात कितनी सरल लगती है कि कुछ नहीं करना, सिर्फ देखना है; जब करने चलोगे तब पाओगे, अरे, यह तो बड़ी दुस्तर है!

ऐसा करना कि अपनी घड़ी को लेकर बैठ जाना। सेकेंड का कांटा एक मिनिट में चक्कर लगा लेता है। तुम उस सेकेंड के कांटे पर नजर रखना और कोशिश करना, कि मैं साक्षी हूं इस सेकेंड के कांटे का, और साक्षी रहूंगा। तुम पाओगे दो चार सेकेंड चले—गया साक्षी! कोई दूसरा विचार आ गया! भूल ही गए! फिर झटका लगेगा कि अरे, यह कांटा तो आगे सरक गया! फिर दो-चार सेकेंड साक्षी रहे, फिर भूल गए। एक मिनिट पूरे होने में तुम दो-चार-दस डुबकियां खाओगे। एक मिनिट भी साक्षी नहीं रह सकते हो! तो अभी साक्षी का तो सवाल ही नहीं है। अभी तो तुम विचार और ध्यान में चुनो; फिर धीरे-धीरे ध्यान और साक्षी में चुनाव करना संभव हो जाएगा।

संन्यास का पूछते हो तो संन्यास तो सिर्फ मेरे साथ होने की एक भावभंगिमा है। यह बंधन नहीं है। तुम मुझसे बंध नहीं रहे हो। मैं तुम्हें कोई अनुशासन नहीं दे रहा हूं, कोई मर्यादा नहीं दे रहा हूं। मैं तुमसे कह नहीं रहा—कब उठो; क्या खाओ, क्या पीयो; क्या करो, क्या न करो। मैं तुमसे इतना ही कह रहा हूं कि साक्षी रहो। मैं तुमसे इतना ही कह रहा हूं कि मेरा हाथ मौजूद है, मेरे हाथ में हाथ गहो; शायद दो कदम मेरे साथ चल लो, तो मेरी बीमारी तुम्हें भी लग जाए। संक्रामक है यह बीमारी। बुद्ध के साथ थोड़ी देर चल लो, तो तुम उनके रंग में थोड़े रंग जाओगे; एकदम बच नहीं सकते। थोड़ी गंध उनकी तुममें से भी आने लगेगी। बगीचे से ही अगर गुजर जाओ, तो तुम्हारे कपड़ों में भी फूलों की गंध आ जाती है—फूल छुए भी नहीं, तो भी!

संन्यास तो मेरे साथ चलने की थोड़ी हिम्मत है, थोड़ी भावभंगिमा है। यह तो मेरे प्रेम में पड़ना है। इस प्रेम की पूरी प्रक्रिया यही है कि तुम्हें मुक्त करने के लिए मैं आयोजन कर रहा हूं। तुम मेरे साथ चलो तो मुक्ति की गंध तुम्हें देना चाहता हूं।

सांस का पुतला हूं मैं
जरा से बंधा हूं,
और मरण को दे दिया गया हूं
पर एक जो प्यार है न,
उसी के द्वारा,

जीवन-मुक्त मैं किया गया हूं!

काल की दुर्वह गदा को

एक कौतुक-भरा बाल क्षण तौलता है।

हो क्या तुम?

सांस का पुतला हूं मैं

जरा से बंधा हूं,

और मरण को दे दिया गया हूं!

जन्म और मृत्यु, बस यही तो हो तुम। सांस आई और गई; इसके बीच की थोड़ी सी कथा है, थोड़ा सा नाटक है। इसमें अगर कुछ भी है, जो तुम्हें पार ले जा सकता है मृत्यु के और जन्म के...

पर एक जो प्यार है न,

उसी के द्वारा,

जीवन-मुक्त मैं किया गया हूं!

अगर जन्म और मरण के बीच प्यार घट जाए...।

संन्यास तो मेरे साथ प्रेम में पड़ना है; इससे ज्यादा कुछ भी नहीं। बस इतना ही, इतनी ही परिभाषा। अगर तुम मेरे साथ प्रेम में हो और थोड़ी दूर चलने को राजी हो, तो वह थोड़ी दूर चलना, तुम्हें बहुत दूर ले जाने वाला सिद्ध होगा।

और बाकी तो सब ऊपर की बातें हैं, कि तुमने कपड़े बदल लिए, कि माला डाल ली। वह तो केवल तुम्हें साहस जगे और तुम्हें आत्म-स्मरण रहे, इसलिए। वह तो केवल बाहर की शुरुआत है; फिर भीतर बहुत कुछ घटता है। तुम जिनको देख रहे हो गैरिक वस्त्रों में रंगे हुए उनके सिर्फ गैरिक वस्त्र ही मत देखना, थोड़ा उनके हृदय में झांकना—तो तुम वहां पाओगे प्रेम की एक नई धारा का आविर्भाव हो रहा है।

पर एक जो प्यार है न,

उसी के द्वारा

जीवन-मुक्त मैं किया गया हूं!

मुझे गिरने दो तुम्हारे ऊपर! अभी तुम अगर पाषाण भी हो तो फिकर मत करो : यह जलधार तुम्हारे पाषाण को काट डालेगी।

किरण जब मुझ पर झरी,

मैंने कहा—

'मैं वज्र कठोर हूं,

पत्थर सनातन!'

किरण बोली—'भला ऐसा?

तुम्हीं को खोजती थी मैं

तुम्हीं से मंदिर गढूंगी

तुम्हारे अंतःकरण से तेज की प्रतिमा उकेरूंगी।'

स्तब्ध मुझको, किरण ने अनुराग से दुलरा लिया।

किरण जब मुझ पर झरी

मैंने कहा—

'मैं वज्र कठोर हूं,

पत्थर सनातन!'

तुम भी यही मुझसे कहते हो कि नहीं, आप हमें बदल न पाएंगे, कि हम पत्थर हैं, बहुत प्राचीन, कि न बदलने की हमने कसम खा ली है। लेकिन मैं तुमसे कहता हूं:

किरण बोली—'भला ऐसा?

तुम्हीं को खोजती थी मैं

तुम्हीं से मंदिर गढूंगी,

तुम्हारे अंतःकरण से तेज की प्रतिमा उकेरूंगी।'

स्तब्ध मुझको किरण ने अनुराग से दुलरा लिया।

ये गैरिक वस्त्र तो केवल मेरे प्रेम की सूचना हैं—तुम्हारे प्रेम की मेरी तरफ; मेरे प्रेम की तुम्हारी तरफ। यह तो एक गठबंधन है।

आखिरी प्रश्नः हे प्रिय, प्यारे!

प्रणाम ले लो,

इन आंसुओं को मुकाम दे दो,

तुमने तो भर दी है झोली,

फिर भी मैं कोरी की कोरी।

हे प्रिय प्यारे!

मीत हमारे!

शीश श्रीफल चरण तुम्हारे!

जया ने पूछा है।

जया मेरे करीब है बहुत वर्षों से। ठीक मीरा जैसा हृदय है उसके पास; वैसा ही गीत है दबा उसके हृदय में; वैसा ही नृत्य है उसके हृदय में दबा। जब प्रकट

होगा, जब वह अपनी महिमा में प्रकट होगी, तो एक दूसरी मीरा प्रकट होगी। ठीक समय की प्रतीक्षा है; कभी भी किरण उतरेगी और अंधकार कटेगा। और हिम्मतवर है—इसलिए भविष्यवाणी की जा सकती है कि होगा।

किंतु नहीं क्या यही धुंध है सदावर्त
जिसमें नीरंध्र तुम्हारी करुणा
बंटती रहती है दिन-याम
कभी झांक जाने वाली छाया ही
अंतिम भाषा, संभव नाम
करुणाधाम
बीजमंत्र यह
सारसूत्र यह
गहराई का एक यही परिमाण
हमारा यही प्रणाम
धुंध ढंकी,
कितनी गहरी वापिका तुम्हारी,
लघु अंजुली हमारी!

प्रभु के सामने तो हमारे हाथ सदा छोटे ही पड़ जाते हैं! हमारी अंजुली छोटी है!

धुंध ढंकी
कितनी गहरी वापिका तुम्हारी,
लघु अंजुली हमारी!

जिनके हृदय में भी प्रेम है, उन्हें सदा ही लगेगा हमारी अंजुली बड़ी छोटी है।

पूछा है जया ने—

'हे प्रिय प्यारे, प्रणाम ले लो
इन आंसुओं को मुकाम दे दो
तुमने तो भर दी है झोली
फिर भी मैं कोरी की कोरी।'

यह कुछ ऐसा भराव है, कि इसमें आदमी और-और शून्य होता चला जाता है। यह शून्य का ही भराव है। यह शून्य से ही भराव है। तुम्हें कोरे करने का ही मेरा प्रयास है। अगर तुम कोरे हो गए तो मैं सफल हो गया। अगर तुम भरे रह गए तो मैं असफल हो गया। तुम जब बिलकुल कोरे हो जाओगे और तुम्हारे भीतर कुछ भी न रह जाएगा—कोई रेखा, कोई शब्द, कोई कूड़ा-कचरा—तुम्हारी उस शून्यता में ही परमात्मा प्रकट होगा।

जया से कहूंगा :
जा, आत्मा जा
कन्या वधु का,
उसकी अनुगा
वह महाशून्य ही अब तेरा पथ
वह महाशून्य ही अब तेरा पथ
लक्ष्य अन्य जल पालक
पति आलोक धर्म
तुझको वह एकमात्र सरसाएगा
ओ आत्मा री!
तू गई वरी
ओ संपृक्ता
ओ परिणीता,
महाशून्य के साथ भांवरें तेरी रची गईं।

महाशून्य के साथ भांवरें तेरी रची गईं! यह रिक्त होना, यह कोरा होते
जाना—महाशून्य के साथ भांवरों का रच जाना है। नाचते, उस शून्य के महाभाव
को प्रकट करते, गुनगुनाते, मस्त, खोते जाना है!

होते जाने का एक ही उपाय है—खोते जाना है। यहां तुम पूरे शून्य हुए कि
वहां परमात्मा पूरी तरह उतरा। तुम ही बाधा हो। इसलिए घबड़ाओ मत! कोरे हो
गए, तो सब हो गया।

महाराष्ट्र में कथा है कि एकनाथ ने निवृत्तिनाथ को पत्र लिखा-कोरा
कागज! कुछ लिखा नहीं। निवृत्तिनाथ ने बड़े गौर से पढ़ा-कोरा कागज! पढ़ने
को वहां कुछ था भी नहीं। खूब-खूब पढ़ा! बार-बार पढ़ा! फिर-फिर पढ़ा!
पास मुक्ताबाई बैठी थी, फिर उसे दिया, फिर उसने पढ़ा। उसके तो आंसू
बहने लगे! वह तो गदगद हो गई! और लोग मौजूद थे, वे कहने लगे,
यह बड़ा पागलपन हुआ! पहले तो एकनाथ पागल कि कोरा कागज भेजा।
चिट्ठी, कुछ लिखा तो हो! फिर वह निवृत्तिनाथ पागल, कि पढ़ रहा है; एक बार
ही नहीं, बार-बार पढ़ रहा है। फिर हद मजा कि यह मुक्ताबाई, ये गदगद
होकर आंसू बहने लगे!

सब शास्त्र कोरे कागज हैं! और अगर कोरा कागज पढ़ना आ जाए, तो सब
शास्त्र पढ़ने आ गए—वेद, कुरान, गुरुग्रंथ, गीता, उपनिषद, बाइबिल, धम्मपद।
जिसने कोरा कागज पढ़ लिया, सब आ गया!

तुम कोरे कागज जैसे हो जाओ, इसी चेष्टा में संलग्न हूं। तुम्हें मिटाने में लगा हूं, क्योंकि तुम ही बाधा हो।

अरी ओ आत्मा री,

कन्या भोली कांरी

महाशून्य के साथ भांवरें तेरी रची गईं।

हरि ॐ तत्सत्!

* * *

प्रवचन : 09

मेरा मुझको नमस्कार

जनक उवाच।

प्रकाशो मे निजं रूपं नातिरिक्तोऽस्म्यहं ततः।
यदा प्रकाशते विश्वं तदाऽहंभास एव हि।। 28।।
अहो विकल्पितं विश्वमज्ञानान्मयि भासते।
रूप्यं शुक्तौ फणी रज्जौ वारि सूर्यकरे यथा।। 29।।
मत्तो विनिर्गतं विश्वं मय्येव लयमेष्यति।
मृदि कुम्भो जले वीचिः कनके कटकं यथा।। 30।।
अहो अहं नमो मह्यं विनाशो यस्य नास्ति मे।
ब्रह्मादिस्तम्बपर्यन्तं जगन्नाशेऽपि तिष्ठतः।। 31।।
अहो अहं नमो मह्यमेकोऽहं देहवानपि।
क्वचिन्नगन्ता नागन्ता व्याप्त विश्वम्वास्थितः।। 32।।
अहो अहं नमो मह्यं दक्षो नास्तीह मत्समः।
असंस्पृश्य शरीरेण येन विश्वं चिरं धृतम्।। 33।।
अहो अहं नमो मह्यं यस्य मे नास्ति किंचन।
अथवा यस्य में सर्वं यद्वाङ्मनसगोचरम्।। 34।।

धर्म अनुभूति है, विचार नहीं। विचार धर्म की छाया भी नहीं बन पाता। और जो विचार में ही उलझ जाते हैं, वे धर्म से सदा के लिए दूर रह जाते हैं। विचारक जितना धर्म से दूर होता है उतना कोई और नहीं!

जैसे प्रेम एक अनुभव है, ऐसे ही परमात्मा भी एक अनुभव है। और अनुभव करना हो, तो समग्रता से ही संभव है।

254 - अष्टावक्र महागीता : भाग-1

विचार की प्रक्रिया मनुष्य का छोटा सा अंश है—और अंश भी बहुत सतही, बहुत गहरा नहीं। अंश भी अंतस्तल का नहीं; केंद्र का नहीं, परिधि का; न हो तो भी आदमी जी सकता है। और अब तो विचार करने वाले यंत्र निर्मित हुए हैं, उन्होंने तो बात बहुत साफ कर दी कि विचार तो यंत्र भी कर सकता है; मनुष्य की कुछ गरिमा नहीं!

अरिस्टोटल या उस जैसे विचारकों ने मनुष्य को विचारवान प्राणी कहा है। अब उस परिभाषा को बदल देना चाहिए, क्योंकि अब तो कंप्यूटर विचार कर लेता है—और मनुष्य से ज्यादा दक्षता से, ज्यादा निपुणता से; मनुष्य से तो भूल भी होती है, कंप्यूटर से भूल की संभावना नहीं।

मनुष्य की गरिमा उसके विचार में नहीं है। मनुष्य की गरिमा उसके अनुभव में है।

जैसे तुम स्वाद लेते हो किसी वस्तु का, तो स्वाद केवल विचार नहीं है। घटा! तुम्हारे रोएं-रोएं में घटा। तुम स्वाद से मगन हुए।

जैसे तुम शराब पी लेते हो, तो पीने का परिणाम तुम्हारे विचार में ही नहीं होता, तुम्हारे हाथ-पैर भी डांवांडोल होने लगते हैं। शराबी को चलते देखा? शराब रोएं-रोएं तक पहुंच गई! चाल में भी झलकती है, आंख में भी झलकती है, उसके उठने-बैठने में भी झलकती है, उसके विचार में भी झलकती है; लेकिन उसके समग्र को घेर लेती है।

धर्म तो शराब जैसा है—जो पीएगा, वही जानेगा; जो पी कर मस्त होगा, वही अनुभव करेगा।

जनक के ये वचन उसी मदिरा के क्षण में कहे गए हैं। इन्हें अगर तुम बिना स्वाद के समझोगे, तो भूल हो जाने की संभावना है। तब इनका अर्थ तुम्हें कुछ और ही मालूम पड़ेगा। तब इनमें तुम ऐसे अर्थ जोड़ लोगे जो तुम्हारे हैं।

जैसे कि कृष्ण कहते हैं गीता में: सर्व धर्मान् परित्यज्य, मामेकं शरणं व्रज।—सब छोड़-छाड़ अर्जुन, तू मेरी शरण आ!

जब तुम पढ़ोगे तो ऐसा लगेगा यह घोषणा तो बड़े अहंकार की हो गई; 'सब छोड़-छाड़, मेरी शरण में आ! मेरी शरण में!'

तो इस 'मेरे' का जो अर्थ तुम करोगे, वह तुम्हारा होगा, कृष्ण का नहीं होगा। कृष्ण में तो कोई 'मैं' बचा नहीं है। यह तो सिर्फ कहने की बात है। यह तो प्रतीक की बात है। तुमने प्रतीक को बहुत ज्यादा समझ रखा है। तुम्हारी भ्रांति के कारण प्रतीक तुम्हें सत्य हो गया है। कृष्ण के लिए केवल व्यवहारिक है, पारमार्थिक नहीं।

तुमने देखा, अगर कोई आदमी राष्ट्रीय झंडे पर थूक दे, तो मार-काट हो जाए, झगड़ा हो जाए, युद्ध हो जाएः 'राष्ट्रीय झंडे पर थूक दिया!' लेकिन तुमने कभी सोचा कि राष्ट्रीय झंडा राष्ट्र का प्रतीक है, और राष्ट्र पर तुम रोज थूकते हो, कोई झगड़ा खड़ा नहीं करता! पृथ्वी पर तुम थूक दो, कोई झगड़ा खड़ा नहीं होता। जब भी तुम थूक रहे हो, तुम राष्ट्र पर ही थूक रहे हो—कहीं भी थूको। राष्ट्र पर थूकने से कोई झगड़ा खड़ा नहीं होता। राष्ट्र का जो प्रतीक है, संकेत-मात्र, ऐसे तो कपड़े का टुकड़ा है—लेकिन उस पर अगर कोई थूक दे तो युद्ध भी हो सकते हैं।

मनुष्य प्रतीकों को बहुत मूल्य दे देता है—इतना मूल्य, जितना उनमें नहीं है। मनुष्य अपने अंधेपन में प्रतीकों में जीने लगता है।

कृष्ण जब 'मैं' शब्द का प्रयोग करते हैं, तो केवल व्यावहारिक है; बोलना है, इसलिए करते हैं; कहना है, इसलिए करते हैं। लेकिन कहने और बोलने के बाद वहां कोई 'मैं' नहीं है। अगर तुम आंख में आंख डाल कर कृष्ण की देखोगे तो वहां तुम किसी 'मैं' को न पाओगे। वहां परम सन्नाटा है, शून्य है। वहां मैं विसर्जित हुआ है। इसलिए तो इतनी सरलता से कृष्ण कह पाते हैं कि आ, मेरी शरण आ जा! जब वे कहते हैं कि आ, मेरी शरण आ जा, तो हमें लगेगा बड़े अहंकार की घोषणा हो गई। क्योंकि हम 'मैं' का जो अर्थ जानते हैं वही अर्थ तो करेंगे।

जनक के ये वचन तो तुम्हें और भी चकित कर देंगे। ऐसे वचन पृथ्वी पर दूसरे हैं ही नहीं। कृष्ण ने तो कम से कम कहा था, 'आ, मेरी शरण आ'; जनक के ये वचन तो कुछ ऐसे हैं कि तुम भरोसा न करोगे।

इन वचनों में जनक कहते हैं कि 'अहो! अहो, मेरा स्वभाव! अहो, मेरा प्रकाश! आश्चर्य! यह मैं कौन हूं! मैं अपनी ही शरण जाता हूं! नमस्कार मुझे!' यह तुम हैरान हो जाओगे।

इन वचनों में जनक अपने को नमस्कार करते हैं। यहां तो दूसरा भी नहीं बचा। बार-बार कहते हैं, 'मैं आश्चर्यमय हूं! मुझको नमस्कार है!'

अहो अहं नमो मह्यं विनाशो यस्य नास्ति मे।

मैं इतने आश्चर्य से भर गया हूं, मैं स्वयं आश्चर्य। मैं अपने को नमस्कार करता हूं। क्योंकि सभी नष्ट हो जाएगा, तब भी मैं बचूंगा। ब्रह्मा से लेकर कण तक सब नष्ट हो जाएगा, फिर भी मैं बचूंगा। मुझे नमस्कार है! मुझ जैसा दक्ष कौन! संसार में हूं—और अलिप्त! जल में कमलवत! मुझे नमस्कार है!

मनुष्य-जाति ने ऐसी उदघोषणा कभी सुनी नहीं : 'अपने को ही नमस्कार!' तुम कहोगे, यह तो अहंकार की हद हो गई। दूसरे से कहते, तब भी ठीक था, यह अपने ही पैर छू लेना...!

ऐसा उल्लेख है रामकृष्ण के जीवन में कि एक चित्रकार ने रामकृष्ण का चित्र उतारा। वह जब चित्र लेकर आया, तो रामकृष्ण के भक्त बड़े संकोच में पड़ गए; क्योंकि रामकृष्ण उस चित्र को देख-देख कर उसके चरण छूने लगे। वह उन्हीं का चित्र था। उसे सिर से लगाने लगे। किसी भक्त ने कहा, परमहंसदेव, आप पागल तो नहीं हो गए हैं? यह चित्र आपका है।

रामकृष्ण ने कहा, खूब याद दिलाई, मुझे तो चित्र समाधि का दिखा। जब मैं समाधि की अवस्था में रहा होऊंगा, तब उतारा गया। खूब याद दिलाई, अन्यथा लोग मुझे पागल कहते। मैं तो समाधि को नमस्कार करने लगा। यह चित्र समाधि का है, मेरा नहीं।

लेकिन जिन्होंने देखा था, उन्होंने तो यही समझा होगा न कि हुआ पागल आदमी। अपने ही चित्र के पैर छूने लगा! अपने चित्र को सिर से लगाने लगा! अब और क्या पागलपन होगा? अहंकार की यह तो आखिरी बात हो गई, इसके आगे तो अहंकार का कोई शिखर नहीं हो सकता।

जनक इन वचनों में मस्ती में बोल रहे हैं। एक स्वाद उत्पन्न हुआ है! मगन हो गए हैं! नाच सकते होते मीरा जैसे, तो नाचे होते। गा सकते होते चैतन्य जैसे, तो गाते। बांसुरी बजा सकते कृष्ण जैसी, तो बांसुरी बजाते।

हर व्यक्ति की अलग-अलग संभावना है अभिव्यक्ति की। जनक सम्राट थे, सुसंस्कृत पुरुष थे, सुशिक्षित पुरुष थे, प्रतिभावान थे, नवनीत थे प्रतिभा के—तो उन्होंने जो वचन कहे वे मनुष्य-जाति के इतिहास में स्वर्ण-अक्षरों में लिखे जाने योग्य हैं। इन वचनों को समझने के लिए तुम अपने अर्थ बीच से हटा देना।

करना है हमें कुछ दिन
संसार का नजारा
इंसान का जीवन तो
दर्शन का झरोखा है
ये अक्ल भी क्या शै है
जिसने दिले-रंगीं को
हर काम से रोका है
हर बात पे टोका है
आरास्ता ये मानी

तखईल है शायर की
लफ्जों में उलझ जाना
फन काफिया-गो का है
ये अक्ल भी क्या शै है
जिसने दिले-रंगीं को
हर काम से रोका है,
हर बात पे टोका है!

जब भी हृदय में कोई तरंग उठती है, तो बुद्धि तत्क्षण रोकती है। जब भी कोई भाव गहन होता है, बुद्धि तत्क्षण दखलंदाजी करती है।

ये अक्ल भी क्या शै है
जिसने दिले-रंगीं को
हर काम से रोका है,
हर बात पे टोका है!

तुम इस अक्ल को थोड़ा किनारे रख देना—थोड़ी देर को ही सही, क्षण भर को ही सही। उन क्षणों में ही बादल हट जाएंगे, सूरज का दर्शन होगा। अगर इस अक्ल को तुम हटा कर न रख पाओ, तो यह टोकती ही चली जाती है। टोकना इसकी आदत है। टोकना इसका स्वभाव है। दखलंदाजी इसका रस है।

और धर्म का संबंध है हृदय से, वह तरंग खराब हो जाएगी। उस तरंग पर बुद्धि का रंग चढ़ जाएगा, और बात खो जाएगी। तुम कुछ का कुछ समझ लोगे।

आरास्ता ए मानी,
तखईल है शायर की!

जो वास्तविक कवि है, मनीषी है, ऋषि है, वह तो अर्थ पर ध्यान देता है।

आरास्ता ए मानी,
तखईल है शायर की!

उसकी कल्पना में तो अर्थ के फूल खिलते हैं, अर्थ की सुगंध उठती है।

लफ्जों में उलझ जाना
फन काफिया-गो का है।

लेकिन जो तुकबंद है, काफिया-गो, वह शब्दों में ही उलझ जाता है। वह कवि नहीं है। तुकबंद तो शब्दों के साथ शब्दों को मिलाए चला जाता है। तुकबंद को अर्थ का कोई प्रयोजन नहीं होता; शब्द से शब्द मेल खा जाएं, बस काफी है।

बुद्धि तुकबंद है, काफिया-गो है। अर्थ का रहस्य, अर्थ का राज, तो हृदय में छिपा है। तो बुद्धि को हटा कर सुनना, तो ही तुम सुन पाओगे।

मैंने सुना है, मुल्ला नसरुद्दीन एक कपड़े वाले की दुकान पर गए, और एक कपड़े की ओर इशारा करके पूछने लगे, भाई, इस कपड़े का क्या भाव है?

दुकानदार बोला, मुल्ला, पांच रुपये मीटर!

मुल्ला ने कहा, साढ़े चार रुपये में देना है?

दुकानदार बोला, बड़े मियां, साढ़े चार में तो घर में पड़ता है।

तो मुल्ला ने कहा, ठीक, फिर ठीक। तो ठीक है, घर से ही ले लेंगे।

आदमी अपना अर्थ डाले चला जाता है।

एक रोगी ने एक दांत के डाक्टर से पूछा, कि क्या आप बिना कष्ट के दांत निकाल सकते हैं?

डाक्टर ने कहा, हमेशा नहीं। अभी कल की ही बात है। एक व्यक्ति का दांत मरोड़ कर निकालते समय मेरी कलाई उतर गई!

डाक्टर का दर्द अपना है। दांत निकलवाने जो आया है, उसकी फिकर दूसरी है; उसका दर्द अपना है।

मुल्ला नसरुद्दीन को एक जगह नौकरी पर रखा गया। मालिक ने कहा, जब तुम्हें नौकरी पर रखा गया था, तब तुमने कहा था कि तुम कभी थकते नहीं, और अभी-अभी तुम मेज पर टांग पसार कर सो रहे थे।

मुल्ला ने कहा, मालिक, मेरे न थकने का यही तो राज है।

हम अपने अर्थ डाले चले जाते हैं। और जब तक हम अपने अर्थ डालने बंद न करें, तब तक शास्त्रों के अर्थ प्रकट नहीं होते! शास्त्र को पढ़ने के लिए एक विशेष कला चाहिए, शास्त्र को पढ़ने के लिए धारणा-रहित, धारणा-शून्य चित्त चाहिए। शास्त्र को पढ़ने के लिए व्याख्या करने की जल्दी नहीं; श्रवण का, स्वाद का, संतोष-पूर्वक, धैर्यपूर्वक आस्वादन करने की क्षमता चाहिए।

सुनो इन सूत्रों को—

'प्रकाश मेरा स्वरूप है। मैं उससे अलग नहीं हूं जब संसार प्रकाशित होता है, तब वह मेरे प्रकाश से ही प्रकाशित होता है।'

प्रकाशो मे निजं रूपं नातिरिक्तोऽस्म्यहं ततः।

यह सारा जगत मेरे ही प्रकाश से प्रकाशित है, कहते हैं जनक।

निश्चित ही यह प्रकाश 'मैं' का प्रकाश नहीं हो सकता, जिसकी जनक बात कर रहे हैं। यह प्रकाश तो 'मैं-शून्यता' का ही प्रकाश हो सकता है। इसलिए भाषा

पर मत जाना, काफिया-गो मत बनना, बुद्धि की दखलंदाजी मत करना। सीधा-सादा अर्थ है, इसे इरछा-तिरछा मत कर लेना।

'प्रकाश मेरा स्वरूप है।'

कहने को तो ऐसा ही कहना पड़ेगा, क्योंकि भाषा तो अज्ञानियों की है। ज्ञानियों की तो कोई भाषा नहीं। इसलिए कभी अगर दो ज्ञानी मिल जाएं तो चुप रह जाते हैं, बोलें भी क्या? न तो भाषा है कुछ, न बोलने को है कुछ। न विषय है बोलने के लिए कुछ, न जिस भाषा में बोल सकें वह है।

कहते हैं, फरीद और कबीर का मिलना हुआ था, दो दिन चुप बैठे रहे। एक दूसरे का हाथ हाथ में ले लेते, गले भी लग जाते, आंसुओं की धार भी बहती, खूब मगन होकर डोलने भी लगते!

शिष्य तो घबड़ा गए। शिष्यों की बड़ी आकांक्षा थी कि दोनों बोलेंगे, तो हम पर वर्षा हो जाएगी। कुछ कहेंगे, तो हम सुन लेंगे। एक शब्द भी पकड़ लेंगे तो सार्थक हो जाएगा जीवन।

लेकिन बोले ही नहीं। दो दिन बीत गए। वे दो दिन बड़े लंबे हो गए। शिष्य प्रतीक्षा कर रहे हैं, और कबीर और फरीद चुप बैठे हैं। अंततः जब विदा हो गए, कबीर विदा कर आए फरीद को, तो फरीद के शिष्यों ने पूछा, क्या हुआ? बोले नहीं आप? ऐसे तो आप सदा बोलते हैं। हम कुछ भी पूछते हैं तो बोलते हैं। और हम इसी आशा में तो आपको मिलाए कबीर से कि कुछ आप दोनों के बीच होगी बात, कुछ रस बहेगा, तो हम अभागे भी थोड़ा-बहुत उसमें से पी लेंगे। दोनों किनारों को पास कर दिया था—गंगा बहेगी, हम भी स्नान कर लेंगे; लेकिन गंगा बही ही नहीं। मामला क्या हुआ?

फरीद ने कहा, कबीर और मेरे बीच बोलने को कुछ न था, न बोलने की कोई भाषा थी। न पूछने को कुछ था, न कहने को कुछ था। था बहुत कुछ, धारा बही भी, गंगा बही भी; लेकिन शब्द की न थी, मौन की थी।

यही कबीर से उनके शिष्यों ने पूछा कि क्या हुआ? आप चुप क्यों हो गए? आप तो ऐसे हो गए जैसे सदा से गूंगे हों!

कबीर ने कहा, पागलो! अगर फरीद के सामने बोलता, तो अज्ञानी सिद्ध होता। जो बोलता वही अज्ञानी सिद्ध होता। न बोले ही जहां काम चलता हो, वहां बोलने की बात ही कहां? जहां सूई से काम चलता हो वहां तलवार पागल उठाते हैं। यहां बिना बोले चल गया। खूब धारा बही! देखा नहीं, कैसे आंसू बहे, कैसी मस्ती रही!

शब्द की कोई जरूरत नहीं दो ज्ञानियों के बीच। दो अज्ञानियों के बीच शब्द ही शब्द होते हैं, अर्थ बिलकुल नहीं होता। दो ज्ञानियों के बीच अर्थ ही अर्थ होता

है, शब्द बिलकुल नहीं होते। अज्ञानी और ज्ञानी के बीच शब्द भी होते हैं, अर्थ भी होते हैं। संभाषण के लिए एक ज्ञानी चाहिए, एक अज्ञानी चाहिए।

दो अज्ञानी हों तो विवाद होता है। संभाषण तो हो नहीं सकता, संवाद हो नहीं सकता; सिर-फुटौवल हो सकती है। दो ज्ञानी हों, शब्द से संवाद नहीं होता, किसी और गहन लोक में केंद्रों का मिलन होता है। सम्मिलन हो जाता है, संवाद की जरूरत क्या? बिन कहे बात पहुंच जाती है, बिन बताए दर्शन हो जाता है। एक अज्ञानी और एक ज्ञानी के बीच संवाद की संभावना है। ज्ञानी बोलने को राजी हो, अज्ञानी सुनने को राजी हो, तो संवाद हो सकता है।

शास्त्रों के वचन एक अर्थ में सदा विरोधाभासी हैं; पैराडाक्सिकल हैं। क्योंकि शास्त्र जो कहते हैं, वह कहा नहीं जा सकता, और जो नहीं कहा जा सकता, उसको कहने की चेष्टा करते हैं। अनुकंपा है कि किन्हीं बुद्धपुरुषों ने कहने की चेष्टा की है—उसको—जो नहीं कहा जा सकता। आंखें हमारी उठाने की आकांक्षा की है उस तरफ, जहां हम आंखें उठाना भूल ही गए। हमें आकाश के थोड़े दर्शन कराए। हम तो जमीन पर सरकते, रेंगते, हमने सिर उठाना बंद कर दिया है।

कहते हैं, मंसूर को जब फांसी लगी, और जब वह सूली पर लटका हुआ हंसने लगा। तो कोई एक लाख लोगों की भीड़ थी, उनमें से किसी ने पूछा, मंसूर, तुम हंस क्यों रहे हो?

मंसूर ने कहा, मैं इसलिए हंस रहा हूं कि चलो यह अच्छा ही हुआ कि फांसी लगी, तुमने कम से कम थोड़ा आंख तो ऊपर उठा कर देखा!

सूली पर लटका था तो लोगों को सिर ऊपर करके देखना पड़ रहा था। तो मंसूर ने कहा, तुमने कम से कम—चलो इस बहाने सही—थोड़ा आकाश की तरफ तो आंखें उठाईं। इसलिए प्रसन्न हूं कि यह सूली ठीक ही हुई। शायद मुझे देखते-देखते तुम्हें वह दिख जाए, जो मेरे भीतर छिपा है। शायद इस मृत्यु की घड़ी में, मृत्यु के आघात में, तुम्हारे विचार की प्रक्रिया बंद हो जाए, और क्षण भर को आकाश खुल जाए! और तुम्हें उसके दर्शन हो जायें, जो मैं हूं!

प्रकाशो मे निजं रूपं

—प्रकाश मेरा स्वरूप है।

नातिरिक्तोऽस्यहं ततः

—मैं उससे अलग नहीं, प्रकाश से अलग नहीं।

यह जो प्रकाश का अंतःस्रोत है, यह तभी उपलब्ध होता है, जब 'मैं' चला जाता है। लेकिन कहो, तो कैसे कहो? जब कहना होता है तो 'मैं' को फिर ले आना होता है।

'जब संसार प्रकाशित होता है, तब वह मेरे प्रकाश से ही प्रकाशित होता है।'

निश्चित ही जनक यहां जनक नाम के व्यक्ति के संबंध में नहीं बोल रहे हैं। व्यक्ति तो खो गया, व्यक्ति की लहर तो गई—यह तो सागर बचा! यह सागर हम सबका है। यह घोषणा जनक की, उनके ही संबंध में नहीं, तुम्हारे संबंध में भी है; जो कभी हुए, उनके संबंध में; जो कभी होंगे, उनके संबंध में! यह समस्त अस्तित्व के संबंध में घोषणा है।

तुम जरा मिटना सीखो, तो इसका स्वाद लगने लगे। और स्वाद लगेगा, तो ऐसी घोषणाएं तुमसे भी उठेंगी। इन्हें रोकना मुश्किल है।

मंसूर को पता था कि अगर उसने इस तरह की बात कही: 'अनलहक', 'अहं ब्रह्मास्मि', कि 'मैं ही परमात्मा हूं,' तो सूली लगेगी; मुसलमानों की भीड़ उसे बरदाश्त न कर सकेगी; अंधों की भीड़ उसे देख न पाएगी। फिर भी उसने घोषणा की। उसके मित्रों ने उसे कहा भी ऐसी घोषणा न करो, ऐसी घोषणा खतरनाक होगी। मंसूर भी जानता है कि ऐसी घोषणा खतरनाक हो सकती है, लेकिन यह घोषणा रुक न सकी। जब फूल खिलता है तो सुगंध बिखरेगी ही। जब दीया जलेगा तो प्रकाश फैलेगा ही। फिर जो हो, हो।

रहीम का एक वचन है:

खैर, खून, खांसी, खुशी, वैर, प्रीत, मधुपान,
रहिमन दाबे न दबे, जानत सकल जहान।

कुछ बातें हैं, जो दबाए नहीं दबतीं। साधारण मदिरा पी लो, तो कैसे दबाओगे? अक्सर ऐसा होता है कि शराब पीने वाला जितना दबाने की कोशिश करता है उतना ही प्रकट होता है। खयाल किया तुमने? शराबी बड़ी चेष्टा करता है कि किसी को पता न चले! सम्हल कर बोलता है। उसी में पता चलता है। सम्हल कर चलता है, उसी में डांवाडोल हो जाता है। होशियारी दिखाना चाहता है कि किसी को पता न चले।

मुल्ला नसरुद्दीन एक रात पी कर घर लौटा। तो बहुत विचार करके लौटा कि आज पत्नी को पता न चलने देगा। क्या करना चाहिए? सोचा कि चल कर कुरान पढ़ूं। कभी सुना कि शराबी और कुरान पढ़ता हो! जब कुरान पढ़ूंगा तो साफ हो जाएगा कि शराब पी कर नहीं आया हूं। कभी शराबियों ने कुरान पढ़े!

घर पहुंचा, प्रकाश जला कर बैठ गया, कुरान पढ़ने लगा। आखिर पत्नी आई, और उसने उसे झकझोरा और कहा कि बंद करो यह बकवास! यह सूटकेस खोले किसलिए बैठे हो?

कुरान शराबी खोजे कैसे? सूटकेस मिल गया उनको, उसे खोल कर पढ़ रहे थे!

ऐसे छिपाना संभव नहीं है। और जब साधारण मदिरा नहीं छिपती तो प्रभु-मदिरा कैसे छिपेगी? आंखों से मस्ती झलकने लगती है। आंखें मदहोश हो जाती हैं। वचनों में किसी और लोक का रंग छा जाता है। वचन सतरंगे हो जाते हैं। वचनों में इंद्रधनुष फैल जाते हैं। साधारण गद्य भी बोलो तो पद्य हो जाता है। बात करो तो गीत जैसी मालूम होने लगती है। चलो तो नृत्य जैसा लगता है। नहीं, छिपता नहीं!

खैर, खून, खांसी, खुशी, वैर, प्रीत, मधुपान,
रहिमन दाबे न दबे, जानत सकल जहान।

उदघोषणा होकर रहती है।

सत्य स्वभावतः उदघोषक है। जैसे ही सत्य की घटना भीतर घटती, तुम्हारे अनजाने उदघोषणा होने लगती है।

जनक ने ये शब्द सोच-सोच कर नहीं कहे हैं; सोच-सोच कर कहते तो संकोच खा जाते। अभी-अभी अष्टावक्र को लाए हैं, अभी-अभी अष्टावक्र ने थोड़ी सी बातें कही हैं—और जनक को घटना घट गई! संकोच करते, अगर बुद्धि से हिसाब लगाते, कहते, 'क्या सोचेंगे अष्टावक्र कि मैं अज्ञानी, और ऐसी बातें कह रहा हूं! ये तो परम ज्ञानियों के योग्य हैं। इतने जल्दी कहीं घटना घटती है! अभी सुना और घट गई, ऐसा कहीं हुआ है! समय लगता है, जनम-जनम लगते हैं, बड़ी दूभर यात्रा है; खड्ग की धार पर चलना होता है।' सब बातें याद आई होतीं, और सोच कर कहा होता कि इतने दूर तक ऐसी घोषणा मत करो।

लेकिन यह घोषणा अपने से हो रही है, यह मैं तुम्हें याद दिलाना चाहता हूं। जनक कह रहे हैं, ऐसा कहना ठीक नहीं; जनक से कहा जा रहा है, ऐसा कहना ठीक है।

'आश्चर्य है कि कल्पित संसार अज्ञान से मुझमें ऐसा भासता है, जैसे सीपी में चांदी, रस्सी में सांप, सूर्य की किरणों में जल भासता है।'

अहो विकल्पितं विश्वमज्ञानान्मयि भासते।
रूप्यं शुक्तौ फणी रज्जौ वारि सूर्यकरे यथा।।

जैसे सीपी में चांदी का भ्रम हो जाता, रस्सी में कभी अंधेरे में सांप की भ्रांति हो जाती है और मरुस्थल में सूर्य की किरणों के कारण कभी-कभी मरूद्यान का भ्रम हो जाता है, मृग-मरीचिका पैदा हो जाती है।

आश्चर्य है! यह घटना इतनी आकस्मिक घटी है, यह घटना इतनी तीव्रता से घटी है, यह जनक को बोध इतना त्वरित हुआ है कि जनक सम्हल नहीं पाए! आश्चर्य से भरे हैं। जैसे एक छोटा सा बच्चा परियों के लोक में आ गया हो, और हर चीज लुभावनी हो, और हर चीज भरोसे के बाहर हो।

तरतूलियन ने कहा हैः जब तक परमात्मा का दर्शन नहीं हुआ, तब तक अविश्वास रहता है; और जब परमात्मा का दर्शन हो जाता है, तब भी अविश्वास रहता है।

उसके शिष्यों ने पूछाः हम समझे नहीं। हमने तो सुना है कि जब परमात्मा का दर्शन हो जाता है, तो विश्वास आ जाता है।

तरतूलियन ने कहाः जब तक दर्शन नहीं हुआ, अविश्वास रहता है कि परमात्मा हो कैसे सकता है? असंभव! अनुभव के बिना कैसे विश्वास! और जब परमात्मा का अनुभव होता है, तो भरोसा नहीं आता कि इतना आनंद हो सकता है! इतना प्रकाश! इतना अमृत! तब भी असंभव लगता है। जब तक नहीं हुआ, तब तक असंभव लगता है; जब हो जाता है, तब और भी असंभव लगता है।

ठीक उसी दशा में हैं जनक।

आश्चर्य! सिर्फ कल्पित है सब कुछ। मैं ही केवल सत्य हूं, साक्षी-मात्र सत्य है और सब भासमान, और सब माया!

'मुझसे उत्पन्न हुआ यह संसार मुझमें वैसे ही लय को प्राप्त होगा, जैसे मिट्टी में घड़ा, जल में लहर, सोने में आभूषण लय होते हैं।'

फर्क देख रहे हैं? जनक का मनुष्य-रूप खो रहा है, परमात्म-रूप प्रकट हो रहा है।

स्वामी रामतीर्थ अमरीका गए। वे मस्त आदमी थे। किसी ने पूछा, दुनिया को किसने बनाया? वे मस्ती में होंगे, समाधि का क्षण होगा—कहा, 'मैंने!' अमरीका में ऐसी बात, कोई भरोसा नहीं करेगा। चलती है, भारत में चलती है। इस तरह के वक्तव्य भी चल जाते हैं। बड़ी सनसनी फैल गई—लोगों ने पूछा, 'आप होश में तो हैं? चांद-तारे आपने बनाए?' कहा—'मैंने बनाए, मैंने ही चलाए, तब से चल रहे हैं।'

इस वक्तव्य को समझना कठिन है। और अगर उनके अमरीकी श्रोता न समझ सके, तो आश्चर्य नहीं करना चाहिए। स्वाभाविक है। यह वक्तव्य राम का नहीं है; या अगर है, तो असली राम का है—रामतीर्थ का तो नहीं है। इस घड़ी में रामतीर्थ लहर की तरह नहीं बोल रहे हैं, सागर की तरह बोल रहे हैं; सनातन, शाश्वत की तरह बोल रहे हैं, सामयिक की तरह नहीं बोल रहे; शरीर और मन में सीमित—परिभाषित मनुष्य की तरह नहीं बोल रहे—शरीर और मन के पार, अपरिभाषित, अज्ञेय की भांति बोल रहे हैं। राम से राम ही बोले, रामतीर्थ नहीं। यह उदघोषणा परमात्मा की है!

मगर बड़ा कठिन है, बड़ा मुश्किल है तय करना।

फिर राम भारत लौटे...तो गंगोत्री की यात्रा पर जाते थे। गंगा में स्नान कर रहे थे। छलांग लगा दी पहाड़ से। लिख गए एक छोटा सा पत्र, रख गए कि 'अब राम जाता है अपने असली स्वरूप से मिलने। पुकार आ गई है; अब इस देह में न रह सकूंगा। विराट ने बुलाया!'

अखबारों ने खबर छापी की आत्महत्या कर ली। ठीक है, अखबार भी ठीक कहते हैं। नदी में कूद गए, आत्महत्या हो गई। राम से पूछे कोई, तो राम कहेंगे, 'तुम आत्महत्या किए बैठे हो, मुझको कहते हो मैंने आत्महत्या कर ली? मैंने तो सिर्फ सीमा तोड़ कर विराट के साथ संबंध जोड़ लिया। मैंने तो बाधा हटा दी बीच से। मैं मरा थोड़ी। मरा-मरा था, अब जीवंत हुआ, अब विराट के साथ जुड़ा। वह जो छोटी सी जीवन की धार थी, अब सागर बनी। मैंने सीमा छोड़ी, आत्मा थोड़ी! आत्मा तो मैंने अब पाई, सीमा छोड़ कर पाई।'

इसलिए इसे सदा याद रखना जरूरी है, कि जब कभी तुम्हारे भीतर समाधि सघन होती है, जब समाधि के मेघ तुम्हारे भीतर घिरते हैं, तो जो वर्षा होती है, वह तुम्हारे अहंकार, अस्मिता की नहीं है। वह वर्षा तुमसे पार से आती है, तुमसे अतीत है।

इस घड़ी में जनक का व्यक्तित्व तो जा रहा है।

'मुझसे उत्पन्न हुआ यह संसार मुझमें वैसे ही लय को प्राप्त होगा, जैसे मिट्टी में घड़ा, जल में लहर, सोने में आभूषण लय होते हैं।'

न था कुछ तो खुदा था,
कुछ न होता तो खुदा होता।
डुबोया मुझको होने ने
न होता मैं तो क्या होता?

डुबोया मुझको होने ने! हम कहेंगे रामतीर्थ ने आत्महत्या कर ली। रामतीर्थ कहेंगे, डुबोया मुझको होने ने! यह तो डूब कर गंगा में मैं पहली दफे हुआ। जब तक था, तब तक डूबा था।

न था कुछ तो खुदा था,
कुछ न होता तो खुदा होता।
डुबोया मुझको होने ने
न होता मैं तो क्या होता?

खुदा होते! परमात्मा होते!

यह जो होने की सीमा है, इस सीमा को जब वस्त्र की भांति कोई उतार कर रख देता है, तो सत्य के दर्शन होते हैं। जैसे सांप अपनी केंचुली से निकल जाता

है सरक कर, ऐसी ही घटना जनक को घटी। अष्टावक्र ने कैटेलिटिक की तरह काम किया होगा।

वैज्ञानिक कैटेलिटिक एजेंट की बात करते हैं। वे कहते हैं कि कुछ तत्व किन्हीं घटनाओं में सक्रिय रूप से भाग नहीं लेते, लेकिन उनकी मौजूदगी के बिना घटना नहीं घटती।

तुमने देखा, वर्षा में बिजली चमकती है! वैज्ञानिक कहते हैं कि आक्सीजन और हाइड्रोजन के मिलने से पानी बनता है, लेकिन हाइड्रोजन और आक्सीजन का मिलन तभी होता है जब बिजली मौजूद हो। अगर बिजली मौजूद न हो तो मिलन नहीं होता। यद्यपि बिजली कोई भी हिस्सा नहीं लेती, हाइड्रोजन और आक्सीजन के मिलने में बिजली कोई भी हाथ नहीं बटाती—सिर्फ मौजूदगी...! इस तरह की मौजूदगी को वैज्ञानिकों ने नाम दिया है: कैटेलिटिक एजेंट।

गुरु कैटेलिटिक एजेंट है। वह कुछ करता नहीं, पर उसकी बिना मौजूदगी के कुछ होता भी नहीं। उसकी मौजूदगी में कुछ हो जाता है। यद्यपि करता वह कुछ भी नहीं, लेकिन सिर्फ उसकी मौजूदगी! इसे समझना। सिर्फ उसकी ऊर्जा तुम्हें घेरे रहती है। उस ऊर्जा के घिराव में तुममें बल उत्पन्न हो जाता है—बल तुम्हारा है। गीत फूटने लगते हैं—गीत तुम्हारे हैं। घोषणाएं घटने लगती हैं—घोषणाएं तुम्हारी हैं! लेकिन गुरु की मौजूदगी के बिना शायद घटतीं भी नहीं।

अष्टावक्र की मौजूदगी ने कैटेलिटिक एजेंट का काम किया। देख कर उस सौम्य, शांत, परम अवस्था को, जनक को अपना भूला घर याद आ गया होगा, झांक कर उन आंखों में, देख कर अपरंपार विस्तार, अपनी भूली-बिसरी संभावना स्मरण में आ गई होगी। सुन कर अष्टावक्र के वचन—सत्य में पगे, अनुभव में पगे—स्वाद जग गया होगा।

कहते हैं, एक व्यक्ति ने सिंह पाल रखा था। छोटा सा बच्चा था, आंखें भी न खुली थीं—तब उसे घर ले आया था। उस सिंह ने कभी मांसाहार न किया था, खून का उसे कोई स्वाद भी न था। वह शाकाहारी सिंह था। शाक-सब्जी खाता, रोटी खाता। उसे पता ही न था। पता का कोई कारण भी न था। लेकिन एक दिन यह आदमी बैठा था अपनी कुरसी पर, इसके पैर में चोट लगी थी, और खून थोड़ा सा झलका था। सिंह भी पास में बैठा था। बैठे-बैठे उसने जीभ से वह खून चाट लिया। बस! एक क्षण में रूपांतरण हो गया। सिंह गुर्राया। उस गुर्राहट में हिंसा थी। अभी तक वह जैनी था, अचानक सिंह हो गया। अभी तक शाकाहारी था। तो शुद्ध शाक-सब्जी खाकर जैसी आवाज निकल सकती थी, निकलती थी। हालांकि अभी कोई मांसाहार कर नहीं लिया था, जरा सा खून चखा था; लेकिन

याद आ गई। रोएं-रोएं में सोई हुई सिंह की विस्मृत क्षमता जाग गई! कोई जग उठा! किसी ने अंगड़ाई ले ली! जो सोया था उसने आंख खोली। वह गुर्रा कर उठ खड़ा हुआ। फिर उसने हमले शुरू कर दिए। फिर उसे घर में रखना मुश्किल हो गया। फिर उसे जंगल में छोड़ देना पड़ा। इतने दिन तक वह सोया-सोया था, आज पहली दफा उसे याद आई कि मैं कौन हूं!

अष्टावक्र की छाया में जनक को याद आई कि मैं कौन हूं। और ये वचन, अगर जनक ने सोच कर कहे होते तो कह ही न सकते थे, संकोच पकड़ लेता। यह कोई आसान है कहना?

'मुझसे उत्पन्न हुआ यह संसार मुझमें वैसे ही लय को प्राप्त होगा, जैसे मिट्टी में घड़ा, जल में लहर, और सोने में आभूषण लय होते हैं।'

अष्टावक्र की छाया, अष्टावक्र की मौजूदगी, जगा गई। सोया था जो जन्मों-जन्मों से सिंह, गर्जना करने लगा! अपने स्वरूप की याद आ गई, आत्म-स्मृति हुई! यही तो सत्संग का अर्थ है।

सत्संग को पूरब में बहुत मूल्य दिया गया है, पश्चिम की भाषाओं में सत्संग के लिए कोई ठीक-ठीक शब्द ही नहीं है। क्योंकि सत्संग का कोई मूल्य पश्चिम में समझा नहीं गया।

सत्संग का अर्थ इतना ही है: जिसने जान लिया हो, उसके पास बैठ कर स्वाद संक्रामक हो जाता है। जिसने जान लिया हो, उसकी तरंगों में डूबकर, तुम्हारे भीतर की सोई हुई विस्मृत तरंगें सक्रिय होने लगती हैं, कंपन आने लगता है। सत्संग का इतना ही अर्थ है कि जो तुमसे आगे जा चुका हो, उसे जाया हुआ देख कर तुम्हारे भीतर चुनौती उठती है: तुम्हें भी जाना है। रुकना फिर मुश्किल हो जाता है।

सत्संग का अर्थ गुरु के वचन सुनने से उतना नहीं, जितनी गुरु की मौजूदगी पीने से है, जितना गुरु को अपने भीतर आने देने, जितना गुरु के साथ एक लय में बद्ध हो जाने से है।

गुरु एक विशिष्ट तरंग में जी रहा है। तुम जब गुरु के पास होते हो, तब उसकी तरंगें, तुम्हारे भीतर भी वैसी ही तरंगों को पैदा करती हैं। तुम भी थोड़ी देर को ही सही, किसी और लोक में प्रवेश कर जाते हो, गेस्टाल्ट बदलता है। तुम्हारे देखने का ढांचा बदलता है। थोड़ी देर को तुम गुरु की आंखों से देखने लगते हो, गुरु के कान से सुनने लगते हो।

मैं तुमसे यह कहना चाहता हूं कि जब जनक ने ये वचन बोले, तो ये वचन भी अष्टावक्र के ही वचन हैं। कहते तो हैं—'जनक उवाच', लेकिन मैं तुम्हें याद दिलाना चाहता हूं यह 'अष्टावक्र उवाच' ही है। वह जो अष्टावक्र ने कहा था, और

वह जो अष्टावक्र की मौजूदगी थी, वही इतनी सघन हो गई है कि जनक तो गए, जनक तो बह गए बाढ़ में, उनका तो कोई पता-ठिकाना नहीं है, वह घर तो गिर गया। यह तो कोई और ही बोलने लगा!

'मुझसे उत्पन्न हुआ यह संसार, मुझमें वैसे ही लय को प्राप्त होगा, जैसे मिट्टी में घड़ा, जल में लहर, सोने में आभूषण लय होते हैं।'

मैं वो गुम-गुस्ता मुसाफिर हूं, कि आप अपनी मंजिल हूं
मुझे हस्ती से क्या हासिल, मैं खुद हस्ती का हासिल हूं।

वो गुम-गुस्ता मुसाफिर हूं—मैं एक ऐसा भटका यात्री हूं, भूला-भटका यात्री, बटोही। कि आप अपनी मंजिल हूं—कि मुझे पता नहीं, लेकिन हूं मैं अपनी मंजिल।

मंजिल कहीं बाहर नहीं है। भटका हूं इसलिए कि भीतर झांक कर नहीं देखा है; अन्यथा भटकने का कोई कारण नहीं है। भटका हूं इसलिए कि आंख बंद करके नहीं देखा है। भटका हूं इसलिए कि अपने को पहचानने की कोई कोशिश नहीं की। और वहां खोज रहा हूं मंजिल, जहां मंजिल हो नहीं सकती।

वो गुम-गुस्ता मुसाफिर हूं, कि आप अपनी मंजिल हूं।

यही तो भटकाव का कारण है, कि मंजिल भीतर है, हम बाहर खोज रहे हैं। रोशनी भीतर जल रही है। प्रकाश बाहर पड़ रहा है। बाहर प्रकाश को पड़ते देख कर हम दौड़े जा रहे हैं कि प्रकाश का स्रोत भी बाहर ही होगा। बाहर जो प्रकाश पड़ रहा है वह हमारा है। बाहर से जो गंध आ रही है, वह हमारी दी हुई गंध है; वह प्रतिफलन है, प्रतिध्वनि है। हम उस प्रतिध्वनि के पीछे भाग रहे हैं।

यूनानी कथा है नार्सीसस की। एक युवक—बहुत सुंदर! बड़ी मुश्किल में पड़ गया है। वह बैठा है एक झील के किनारे—शांत, सुंदर झील; तरंग भी नहीं! उसमें अपनी छाया देखी। वह मोहित हो गया अपनी छाया पर। वह अपनी छाया से प्रेम करने लगा। वह इतना पागल हो गया कि वहां से हटे ही न। उसे भूख-प्यास भूल गई। वह मजनू हो गया, और अपनी ही छाया को लैला समझ लिया। छाया सुंदर थी, बार-बार वह झील में उतरे उसे पकड़ने को; लेकिन जब उतरे तो झील कंप जाए, लहरें उठ आएं, छाया खो जाए। फिर किनारे पर बैठ जाए। जब झील शांत हो तब फिर दिखाई पड़े। कहते हैं, वह पागल हो गया। ऐसे ही वह मर गया।

तुमने नार्सीसस नाम का पौधा देखा होगा। पश्चिमी पौधा है। वह नदी के किनारे होता है, नार्सीसस की याद में ही उसको नाम दिया गया। वह नदी के किनारे ही होता है, और झांक कर अपनी छाया, अपने फूलों को पानी में देखता रहता है।

लेकिन हर आदमी नार्सीसस है। जिसे हम खोज रहे वह भीतर है। जहां हम खोज रहे, वहां केवल प्रतिबिंब है, वहां केवल प्रतिध्वनियां हैं। निश्चित ही प्रतिध्वनियों को खोजने का कोई उपाय नहीं, जब तक हम मूलस्रोत की तरफ न आयें।

मैं वो गुम-गुस्ता मुसाफिर हूं, कि आप अपनी मंजिल हूं

मुझे हस्ती से क्या हासिल...

—जीवन से मुझे क्या लेना देना है?

मैं खुद हस्ती का हासिल हूं।

—मैं खुद जीवन का निष्कर्ष हूं।

जीवन से मुझे कुछ लेना-देना नहीं है। जीवन के माध्यम से मुझे कुछ अर्थ नहीं खोजना है—मैं खुद जीवन का अर्थ हूं; मैं खुद जीवन की निष्पत्ति हूं, निष्कर्ष हूं; उसका आखिरी फूल हूं, अंतिम चरण हूं, उच्चतम शिखर हूं।

लेकिन जो व्यक्ति जीवन में अर्थ खोज रहा है, वह निरंतर अर्थहीनता को अनुभव करता है। यही तो हुआ आधुनिक युग में: अर्थ खो गया है! लोग कहते हैं, जीवन में अर्थ कहां? ऐसी दुर्घटना पहले कभी न घटी थी। ऐसा नहीं कि पहले बुद्धिमान आदमी न थे—बहुत बुद्धिमान लोग हुए हैं, उनके साथ तुलना भी करनी कठिन है। बुद्ध भी हुए हैं; जरथुस्त्र भी हुए हैं; लाओत्सु भी हुए हैं; अष्टावक्र भी हुए हैं। बुद्धि के और क्या शिखर हो सकते हैं? इससे बड़ी और क्या मेधा होगी? लेकिन कभी किसी ने नहीं कहा कि जीवन में अर्थ नहीं है।

आधुनिक युग के जो बुद्धिमान लोग हैं—सार्त्र हों, कामू हों, काफका हों—वे सब कहते हैं कि जीवन में कोई अर्थ नहीं है; अर्थहीन, वितण्डा, मूर्ख के द्वारा कही गई कथा—ए टेल टोल्ड बाइ एन ईडियट! एक मूर्ख के द्वारा कहा गया अर्थहीन वक्तव्य! अनर्गल प्रलाप! 'ए टेल टोल्ड बाइ एन ईडियट फुल आफ फ्यूरी एंड न्वाएज सिग्नीफाइंग नथिंग!' नहीं कुछ अर्थ, नहीं कुछ मूल्य, व्यर्थ की बकवास है—ऐसा है जीवन!

क्या हुआ? जीवन अचानक अर्थहीन क्यों मालूम होने लगा? कहीं ऐसा तो नहीं कि अर्थ हम गलत दिशा में खोज रहे हैं? क्योंकि कृष्ण तो कहते हैं, जीवन महासार्थक है। क्योंकि कृष्ण तो कहते हैं कि जीवन तो परम अर्थ और विभा से भरा हुआ है। और बुद्ध तो कहते हैं, परम शांति, परम आनंद, जीवन में छिपा है। अष्टावक्र तो कहते हैं, जीवन स्वयं परमात्मा है। कहीं भूल हो रही है, कहीं चूक हो रही है। हम कहीं गलत दिशा में खोज रहे हैं।

मुझे हस्ती से क्या हासिल, मैं खुद हस्ती का हासिल हूं।

जब हम बाहर खोजते हैं, जीवन अर्थहीन मालूम होता है। जब हम भीतर खोजते हैं, जीवन अर्थपूर्ण मालूम होता है, क्योंकि हम ही जीवन के अर्थ हैं।

'मैं आश्चर्यमय हूं! मुझको नमस्कार है। ब्रह्मा से लेकर तृण पर्यंत जगत के नाश होने पर भी मेरा नाश नहीं। मैं नित्य हूं।'

ऐसा अदभुत वचन न तो पहले कभी कहा गया, न फिर पीछे कभी कहा गया। इस वचन की अदभुतता देखते होः मुझको नमस्कार है! निश्चित ही यह जनक का वक्तव्य नहीं है। यह परम घटना घट गई, उस घटना का ही वक्तव्य है। यह समाधिस्थ स्वर है। यह संगीत समाधि का है!

अहो अहं नमो मह्यं विनाशो यस्य नास्ति मे।

सब मिटेगा, मैं नहीं मिटूंगा! सब जन्मता है, मरता है—मैं न जन्मता हूं, न मरता हूं! आश्चर्यमय हूं! मैं स्वयं आश्चर्य हूं! मुझे मेरा नमस्कार! छोटे से छोटे तृण से लेकर ब्रह्मा तक बनते हैं और मिटते हैं; उनका समय आता और जाता। वे सब समय में घटी हुई घटनाएं हैं, तरंगें हैं। मैं साक्षी हूं! मैं उन्हें बनते और मिटते देखता हूं। वे मेरी ही आंखों के सामने चल रहे अभिनय, खेल और नाटक हैं। मेरी ही आंखों के प्रकाश में वे प्रकाशित होते और लीन हो जाते हैं।

ब्रह्मा भी! जिनकी तुम मंदिरों में पूजा करते हो—ब्रह्मा, विष्णु, महेश—वे आते हैं और जाते हैं। सिर्फ एक तत्व इस जगत में न आता न जाता—वह तुम्हीं हो। तुम से मुक्त—तुम्हीं! और जब तुम से मुक्त हो, तब तुम पाओगे कि चरणों में अपने ही झुक गए! तब तुम पाओगे, भीतर विराजमान है परम प्रभु! तब तुम पाओगे, जिसे तुम खोजते थे, वह तुम्हारे भीतर सदा से मौजूद प्रतीक्षा करता था! मैं आश्चर्यमय हूं! मुझको नमस्कार है।

'मैं आश्चर्यमय हूं। मैं देहधारी होता हुआ भी अद्वैत हूं।'

दो दिखाई पड़ता हूं, फिर भी अद्वैत हूं। वह दो दिखाई पड़ना सिर्फ ऊपर-ऊपर है। जैसे एक वृक्ष में बहुत सी शाखाएं दिखाई पड़ती हैं। अगर तुम शाखाएं गिनो, तो अनेक हैं; अगर तुम वृक्ष के नीचे उतरने लगो तो पीड़ में आकर एक हो जाती हैं। ऐसे ही ये जो अनेक-रूप दिखता है संसार, वह भी अपने मूल में आकर एक हो जाता है। यह एक का ही फैलाव है।

'मैं आश्चर्यमय हूं। मुझको नमस्कार है। मैं देहधारी होता हुआ भी अद्वैत हूं। न कहीं जाता हूं, न कहीं आता हूं, और संसार को घेर कर स्थित हूं।'

सुनो! जनक कह रहे हैं कि संसार को घेर कर स्थित हूं, संसार को मैंने घेरा है! मैं संसार की परिभाषा हूं! मैं असीम हूं! संसार मेरे भीतर है!

साधारणतः हम देखते हैं, हम संसार के भीतर हैं। यह तो अपूर्व क्रांति

हुई। यह तो गेस्टाल्ट पूरा बदला। जनक कहते हैं, संसार मेरे भीतर है! जैसे आकाश में बादल उठते हैं, और खो जाते हैं, ऐसे ही युग मुझमें आते और विलीन हो जाते हैं। मैं निराकार, साक्षी-रूप, द्रष्टा-मात्र, सब को घेर कर खड़ा हूं!

इसे तुम समझो। बच्चे थे तुम कभी, तब एक आकार घिरा था तुम्हारे आकाश में—बचपन का। फिर तुम जवान हो गए, वह रूप खो गया। फिर दूसरा बादल घिरा। नया आकार तुमने लिया, तुम जवान हो गए! बच्चे थे, तब तुम्हें कामवासना का कोई भी पता न था। कोई समझाता तो भी तुम समझ न पाते। फिर तुम जवान हुए, नई वासना उठी, वासना ने नये वस्त्र पहने, नया रंग खिला, तुम्हारे जीवन ने नया ढांचा पकड़ा। फिर तुम बूढ़े होने लगे। जवानी भी गई! जवानी का शोरगुल भी गया! वह वासना भी बह गई! अब तुम्हें हैरानी होती है कि कैसे तुम उन वासनाओं में उतर सके! अब तुम चकित होकर सोचते हो कि मैं ऐसा मूढ़ था, कि मैं ऐसा अज्ञानी था!

हर बूढ़े को एक न एक दिन, अगर वह सच में जीवन को जरा भी देखने में सफल हो पाया है—तो यह बात आश्चर्य से भरती है, कि मैं कैसी-कैसी चीजों के पीछे भागा—धन, पद, मोह, स्त्री-पुरुष, कैसी-कैसी चीजों के पीछे भागा! क्या-क्या खोजता फिरा! मैं खुद खोजता फिरा! भरोसा नहीं आता कि मैं और ऐसे सपने में हो सकता था!

अरब में एक कहावत है कि अगर जवान आदमी रो न सके तो जवान नहीं; और अगर बूढ़ा आदमी हंस न सके तो बूढ़ा नहीं। जवान आदमी अगर रो न सके, तो जवान नहीं; क्योंकि जो रो नहीं सकता, जो अभी आंसू नहीं बहा सकता, उसका भाव कुंठित है, उसके जीवन में तरंग नहीं है, मौज नहीं है। जो पीड़ित नहीं हो सकता, वह जवान नहीं है, पथरीला है; उसका हृदय खिला नहीं, अनखिला रह गया है। और बूढ़ा, जो हंस न सके—पूरे जीवन पर और अपने पर, कि कैसी मूढ़ता है! कैसा मजाक है!—तो बूढ़ा नहीं। बूढ़ा वही है, जो हंस सके सारी मूढ़ता पर, अपनी और सबकी, और कहे खूब मजाक चल रहा है! लोग पागल हुए भागे जा रहे हैं—उन चीजों के पीछे, जिनका कोई भी मूल्य नहीं। उसे अब दिखाई पड़ता है, कोई भी मूल्य नहीं है!

कभी तुम जवान, कभी तुम बूढ़े! कभी बादल एक रूप लेता, कभी दूसरा, कभी तीसरा! लेकिन तुमने खयाल किया कि भीतर तुम एक ही हो? जिसने देखा था बचपन, उसी ने जवानी देखी। जिसने देखी जवानी, उसी ने बुढ़ापा देखा। तुम द्रष्टा हो! वह जो देखने वाला पीछे खड़ा है, वह वही का वही है। रात तुम सोते

हो, तब तुम्हारा द्रष्टा सपने देखता है। जब सपने भी नहीं रह जाते, सिर्फ गहरी तंद्रा होती है, सुषुप्ति होती है—तब तुम्हारा द्रष्टा सुषुप्ति देखता है कि खूब गहरी नींद...! इसीलिए तो सुबह उठ कर तुम कभी कहते हो कि रात खूब गहरी नींद लगी। किसने देखी! अगर तुम पूरे के पूरे सो गए थे, और तुम्हारे भीतर कोई देखने वाला न बचा था, तो किसने देखी? किसने जानी? किसको यह खबर मिली? कौन यह कह रहा है? सुबह उठ कर कौन कहता है कि रात मैं गहरी नींद सोया? अगर तुम सो ही गए थे तो जानने वाला कौन था? जरूर तुम्हारे भीतर कोई जागता रहा, कोई एक कोने में दीया जलता रहा, और देखता रहा कि गहरी नींद, बड़ी विश्रांतिमयी, बड़ी आह्लादकारी, बड़ी शांत, स्वप्न की भी कोई तरंग नहीं, कोई तनाव नहीं, कोई विचार नहीं! कोई देखता रहा है। सुबह उसी देखने वाले ने कहा है कि रात बड़ी गहरी नींद रही। रात सपने भरे रहे तो सुबह तुम कहते हो, रात सपनों में गई, न मालूम कैसे-कैसे दुख-स्वप्न देखे! जरूर, देखने वाला सपनों में खो नहीं गया था। जरूर देखने वाला सपना हो नहीं गया था। देखने वाला अलग ही खड़ा रहा!

फिर दिन में तुम खुली आंख की दुनिया देखते हो। दुकान पर तुम दुकानदार हो, मित्र के साथ तुम मित्र हो, शत्रु के साथ तुम शत्रु हो। घर आते हो—पत्नी के साथ पति हो, बेटे के साथ पिता हो, पिता के साथ बेटे हो। फिर हजार-हजार रूप...! यह भी तुम देखते हो। लेकिन तुम इन सबके पार देखने वाले हो। कभी सफलता देखते हो कभी विफलता, कभी बीमारी कभी स्वास्थ्य, कभी सौभाग्य के दिन कभी दुर्भाग्य के दिन; लेकिन एक बात तय है, कि ये सब आते और जाते; तुम न आते, तुम न जाते।

'मैं आश्चर्यमय हूं। मुझको नमस्कार है। मैं देहधारी होता हुआ अद्वैत! न कहीं जाता न कहीं आता...।'

न क्वचित गंता, न क्वचित आगंता

न जाता न आता। बस हूं। यह होना मात्र ही स्वरूप है।

'...और संसार को घेर कर स्थित हूं।'

और संसार को मैंने घेरा! यही तो तुम्हारा संसार है। यह संसार तुम्हारे भीतर है, तुम इस संसार के भीतर नहीं। तुम इसके मालिक हो, तुम इसके गुलाम नहीं। तुम जिस क्षण चाहो, पंख फैला दो और उड़ जाओ! अगर तुम इसके भीतर हो तो अपनी मर्जी से हो, किसी की जबर्दस्ती से नहीं।

इतना तुम्हें खयाल रहे, फिर कुछ अड़चन नहीं है। फिर अगर तुम बंधन में पड़े हो अपनी मर्जी से, तो बंधन भी बंधन नहीं है। फिर तुम्हारी जो मर्जी, फिर तुम्हें

जो करना हो करो। लेकिन एक बात भर मत भूलना कि तुम कर्ता नहीं हो, कर्ता फिर एक रूप है; भोक्ता नहीं हो, भोक्ता एक रूप है। तुम साक्षी हो! वही तुम्हारी शाश्वतता है।

पूरब में, हमारा सबसे बड़ा खोज का जो लक्ष्य रहा है, वह उसे खोज लेना है, जो समयातीत है, कालातीत है। जो समय की धारा में बनता-बिगड़ता है, वह प्रतिबिंब है। जो समय के पार खड़ा है—साक्षीवत—वही सत्य है।

'मैं आश्चर्यमय हूं। मुझको नमस्कार है। मेरे समान निपुण कोई नहीं!'

सुनते हो? जनक कहते हैं, मेरे समान निपुण कोई भी नहीं!

'क्योंकि शरीर से स्पर्श किए बिना ही, मैं इस विश्व को सदा-सदा धारण किए रहा हूं।'

यही तो कला, कुशलता!

अहो अहं नमो महयं दक्षो नास्तीह मत्समः।

'मुझ जैसा कौन दक्ष, मुझ जैसा कौन कुशल! छुआ भी नहीं शरीर को!'

कभी नहीं छुआ है। छूने का कोई उपाय नहीं, क्योंकि तुम्हारा स्वभाव और शरीर का स्वभाव इतना भिन्न है कि छूना हो नहीं सकता, छूने की घटना घट नहीं सकती। तुम सिर्फ साक्षी हो! तुम सिर्फ देख ही सकते हो। शरीर दृश्य है; वह सिर्फ दिखाई पड़ सकता है। तुम्हारा और शरीर का मिलना हो नहीं सकता। तुम शरीर में खड़े रहो, शरीर तुम में खड़ा रहे—लेकिन अस्पर्शित, जैसे अनंत दूरी पर! दोनों का स्वभाव इतना भिन्न है कि तुम मिला न सकोगे।

तुम दूध में पानी मिला सकते हो, लेकिन पानी को तेल में न मिला सकोगे; उनका स्वभाव अलग है। दूध में पानी मिल जाता है, क्योंकि दूध पहले से ही पानी है, नब्बे प्रतिशत से भी ज्यादा पानी है। इसलिए दूध में पानी मिल जाता है। लेकिन तेल में तुम पानी न मिला सकोगे; वे मिलेंगे ही नहीं; वे मिल ही नहीं सकते; उनका स्वभाव अलग है।

फिर भी ध्यान रखना, शायद वैज्ञानिक कोई विधि निकाल लें तेल और पानी को मिलाने की; क्योंकि कितना ही स्वभाव भिन्न हो, दोनों ही पदार्थ हैं। लेकिन चेतना और जड़ को मिलाने का कोई उपाय नहीं; क्योंकि जड़ पदार्थ है, और चेतना पदार्थ नहीं है। दृश्य और द्रष्टा को मिलाने का कोई उपाय नहीं। द्रष्टा, द्रष्टा रहेगा; दृश्य, दृश्य रहेगा।

इसलिए जनक कहते हैं कि आश्चर्य से भर गया हूं मैं। आश्चर्य ही हो गया हूं! कैसी मेरी निपुणता कि इतने-इतने कर्म किए, और फिर भी अलिप्त हूं! इतना-इतना भोगा, फिर भी भोग की कोई भी रेखा मुझ पर नहीं पड़ी है!

जैसे पानी पर तुम लिखते रहो, लिखते रहो और कुछ लिखा नहीं जाता—ऐसे ही तुम साक्षी के साथ कर्म करते रहो, भोग करते रहो, कुछ लिखा नहीं जाता, सब पानी की लकीरों की भांति मिट जाता है! तुम लिख नहीं पाए, और मिट जाता है।

'मेरे समान निपुण कोई नहीं, क्योंकि शरीर से स्पर्श किए बिना ही मैं इस विश्व को सदा-सर्वदा धारण किए हूं।'

दिल में वो तेरे है मकीं
दिल से तेरे अलग नहीं,
तुझसे जुदा वो लाख हो
तू न उसे जुदा समझ।

हम लाख समझें अपने को कि शरीर से जुड़े हैं, हम जुड़ नहीं सकते। और हम लाख समझें अपने को कि हम परमात्मा से अलग हैं, हम अलग नहीं हो सकते। और ये दोनों बातें एक साथ समझ में आती हैं, जब भी समझ में आती हैं। जब तक तुम सोचते हो कि तुम शरीर से जुड़ सकते हो, तब तक इसका एक दूसरा पहलू भी है कि तुम सोचोगे तुम परमात्मा से टूट गए। जिस दिन तुम जानोगे परमात्मा से जुड़े हो, उस दिन तुम जानोगे ः अरे! आश्चर्यों का आश्चर्य कि मैं शरीर से कभी भी जुड़ा न था!

दिल में वो तेरे है मकीं,
दिल से तेरे अलग नहीं।
—वह परम सत्य तेरे दिल में बसा है।
दिल में वो तेरे है मकीं,
—उसने वहीं मकान बनाया है।
दिल से तेरे अलग नहीं।
तुझसे जुदा वो लाख हो,
तू न उसे जुदा समझ।

भला कितना ही तुझे प्रतीत होता रहे कि जुदा है, जुदा है, तो जुदा मत समझना, क्योंकि जुदा होने का कोई उपाय नहीं। परमात्मा से अलग होने की कोई व्यवस्था नहीं है और संसार के साथ एक होने का कोई उपाय नहीं है। यद्यपि जो नहीं हो सकता, उसी को करने में हम जन्मों-जन्मों से लगे रहे। जिस दिन तुम भी जागोगे—और निश्चित किसी दिन जागोगे; क्योंकि जो सोया है, वह कब तक सोएगा? क्योंकि जो सोया है, जागना उसका स्वभाव है—तभी तो सो गया है। जो सोया है, सोने में ही खबर दे रहा है कि जाग भी सकता है, जागना उसकी संभावना है। जो जाग नहीं सकता, वह सोएगा कैसे? जो जाग सकता है, वही सो सकता है।

किसी न किसी दिन तुम जागोगे। जब जागोगे, तब तुम्हें भी लगेगा:

'मेरे समान निपुण कोई भी नहीं! शरीर से स्पर्श किए बिना मैं इस विश्व को सदा-सदा धारण किए हुए हूं।'

और मैं ही इस विश्व को धारण किए हूं, कोई और इसे नहीं सम्हाले है। छुआ भी नहीं है इसे, और मैं सम्हाले हूं।

झेन फकीर कहते हैं कि गुजरना नदी से, लेकिन ध्यान रखना, पानी तुम्हें छूने न पाए। वे इसी बात की खबर दे रहे हैं कि अगर तुम्हें समझ आ जाए साक्षी की, तो तुम गुजर जाओगे नदी से। पानी शरीर को छुएगा, तुम्हें नहीं छू सकेगा। तुम साक्षी ही बने रहोगे।

इस संसार में साक्षी बनना सीखो। थोड़ा-थोड़ा कोशिश करो। राह पर चलते कभी इस भांति चलो कि तुम नहीं चल रहे, सिर्फ शरीर चल रहा है। तुम तो वही हो—न क्वचित गंता, न क्वचित आगंता—न कभी जाता कहीं, न कभी आता कहीं। राह पर अपने को चलता हुआ देखो और तुम द्रष्टा बनो। भोजन की टेबल पर भोजन करते हुए देखो अपने को कि शरीर भोजन कर रहा है, हाथ कौर बनाता, मुंह तक लाता, तुम चुपचाप खड़े-खड़े देखते रहो! प्रेम करते हुए देखो अपने को, क्रोध करते हुए देखो अपने को। सुख में देखो, दुख में देखो। धीरे-धीरे साक्षी को सम्हालते जाओ। एक दिन तुम्हारे भीतर भी उदघोष होगा, परम वर्षा होगी, अमृत झरेगा! तुम्हारा हक है, स्वरूप-सिद्ध अधिकार है! तुम जिस दिन चाहो, उस दिन उसकी घोषणा कर सकते हो।

'मैं आश्चर्यमय हूं। मुझको नमस्कार है। मेरा कुछ भी नहीं है, अथवा मेरा सब कुछ है—जो वाणी और मन का विषय है।'

कहते हैं जनक कि एक अर्थ में मेरा कुछ भी नहीं है, क्योंकि मैं ही नहीं हूं। मैं ही नहीं बचा, तो मेरा कैसा? तो एक अर्थ में मेरा कुछ भी नहीं है, और एक अर्थ में सभी कुछ मेरा है। क्योंकि जैसे ही मैं नहीं बचा, परमात्मा बचता है—और उसी का सब कुछ है। यह विरोधाभासी घटना घटती है, जब तुम्हें लगता है मेरा कुछ भी नहीं और सब मेरा है।

अहो अहं नमो मह्यं यस्य मे नास्ति किंचन।

अथवा यस्य में सर्व यब्दाङमनसगोचरम्।।

जो भी दिखाई पड़ता है आंख से, इंद्रियों से अनुभव में आता है, कुछ भी मेरा नहीं है, क्योंकि मैं द्रष्टा हूं। लेकिन जैसे ही मैं द्रष्टा हुआ, वैसे ही पता चलता है, सभी कुछ मेरा है, क्योंकि मैं इस सारे अस्तित्व का केंद्र हूं।

द्रष्टा तुम्हारा व्यक्तिगत रूप नहीं है। द्रष्टा तुम्हारा समष्टिगत रूप है। भोक्ता की तरह हम अलग-अलग हैं, कर्ता की तरह हम अलग-अलग हैं—द्रष्टा की तरह हम सब एक हैं। मेरा द्रष्टा और तुम्हारा द्रष्टा अलग-अलग नहीं। मेरा द्रष्टा और तुम्हारा द्रष्टा एक ही है। तुम्हारा द्रष्टा और अष्टावक्र का द्रष्टा अलग-अलग नहीं। तुम्हारा और अष्टावक्र का द्रष्टा एक ही है। तुम्हारा द्रष्टा और बुद्ध का द्रष्टा अलग-अलग नहीं।

तो जिस दिन तुम द्रष्टा बने उस दिन तुम बुद्ध बने, अष्टावक्र बने, कृष्ण बने, सब बने। जिस दिन तुम द्रष्टा बने, उस दिन तुम विश्व का केंद्र बने। इधर मिटे, उधर पूरे हुए। खोया यह छोटा सा मैं, यह बूंद छोटी सी—और पाया सागर अनंत का!

ये सूत्र आत्म-पूजा के सूत्र हैं। ये सूत्र कह रहे हैं कि तुम्हीं हो भक्त, तुम्हीं हो भगवान। ये सूत्र कह रहे हैं, तुम्हीं हो आराध्य, तुम्हीं हो आराधक। ये सूत्र कह रहे हैं कि तुम्हारे भीतर दोनों मौजूद हैं; मिलन हो जाने दो दोनों का! ये सूत्र बड़ी अनूठी बात कह रहे हैं, झुक जाओ अपने ही चरणों में; मिट जाओ अपने ही भीतर; डूब जाओ अपने ही भीतर! तुम्हारा भक्त और तुम्हारा भगवान तुम्हारे भीतर है। हो जाने दो मिलन वहां, हो जाने दो सम्मिलन, वहीं घटेगी क्रांति जब भीतर तुम्हारा भक्त और भगवान मिल कर एक हो जाएगा। न भगवान बचेगा न भक्त; कोई बचेगा—अरूप, निर्गुण, सीमातीत, कालातीत, समयातीत, क्षेत्रातीत! द्वैत नहीं बचेगा, अद्वैत बचेगा!

इन अद्वैत के क्षणों की जो पहली झलकें हैं, उन्हीं को हम ध्यान कहते हैं। इसी अद्वैत की झलकें जब थिर होने लगती हैं तो हम सविकल्प समाधि कहते हैं। और जब इस अद्वैत की झलक शाश्वत हो जाती है, ऐसी थिर हो जाती है कि फिर छूटने का उपाय नहीं रह जाता—तब इसी को हम निर्विकल्प समाधि कहते हैं।

यह दो तरह से घट सकता है। या तो मात्र बोधपूर्वक—जैसा जनक को घटा; सिर्फ समझ लेने मात्र से! पर बड़ी प्रज्ञा चाहिए, बड़ी प्रखरता चाहिए, बड़ी त्वरा चाहिए! बड़ी धार चाहिए तुम्हारे भीतर फिर चैतन्य की तो यह घटना तत्क्षण घट सकती है। अगर तुम पाओ, ऐसा घटता है, तो ठीक। अगर तुम पाओ ऐसा नहीं घटता, तो इन सूत्रों को बैठ कर दोहराते मत रहना, इन सूत्रों को दोहराने से न घटेगा। ये सूत्र ऐसे हैं कि अगर सुन कर घट गया, तो घट गया; चूक गए सुनते वक्त, तो फिर इनको तुम लाख दोहराओ, न घटेगा; क्योंकि पुनरुक्ति से नहीं घटने वाला है। पुनरुक्ति से तुम्हारे मस्तिष्क में धार नहीं आती, धार मरती है।

तो एक तो उपाय है कि इन सूत्रों को सुनते ही घट जाए। घट जाए तो घट जाए, तुम कुछ कर नहीं सकते उसमें; अगर न घटे, तो फिर तुम्हें धीरे-धीरे ध्यान, ध्यान से फिर सविकल्प समाधि, सविकल्प समाधि से फिर निर्विकल्प समाधि—उसकी यात्रा करनी पड़े। छलांग लग जाए तो ठीक, नहीं तो फिर सीढ़ियों से उतरना पड़े। छलांग लग जाए तो लग जाए। किसी को लग सकती है। सभी आश्चर्य संभव हैं, क्योंकि तुम आश्चर्यों के आश्चर्य हो!

इसलिए इसमें असंभव कुछ भी नहीं है। यहां मुझे सुनते-सुनते किसी को छलांग लग सकती है। अगर तुम बीच में न आओ; अगर तुम अपने को अलग रख दो, अगर तुम अपनी बुद्धि को उतार कर रख दो जैसे जूते और कपड़े उतार कर रख देते हो; अगर तुम शुद्ध, नग्न चैतन्य से मेरे सामने हो जाओ—तो यह छलांग लग सकती है। जैसी जनक को लगी, वैसी तुम्हें लग सकती है। लग जाए, ठीक; उपाय नहीं है इसमें फिर। तुम यह नहीं पूछ सकते कि हम कैसे इंतजाम करें इसके लगाने का? अगर इंतजाम पूछा तो यह नहीं लगती। फिर दूसरा उपाय है। फिर पतंजलि तुम्हारा मार्ग हैं, फिर महावीर, फिर बुद्ध। फिर अष्टावक्र तुम्हारे मार्ग नहीं हैं।

इसीलिए तो अष्टावक्र की गीता अंधेरे में पड़ी रही है। इतनी त्वरा, इतनी तीव्रता, इतनी मेधा, मुश्किल से मिलती है। जन्मों-जन्मों तक कोई निखार कर आया होता है, तो यह घटना घटती है। मगर घटती है! कभी सौ में एकाध को, मगर घटती है! ऐसे मनुष्य-जाति के इतिहास में बहुत से उल्लेख हैं, जब कोई छोटी-मोटी घटना ने क्रांति कर दी।

मैंने सुना है, बंगाल में एक साधु हुए, अदालत में क्लर्क थे, हेड-क्लर्क थे। रिटायर हो गए। राजा बाबू नाम था। बंगाली थे, सो बाबू। साठ के ऊपर उम्र हो गई थी, एक दिन सुबह घूमने निकले थे। ब्रह्ममुहूर्त, सूरज अभी उगा नहीं। कोई स्त्री अपने घर में, दरवाजा बंद है, किसी को जगाती थी। होगी उसका बेटा, होगा उसका देवर—किसी को जगाती थी। कहती थी, 'राजा बाबू उठो, बहुत देर हो गई!' राजा बाबू बाहर से निकल रहे थे अपनी छड़ी लिए, सुबह घूमने निकले थे। अचानक सुबह उस ब्रह्ममुहूर्त के क्षण में, सूरज अभी उगने-उगने को है, आकाश पर लाली फैली है, पक्षी गीत गुनगुनाने लगे, सारी प्रकृति जागरण से भरी—घट गई बात! स्त्री तो किसी और को जगाती थी, इन राजा बाबू से तो कुछ कहा ही न था। उसे तो पता भी न था कि ये राजा बाबू बाहर से निकल रहे हैं। ये तो अपने घूमने निकले थे, वह किसी को भीतर कहती थी कि 'राजा बाबू उठो, सुबह हो गई, बहुत

देर हो गई! अब उठो भी, कब तक सोए रहोगे?' सुनाई पड़ा—घट गई घटना। घर नहीं लौटे। चलते ही गए। जंगल पहुंच गए। घर के लोगों को पता चला। घर के लोग खोजने गए, मिले जंगल में। पूछा, 'क्या हो गया?' हंसने लगे! कहा, 'बस हो गया! राजा बाबू जग गए, अब जाओ!' उन्होंने कहा, 'क्या मतलब? क्या कहते हैं आप?' उन्होंने कहा, 'अब कहने—सुनने को कुछ भी नहीं। बहुत देर वैसे ही हो गई थी। बात समझ में आ गई। सुबह का वक्त था, सारी प्रकृति जाग रही थी—उसी जागरण में मैं भी जाग गया! कोई स्त्री कहती थी: उठो बहुत देर हो गई! पड़ गई चोट।'

अब स्त्री तो अष्टावक्र भी न थी, खुद भी जागी न थी! तो कभी-कभी ऐसा भी हुआ है, अगर तुम्हारी मेधा प्रगाढ़ हो, तुम्हारा फल पक गया हो, तो हवा का झोंका—या न चले हवा, तो भी कभी पका फल बिना झोंके के भी गिर जाता है। हो जाए तो हो जाए! लेकिन अगर न हो, तो निराश मत हो जाना, उदास मत हो जाना। अगर आकस्मिक न हो तो क्रमिक हो सकता है। आकस्मिक कभी-कभी होता है, अपवाद-स्वरूप है। इसलिए अष्टावक्र की गीता अपवाद-स्वरूप है। इसमें कोई विधि नहीं है। कोई मार्ग नहीं है।

जापान में झेन परंपरा के दो स्कूल हैं। दो परंपराएं हैं। एक परंपरा है: सडन एनलाइटनमेंट; तत्क्षण संबोधि। वे जो कह रहे हैं, वह वही जो अष्टावक्र कहते हैं। उनका गुरु कुछ नहीं सिखाता। आकर बैठ जाता है, कुछ मौज हुई तो बोल देता है। हो जाए, हो जाए।

ऐसे एक गुरु को एक सम्राट ने अपने महल में आमंत्रित किया। वह गुरु आया, वह मंच पर चढ़ा। सम्राट बड़ी उत्सुकता से प्रतीक्षा करता था; वह बैठा है शिष्य-भाव से। उस गुरु ने मंच पर बैठ कर थोड़ी देर इधर-उधर देखा, जोर से टेबिल पर मुक्के मारे, उठा और चला गया!

वह सम्राट चौंक कर रह गया कि यह क्या हुआ! उसने अपने वजीर से पूछा। वजीर ने कहा, 'उन्हें मैं जानता हूं। इससे ज्यादा महत्वपूर्ण व्याख्यान उन्होंने कभी दिया ही नहीं। मगर समझे तो समझे, नहीं समझे तो नहीं समझे।'

सम्राट ने कहा, 'यह व्याख्यान! ये टेबिल पर तीन दफे घूंसे मारना और चले जाना—बस हो गई बात?'

उस वजीर ने कहा कि वह जगाने की कोशिश करके चले गए। जगो तो जग जाओ। राजा बाबू उठो, सुबह हो गई। वह अलार्म बजा कर चल दिए!

उस वजीर ने कहा, 'मैंने इन गुरु के और भी व्याख्यान सुने हैं, मगर इससे ज्यादा प्रगाढ़ और इससे ज्यादा सचेतन करने वाला व्याख्यान उन्होंने कभी दिया ही

नहीं। मगर आप चिंतित न हों, क्योंकि मैंने बहुत सुने, मैं भी अभी जागा नहीं। आपने तो पहला ही व्याख्यान सुना है। सुनते रहें, हो जाए शायद!'

यह आकस्मिक घटना है, इसमें कार्य-कारण का कोई संबंध नहीं। अभूतपूर्व! जिससे तुम्हारे अतीत का कोई लेना-देना नहीं है—हो जाए तो हो जाए! यह कोई वैज्ञानिक घटना नहीं है कि सौ डिग्री तक पानी गर्म करेंगे तो भाप बनेगा। यह मामला कुछ ऐसा है कि कभी बिना गर्म किए भाप बन जाता है। इसकी वैज्ञानिक कोई व्याख्या नहीं है।

अष्टावक्र विज्ञान के बाहर हैं। अगर तुम्हारी बुद्धि वैज्ञानिक हो और तुम कहो, 'ऐसे कैसे होगा? कुछ करेंगे तब होगा।' तो फिर तुम वैज्ञानिक बुद्धि से चलो। फिर तुम बुद्ध को पूछो तो आष्टांगिक योग है। फिर तुम पतंजलि को पूछो तो उनका भी योग है। फिर प्रक्रियाएं हैं। यह योग नहीं है; यह सांख्य का शुद्ध वक्तव्य है।

इसलिए अष्टावक्र बहुतों को जगा सके होंगे, ऐसा भी नहीं! कोई एकाध जनक जग गया होगा, बस! जनक जग गया, यह भी बहुत है; जरूरी न था। और तो कुछ खबर भी नहीं कि अष्टावक्र से कोई और भी जगा।

बुद्ध ने बहुतों को जगाया, पतंजलि अब भी जगाए चले जाते हैं। अष्टावक्र ने तो केवल एक व्यक्ति को जगाया। वह भी अष्टावक्र ने जगाया, कहना कठिन है। जनक जागने की क्षमता में थे, अष्टावक्र तो केवल निमित्त बन गए। कारण नहीं—निमित्त।

तो जो सडल एनलाइटेनमेंट, तत्क्षण बोधि-संबोधि के उपाय हैं, उनमें तो गुरु केवल निमित्त है। वह कोशिश करेगा—हो जाए, हो जाए। कोई विज्ञान नहीं है। न हो तो निराश मत होना। तुम्हें हो ही जाएगा, ऐसा गुरु मान कर भी नहीं चलता है। किसी को हो जाएगा! जिनको न हो जाएगा, उनमें कम से कम होने की प्यास जगेगी; वे विधि की तलाश करेंगे, उन्हें विधि से होगा।

नियम तो विधि से ही होने का है। बिना विधि के होना तो अपवाद-स्वरूप है; वह नियम के बाहर है।

तो यहां सुनना ध्यानपूर्वक! हो जाए, शुभ; न हो जाए तो निराश मत होना!

हरि ॐ तत्सत्!

✳ ✳ ✳

हरि ॐ तत्सत्

पहला प्रश्न : आपने कल बताया कि तत्क्षण संबोधि, सडन एनलाइटनमेंट किसी भी कार्य-कारण के नियम से बंधा हुआ नहीं है; लेकिन यदि अस्तित्व में कुछ भी अकस्मात, दुर्घटना की तरह नहीं घटता, तो संबोधि जैसी महानतम घटना कैसे इस तरह घट सकती है?

अस्तित्व में कुछ भी अकारण नहीं घटता, यह सच है; लेकिन अस्तित्व स्वयं अकारण है। परमात्मा स्वयं अकारण है, उसका कोई कारण नहीं है। संबोधि यानी परमात्मा। संबोधि यानी अस्तित्व। फिर और सब घटता है, परमात्मा घटता नहीं है। ऐसा कोई क्षण न था, जब नहीं था; ऐसा कोई क्षण नहीं होगा, जब नहीं होगा। और सब घटता है—आदमी घटता है, वृक्ष घटते हैं, पशु-पक्षी घटते हैं; परमात्मा घटता नहीं—परमात्मा है। संबोधि घटती नहीं। संबोधि घटना नहीं है; अन्यथा अकारण घटती, तो दुर्घटना हो जाती। संबोधि घटती नहीं है, संबोधि तुम्हारा स्वभाव है; संबोधि तुम हो। इसलिए तत्क्षण घट सकती है, और अकारण घट सकती है।

कहा है कि 'संबोधि जैसी महानतम घटना कैसे इस तरह घट सकती है?'

महानतम है—इसीलिए। क्षुद्र तो सभी सकारण घटता है। अगर समाधि भी और ही वस्तुओं की तरह सकारण घटती होती, तो वह भी क्षुद्र और साधारण हो जाती। पानी को सौ डिग्री तक गर्म करो, भाप बन जाता है—ऐसी ही अगर समाधि भी होती कि सौ डिग्री तक तपश्चर्या करो और समाधि घट जाती है, तो विज्ञान की प्रयोगशाला में पकड़ ली जाएगी फिर तुम्हारी समाधि; फिर ज्यादा देर धर्म के बचने का कोई उपाय नहीं। क्योंकि जो भी सकारण

घटता है, वह विज्ञान के हाथ के भीतर आ ही जाएगा; जिसका कारण है, वह विज्ञान की सीमा में घिर जाएगा।

संबोधि अकारण है। इसलिए धर्म, धर्म रहेगा; विज्ञान उसे कभी भी आच्छादित न कर सकेगा। जो भी सकारण घटता है, सब धीरे-धीरे वैज्ञानिक हो जाएगा; सिर्फ एक चीज रह जाएगी, जो कभी वैज्ञानिक न होगी, वह स्वयं अस्तित्व है। क्योंकि अस्तित्व अकारण है; बस है। विज्ञान के पास उसका कोई उत्तर नहीं। विराट, समग्र का कारण हो भी कैसे सकता है? क्योंकि जो भी है, सब उसमें समाहित है, उसके बाहर तो कुछ भी नहीं। समाधि इसीलिए नहीं घटती, क्योंकि क्षुद्र नहीं है, विराट है।

तुमने पूछा है कि 'संबोधि जैसी महानतम घटना...।'

महानतम इसीलिए है, उसके महान होने का और कोई कारण नहीं कि तुम्हारे क्षुद्र कार्य-कारण के नियम के बाहर है। इतना पुण्य करो और समाधि घटती हो; इतना दान दो और समाधि घटती हो; इतना त्याग करो और समाधि घटती हो—तो समाधि गणित के भीतर आ जाएगी, खाते-बही में आ जाएगी, महान न रह जाएगी। अकारण घटती है।

भक्त इसीलिए कहते हैं: प्रसाद-रूप घटती है। तुम्हारे घटाए नहीं घटती। बरसती है तुम पर—अनायास, भेंट-रूप, प्रसाद-रूप!

फिर श्रम और चेष्टा, जो हम करते हैं, उसका क्या परिणाम? अगर अष्टावक्र तुम्हें समझ में आ जाते हों, तब तो तुम व्यर्थ ही श्रम करते हो, तब तो तुम व्यर्थ ही अनुष्ठान करते हो। अनुष्ठान की कोई भी जरूरत नहीं; समझ पर्याप्त है। इतना समझ लेना कि परमात्मा तो है ही, और उसकी खोज छोड़ देना। इतना समझ लेना कि जो हम हैं वह मूल से जुड़ा ही है इसलिए जोड़ने की चेष्टा और दौड़-धूप छोड़ देनी है—और मिलन घट जाएगा। मिलन घट जाएगा—मिलने के प्रयास से नहीं; मिलने के प्रयास को छोड़ देने से। मिलने के प्रयास से तो दूरी बढ़ रही है—जितनी तुम मिलन की आकांक्षा करते हो, उतना ही भेद बढ़ता जाता है। जितना तुम खोजने निकलते हो, उतने ही खोते चले जाते हो; क्योंकि जिसे तुम खोजने निकले हो, उसे खोजना ही नहीं है। जाग कर देखना है; वह मौजूद है, वह द्वार पर खड़ा है; वह मंदिर के भीतर, तुम्हारे भीतर विराजमान है। एक क्षण को उसने तुम्हें छोड़ा नहीं, एक क्षण को जुदा हुआ नहीं। जो जुदा नहीं हुआ, जिससे कभी विदाई नहीं हुई, जिससे विदाई हो ही नहीं सकती, उसे तुम खोज-खोज कर खो रहे हो।

तो तुम्हारे अनुष्ठानों का एक ही परिणाम हो सकता है कि तुम थक जाओ, कि तुम्हारी सारी चेष्टा एक दिन ऐसी जगह आ जाए कि चेष्टा कर-कर के ही तुम

ऊब जाओ; तुम उस ऊब के क्षण में चेष्टा छोड़ दो, और तत्क्षण तुम्हें दिखाई पड़े ः
अरे! मैं भी कैसा पागल था!

कल मैं किसी की जीवनकथा पढ़ रहा था। उस व्यक्ति ने लिखा है कि वह
एक अनजान नगर में यात्रा पर गया हुआ था और एक अनजान नगर में खो गया।
वहां की भाषा उसे समझ में नहीं आती। तो वह बड़ा घबड़ा गया। और उस घबड़ाहट
में उसे अपने होटल का नाम भी भूल गया, फोन नंबर भी भूल गया। तब तो उसकी
घबड़ाहट और बढ़ गई कि अब मैं पूछूंगा कैसे? तो वह बड़ी उत्सुकता से देख रहा
है रास्ते पर चलते-चलते कि कोई आदमी दिखाई पड़ जाए जो मेरी भाषा समझता
हो। पूरब का कोई देश, सुदूर पूर्व का, और यह अमरीकन! यह देख रहा है कि
कोई सफेद चमड़ी का आदमी दिख जाए, जो मेरी भाषा समझता हो, या किसी
दुकान पर अंग्रेजी में नाम-पट्ट दिख जाए, तो मैं वहां जाकर पूछ लूं। वह इतनी
आतुरता से देखता चल रहा है, और पसीने-पसीने है कि उसे सुनाई ही न पड़ा कि
उसके पीछे पुलिस की एक गाड़ी लगी हुई है और बार-बार हार्न बजा रही है। क्योंकि
उस पुलिस की गाड़ी को भी शक हो गया है कि यह आदमी भटक गया है। दो
मिनिट के बाद उसे हार्न सुनाई पड़ा। चौंक कर वह खड़ा हो गया, पुलिस उतरी और
उसने कहा, तुम होश में हो कि बेहोश हो? हम दो मिनिट से हार्न बजा रहे हैं, हमें
शक हो गया है कि तुम भटक गए हो, खो गए हो, बैठो गाड़ी में!

उसने कहा, यह भी खूब रही! मैं खोज रहा था कि कोई बताने वाला मिल
जाए, बताने वाले पीछे लगे थे। मगर मेरी खोज में मैं ऐसा तल्लीन था कि पीछे से
कोई हार्न बजा रहा है, यह मुझे सुनाई ही न पड़ा। पीछे मैंने लौटकर ही न देखा।

जिसे तुम खोज रहे हो, वह तुम्हारे पीछे लगा है। निश्चित ही परमात्मा हार्न
नहीं बजाता, जोर से चिल्लाता भी नहीं; क्योंकि जोर से चिल्लाना तुम्हारी स्वतंत्रता
पर बाधा हो जाएगी। फुसफुसाता है, कान में गुपचुप कुछ कहता है। मगर तुम इतने
व्यस्त हो, कहां उसकी फुसफुसाहट तुम्हें सुनाई पड़े! तुम इतने शोरगुल से भरे हो,
तुम्हारे मन में इतना ऊहापोह चल रहा है, तुम खोज में इस तरह संलग्न हो...।

स्वामी रामतीर्थ ने कहा है, एक छोटी सी कहानी कही कि एक प्रेमी दूर देश
गया। वह लौटा नहीं वापस। उसकी प्रेयसी राह देखती रही, देखती-देखती थक
गई। वह पत्र लिखता है, बार-बार कहता है ः अब आता हूं, तब आता हूं; इस
महीने, अगले महीने। वर्ष पर वर्ष बीतने लगे, एक दिन वह प्रेयसी तो घबड़ा गई।
प्रतीक्षा की भी एक सीमा होती है। उसने यात्रा की और वह परदेश के उस नगर
पहुंच गई, जहां उसका प्रेमी है। पूछ-ताछ करके उसके घर पहुंच गई। द्वार खुला
है, सांझ का वक्त है, सूरज ढल गया है, वह द्वार पर खड़े होकर देखने लगी। बहुत

दिन से अपने प्यारे को देखा नहीं। वह बैठा है सामने, मगर किसी गहरी तल्लीनता में डूबा है, कुछ लिख रहा है! वह इतना तल्लीन है कि प्रेयसी को भी लगा कि थोड़ी देर रुकूं, उसे बाधा न दूं, न मालूम किस विचार-तंतु में है...कौन सी बात खो जाए। वह ऐसा भाव-विभोर है, उसकी आंखों से आंसू बह रहे हैं, और वह कुछ लिख रहा है, और वह लिखता ही चला जाता है। घड़ी बीत गई, दो घड़ी बीत गई, तब उसने आंख उठा कर देखा, उसे भरोसा न आया, वह घबड़ा गया।

वह अपनी प्रेयसी को ही पत्र लिख रहा था। इसी को पत्र लिख रहा था, जो दो घड़ी से उसके सामने बैठी थी, और प्रतीक्षा कर रही थी कि तुम आंख उठाओ! उसे तो भरोसा न आया, वह तो समझा कि कोई धोखा हो गया, कोई भ्रम हो गया, शायद कोई आत्म-सम्मोहन! मैं इतना ज्यादा भावातिरेक में भरा हुआ इस प्रेयसी के संबंध में सोच रहा था, शायद इसीलिए एक सपने की तरह वह दिखाई पड़ रही है। कोई भ्रम तो नहीं...। उसने आंखें पोंछीं। वह प्रेयसी हंसने लगी। उसने कहा कि क्या सोचते हो? मुझे क्या भ्रम समझते हो?

वह कंप गया। उसने कहा, तू लेकिन आई कैसे और मैं तुझी को पत्र लिख रहा था। पागल, तूने रोका क्यों नहीं? तू सामने थी और मैं तुझी को पत्र लिख रहा था।

परमात्मा सामने है और हम उसी से प्रार्थना कर रहे हैं कि मिलो, हे प्रभु तुम कहां हो? आंखों से आंसू बह रहे हैं, लेकिन हमारी आंसुओं की दीवाल के कारण, जो सामने है, दिखाई नहीं पड़ रहा है। हम उसी को तलाश रहे हैं। तलाश के कारण ही हम उसे खो रहे हैं।

अष्टावक्र की बात तो बड़ी सीधी-साफ है। वे कहते हैं: बंद करो यह लिखा-पढ़ी! बंद करो अनुष्ठान!

समाधि घटती नहीं। हां, अगर समाधि भी एक घटना होती, तो फिर कार्य-कारण से घटती। कार्य-कारण से घटती तो बाजार की चीज हो जाती। समाधि अछूती और कुंआरी है; बाजार में बिकती नहीं।

तुमने कभी खयाल किया, तुम्हारा बाजारू दिमाग परमात्मा को भी बाजार में रख लेता है! तुम सोचते हो कि इतना करेंगे तो परमात्मा मिल जाएगा, जैसे कोई सौदा है! पुण्य करेंगे तो परमात्मा मिल जाएगा। तुम्हारे तथाकथित साधु-संत भी तुमसे यही कहे चले जाते हैं: पुण्य करो, अगर परमात्मा को पाना है। जैसे परमात्मा को पाने के लिए कुछ करना पड़ेगा! जैसे परमात्मा बिना किए मिला हुआ नहीं है! जैसे परमात्मा को खरीदना है, मूल्य चुकाना पड़ेगा। इतने पुण्य करो, इतनी तपश्चर्या, इतना ध्यान, इतना मंत्र, जप, तप—तब मिलेगा! बाजार में रख लिया

तुमने। बिकने वाली एक चीज बना दी। खरीददार खरीद लेंगे। जिनके पास है पुण्य, वे खरीद लेंगे। जिनके पास पुण्य नहीं है वे वंचित रह जाएंगे। पुण्य के सिक्के चाहिए; खनखनाओ पुण्य के सिक्के, तो मिलेगा।

अष्टावक्र कह रहे हैं: क्या पागलों जैसी बात कर रहे हो? पुण्य से मिलेगा परमात्मा? तब तो खरीददारी हो गई। पूजा से मिलेगा परमात्मा? तो तुमने तो खरीद लिया। प्रसाद कहां रहा? और जो कारण से मिलता है, वह कारण अगर खो जाएगा, तो फिर खो जाएगा। जो अगर कारण से मिलता हो, तो कारण के मिट जाने से फिर छूट जाएगा।

तुमने धन कमा लिया। तुमने खूब मेहनत की, तुमने खूब स्पर्धा की बाजार में—धन कमा लिया। लेकिन क्या तुम सोचते हो, धन कमाया हुआ टिकेगा? चोर इसे चुरा सकते हैं। चोर का मतलब है, जो तुमसे भी ज्यादा जीवन को दांव पर लगा देता है। दुकानदानर भी मेहनत करता है; लेकिन चोर अपने जीवन को भी दांव पर लगा देता है। वह कहता है, लो हम मरने-मारने को तैयार हैं, लेकिन लेकर जाऐंगे। तो वह ले जाता है।

जो कारण से मिला है, वह तो छूट सकता है। परमात्मा अकारण मिलता है। लेकिन हमारा अहंकार मानता नहीं। हमारा अहंकार कहता है, अकारण मिलता है, तो इसका मतलब यह कि जिन्होंने कुछ भी नहीं किया, उनको भी मिल जाएगा? यह बात हमें बड़ी कष्टकर मालूम होती है कि जिन्होंने कुछ भी नहीं किया, उनको भी मिल जाएगा।

वहां सामने 'अरूप' बैठे हंस रहे हैं। वे कल मुझसे कह रहे थे कि कुछ करने का मन नहीं होता। मैंने कहा, चलो न करने में डूबो। परमात्मा को पाने के लिए करने की जरूरत क्या है? कहो भी तो भरोसा नहीं आता। क्योंकि हमारा मन कहता है, बिना किए? बिना किए तो क्षुद्र चीजें नहीं मिलतीं—मकान नहीं मिलता, कार नहीं मिलती, दुकान नहीं मिलती, धन, पद, प्रतिष्ठा नहीं मिलती—परमात्मा मिल जाएगा बिना किए? भरोसा नहीं आता। करना तो पड़ेगा ही। कोई तरकीब होगी इसमें। इस 'न करने' को भी करना पड़ेगा। इसलिए तो हम ऐसे-ऐसे शब्द बना लेते हैं—कर्म में अकर्म, अकर्म में कर्म—मगर हम कर्म को डाल ही देते हैं। 'अकर्म में कर्म'—करेंगे इस भांति, मगर करेंगे जरूर! बिना किए कहीं मिलेगा?

मैं तुमसे कहता हूं, वही अष्टावक्र कह रहे हैं: मिला ही हुआ है। मिलने की भाषा ही गलत है। मिलने की भाषा में तो दूरी आ गई; जैसे छूट गया। छूट जाए तो तुम क्षण भर जी सकते हो? परमात्मा से छूट कर कैसे जीयोगे? परमात्मा से छूट कर तो तुम्हारी वही गति हो जाएगी जो मछली की सागर से छूट कर हो जाती

है। फिर मछली तो सागर से छूट भी सकती है, क्योंकि सागर के अलावा कुछ और स्थान भी है, लेकिन तुम परमात्मा से कैसे छूटोगे—वही है, बस वही है, सब जगह वही है, सब जगह उसी में है; तुम छूटोगे कहां, तुम जाओगे कहां? किनारा है कोई परमात्मा का? सागर ही सागर है। उसके बाहर होने का उपाय नहीं है।

अष्टावक्र तुमसे कह रहे हैं कि तुम उससे कभी दूर गए ही नहीं हो, इसलिए घट सकता है अकारण। खोया ही न हो तो मिलना हो सकता है अकारण।

संबोधि कोई घटना नहीं है, स्वभाव है। लेकिन, ऐसा कहीं हो सकता है कि बिना किए प्रसाद बरस जाए?

हम बड़े दीन हो गए हैं। दीन हो गए हैं जीवन के अनुभव से। यहां तो कुछ भी नहीं मिलता बिना किए, तो हम बड़े दीन हो गए हैं। हम तो सोच भी नहीं सकते कि परमात्मा, और बिना किए मिल सकता है। हमारी दीनता सोच नहीं सकती।

हम दीन नहीं हैं। इसलिए तो जनक कहते हैं कि 'अहो! मैं आश्चर्य हूं! मुझको मेरा नमस्कार! मुझको मेरा नमस्कार! इसका अर्थ हुआ कि भक्त और भगवान दोनों मेरे भीतर हैं। दो कहना भी ठीक नहीं, एक ही मेरे भीतर है, भूल से उसे मैं भक्त समझता हूं; जब भूल छूट जाती है तो उसे भगवान जान लेता हूं।

ऐसा ही समझो कि तुम्हारे कमरे में तुमने दो कुर्सियां ले जाकर रखीं; फिर और दो कुर्सियां ले जाकर रखीं, गलती से तुमने जोड़ लीं पांच, मगर कमरे में तो चार ही हैं। तुम चाहे गलती से पांच जोड़ो चाहे छह, चाहे पचास जोड़ो, तुम्हारे गलत जोड़ने से कमरे में कुर्सियां पांच नहीं होतीं; कुर्सियां तो चार ही हैं, तुम चाहे तीन जोड़ो चाहे पांच जोड़ो। तुम्हारा तीन-पांच तुम जानो, कुर्सियों को इससे कोई फर्क नहीं पड़ता, कुर्सियां तो चार ही हैं।

यह तुम जो सोच रहे हो कि परमात्मा को खोजना है, यह तुम्हारा तीन-पांच है। परमात्मा तो मिला ही हुआ है; कुर्सियां तो चार ही हैं। जब भी गणित ठीक बैठ जाएगा, तुम कहोगे, अहो! पहले पांच कुर्सियां थीं, अब चार हो गईं—ऐसा तुम कहोगे? तुम कहोगे, बड़ी भूल हो रही थी, कुर्सियां तो सदा से चार थीं, मैंने पांच जोड़ ली थीं। भूल सिर्फ जोड़ने की थी।

भूल अस्तित्व में नहीं है—भूल केवल स्मरण में है। भूल अस्तित्व में नहीं है—भूल केवल तुम्हारे गणित में है। भूल ज्ञान में है।

इसलिए अष्टावक्र कहते हैं, कुछ करने का सवाल नहीं है। पांच कुर्सियों को चार करने के लिए एक कुर्सी बाहर नहीं ले जानी है; या तीन तुमने जोड़ी हैं, तो चार करने को एक बाहर से नहीं लानी है—कुर्सियां तो चार ही हैं। सिर्फ भूल है जोड़-तोड़ की। जोड़-तोड़ ठीक बिठा लेना है। तो जब जोड़ ठीक बैठ जाएगा, तब तुम

क्या कहोगे कि अकारण तीन से कुर्सियां चार हो गईं, अकारण पांच से चार हो गईं? नहीं, तब तुम हंसोगे। तुम कहोगे, होने की तो बात ही नहीं, वे थीं ही; भूल सिर्फ हम सोचने की कर रहे थे; सिर्फ भूल मन की थी, अस्तित्व की नहीं थी।

भक्त तुम अपने को जानते हो—यह जोड़ की भूल। इसलिए तो जनक कह सके: अहो! मेरा मुझको नमस्कार! कैसा पागल मैं! कैसा आश्चर्य कि अपने ही माया-मोह में भटका रहा! जो सदा था उसे न जाना, और जो कभी भी नहीं था, उसे जान लिया! रस्सी में सांप देखा! सीपी में चांदी देखी! किरणों के जाल से मरूद्यान के भ्रम में पड़ गया, जल देख लिया! जो नहीं था, देखा! जो था, वह इस माया में, झूठे भ्रम में छिप गया और दिखाई न पड़ा!

संबोधि महान घटना है, क्योंकि घटना ही नहीं है। संबोधि महान घटना है, क्योंकि कार्य-कारण के बाहर है। संबोधि घटी ही हुई है। तुम्हें जिस क्षण तैयारी आ जाए, तुम्हें जिस क्षण हिम्मत आ जाए, जिस क्षण तुम अपनी दीनता छोड़ने को तैयार हो जाओ, और जिस क्षण तुम अपना अहंकार छोड़ने को तैयार हो जाओ—उसी क्षण घट जाएगी। न तुम्हारे तप पर निर्भर है, न तुम्हारे जप पर निर्भर है। जप-तप में मत खोए रहना।

मैं एक घर में मेहमान हुआ एक बार। तो वह पूरा घर पुस्तकों से भरा था। मैंने पूछा कि बड़ा पुस्तकालय है? घर के मालिक ने कहा, बड़ा पुस्तकालय नहीं है; बस इन सब किताबों में राम-राम लिखा है। बस मैं जनम भर से यही कर रहा हूं पुस्तकें खरीदता हूं, राम-राम-राम-राम दिन भर लिखता रहता हूं। इतने करोड़ बार लिख चुका हूं! इसका कितना पुण्य होगा, आप तो कुछ कहें।

इसका क्या पुण्य होगा? इसमें पाप भला हो! इतनी कापियां बच्चों के काम आ जातीं स्कूल में, तुमने खराब कर दीं—तुम पूछ रहे हो पुण्य? तुम्हारा दिमाग खराब है? यह राम राम लिखने से किताबों में...!

उनको बड़ा धक्का लगा, क्योंकि संत और भी उनके यहां आते रहते थे, वे कहते थे: बड़े पुण्यशाली हो! इतनी बार राम लिख लिया, इतनी बार माला जप ली, इतनी बार राम का स्मरण कर लिया—अरे एक बार करने से आदमी स्वर्ग पहुंच जाता है, तुमने इतना कर लिया! मुझसे नाराज हुए, तो फिर मुझे कभी दुबारा नहीं बुलाया—यह आदमी किस काम का, जो कहता है पाप हो गया? उनको बड़ा धक्का लगा। उन्होंने कहा: आप हमारे भाव को बड़ी चोट पहुंचाते हैं।

तुम्हारे भाव को चोट नहीं पहुंचाता; सिर्फ इतना ही कह रहा हूं कि यह क्या पागलपन है? राम-राम लिखने से क्या मतलब? जो लिख रहा है, उसको पहचानो, वह राम है; उसको कहां के काम में लगाए हुए हो, राम-राम लिखवा

रहे हो! बोलो, राम को फंसा दो, बिठा दो कि लिखो, छोड़ो धनुषबाण, पकड़ो कलम, लिखो राम-राम, यह कहां फिर रहे हो सीता की तलाश में और यह क्या कर रहे हो—तो पाप होगा कि पुण्य? और रामचंद्र जी अगर भले आदमी मान लें कि चलो ठीक है, अब यह आदमी पीछे पड़ा है, न लिखें तो बुरा न मान जाए, तो बैठ राम-राम लिख रहे हैं—तो उनका जीवन तुमने खराब किया।

तुम भी जब लिख रहे हो तो तुम राम से ही लिखवा रहे हो। यह कौन है जो लिख रहा है? इसे पहचानो। यह कौन है जो रटन लगाए हुए है राम-राम की? यह कहां उठ रही है रट? उसी गहराई में उतरो। अष्टावक्र कहते हैं, वहां तुम राम को पाओगे।

दूसरा प्रश्नः कल आपने कहा कि हृदय के भाव पर बुद्धि का अंकुश मत लगाओ। लेकिन मुझे तो भगवान श्री, आपके प्रवचन बहुत-बहुत तर्कपूर्ण लगते हैं। तो क्या तर्क की संतुष्टि से दिमाग की पुष्टि होती है? तो क्या मेरे लिए यह खतरा नहीं है कि तर्क-पोषित दिमाग, दिल पर हावी हो जाए और भावों की अनुभूति को दबा डाले? कृपाकर मुझे राह बताएं।

मैं जो बोल रहा हूं, वह निश्चित ही तर्कपूर्ण है; लेकिन सिर्फ तर्कपूर्ण ही नहीं है, थोड़ा ज्यादा भी है। तर्कपूर्ण बोलता हूं—तुम्हारे कारण; थोड़ा ज्यादा जो है—वह मेरे कारण। तर्कपूर्ण न बोलूंगा, तुम समझ न पाओगे। वह जो तर्कातीत है, वह न बोलूंगा, तो बोलूंगा ही नहीं; बोलने में सार क्या फिर?

तो जब मैं बोल रहा हूं तो मेरे बोलने में दो हैं, तुम हो और मैं हूं; सुनने वाला भी है और बोलने वाला भी है।

अगर मेरा बस चले, तब तो मैं तर्कातीत ही बोलूं, तर्क बिलकुल छोड़ दूं; लेकिन तब तुम मुझे पागल समझोगे। तब तुम्हारी समझ में कुछ भी न आएगा। तब तो तुम्हें लगेगा, यह तो तर्क-शून्य शोरगुल हो गया। तुम्हारी तर्क-सरणी में बैठ सके, इसलिए तर्कपूर्ण बोलता हूं। लेकिन अगर उतना ही तुम्हें समझ में आए, तो तुम बेकार आए और गए।

ऐसा समझो कि जैसे चम्मच में हम दवा भरते हैं और तुम्हारे मुंह में डाल देते हैं—चम्मच नहीं डाल देते। तर्क की चम्मच में जो तर्कातीत है, वह डाल रहा हूं। तुम चम्मच मत गटक जाना; नहीं तो और झंझट में पड़ जाओगे। चम्मच का उपयोग कर लो, लेकिन चम्मच में जो भरा है, उस रस को पीयो। तर्क की तो चम्मच है, तर्क का तो सहारा है; क्योंकि तुम अभी इतनी हिम्मत में नहीं हो कि तर्कातीत को सुन सको।

अगर तर्कातीत ही सुनना है तो पक्षियों के गीत सुन कर भी वही काम हो जाएगा जो अष्टावक्र की गीता सुनने से होता है! वे तर्कातीत हैं। हवाओं का वृक्षों से गुजरना, सरसराहट की आवाज; सूखे पत्तों का राह पर उड़ना, खड़खड़ाहट की आवाज; नदी की धारा में उठती आवाज; आकाश में मेघों का गर्जन—वह सब तर्कातीत है। अष्टावक्र बोल रहे आठों दिशाओं से, सब ओर से! मगर वहां तुम्हें कुछ समझ में न आएगा। यह चिड़ियों की चहचहाहट, तुम कितनी देर सुन सकोगे? तुम कहोगे, हो गई बकवास; थोड़ा बहुत सुन लो, ठीक है—लेकिन इस चहचहाहट में कुछ अर्थ तो है ही नहीं! वह जो तर्कातीत है, वह तो चिड़ियों की चहचहाहट जैसा ही है; लेकिन तुम्हारे तक पहुंचाने के लिए सेतु बनाता हूं तर्क का।

अब अगर तुम सेतु को ही पकड़ लो और मंजिल को भूल जाओ, शब्द को ही पकड़ लो, और शब्द से जो पहुंचाया था वह भूल जाओ—तो तुम कंकड़-पत्थर बीन कर चले गए, जहां से हीरे-जवाहरात से झोली भर सकते थे।

मित्र ने पूछा है, 'हृदय के भाव पर बुद्धि का अंकुश मत लगाओ, ऐसा आप कहते हैं।'

निश्चित। बुद्धि से समझो, लेकिन हृदय को मालिक रहने दो। बुद्धि को गुलाम बनाओ, हृदय को मालिक के सिंहासन पर विराजमान करो। नौकर बहुत दिन सिंहासन पर बैठ चुका है। बुद्धि के लिए तुम नहीं जीते हो; जीते तो हृदय के लिए हो। इसलिए तो बुद्धि से कभी भराव नहीं आता। कितने ही बड़े गणितज्ञ हो जाओ, उससे थोड़े ही हृदय को शांति मिलेगी! और कितने ही बड़े तर्कनिष्ठ विचारक हो जाओ, उससे थोड़े ही प्रफुल्लता जगेगी! और कितना ही दर्शन-शास्त्र इकट्ठा कर लो, उससे थोड़े ही समाधि बनेगी! हृदय मांगेगा प्रेम, हृदय मांगेगा प्रार्थना। हृदय की अंतिम मांग तो समाधि की रहेगी, कि लाओ समाधि, लाओ समाधि! बुद्धि ज्यादा से ज्यादा समाधि के संबंध में तर्कजाल ला सकती है, समाधि के संबंध में सिद्धांत ला सकती; लेकिन सिद्धांतों से क्या होगा?

कोई भूखा बैठा है, तुम पाक-शास्त्र देते हो उसे कि इसमें सब लिखा है, पढ़ लो, मजा करो! वह पढ़ता भी है कि भूख लगी है, चलो शायद यही काम करे। बड़े-बड़े सुस्वादु भोजनों की चर्चा है—कैसे बनाओ, कैसे तैयार करो—मगर इससे क्या होगा? वह पूछता है कि पाक-शास्त्र से क्या होगा? भोजन चाहिए। भूखे को भोजन चाहिए। प्यासे को पानी चाहिए।

तुम प्यासे आदमी को लिख कर दे दो—उसको लगी है प्यास और तुम लिख कर दे दो 'एच टू ओ'—यह पानी का सूत्र! वह आदमी कागज लेकर बैठा रहेगा,

क्या होगा? ऐसे ही तो लोग राम-राम लिए बैठे हैं। सब मंत्र 'एच टू ओ' जैसे हैं। निश्चित ही पानी आक्सीजन और हाइड्रोजन से मिल कर बनता है, लेकिन कागज पर 'एच टू ओ' लिखने से प्यास नहीं बुझती।

तर्क से समझो, हृदय से पीयो। तर्क का सहारा ले लो, लेकिन बस सहारा ही समझना; उसी को सब कुछ मत मान लेना। मालिक हृदय को रहने दो। प्रेम और प्रार्थना में, पूजा और अर्चना में, ध्यान और समाधि में, बुद्धि बाधा न दे, इसका स्मरण रखना। सहयोगी जितनी बन सके, उतना शुभ है। इसलिए तो तर्क के सहारे तुमसे बोलता हूं, कि तुम्हारी बुद्धि को फुसला लूं, राजी कर लूं। तुम दो कदम राजी होकर हृदय की तरफ चले जाओ। वहां थोड़ा सा भी स्वाद आ जाएगा, तो मगन हो जाओगे। फिर तुम खुद ही बुद्धि की चिंता छोड़ दोगे। स्वाद जब आ जाता है तो शब्दों की कौन फिकर करता है!

'लेकिन मुझे तो भगवान श्री, आपके प्रवचन बहुत-बहुत तर्कपूर्ण लगते हैं।'

वे तर्कपूर्ण हैं। मेरी पूरी चेष्टा है कि तुम से जो कहूं वह तर्कपूर्ण हो, ताकि तुम राजी हो सको मेरे साथ चलने को। एक बार राजी हो गए, फिर तो ग... में गए, फिर तो तुम्हारी पटरी उतार दूंगा! एक बार राजी भर हो जाओ, एक बार हाथ में हाथ आ जाए, फिर कोई चिंता नहीं है। एक दफे तुम्हारा हाथ हाथ में आ गया तो तुम ज्यादा देर हाथ के बाहर न रहोगे। पहुंचा पकड़ा, फिर कलाई पकड़ ली, फिर...आदमी गया!

तो तर्क से तो पहला संबंध बनाता हूं, क्योंकि वहां तुम जी रहे हो; वहीं से संबंध बन सकता है; वहां तुम हो। इसलिए मेरे पास नास्तिक भी आ जाते हैं; मुझसे नास्तिक भी राजी हो जाते हैं। मुझसे नास्तिक को कोई झगड़ा नहीं होता, क्योंकि मैं नास्तिक की भाषा बोलता हूं। मगर वह तो जाल है। वह भाषा तो जाल है। वह तो ऐसे ही है जैसे हम मछली पकड़ने जाते हैं, तो कांटे पर आटा लगा देते हैं। वह तो आटा है। अगर बचना हो तो आटे ही से बच जाना, क्योंकि आटा मुंह में लिया, तब पता चलेगा कि यह तो कांटा था।

तर्क तो आटा है, तर्कातीत कांटा है। तुम्हें फुसलाते हैं, कड़वी भी दवा पिलानी हो तो शक्कर की परत चढ़ाते हैं। छोटे-छोटे बच्चों जैसी हालत है आदमी की, वह शक्कर के रस में कड़वी दवा भी गटक जाता है। जहर भी पी सकते हो तुम। लेकिन अगर सीधा ही तुम्हारे सामने तर्कातीत को खड़ा कर दिया जाए तो तुम भाग खड़े होओगे। तुम कहोगे, 'नहीं इस पर तो हमारी बुद्धि को भरोसा नहीं आता।'

तो मैं तुम्हारी बुद्धि को भरोसा लाना चाहता हूं। लेकिन अगर वहीं तुम रुक गए और तुमने सोचा कि आ गया बुद्धि को भरोसा, अब घर जाएं—तो तुम चूक

गए। तो तुमने ऐसा समझो कि दवा के ऊपर तो चढ़ी शक्कर थी, उसको तो उतार कर पी लिया और दवा को फेंक दिया।

'तर्क की संतुष्टि से क्या दिमाग की पुष्टि होती है?'

तुम पर निर्भर है। अगर सिर्फ तर्क ही तर्क को सुनोगे, तो दिमाग की पुष्टि होगी; लेकिन तर्कों के बीच में अगर तुमने अतर्क्य को भी थोड़ा सा जाने दिया, बूंद-बूंद सही, तो वह बूंद तुम्हारे मस्तिष्क में, हृदय की क्रांति को उपस्थित कर देगी।

यह तुम पर निर्भर है। कुछ लोग हैं, जो सिर्फ तर्क ही तर्क को सुनते हैं; जो-जो तर्क के बाहर पड़ता है, उसे वे हटा देते हैं। फिर वे मेरे पास आए ही नहीं; आए या न आए, बराबर। वे जैसे आए थे, वैसे ही वापस गए—और मजबूत होकर गए। उन्होंने अपने-अपने हिसाब का चुन लिया, मतलब की बात चुन ली। जो उनके तर्क के साथ बैठती थी, वह चुन ली; जो नहीं बैठती थी, वह छोड़ दी। जो नहीं बैठती थी तुम्हारे तर्क के साथ, वही तुम्हारे भीतर क्रांति की चिनगारी बनती। जो तुम्हारे तर्क के साथ बैठती थी, वह तो तुम्हीं को मजबूत करेगी। तुम्हारी बीमारी, तुम्हारी चिंता, तुम्हारा संताप, और मजबूत हो जाएगा। तुम्हारा अहंकार और मजबूत हो जाएगा।

तो थोड़ी कुशलता बरतना। इसलिए तो जनक कहते हैं अष्टावक्र से: कैसी कुशलता! कि क्षण में दिखाई पड़ गया! कैसी मेरी दक्षता! कैसी मेरी निपुणता!! उस निपुणता को ध्यान में रखना, उस दक्षता को ध्यान में रखना। तुम पर निर्भर है।

यहां जो मैं बोल रहा हूं, बोलना मुझ पर निर्भर है, लेकिन सुनना तो तुम पर निर्भर है। बोलने के बाद तो फिर मैंने जो कहा, उस पर मेरी कोई मालकियत नहीं रह जाती। इधर बोला कि वह मेरे हाथ के बाहर हुआ। छूटा तीर! फिर तो तुम्हारे हाथ में है कि कहां लगेगा, कहां तुम लगने दोगे? लगने दोगे कि बच जाओगे? बुद्धि में लगने दोगे?—तो तुम यहां से और भी पंडित होकर लौट जाओगे, और तर्क-कुशल हो जाओगे, विवाद में और प्रवीण हो जाओगे। मगर चूक गए तुम। हृदय में लगने देते तो तुम और आनंदित होते, तुम और अहोभाव से भरते; तो धन्यता का द्वार खुलता; तो प्रसाद की वर्षा की थोड़ी संभावना बढ़ती; तो अमृत की तरफ तुम थोड़े सरकते; दो कदम तुमने उठाए होते उस अंतिम पड़ाव की तरफ।

पंडित होकर मत लौट जाना। थोड़े प्रेमी होकर लौटना।

ढाई आखर प्रेम का, पढ़ै सो पंडित होय।

वे ढाई अक्षर जो प्रेम के हैं, वह मत भूलना।

तो सुनो मेरे तर्क को, राजी होओ मेरे तर्क से—पर साधन की भांति। साध्य यही है कि एक दिन तुम हिम्मत जुटा लोगे, और तर्कातीत में छलांग लगा दोगे। तर्क के माध्यम से तुम्हें वहां तक ले चलूंगा, जहां तक तुम्हारी बुद्धि जा सकती है; फिर सीमांत आएगा, फिर सीमा आएगी, फिर तुम्हारे ऊपर निर्भर होगा। सीमा पर खड़े होकर तुम देख लेना—अपना अतीत और अपना भविष्य। फिर तुम देख लेना-पीछे जिस बुद्धि में तुम चल कर आए हो, वह; और आगे जो संभावना खुलती है, वह। आगे की संभावना हृदय की है।

विचार से कभी कोई जीवन की संपदा को उपलब्ध नहीं हुआ ध्यान से, साक्षी-भाव से, प्रेम से, प्रार्थना से, भक्ति के रस से, कोई उपलब्ध हुआ है। फिर तुम्हारे हाथ में है, अगर तुम्हें बंजर रेगिस्तान रह जाना हो, तुम्हारी मर्जी, तुम मालिक हो अपने।

लेकिन एक बार तुम्हें मैं किनारे तक ले आऊं, जहां से तुम्हें सुंदर उपवन दिखाई पड़ने लगें, हरियालियां, घाटियां और वादियां, और पहाड़, हिम-शिखर! बस एक दफे तुम्हें दिखा देना है वहां तक लाकर, फिर तुम्हारी मौज! फिर लौटना तो लौट जाना। लेकिन तब तुम जानोगे कि अपने ही कारण लौटे हो। तब उत्तरदायित्व तुम्हारा है।

तो तुम्हारे तर्क को मैं वहां तक ले चलता हूं, जहां से तुम्हें पहली झलक मिल जाए स्वर्ण-शिखरों की; जहां से तुम्हें पहली दफा आकाश का थोड़ा सा दर्शन हो जाए, फिर वह दर्शन तुम्हारा पीछा करेगा। फिर वह मंडराएगा तुम्हारे भीतर। फिर वह पुकार बढ़ती चली जाएगी। फिर धीरे-धीरे जो बूंद-बूंद गिरा था, वह बड़ी धार की तरह गिरने लगेगा; तुम बच नहीं सकोगे। क्योंकि एक बार हृदय की थोड़ी सी भी झलक मिल जाए तो फिर बुद्धि कूड़ा-कचरा है। जब तक झलक नहीं मिली, तब तक कूड़ा-कचरा ही हीरा-जवाहरात मालूम होता है।

'क्या मेरे लिए यह खतरा नहीं है कि तर्क-पोषित दिमाग दिल पर हावी हो जाए?'

खतरा है। जरा सजगता रखना। हम चाहें तो राह में पड़े हुए पत्थर को बाधा बना सकते हैं, और वहीं रुक जाएं; और हम चाहें तो राह में पड़े पत्थर को सीढ़ी बना सकते हैं, उस पर चढ़ जाएं और पार हो जाएं। तुम पर निर्भर है कि तुम तर्क-पोषित मस्तिष्क को बाधा बनाओगे कि सीढ़ी बनाओगे। जिन्होंने सीढ़ी बनाई, वे महायात्रा पर निकल गए; जिन्होंने बाधा बना ली, वे डबरे बन कर रह गए।

नास्तिक एक डबरा है। आस्तिक सागर की तरफ दौड़ती हुई सरिता है। नास्तिक सड़ता है। जैसे ही पानी की धारा बहने से रुक जाती है, वैसे ही सड़ांध

शुरू हो जाती है। पानी निर्मल होता है, जब बहता रहता है। लेकिन बहने के लिए तो सागर चाहिए; नहीं तो बहोगे क्यों? बहने के लिए परमात्मा चाहिए; नहीं तो बहोगे क्यों? कुछ है ही नहीं पाने को, कुछ है ही नहीं होने को—जो हो गया, बस वही काफी है…।

इसे खयाल रखना, दुनिया में दो तरह के लोग हैं, दुनिया दो तरह के वर्गों में विभाजित है। एक वर्ग है, जो बाहर की चीजों से कभी संतुष्ट नहीं—यह मकान, तो दूसरा चाहिए; इतना धन, तो और धन चाहिए; यह स्त्री, तो और तरह की स्त्री चाहिए—जो बाहर की चीजों से कभी संतुष्ट नहीं, और भीतर, जिसके भीतर कोई असंतोष नहीं। भीतर, जिसके भीतर असंतोष उठता ही नहीं, बस बाहर ही बाहर असंतोष है। यह सांसारिक आदमी है। फिर एक और दूसरी तरह का आदमी है, जो बाहर जो भी है, उससे संतुष्ट है; लेकिन भीतर जो है, उससे संतुष्ट नहीं है। उसके भीतर एक ज्वाला है—एक दिव्य असंतोष। वह सतत प्रक्रिया में, सतत रूपांतरण में, सतत क्रांति में जीता है।

तर्क-निष्ठता तुम्हारी क्रांति में सहयोगी बने, तुम्हें रूपांतरित करे—इतना खयाल रखना। जहां तर्क पत्थर बनने लगे और क्रांति में रुकावट डालने लगे, वहां तर्क को छोड़ना, क्रांति को मत छोड़ना। मैं कह सकता हूं, अंतिम निर्णय तुम्हारे हाथ में है।

अक्ल की सतह से कुछ और उभर जाना था,
इश्क को मंजिले-परस्ती से गुजर जाना था;
ये तो क्या कहिए, चला था मैं कहां से हमदम,
मुझको ये भी न था मालूम, किधर जाना था।

बुद्धि को कुछ भी पता नहीं है कि कहां जाना है! इसलिए बुद्धि कहीं जाती ही नहीं; घूमती रहती है कोल्हू के बैल की तरह। कोल्हू का बैल देखा? आंख पर पट्टी बंधी रहती, घूमता रहता है! आंख पर पट्टी बंधी होने से उसे लगता है कि चल रहे हैं, कहीं जा रहे हैं, कुछ हो रहा है।

तुमने देखा, तुम कैसे घूम रहे हो! वही सुबह, वही उठना, वही दिन का काम, वही सांझ, वही रात, वही सुबह फिर, फिर वही सांझ—यूं ही उम्र तमाम होती है, फिर सुबह होती है, फिर शाम होती है! एक कोल्हू के बैल की तरह तुम घूमते चले जाते हो।

ये तो क्या कहिए, चला था मैं कहां से हमदम,
मुझको ये भी न था मालूम, किधर जाना था।
अक्ल की सतह से कुछ और उभर जाना था,
इश्क को मंजिले-परस्ती से गुजर जाना था।

जब तुम बुद्धि की सतह से थोड़ा ऊपर उठते हो, तब आकाश में उठते हो, पृथ्वी छूटती है; सीमा छूटती है, असीम आता है; बंधन गिरते, मोक्ष की थोड़ी झलक मिलती।

इश्क को मंजिले-परस्ती से गुजर जाना था।

फिर एक ऐसी घड़ी भी आती है—पहले तो बुद्धि से तुम हृदय की तरफ आते हो—फिर एक ऐसी घड़ी आती है, हृदय से भी गहरे जाते हो।

इश्क को मंजिले-परस्ती से गुजर जाना था।

फिर प्रेम, प्रेम-पात्र से भी मुक्त हो जाता है। फिर भक्त, भगवान से भी मुक्त हो जाता है। फिर पूजक, पूजा से भी मुक्त हो जाता है।

तो पहले तो तर्क से चलना है प्रेम की तरफ और फिर प्रेम से चलना है शून्य की तरफ। उस महाशून्य में ही हमारा घर है।

बुद्धि में तुम हो, हृदय में तुम्हें होना है। इसलिए बुद्धि से मैं शुरू करता हूं, हृदय की तरफ तुम्हें ले चलता हूं। जो हृदय में पहुंच गए हैं, उनको वहां भी नहीं बैठने देता। उनको कहता हूंः चलो आगे, और आगे!

हर नये क्षण को पुराने की तरह

एक परिचित प्रीति गाने की तरह

वक्ष में भर, तार पर तार बोते चलो!

और बीती रागिनी रीते नहीं

इस तरह हर तार के होते चलो!

नये कदम अज्ञात में, अनजान में, अपरिचित में उठाना है! परिचित में ही मत अटके रह जाना।

बुद्धि का क्या अर्थ होता है, तुमने सोचा कभी?—जो तुम जानते हो उसका जोड़। बुद्धि का क्या अर्थ होता है?—इतना ही कि तुम्हारा अतीत का संग्रह। बुद्धि में वही तो संगृहीत है जो तुमने सुना, पढ़ा, जाना, अनुभव किया; जो हो चुका, वही तो संगृहीत है। जो अभी होने को है, उसका तो बुद्धि को कोई भी पता नहीं।

तो बुद्धि तो अतीत है—जा चुका, मृत! बुद्धि तो राख है! बुद्धि में ही अटक गए, तो तुम अतीत के ही रास्तों पर भटकते रहोगे; ज्ञात में ही चलते रहोगे। अज्ञात में गति है; ज्ञात में गति नहीं है, कोल्हू के बैल की तरह भ्रमण है।

हृदय का अर्थ हैः अज्ञात, अनजान, अपरिचित, अभियान! पता नहीं क्या होगा? पक्का नहीं, क्योंकि जाना ही नहीं कभी तो पक्का कैसे होगा? नक्शा हाथ में नहीं, अज्ञात की यात्रा है। न मील के पत्थर हैं वहां, न राह पर खड़े पुलिस के सिपाही हैं मार्ग बताने को।

लेकिन जो आदमी अज्ञात की तरफ यात्रा करता है, वही परमात्मा की तरफ यात्रा करता है। परमात्मा इस जगत में सबसे ज्यादा अज्ञात घटना है—जिसे हम जान कर भी कभी जान नहीं पाते; जो सदा अनजाना ही रह जाता है; जानते जाओ, जानते जाओ, फिर भी अनजाना रह जाता है। जितना जानो, उतना ही लगता है, और जानने को शेष है। चुनौती बढ़ती ही जाती है। शिखर पर नये शिखर उभरते ही आते हैं। एक शिखर पर चढ़ते वक्त लगता है कि आ गई मंजिल; जब शिखर पर पहुंचते हैं, तो सिर्फ और बड़ा शिखर आगे दिखाई पड़ता है। एक द्वार से गुजरते हैं, नये द्वार सामने आ जाते हैं।

इसलिए तो हम परमात्मा को अनंत रहस्य कहते हैं। रहस्य का अर्थ हैः जिसे हम जान भी लेंगे, फिर भी जान न पाएंगे। इसलिए तो हम कहते हैं, परमात्मा बुद्धि से कभी उपलब्ध नहीं होता। क्योंकि बुद्धि तो उसी को जान सकती है, जो जानने में चुक जाता है; परमात्मा चुकता नहीं।

तो तुम चुक मत जाना बुद्धि के साथ। तुम मुर्दा अतीत के साथ बंधे मत रह जाना। तुम किसी लाश से अपने को बांध लो, तो तुमको समझ में आएगा कि बुद्धि की क्या हालत है। एक लाश से अपने शरीर को बांध लो, तो वह लाश तो मरी हुई है, उसकी वजह से तुम भी न चल पाओगे, उठ न पाओगे, बैठ न पाओगे; क्योंकि वह लाश सड़ रही है, गल रही है और वह बोझ बनी है। बुद्धि लाश है, हृदय नया अंकुर है—नव अंकुर जीवन के! और जाना तो है हृदय के भी पार।

हर नये क्षण को पुराने की तरह
एक परिचित प्रीति गाने की तरह
वक्ष में भर, तार पर तार बोते चलो!
और बीती रागिनी रीते नहीं
इस तरह हर तार के होते चलो!

हर नये कदम के होते चलो। और हर आने वाली संभावनाओं के लिए वक्ष खुला रखो—स्वागतम! हृदय तैयार रखो!

अनजान जब पुकारे तो सकुचाना मत। अपरिचित जब बुलाए तो ठिठकना मत। अज्ञेय जब द्वार पर दस्तक दे तो भयभीत मत होना, चल पड़ना। यही धार्मिक व्यक्ति का लक्षण है।

तीसरा प्रश्न: आपकी जय हो! मैं हजार जन्मों में भी इतना नहीं प्राप्त कर सकता था, जितना आपने अनायास मुझे दे दिया है। मुझे अपने शिष्य के रूप में स्वीकार करें!

लिया तुमने, तो शिष्य हो गए।

शिष्य का होना मेरी स्वीकृति पर निर्भर नहीं है; शिष्य का होना तुम्हारी स्वीकृति पर निर्भर है। शिष्य का अर्थ होता है: जो सीखने को तैयार है। शिष्य का अर्थ होता है: जो झुकने को, झोली भरने को राजी है। शिष्य का अर्थ होता है: विनम्रता से सुनने को, शांत भाव से मनन करने को, ध्यान करने को उत्सुक।

तुम शिष्य हो गए—अगर तुमने लिया, तो लेने में ही तुम शिष्य हो गए।

शिष्य का होना मेरी स्वीकृति पर निर्भर नहीं होता। मैं स्वीकार भी कर लूं और तुम अगर न लो, तो मैं क्या करूंगा? मैं स्वीकार न भी करूं और तुम लेते चले जाओ, तो मैं क्या करूंगा?

शिष्यत्व तुम्हारी स्वतंत्रता है। यह किसी का दान नहीं है। शिष्यत्व तुम्हारी गरिमा है। इसके लिए किसी प्रमाण-पत्र की जरूरत नहीं है। इसलिए तो एकलव्य जंगल में भी जाकर बैठ गया था। देखा! द्रोणाचार्य ने तो इनकार भी कर दिया था, फिर भी उसने फिकर न की। गुरु ने तो इनकार ही कर दिया; लेकिन शिष्य, शिष्य बनने को राजी था, तो गुरु क्या कर सका? एक दिन गुरु ने पाया कि गुरु को हरा दिया शिष्य ने। एकलव्य तो मिट्टी की मूर्ति बनाकर बैठ गया, उसी के सामने अभ्यास करने लगा; उसी की आज्ञा मानने लगा; उसी के चरण छूने लगा।

जब द्रोण को खबर लगी कि एकलव्य बहुत निष्णात हो गया है तो वे देखने गए। चकित हो गए; चकित ही न हुए, घबड़ा भी गए। इतने घबड़ा गए, क्योंकि एकलव्य ने इस तरह साधा था कि अर्जुन फीका पड़ता था। द्रोण कोई बहुत बड़े गुरु न रहे होंगे; एकलव्य बहुत बड़ा शिष्य था। द्रोण तो साधारण गुरु रहे होंगे—अति साधारण! गुरु कहे जा सकें, ऐसे गुरु नहीं। कुशल होंगे, पारंगत होंगे, लेकिन गुरुत्व की बात नहीं थी कुछ भी। पहले तो इसलिए इनकार कर दिया कि वह शूद्र था। यह भी कोई गुरु की बात हुई? अभी भी गुरु को ब्राह्मण और शूद्र दिखाई पड़ते हैं! नहीं, दुकानदार रहे होंगे, बाजारी बुद्धि रही होगी। क्षत्रियों के गुरु, शूद्र को कैसे स्वीकार करें! समाज से बहुत घबड़ाए हुए रहे होंगे। समाज-पोषक, और समाज के नियंत्रण में रहे होंगे। क्षुद्र बुद्धि के रहे होंगे।

जिस दिन द्रोण ने एकलव्य को इनकार किया कि वह शूद्र था, उसी दिन द्रोण शूद्र हो गए। यह कोई बात हुई? लेकिन अदभुत था एकलव्य! गुरु के इनकार की भी फिकर न की। उसने तो मान लिया था हृदय में गुरु—बात हो गई थी। गुरु के इनकार ने भी उसकी गुरु की प्रतिमा खंडित न की। अनूठा शिष्य रहा होगा।

और फिर बेईमानी की हद हो गई : एकलव्य को जब प्रतिष्ठा मिल गई और जब उसकी कुशलता का आविर्भाव हुआ, तो द्रोण कंप गए; क्योंकि वे चाहते थे, उनका शिष्य अर्जुन जगत में ख्यातिलब्ध हो। यह भी उनका ही शिष्य था, लेकिन उनकी अस्वीकृति से था; इसमें तो गुरु की बड़ी हार थी। गुरु जिसको सिखा-सिखा कर, प्राणपण लगाकर, सारी चेष्टा में संलग्न थे, वह भी फीका पड़ रहा था इस आदमी के सामने—जिसने सिर्फ मिट्टी की अनगढ़ प्रतिमा बना ली थी अपने ही हाथों से और उसी के सामने अभ्यास कर-कर के कुशलता को उपलब्ध हुआ था। उससे अंगूठा मांग लिया।

बड़ी आश्चर्य की बात है : दीक्षा देने को तैयार न हुए थे, दक्षिणा लेने पहुंच गए! लेकिन अदभुत शिष्य रहा होगा एकलव्य : जिसने दीक्षा देने से इनकार कर दिया था, उसको उसने दक्षिणा देने से इनकार न किया। एकलव्य जैसा शिष्य ही शिष्य है। उसने तत्क्षण अपना अंगूठा काट कर दे दिया। दाएं हाथ का अंगूठा मांगा था—चालबाजी थी, राजनीति थी कि अंगूठा कट जाएगा, तो एकलव्य की धनुर्विद्या व्यर्थ हो जाएगी।

ये द्रोण निश्चित ही दुष्ट प्रकृति के व्यक्ति रहे होंगे। गुरु तो दूर, इनको सज्जन कहना भी कठिन है। यह भी क्या चाल खेली और भोले-भाले शिष्य से खेली! और फिर भी हिंदू द्रोण को गुरु माने चले जाते हैं, गुरु कहे चले जाते हैं। सिर्फ ब्राह्मण होने से थोड़े ही कोई ब्राह्मण होता है?

ब्राह्मण था एकलव्य और द्रोण शूद्र थे। उनकी वृत्ति शूद्र की है। उस ब्राह्मण एकलव्य ने काट कर दे दिया अपना अंगूठा, जरा भी ना-नुच न की। यह भी न कहा कि यह क्या मांगते हैं आप? देते वक्त इनकार किया था। तुमसे मैंने कुछ सीखा भी नहीं है।

नहीं, लेकिन यह बात ही गलत थी। यह तो उसके मन में भी न उठी। उसने तो कहा, सीखा तुम्हीं से है। तुम्हारे इनकार करने से क्या फर्क पड़ता है? सीखा तो तुम्हीं से है! तुम इनकार करते रहे, फिर भी तुम्हीं से सीखा। देखो तुम्हारी प्रतिमा बनाए बैठा हूं, तो तुम्हारा ऋणी हूं। अंगूठा मांगते हो, अंगूठा तो क्या प्राण भी मांगो तो दे दूंगा। अंगूठा दे दिया।

शिष्य होना तुम पर निर्भर है। यह किसी की स्वीकृति-अस्वीकृति की बात नहीं। तो अगर तुम्हें लगता है कि खूब तुम्हें मिला, तो बात हो गई। इसी भाव में गहरे बने रहना। शिष्य का भाव कभी खोना मत, तो अपूर्व तुम्हारा विकास होगा; मिलता ही चला जाएगा। शिष्यत्व तो सीखने की कला है।

चौथा प्रश्नः सुना था कि शराब कड़वी होती है और सीने को जलाती है; पर आपकी शराब का स्वाद ही कुछ और है।

तो जिस शराब से तुम परिचित रहे, वह शराब न रही होगी; क्योंकि शराब न तो कड़वी होती और न सीने को जलाती। और जो सीने को जलाती है और कड़वी है, वह शराब का धोखा है, शराब नहीं। तो तुम्हें शराब का पहली दफे ही स्वाद आया।

अब झूठी शराब में मत उलझना। अब तुम पहली दफा मधुशाला में प्रविष्ट हुए। अब अपने हृदय को पात्र बनाना और जी भर कर पी लेना; क्योंकि इसी पीने से क्रांति होगी। यह शराब विस्मरण नहीं लाएगी; यह शराब स्मरण लाएगी। वह शराब भी क्या जो बेहोश बना दे? शराब तो वही, जो होश में ला दे। यह शराब तुम्हें जगाएगी। यह शराब तुम्हें उससे परिचित कराएगी, जो तुम्हारे भीतर छिपा बैठा है। यह शराब तुम्हें तुम बनाएगी।

बाहर से शायद तुम दूसरे लोगों को पियक्कड़ मालूम पड़ो—घबड़ाना मत! तुम्हारी मस्ती शायद बाहर के लोग गलत भी समझें, पागल समझें, बेहोश समझें—तुम फिकर मत करना; कसौटी तुम्हारे भीतर है। अगर तुम्हारा होश बढ़ रहा हो तो दुनिया कुछ भी समझे, तुम फिकर मत करना।

मजाज की कुछ पंक्तियां हैं—
मेरी बातों में मसीहाई है
लोग कहते हैं कि बीमार हूं मैं
खूब पहचान लो असरार हूं मैं
जिन्से-उल्फत का तलबगार हूं मैं
इश्क ही इश्क है दुनिया मेरी
फितना-ए-अक्ल से बेजार हूं मैं
ऐब जो हाफिज-ओ-खय्याम में था
हां, कुछ उसका भी गुनहगार हूं मैं
जिंदगी क्या है गुनाहे-आदम
जिंदगी है तो गुनहगार हूं मैं

मेरी बातों में मसीहाई है,
लोग कहते हैं कि बीमार हूं मैं!

जीसस को भी लोग बीमार ही कहते थे, मसीहा तो बड़ी मुश्किल से कहा। सुकरात को भी लोग पागल ही कहते थे, तभी तो जहर दिया। मंसूर को लोगों ने बुद्धिमान थोड़े ही माना, अन्यथा फांसी लगाते? और अष्टावक्र की कथा तो मैंने तुमसे कही: खुद बाप ही इतने नाराज हो गए कि अभिशाप दे दिया, कि आठ अंगों से तिरछा हो जा।

जीसस तो तैंतीस साल जमीन पर रहे तब सूली लगी; सुकरात तो बूढ़ा होकर मरा, तब जहर दिया गया; महावीर और बुद्ध पर पत्थर फेंके गए, ठीक—लेकिन अष्टावक्र की तो पूछो: अभी जन्मा भी नहीं और अभिशाप मिला; अभी गर्भ में ही था कि जीवन विकृत कर दिया गया। और किसी दूसरे ने किया होता तो भी ठीक था, क्षमा-योग्य था—खुद अपने ही बाप ने कर दिया; जो जन्म देने जा रहा था वही नाराज हो गया।

ज्ञान की बात लोगों को जमती नहीं। ज्ञान की बात लोगों को कष्ट देती है। मस्ती में आया हुआ आदमी लोगों को बेचैनी से भरता है। तुम दुखी हो, किसी को कोई अड़चन नहीं, मजे से दुखी रहो। लोग कहते हैं: दिल खोल कर दुखी रहो, कोई हर्जा नहीं। बिलकुल जैसा होना चाहिए वैसा हो रहा है! तुम हंसे कि लोग बेचैन हुए। हंसी स्वीकृत नहीं है। लोगों को शक होता है कि पागल हुए! कहीं होशियार आदमी हंसते हैं? कहीं समझदार आदमी हंसते देखे? कहीं बुद्धिमान आदमियों को नाचते देखा, गीत गुनगुनाते देखा? बुद्धिमान आदमी गंभीर होते, लंबे उनके चेहरे होते, उदास उनकी वृत्ति होती। उनको हम साधु-संत कहते, महात्मा कहते। जितना रुग्ण आदमी हो, उतना बड़ा महात्मा हो जाता है। मुर्दे की तरह कोई बैठ जाए, रुग्ण, दीन-हीन—लोग कहते हैं, कैसी तपश्चर्या! कैसा त्याग!!

एक गांव में मैं गया था। कुछ लोग एक महात्मा को ले आए मुझसे मिलाने। वे कहने लगे, बड़े अदभुत हैं, भोजन तो कभी-कभार लेते हैं, सोते भी ज्यादा नहीं। बड़े शांत हैं। बोलते-करते भी ज्यादा नहीं। और तपश्चर्या का ऐसा प्रभाव कि चेहरा कुंदन जैसा निखर आया है, स्वर्ण जैसा!

जब वे लाए तो मैंने कहा, इस आदमी को क्यों तुम परेशान किए हो? यह बीमार है। यह चेहरा कुंदन जैसा नहीं है, यह केवल भूखा-प्यासा आदमी है—चेहरा पीला पड़ गया है; अनीमिया हो गया है। तुम महात्मा समझ रहे हो? और यह बोले क्या खाक! इसमें बोलने की शक्ति भी नहीं है। यह आदमी थोड़ा मूढ़ प्रवृत्ति का मालूम होता है। आंखों में कोई तेज नहीं है, कोई व्यक्तित्व नहीं है,

कोई उमंग नहीं है। हो भी कैसे? न सोता है ठीक से, न खाता-पीता है ठीक से। और तुम इसकी पूजा कर रहे हो! बस इसको एक ही रस आ गया है कि यह जो काम कर रहा है, उससे इसे पूजा मिलती है। बस उसी पूजा की खातिर यह किए चला जा रहा है।

तुम जरा पूजा देना बंद करो। और तुम पाओगे तुम्हारे सौ में से निन्यानबे प्रतिशत महात्मा विदा हो गए, उसी रात विदा हो गए, तुम पूजा देना बंद करो। क्योंकि वे पूजा की खातिर सब तरह की नासमझियां कर रहे हैं; तुम जो करवाओ वही कर रहे हैं। तुम कहो, बाल लोंचो, तो वे बाल लोंच रहे हैं; केश-लुंच कर रहे हैं। तुम कहो, नंगे रहो, तो वे नंगे खड़े हैं। तुम कहो, भूखे रहो, तो वे भूखे हैं। एक बात भर तुम पूरी करो कि तुम सम्मान दो, उनके अहंकार को पुष्ट करो।

वास्तविक धर्म तो सदा हंसता हुआ है। वास्तविक धर्म तो सदा स्वस्थ है, प्रफुल्लित है, जीवन-स्वीकार का है। वास्तविक धर्म तो फूलों जैसा है, उदासी वहां नहीं है। उदासी को लोग शांति समझते हैं! उदासी शांति नहीं है। शांति तो बड़ी गुनगुनाती होती है। शांति तो बड़ी मगन होती है। शांति तो बड़ी शराबी है—पैर लड़खड़ाते हैं; एक मस्ती घेरे रहती है; चलते जमीन पर हैं, और जमीन पर नहीं चलते, आकाश में चलते हैं; जैसे पंख उग आते हैं; अब उड़े तब उड़े की हालत होती है।

ठीक हुआ, अगर मेरी शराब का स्वाद आ जाए, तो असली शराब का स्वाद आ गया, अब किसी और मधुशाला में जाने की जरूरत न पड़ेगी।

खूब पहचान लो असरार हूं मैं,
जिन्से-उल्फत का तलबगार हूं मैं।

बस एक ही प्यास रखो—जिन्से-उल्फत—प्रेम नाम की वस्तु की। बस एक ही मांग रखो—प्रेम नाम की वस्तु!

जिन्से-उल्फत का तलबगार हूं मैं।

इश्क ही इश्क है दुनिया मेरी।

और तुम्हारी सारी दुनिया, और तुम्हारा सारा अस्तित्व प्रेममय हो जाए, बस काफी है।

फितना-ए-अक्ल से बेजार हूं मैं।

और बुद्धि के उपद्रव को छोड़ो, उतरो प्रेम की छाया में।

इश्क ही इश्क है दुनिया मेरी

फितना-ए-अक्ल से बेजार हूं मैं

ऐब जो हाफिज-ओ-खय्याम में था

हां, कुछ उसका भी गुनहगार हूं मैं

ऐब जो, जो बुराई हाफिज और खय्याम में थी, उमरखय्याम में...।

उमरखय्याम को समझा नहीं गया। उमरखय्याम के साथ बड़ी ज्यादती हुई है। एक दिन बंबई में मैं निकल रहा था एक जगह से, होटल पर लिखा हुआ थाः 'उमरखय्याम'। उमरखय्याम के साथ बड़ी ज्यादती हुई है। फिट्जराल्ड ने जब उमरखय्याम का अंग्रेजी में अनुवाद किया तो बड़ी भूल-चूक हो गई। फिट्जराल्ड समझ नहीं सका उमरखय्याम को। समझ भी नहीं सकता था, क्योंकि उमरखय्याम को समझने के लिए सूफियों की मस्ती चाहिए, सूफियों की समाधि चाहिए। उमरखय्याम एक सूफी संत है। थोड़े से पहुंचे हुए महापुरुषों में एक, बुद्ध और अष्टावक्र और कृष्ण और जरथुस्त्र की कोटि का आदमी!

उसने जिस शराब की बात की है, वह परमात्मा की शराब है। उसने जिस हुस्न की चर्चा की है, वह परमात्मा का हुस्न है। लेकिन फिट्जराल्ड नहीं समझा। पश्चिमी बुद्धि का आदमी, उसने समझाः शराब यानी शराब। उसने अनुवाद कर दिया। फिट्जराल्ड का अनुवाद खूब प्रसिद्ध हुआ। अनुवाद बड़ा सुंदर है, काव्य बड़ा सुंदर है। फिट्जराल्ड निश्चित बड़ा कवि है। लेकिन वह समझ नहीं पाया। सूफियों की जो खूबी थी, वह खो गई कविता में से। और उमरखय्याम जाना गया फिट्जराल्ड के माध्यम से।

तो उमरखय्याम के संबंध में बड़ी भूल हो गई। उमरखय्याम ने शराब कभी पी ही नहीं, किसी मधुशाला में कभी गया नहीं; लेकिन उसने कोई एक शराब जरूर पी, जिसको पी लेने के बाद और सब शराबें फीकी पड़ जाती हैं। गया एक मधुशाला में, जिसको हम मंदिर कहें, जिसको हम प्रभु का मंदिर कहें।

ऐब जो हाफिज-ओ-खय्याम में था

हां, कुछ उसका भी गुनहगार हूं मैं।

'मजाज' खुद भी, जिनकी ये पंक्तियां हैं, उमरखय्याम को गलत समझा। वह भी यही समझा कि शराब यानी शराब। मजाज शराब पी-पी कर मरा। जिस शराब की तुम बात कर रहे हो कि जो हृदय को जलाती, और कड़वी और तित्क होती है, मजाज उसी को पी-पी कर जवानी में मरा। बुरी तरह मरा! बड़ी बुरी मौत हुई!

मैं जिस शराब की बात कर रहा हूं, कहीं गलती से तुम कुछ और मत समझ लेना। जो भूल उमरखय्याम के साथ हुई वह मेरे साथ मत कर लेना। उसकी संभावना है।

मैं तुमसे कहता हूंः भोगो जीवन को साक्षी-भाव से। साक्षी-भाव को छोड़ देने का मन होता है; भोगने की बात पकड़ में आ जाती है। भोगो जीवन को;

लेकिन अगर बिना साक्षी-भाव के भोगा तो भोगा ही नहीं। साक्षी-भाव से भोगा, तो ही भोगा। पीयो शराब लेकिन अगर होश खो गया तो पी ही नहीं शराब। अगर पी-पी कर होश बढ़ा तो ही पी। तो समाधि के अतिरिक्त कोई शराब नहीं है।

मेरे देखे, मनुष्य-जाति में तब तक शराब का असर रहेगा, जब तक समाधि का असर नहीं बढ़ता। जब तक असली शराब उपलब्ध नहीं है लोगों को, तब तक लोग नकली शराब पीते रहेंगे। नकली सिक्के तभी तक चलते हैं, जब तक असली सिक्के उपलब्ध न हों। सारी दुनिया की सरकारें कोशिश करती हैं कि शराब बंद हो जाए, यह होगा नहीं। यह तो सदा से वे कोशिश कर रहे हैं। साधु-महात्मा सरकारों के पीछे पड़े रहते हैं कि शराबबंदी करो, अनशन कर देंगे, यह कर देंगे, वह कर देंगे, शराब बंद होनी चाहिए! लेकिन कोई शराब बंद कर नहीं पाया। अलग-अलग नामों से, अलग-अलग ढंगों से आदमी मादक द्रव्यों को खोजता रहा है।

मेरे देखे, सरकारों के बस के बाहर है कि शराब बंद हो सके। लेकिन अगर समाधि की शराब जरा फैलनी शुरू हो जाए, असली सिक्का उतर आए पृथ्वी पर, तो नकली बंद हो जाए। अगर हम मंदिरों को मधुशालाएं बना लें, और वहां मस्ती और गीत और आनंद और उत्सव होने लगें, और अगर हम जीवन को गलत धारणाओं से न जीएं, स्वस्थ धारणाओं से जीएं, और जीवन एक अहोभाग्य हो जाए—तो शराब अपने आप खो जाएगी।

आदमी शराब पीता है दुख के कारण। दुख कम हो जाए, तो शराब कम हो जाए। आदमी शराब पीता है अपने को भुलाने के लिए; क्योंकि इतनी चिंताएं हैं, इतनी तकलीफें हैं, इतनी पीड़ा है—न भुलाएं तो क्या करें? अगर चिंता, दुख, पीड़ा कम हो जाए तो आदमी की शराब कम हो जाए।

और एक अनूठी घटना मैंने घटते देखी, कई बार कुछ शराबियों ने आकर मुझसे संन्यास ले लिया। फंस गए भूल में। सोच कर यह आए कि यह आदमी तो कुछ मना करता ही नहीं है, कि पीओ कि न पीओ, कि खाओ, कि यह न खाओ, वह न खाओ, कोई हर्जा नहीं। वे बड़े प्रसन्न हुए। उन्होंने कहा कि आप की बात हमें बिलकुल जंचती है, यह किसी ने बताई ही नहीं। लेकिन जैसे-जैसे ध्यान बढ़ा, जैसे-जैसे संन्यास का रंग छाया, वैसे-वैसे उनके पैर मधुशाला की तरफ जाने बंद होने लगे; दूसरी मधुशाला पुकारने लगी।

एक शराबी ने छह महीने ध्यान करने के बाद मुझे कहा कि पहले मैं शराब पीता था क्योंकि मैं दुखी था, तो दुख भूल जाता था; अब मैं थोड़ा सुखी हूं, शराब पीता हूं, तो सुख भूल जाता है। अब बड़ी मुश्किल हो गई। सुख तो कोई भुलाना नहीं चाहता। यह आपने क्या कर दिया?

मैंने कहा, अब तुम चुन लो।

वह कहने लगा कि अब शराब पी लेता हूं, तो ध्यान खराब हो जाता है; नहीं तो ध्यान की धीमी-धीमी धारा भीतर बहती रहती है, शीतल-शीतल, मंद-मंद बयार बहती रहती है। शराब पी लेता हूं तो दो-चार दिन के लिए ध्यान की धारा अस्तव्यस्त हो जाती है; फिर बामुश्किल सम्हाल पाता हूं। अब बड़ी मुश्किल हो गई है।

तो मैंने कहा, अब तुम चुन लो, तुम्हारे सामने है। ध्यान छोड़ना है, ध्यान छोड़ दो; शराब छोड़नी है, शराब छोड़ दो। दोनों साथ तो चलते नहीं; तुम्हें दोनों साथ चलाना हो, साथ चला लो।

उसने कहा, अब मुश्किल है। क्योंकि ध्यान से जो रसधार बह रही है, वह इतनी पावन है और वह मुझे ऐसी ऊंचाइयों पर ले जा रही है, जिनका मुझे कभी भरोसा न था कि मुझ जैसा पापी और कभी ऐसे अनुभव कर पाएगा! आपको छोड़ कर किसी दूसरे को तो मैं कहता ही नहीं; क्योंकि मैं दूसरों को कहता हूं तो वे समझते हैं कि शराबी है, ज्यादा पी गया होगा। वे कहते हैं : होश में आओ, होश की बातें करो। मैं भीतर के भाव की बात करता हूं, तो वे समझते हैं कि ज्यादा पी गया होगा। उन्हें भरोसा नहीं आता। मेरी पत्नी तक को भरोसा नहीं आता। वह कहती है कि बकवास बंद करो। तुम ये ज्ञान-वान की बातें नहीं, तुम ज्यादा पी गए हो। मैं कहता हूं, मैंने आज महीने भर से छुई नहीं है।

तो आप से ही कह सकता हूं, वह शराबी कहने लगा, आप ही समझेंगे। और अब छोड़ना मुश्किल है ध्यान।

जीवन को विधायक दृष्टि से लो। तुम सुखी होने लगो, तो जो चीजें तुमने दुख के कारण पकड़ रखी थीं, वे अपने आप छूट जाएंगी। ध्यान आए तो शराब छूट जाती है। ध्यान आए तो मांसाहार छूट जाता है। ध्यान आए तो धीरे-धीरे काम-ऊर्जा ब्रह्मचर्य में रूपांतरित होने लगती है। बस ध्यान आए।

तो मैं ध्यान की शराब पीने को तुमसे कहता हूं; समाधि की मधुशाला में पियक्कड़ों की जमात में सम्मिलित हो जाने को कहता हूं।

सुख की यह घड़ी, एक तो जी लेने दो
चादर यह फटी स्वप्न की, सी लेने दो
ऐसी तो घटा, फिर न कभी छाएगी;
प्याला न सही, आंख से पी लेने दो।

इस सत्संग में तुम पीयो-प्याला न सही, आंख से! इस सत्संग में तुम पीयो, इस सत्संग से तुम मदहोश होकर लौटो। लेकिन यह जो मदहोशपन है, इसमें तुम्हारा होश न खोए। मस्ती हो, और भीतर होश का दीया जला हो।

ऐसी तो घटा, फिर न कभी छाएगी;
प्याला न सही, आंख से पी लेने दो।

पांचवां प्रश्नः क्या धारणा और स्व-सुझाव या ऑटो-सजेशन एक ही हैं? धारणा और स्वभाव या बोध में क्या भेद है? रामकृष्ण परमहंस की काली क्या सर्वथा धारणा की बात थी, या उनका अपना अस्तित्व है? विभूति या भगवान के साथ संवाद क्या संभव नहीं है?

धारणा और सुझाव, ऑटो-सजेशन, एक ही बात हैं। ऑटो-सजेशन वैज्ञानिक नाम है धारणा का दोनों में कोई भेद नहीं। और स्वभाव और धारणा बड़ी भिन्न बात है। स्वभाव तो वही है, जो सभी धारणाओं के छूट जाने पर प्रकट होता है। स्वभाव तो वही है, जब तुम्हारे मन से सभी विचार और सभी धारणाएं तिरोहित हो जाती हैं; तब उसका दर्शन होता है। स्वभाव की धारणा नहीं करनी होती।

एक संन्यासी मेरे घर मेहमान हुए। तो वे सुबह-सांझ बैठ कर बस एक ही धारणा करते—अहं ब्रह्मास्मि मैं ब्रह्म हूं, मैं देह नहीं; मैं मन नहीं; मैं ब्रह्म हूं—ऐसा दो-चार दिन मैंने उन्हें सुना। मैंने कहा कि अगर तुम हो, तो हो; यह बार-बार क्या दोहराते हो? अगर नहीं हो, तो बार-बार दोहराने से क्या होगा? भ्रांति हो सकती है। बार-बार पुनरुक्ति करने से 'अहं ब्रह्मास्मि,' ऐसा पुनरुक्ति करते रहो, करते रहो तो भ्रांति हो सकती है कि हो गए ब्रह्म; लेकिन यह भ्रांति स्वभाव का दर्शन नहीं है। अगर तुम्हें पता है कि तुम ब्रह्म हो, तो दोहरा क्या रहे हो? अगर कोई पुरुष रास्ते पर दोहराता चले कि मैं पुरुष हूं, मैं पुरुष हूं, तो सभी को शक हो जाएगा कि कुछ गड़बड़ है! लोग कहेंगेः रुको, कुछ गड़बड़ है! यह क्या दोहरा रहे हो? अगर हो तो बात खत्म हो गई। शक है तुम्हें कुछ?

अहं ब्रह्मास्मि, इसको दोहराना थोड़े ही है! यह तो एक बार का उदघोष है। यह तो बोध की एक बार उठी उदघोषणा है। बात खत्म हो गई। यह कोई मंत्र थोड़े ही है। मंत्र तो सुझाव ही है। मंत्र शब्द का अर्थ भी सुझाव होता है। इसलिए तो हम सलाह देने वाले को, सुझाव देने वाले को मंत्री कहते हैं। मंत्र यानी सुझाव, बार-बार दोहराना। बार-बार दोहराने से मन पर एक लकीर खिंचती जाती है। और उस लकीर के कारण हमें भ्रांतियां होने लगती हैं।

'रामकृष्ण को जो काली के दर्शन हुए, क्या सर्वथा धारणा की बात थी?'

सर्वथा धारणा की बात थी। न कहीं कोई काली है, न कहीं कोई पीली। सब मन की धारणा है। और सब धारणाएं गिरनी चाहिए। इसलिए तो जब रामकृष्ण की

काली की धारणा गिर गई तो उन्होंने कहा : अंतिम बाधा गिर गई। अपनी ही धारणा थी। और जब रामकृष्ण ने तलवार उठा कर अपनी काली की धारणा को काटा, तो क्या तुम सोचते हो खून वगैरह निकला? कुछ नहीं निकला। धारणा भी झूठी थी, तलवार भी झूठी थी, झूठ से झूठ की टकराहट हुई, कुछ और हुआ नहीं।

'विभूति या भगवान के साथ संवाद क्या संभव नहीं है?'

नहीं! जो भी संवाद तुम करोगे, वह कल्पना होगी। क्योंकि जब तक तुम हो, तब तक भगवान नहीं; और जब भगवान है, तब तुम नहीं-संवाद कैसे होगा? संवाद के लिए तो दो चाहिए। तुम और भगवान साथ-साथ खड़े होओ, तो संवाद हो सकता है। जब तक तुम हो, तब तक कहां भगवान? और जब भगवान है, तब तुम कहां?

प्रेम-गली अति सांकरी तामें दो न समाएं। उस गली में दो तो नहीं समाते, एक ही बचता है, संवाद कैसा? संवाद के लिए तो दो चाहिए, कम से कम दो तो चाहिए ही।

तो तुम जिससे बातें कर रहे हो, वह तुम्हारी ही कल्पना का जाल है, वह वास्तविक भगवत्ता नहीं। भगवत्ता जब घटती है तो संवाद नहीं होता; निनाद होता है, संवाद नहीं। एक, जिसको पूरब के मनीषियों ने अनाहत-नाद कहा है, वह होता है। एक गुनगुनाहट! पर एक में ही होती है वह गुनगुनाहट; कोई दूसरे से बातचीत नहीं हो रही। वह ओंकार की ध्वनि का उठना है। लेकिन वह किसी दूसरे से बातचीत नहीं हो रही है; दूसरा तो कोई बचता नहीं।

कभी किसी भक्त ने भगवान का दर्शन नहीं किया। जब तक भगवान का दर्शन होता रहता है, तब तक भक्त भी मौजूद है; तब तक कल्पना का ही दर्शन है। इसलिए तो ईसाई जीसस से मिल लेता है, जैन महावीर से मिल लेता है, हिंदू राम से मिल लेता है। तुमने कभी हिंदू को जीसस से मिलते देखा?-भूल-चूक से कहीं रास्ते पर जीसस मिल जाएं-मिलते ही नहीं। जो अपनी धारणा में नहीं है, वह मिलेगा कैसे? तुमने कभी ईसाई को कहते देखा कि बैठे थे ध्यान करने और बुद्ध भगवान प्रकट हो गए? वे होते ही नहीं। वे होंगे कैसे? जिसका बीज धारणा में नहीं है, वह कल्पना में कैसे होगा? जो तुम्हारी धारणा है, उसी का कल्पना-विस्तार हो जाता है।

अष्टावक्र का सूत्र तो यही है कि तुम सब धारणाओं, सब मान्यताओं, सब कल्पनाओं, सब प्रक्षेपों से मुक्त हो जाओ, सब अनुष्ठान-मात्र से! अनुष्ठान-मात्र बंधन है। जब कोई भी नहीं बचता तुम्हारे भीतर—न भक्त, न भगवान—एक शून्य विराजमान होता है। उस शून्य में अहर्निश एक आनंद की वर्षा होती है। उस घड़ी कैसा संवाद, कैसा विवाद? नहीं, सब संवाद कल्पना के ही हैं।

कभी रात मुझे घेरती है
कभी मैं दिन को टेरता हूं
कभी एक प्रभा मुझे हेरती है
कभी मैं प्रकाश-कण बिखेरता हूं
कैसे पहचानूं कब प्राण-स्वर मुखर है,
कब मन बोलता है?

मैं तुमसे कहूंगा, पहचान सीधी हैः जब भी कुछ बोले, मन ही बोलता है।
जब भी कुछ दिखाई पड़े, मन ही दिखाई पड़ता है। जब कुछ भी दिखाई न पड़े,
कुछ भी न बोले—तब जो बचा, वही अ-मन है, वही समाधि है। जब तक अनुभव
हो, तब तक मन है।

इसलिए परमात्मा का अनुभव, ये शब्द ठीक नहीं; क्योंकि अनुभव-मात्र
तो मन के होते हैं। अनुभव-मात्र तो द्वंद्व और द्वैत के होते हैं, द्वि के होते हैं।
जब अद्वैत बचा, तो कैसा अनुभव? इसलिए 'आध्यात्मिक अनुभव' यह
शब्द ठीक नहीं है।

जहां सब अनुभव समाप्त हो जाते हैं, वहां अध्यात्म है। नहीं तो तुम खेल
खेलते रह सकते हो। यह खेल धूप-छाया का खेल है।

जो तुम श्रद्धा नमन बनो तो
मैं सुरभित चंदन बन जाऊं
यदि तुम पावन प्रतिमा हो तो
मैं जीवन का अर्घ्य चढ़ाऊं

तुम तो छिपे सीप-मोती-से
मैं सागर का ज्वार बन गया
जो तुम स्वाति-बूंद बन बरसो
मैं सौ-सौ सावन पी जाऊं

अंजुरी भर सपनों की आशा
खोज रही जीवन-परिभाषा
जो तुम मंगल-दीप बनो तो
मैं जीवन की ज्योति जलाऊं

मौन साध आतुर अभिलाषा
खोल रही नैनों की भाषा
जो तुम चरण धरो धरणी पर
मैं मोतिन से हंस चुगाऊं

कस्तूरी मृग की सी छलना
झुला रही मायावी पलना
जो तुम मानस-दीप धरो तो
मैं सौ-सौ बंदन बन जाऊं!

पर यह सब कल्पना का खेल है। खेलना हो, खेलो। सुखद कल्पना का खेल है, बड़ा प्रतिकर, बड़ा रसभरा-पर है कल्पना का खेल! इसे सत्य मत मान लेना। सत्य तो वहां है जहां न मैं, न तू। सत्य तो वहां है जहां द्वि गई, द्वंद्व गया, द्वैत गया; बचा एक-एक ओंकार सतनाम।

आखिरी प्रश्नः कोटि-कोटि नमन! आबू की पावन पहाड़ी पर, आपके वरदहस्त की छाया में आने का सौभाग्य हुआ, तब से कितना खोया है, कितना पाया है, उसका हिसाब नहीं है। धन्य-धन्य हो गया है जीवन! प्रश्न बनता नहीं, जबरदस्ती बना रहा हूं। आपके मुखारविंद से शिविर-समापन के दिन दो शब्द सुनने के लिए बेचैन हो रहा हूं, भिक्षा-पात्र में दो फूल डालने की अनुकंपा आज जरूर करें!

दो क्यों, तीन सही—

हरि ॐ तत्सत्!
❋ ❋ ❋

ओशो—एक परिचय

सत्य की व्यक्तिगत खोज से लेकर ज्वलंत सामाजिक व राजनैतिक प्रश्नों पर ओशो की दृष्टि उनको हर श्रेणी से अलग अपनी कोटि आप बना देती है। वे आंतरिक रूपांतरण के विज्ञान में क्रांतिकारी देशना के पर्याय हैं और ध्यान की ऐसी विधियों के प्रस्तोता हैं जो आज के गतिशील जीवन को ध्यान में रख कर बनाई गई हैं।

अनूठे ओशो सक्रिय ध्यान इस तरह बनाए गए हैं कि शरीर और मन में इकट्ठे तनावों का रेचन हो सके, जिससे सहज स्थिरता आए व ध्यान की विचार रहित दशा का अनुभव हो।

ओशो की देशना एक नये मनुष्य के जन्म के लिए है, जिसे उन्होंने 'ज़ोरबा दि बुद्धा' कहा है—जिसके पैर जमीन पर हों, मगर जिसके हाथ सितारों को छू सकें। ओशो के हर आयाम में एक धारा की तरह बहता हुआ वह जीवन-दर्शन है जो पूर्व की समयातीत प्रज्ञा और पश्चिम के विज्ञान और तकनीक की उच्चतम संभावनाओं को समाहित करता है। ओशो के दर्शन को यदि समझा जाए और अपने जीवन में उतारा जाए तो मनुष्य-जाति में एक क्रांति की संभावना है।

ओशो की पुस्तकें लिखी हुई नहीं हैं बल्कि पैंतीस साल से भी अधिक समय तक उनके द्वारा दिए गए तात्कालिक प्रवचनों की रिकार्डिंग से अभिलिखित हैं।

लंदन के 'संडे टाइम्स' ने ओशो को 'बीसवीं सदी के एक हजार निर्माताओं' में से एक बताया है और भारत के 'संडे मिड-डे' ने उन्हें गांधी, नेहरू और बुद्ध के साथ उन दस लोगों में रखा है, जिन्होंने भारत का भाग्य बदल दिया।

ओशो इंटरनेशनल मेडिटेशन रिजॉर्ट

ओशो मेडिटेशन रिजॉर्ट का निर्माण इसलिए किया गया ताकि लोग जीने की नई कला का सीधा अनुभव ले सकें—अधिक होशपूर्वक होकर, हास्य और आराम के साथ। यह भारत के मुंबई शहर से सौ मील दक्षिण पूर्व में पूना के कोरेगांव पार्क में वृक्षों से परिपूर्ण चालीस एकड़ आवासीय क्षेत्र में स्थित है। रिजॉर्ट सौ से अधिक देशों से हर साल आने वाले हजारों लोगों के लिए अलग-अलग तरह के कार्यक्रम प्रस्तुत करता है। नवनिर्मित ओशो गेस्ट हाउस परिसर में लोगों के लिए आवास की सुविधा उपलब्ध है।

मेडिटेशन रिजॉर्ट में मल्टीवर्सिटी कार्यक्रम प्रसिद्ध झेन उद्यान, ओशो तीर्थ से सटे पिरामिड परिसर में संचालित होते हैं। ये कार्यक्रम व्यक्तिगत रूपांतरण के लिए व लोगों को जीने की एक नई कला सिखाने के उद्देश्य से तैयार किए गए हैं—एक जाग्रत अवस्था जिसे वे दैनिक जीवन में उतार सकते हैं। आत्म-खोज सत्र, सैशन, कोर्स और अन्य ध्यान प्रक्रियाएं पूरे साल चलती हैं। शरीर को स्वस्थ रखने के लिए एक खूबसूरत व्यवस्था का प्रावधान है जिसमें झेन प्रक्रिया के साथ खेल और मनोरंजन का अनुभव लिया जा सकता है।

मुख्य ध्यान सभागार में सुबह छह बजे से रात ग्यारह बजे तक प्रतिदिन सक्रिय व अक्रिय ध्यान विधियां होती हैं, जिसमें रोज संध्या-सभा ध्यान भी शामिल है। रात को रिजॉर्ट का बहुसांस्कृतिक जीवन खिल उठता है-मित्रों के संग खुले आकाश के नीचे भोजन-स्थल और अक्सर संगीत व नृत्य के साथ। रिजॉर्ट की साफ व शुद्ध पीने के पानी की अपनी व्यवस्था है और यहां परोसे गए भोजन में रिजॉर्ट के अपने फार्म हाउस में उगाई गई सब्जियों का प्रयोग होता है।

मेडिटेशन रिजॉर्ट का ऑन लाइन टूर, साथ ही यात्रा और कार्यक्रमों की जानकारी www.osho.com से प्राप्त की जा सकती है। यह अलग-अलग भाषाओं में विस्तार में दी गई वेबसाइट है, जिसमें हैं—ऑन लाइन ओशो टाइम्स पत्रिका, ऑडियो व वीडियो वेबकास्टिंग, ऑडियो बुक क्लब, ओशो प्रवचनों के संपूर्ण अंग्रेजी व हिंदी अभिलेख और ओशो के वीडियो, ऑडियो व पुस्तकों की संपूर्ण सूची। साथ ही हैं ओशो द्वारा विकसित किए गए सक्रिय ध्यानों की जानकारी जो ज्यादातर वीडियो प्रदर्शन के साथ हैं।

मेडिटेशन रिजॉर्ट में सहभागी होने व अधिक विस्तृत जानकारी के लिए संपर्क करें :

ओशो इंटरनेशनल मेडिटेशन रिजॉर्ट

17 कोरेगांव पार्क, पुणे-411001, महाराष्ट्र

फोन : 020-56019999 फैक्स : 020-56019990

e-mail - resortinfo@osho.net

Website - www.osho.com

ओशो का हिंदी साहित्य

ओशो के ऑडियो-वीडियो, प्रवचन एवं साहित्य के संबंध में
समस्त जानकारी हेतु संपर्क सूत्रः

साधना फाउंडेशन

17, कोरेगांव पार्क, पुणे-411001
फोन : 020-6136655, फैक्स : 020-6139955
E-mail: distrib@osho.net, Website: www.osho.com

डायमंड पॉकेट बुक्स में
ओशो का हिंदी साहित्य

बोले शेख फरीद
क्या मेरा क्या तेरा
हीरा पायो गांठ गठियाओ
तेरा साई तुझ में
नहीं जोग नहीं जाप
रैदास वाणी
सत भाषै रैदास
ऐसी भक्ति करे रैदासा
मीरा वाणी
मीरा के प्रभु गिरधर नागर
राम नाम रस पीजे
मेरे तो गिरधर गोपाल
गोरख वाणी
हंसे खेलें न करे मन भंग
जीवन संगीत
दरिया वाणी
दरिया झूठ सो झूठ है
जित देखूं तित तू
बाबा मलूकदास की वाणी
राम दुवारे जो मरे
जगजीवन साहब की वाणी
नाम सुमिर मन बावरे
अरी, मैं तो नाम के रंग छकी
संत सुंदरदास की वाणी
ज्योति से ज्योति जले
समाधि के नृत्य गीत
भीखा वाणी
गुरु परताप साध की संगति
संत पलटूदास की वाणी
अजहूं चेत गंवार
दादू वाणी
दादू सहजै देखिए
राम नाम निज औषधि
महावीर वाणी
धर्म का परम विज्ञान

आत्मशुद्धि का सूत्र
संकल्प साधना
सत्य और साहस
धनी धरमदास की वाणी
जस पनिहार धरे सिर गागर
का सोवे दिन रैन
संत रज्जब की वाणी
सन्तो मगन भया मन मेरा
समाधि की सुराही
संत गुलाल की वाणी
झरत दसहूं दिस मोती
मन मधुकर खेलत वसंत
प्रश्नोत्तर
सुमिरन मेरा हरि करे
उड़ियो पंख पसार
मैं धार्मिकता सिखाता हूं, धर्म नहीं
चल हंसा उस देश
कहा कहूँ उस देश की
बहुतेरे हैं घाट
पत्र संकलन
पाथेय
शांडिल्य सूत्र
अथातो भक्ति जिज्ञासा
भक्ति विराट से मैत्री
भक्ति परम क्रान्ति
भक्ति ध्यान की मधुशाला
पंच महाव्रत
ज्यों की त्यों धरि दीन्हीं चदरिया
साधना पथ
शून्यता है महामुक्ति
प्रेम है द्वार सत्य का
भारत एक अनूठी संपदा
एक मात्र उपाय जागो
नव संन्यास क्या
ध्यान की कला

◉ डायमंड पॉकेट बुक्स [प्रा.] लि.

X-30, ओखला इंडस्ट्रियल एरिया, फेज-2, नई दिल्ली-20, फोन: 011-41611861
फैक्स: 011-41611866, E-mail : sales@diamondpublication.com,
Website : www.diamondpublication.com